De um gole só

ARIANE ABDALLAH

De um gole só
A história da AmBev e a criação da maior cervejaria do mundo

2ª reimpressão

PORTFOLIO
PENGUIN

Copyright © 2019 by Ariane Abdallah

A Portfolio-Penguin é uma divisão da Editora Schwarcz S.A.

PORTFOLIO and the pictorial representation of the javelin thrower are trademarks of Penguin Group (USA) Inc. and are used under license. PENGUIN is a trademark of Penguin Books Limited and is used under license.

Grafia atualizada segundo o Acordo Ortográfico da Língua Portuguesa de 1990, que entrou em vigor no Brasil em 2009.

CAPA Alceu Chiesorin Nunes
FOTO DE CAPA © Clarkland Company/ Gettyimages
CADERNO DE FOTOS Osmane Garcia Filho
PREPARAÇÃO Lígia Azevedo
CHECAGEM Érico Melo
ÍNDICE REMISSIVO Luciano Marchiori
REVISÃO Clara Diament e Márcia Moura

Dados Internacionais de Catalogação na Publicação (CIP)
(Câmara Brasileira do Livro, SP, Brasil)

Abdallah, Ariane
    De um gole só : a história da AmBev e a criação da maior cervejaria do mundo / Ariane Abdallah. — 1ª ed. — São Paulo : Portfolio-Penguin, 2019.

    ISBN 978-85-8285-089-3

    1. Companhia de Bebidas das Américas (AmBev) 2. Cervejarias – Brasil – História I. Título.

19-26456   CDD-641.230981

Índice para catálogo sistemático:
1. AmBev : Cervejarias : História : Brasil 641.230981

Cibele Maria Dias – Bibliotecária – CRB-8/9427

Todos os direitos desta edição reservados à
EDITORA SCHWARCZ S.A.
Rua Bandeira Paulista, 702, cj. 32
04532-002 – São Paulo – SP
Telefone: (11) 3707-3500
www.portfolio-penguin.com.br
atendimentoaoleitor@portfoliopenguin.com.br

*Dedico este livro ao
Heitor Mauricio Cotrim*

SUMÁRIO

Prólogo: O nosso mundo 9

PARTE 1: O BRASIL

1. Uma máquina enferrujada 23
2. Não é só sobre dinheiro 29
3. Uma empresa de muitos donos 44
4. Uma enorme startup 68
5. Antarctica: a Brahma de ontem 89
6. Que tal engolir a concorrência? 108
7. O fato que foi contra os argumentos 122
8. Aposta dobrada 143
9. A sombra do gigante 159

PARTE 2: O MUNDO

10. A cervejaria dos hermanos 177
11. Quem comprou quem? 195
12. Os garotos do Brasil 218
13. Esta Bud é para você 233
14. Todo o dinheiro do mundo 250
15. Multinacional e artesanal 274
16. A revolta contra o milho 289
17. O mundo é nosso 304
18. A maior cervejaria do planeta 317

PARTE 3: O FUTURO

19. O que vem depois de tudo? 333

Agradecimentos 349
Fontes 353
Créditos das imagens 413
Índice remissivo 414

PRÓLOGO
O nosso mundo

O ano de 1990 mal começara quando os empresários Marcel Telles e Magim Rodriguez foram convidados para almoçar com o então superintendente comercial da Rede Globo, Antônio Athayde. Fazia aproximadamente um mês que eles haviam assumido o comando da Brahma, à época segunda maior produtora de cerveja e refrigerantes no Brasil, conhecida pelos problemas em sua gestão. Embora os executivos não fossem afeitos a bajulação e já tivessem certa resistência à imprensa, aquele não era um convite para recusar. Tratava-se do maior grupo de mídia do Brasil, e, se havia uma certeza em relação ao futuro próximo, era de que eles precisariam investir quantias consideráveis em marketing para colher os frutos da aposta de US$ 60 milhões feita pelos sócios do Banco Garantia ao adquirir a companhia carioca.

Marcel e Magim ocupavam respectivamente o cargo de diretor-geral e diretor de marketing da Brahma (Magim depois viria a se tornar diretor superintendente). Na prática, o combinado era que tocariam o negócio juntos desde o início. Chegando à sede da emissora, no Rio de Janeiro, os dois encontraram não apenas o anfitrião, mas também Flávio Corrêa, conhecido como Faveco, presidente da SMP&B, agência de publicidade que detinha a conta da cervejaria. Era a primeira vez que eles se viam. Seguiram para o salão privado e logo um garçom paramentado chegou para servi-los.

"O que o senhor vai tomar?", perguntou, para cada convidado.

Quando chegou sua vez, Flávio respondeu sem rodeios:

"Uma coca, por favor."

Marcel sorriu. A Coca-Cola era distribuída no Brasil pela Kaiser, a segunda maior concorrente da cervejaria carioca. Com a mesma objetividade, e ainda sorrindo, ele comunicou:

"O senhor acaba de perder a conta da Brahma."

O recado estava dado. Não apenas para Flávio, mas para quem estivesse interessado naquele novo modo de fazer negócio no Brasil.

Muitos donos e nenhuma parede

O carioca Marcel Telles era sócio do Banco Garantia, responsável pelo investimento financeiro na Brahma. A ideia partira do sócio-fundador, Jorge Paulo Lemann, também carioca, que durante quatro meses conduzira sozinho as conversas com os antigos controladores da cervejaria, a família alemã Gregg. Lemann comprara a corretora Garantia em 1971, dezoito anos antes, com um grupo de sócios. O banco era reconhecido no mercado pela alta lucratividade. No final de 1996, dois anos antes de ser vendido para o Credit Suisse, tinha acumulado um patrimônio de US$ 550 milhões. Naquele ano foi considerado pela revista britânica *Euromoney* a melhor empresa de negociação de títulos do Brasil e a instituição mais confiável do país pela terceira vez consecutiva. A Institutional Investor, uma das mais respeitadas empresas de pesquisa do mundo, elegera as pesquisas de ações do banco as melhores do Brasil.

Agora Lemann procurava oportunidades para diversificar os investimentos e aumentar a rentabilidade do dinheiro que sobrava no caixa. Completava o trio dos principais sócios do banco Carlos Alberto Sicupira, conhecido como Beto, que tocava outro negócio: a rede varejista Lojas Americanas, adquirida pelo Garantia sete anos antes da Brahma, em 1982.

Havia motivos para que a cervejaria fosse uma das apostas do grupo. Fazia algum tempo que Lemann havia observado que os nomes de donos de cervejarias figuravam recorrentemente nas mais altas colocações das listas das pessoas mais ricas de cada país da América Latina. "Quem era o cara mais rico da Venezuela? Um cervejeiro [a família Mendoza, da Polar]. O cara mais rico da Colômbia? Um cervejeiro [o do grupo Santo Domingo, dono da Bavaria]. O mais rico da Argentina? Um cervejeiro [família Bemberg, da Quilmes]", disse ele, certa vez. "Esses caras não podiam ser todos gênios... O negócio devia ser bom." A Brahma, por sua vez, reunia elementos favoráveis para o empresário testar sua tese. Era uma companhia familiar cheia de hierarquias e ineficiências, com o quadro de funcionários inchado, inclusive por acionistas ocupando posições na diretoria. Se o ambiente era complexo, o produto era simples. Cerveja é cerveja, em qualquer lugar do mundo. Ou seja, aquele era um prato cheio para financistas especializados em cortar gorduras, desenvolver e lapidar processos.

A aquisição era apenas a ponta do iceberg de um projeto muito mais ambicioso do que o consumidor e o próprio mercado poderiam prever. "Nosso objetivo é ser uma das cinco maiores cervejarias do mundo", dizia Marcel, nos anos 1990, em reuniões. Em poucos anos, os planos já eram maiores: "Queremos comprar a Anheuser-Busch [dona da Budweiser]". Tratava-se de um ícone norte-americano e a marca mais consumida do mundo. As frases do empresário soavam como devaneio aos ouvidos comuns.

Assim que os novos donos deram os primeiros passos dentro da Brahma, começaram a construir a cultura que Lemann idealizara. Era um jeito de conduzir os negócios baseado em atrair, reter e desenvolver os melhores talentos e criar uma rígida meritocracia, vinculada a um modelo de sociedade que transformava os funcionários com melhor desempenho em donos de parte da companhia.

A inspiração vinha da gestora americana Goldman Sachs, que naquela época já havia construído uma cultura forte baseada em atração e avaliação de profissionais, remuneração competitiva e oportunidade de participação societária. Na prática, para trabalhar na cervejaria, o trio buscava pessoas com "brilho nos olhos" e "faca nos dentes" — expressões que logo iriam se tornar jargão no mundo corporativo e esses funcionários, sonho de consumo de empresas dos mais diversos setores.

A mentalidade de Lemann era simples: as pessoas exercitam apenas parte de seu potencial na condição de funcionárias. Para entregar tudo de que são capazes, precisam se sentir donas do negócio. E, para isso, só tem um jeito: serem de fato donas do negócio.

No dia a dia, a nova gestão consistia em medir absolutamente todos os indicadores de desempenho da maneira mais objetiva possível, criar processos padronizados para isso e não perder tempo com questões supérfluas, como roupas formais, vagas de estacionamento reservadas para a diretoria e... paredes. Os executivos passaram a compartilhar as poucas secretárias que sobraram. As roupas sociais foram substituídas por calça jeans, camisa social ou polo. Os mais aderentes à cultura andavam de sapatos estilo dockside, relógio esportivo e mochila. Ver Marcel ou Magim com os pés nas mesas não era raro — uma cena que comunicava a informalidade da cultura, sem deixar dúvidas de quem comandava o negócio. Palavrões se tornaram parte do vocabulário. A assertividade, na fala e na ação, era pré-requisito, e quem não acompanhasse o ritmo era atropelado por colegas e chefes. Planilhas de Excel abrigavam números sobre todos os temas possíveis. Quem chegasse primeiro pegava o melhor lugar no estacionamento — independentemente do cargo que tivesse. As salas fechadas, que antes indicavam a importância do executivo que as ocupava, deixaram de existir. Todos agora compartilhavam mesas de mesmo tamanho, dispostas em um ambiente aberto. Começava uma revolução não apenas na Brahma, mas no ambiente corporativo brasileiro em geral.

Os resultados apareceram em pouco tempo. Um ano depois da compra, em 1991, a Brahma assumiu a liderança do mercado de cerveja brasileiro, superando a Antarctica. Em 1989, seu faturamento foi de US$ 780 milhões, e o lucro, de US$ 36 milhões. Seis anos depois, em 1995, a receita bruta estava em US$ 3,05 bilhões, e os lucros tinham se multiplicado por oito, indo para US$ 282 milhões. As mudanças foram decorrentes de um corte de custos, inicialmente impulsionado pela diminuição do quadro de funcionários em 10%, somado a um aumento de eficiência. À medida que entendiam melhor o negócio, os novos gestores criavam padrões para aumentar a produtividade. O organograma foi revisto, com redução de funções e camadas hierárquicas, fábricas foram fechadas e processos foram desenvolvidos para garantir o constante aumento do faturamento e a revisão das despesas — com o compromisso de diminuí-las ano a ano.

Onze anos após a aquisição da Brahma, em 2000, veio a segunda grande transformação na empresa: o trio do Banco Garantia conduziu a fusão com sua principal concorrente, a cervejaria paulistana Antarctica — que tinha uma realidade parecida com a da Brahma na época da aquisição. Consolidar duas empresas rivais ainda era uma novidade para o mercado brasileiro no final dos anos 1990. Nesse caso, um agravante chamava ainda mais a atenção e tornava o caso polêmico: a Companhia de Bebidas das Américas (AmBev) nascia com aproximadamente 70% de participação no mercado de cerveja nacional.

O risco de a empresa resultante ser interpretada como monopolista e, portanto, uma ameaça à livre concorrência fez barulho durante o processo de fusão no Conselho Administrativo de Defesa Econômica (Cade). A seu favor, a AmBev tinha o apoio do então presidente Fernando Henrique Cardoso e o marketing de um discurso nacionalista. A promessa era de que seria uma multinacional "verde-amarela", o que traria boas oportunidades econômicas para o país no cenário internacional. Tecnicamente, não seria a primeira empresa brasileira a fazer esse movimento: companhias como Embraer, Odebrecht e Petrobras já haviam expandido sua atuação para o exterior. Mas nenhuma havia se apropriado desse discurso de maneira tão veemente.

A operação impulsionou ainda mais o negócio. A receita líquida da companhia foi de R$ 6,5 bilhões, em 2001, para R$ 7,3 bilhões, em 2002. O lucro líquido partiu de R$ 784,6 milhões, em 2001, para R$ 1,5 bilhão em 2002. Junto vieram consequências intangíveis e de impacto incalculável. Em dezembro de 2000, a revista *Exame* publicou uma reportagem de capa que enfatizava a agressividade dos executivos e a hipercompetitividade estimulada pela liderança. Eram mencionadas as aulas do curso de MBA oferecido pela empresa "a cinquenta de seus profissionais de maior potencial de crescimento".

[Os alunos] querem fazer as perguntas mais inteligentes, dar as respostas certas, apresentar os melhores trabalhos. Sobre suas mesas, há dezenas de pequenos tomates vermelhos de tecido. Cada vez que um palestrante ou aluno fala algo considerado tolice, voam tomates de todos os lados. Literalmente [...] É brincadeira.

É sério. É divertido e, ao mesmo tempo, cruel. Pode parecer o inferno corporativo. O surpreendente é que as pessoas que fazem a empresa parecem adorar o calor de suas labaredas.

Nos anos seguintes, vieram outras notícias pouco favoráveis à AmBev. Em 2012, por exemplo, o jornal *O Estado de S. Paulo* publicou a notícia de que a companhia teria de pagar R$ 50 mil de indenização a um ex-vendedor por danos morais. Entre as punições por não bater as metas estabelecidas, a reportagem destacava que ele tinha sido obrigado a fazer flexões de braço diante dos colegas. Outros casos divulgados na mesma época mencionavam a proibição de sentar durante reuniões, a obrigação de dançar na frente dos outros e o uso de camisas com dizeres ofensivos.

Nos primeiros anos de existência, a AmBev já tinha uma imagem tão cultuada quanto questionada. Era admirada por jovens estudantes de cursos como administração e economia e por executivos com sede de desafio e dinheiro. Ao mesmo tempo, era considerada pela opinião pública agressiva demais. O foco em eficiência atraía alguns e criava resistência em outros. A maioria dos aproximadamente trinta ex-funcionários que foram ouvidos para este livro defende que, da perspectiva de quem faz parte da companhia, aquela era uma cultura justa na aplicação da meritocracia, oferecendo mais oportunidades para quem apresentava resultados melhores para a companhia. Uma cultura direta, enérgica e ágil. E a maioria defende que isso era bom, embora pela mídia não parecesse. Mas alguns ex-funcionários e reportagens publicadas na imprensa sugerem que, em algumas ocasiões, a ambição se confundia com ganância. O que profissionais que se identificam com a proposta chamam de superação de limites em busca de excelência, outros, entre os que preferiram sair ou foram demitidos por não se adequar à cultura, consideram obsessão por dinheiro a qualquer custo.

Mas nem os analistas mais atentos e otimistas poderiam prever o que a cultura AmBev realizaria em menos de duas décadas. A empresa começou sua expansão internacional pela América Latina ainda na época em que era só Brahma. Em 2004, atravessou o oceano e uniu sua forte cultura focada em pessoas e meritocracia à experiência e tradição da belga e centenária Interbrew, dona de marcas como Stella Artois e Jupiler. A fusão das duas empresas criou a InBev. Na época, os investidores brasileiros ficaram confusos. Quem vai comandar a nova companhia?, perguntavam-se. Os belgas ou os brasileiros? Em poucos anos, ficou claro que aquele era um raro caso bem-sucedido de cogestão, em que cada uma contribuía com seus pontos fortes, embora os europeus tenham ficado com a maior parcela de ações. Em 2008, a empresa chegou aos Estados Unidos no melhor contexto possível para os brasileiros e belgas. Adquiriu a Anheuser-Busch, ícone norte-americano, por US$ 52 bilhões. Dois meses depois, quando estourou a crise econômica que levou à quebra de bancos como o Lehman Brothers, já estava formada a maior cervejaria do mundo.

Uma notícia assustadora e empolgante

No dia 28 setembro de 2016 foi anunciado que a Anheuser-Busch InBev (AB InBev) — controladora da AmBev no Brasil — comprara sua principal concorrente, a afro-inglesa SABMiller. Com aproximadamente 10% de participação no mercado global, a empresa com sede em Londres era resultado da aquisição da americana Miller Brewing Company pela sul-africana SAB, em 2002. Segunda maior fabricante de cerveja do mundo, tinha entre seus acionistas o grupo americano de tabaco Altria (ex-Philip Morris), com 36% das ações, e o colombiano Santo Domingo, com 14%. A partir dessa aquisição, a AB InBev adentrava o único continente no qual ainda não estava presente: a África.

Dez meses antes, no dia 11 de novembro de 2015, Vaughan Croeser, diretor de marketing da marca Castle Lager, da SAB, aguardava seu voo para a Cidade do Cabo no Aeroporto Internacional de Johannesburgo quando leu a seguinte notícia na Bloomberg pelo celular: "AB InBev compra SABMiller por US$ 107 bilhões".* Na hora, mandou uma imagem da tela por WhatsApp para sua chefe, Andrea Quaye, diretora de marketing da companhia. "Aconteceu!", ele escreveu.

Andrea estava em reunião quando recebeu a mensagem. A notícia não surpreendeu nenhum dos dois. A equipe de marketing esperava recebê-la a qualquer momento desde 2010, quando um ex-diretor recomendou que todos lessem o livro *Destronando o rei*, da jornalista Julie MacIntosh, ex-correspondente do jornal britânico *Financial Times*. Trata-se de um relato detalhado da compra da Anheuser-Busch (AB) pela empresa brasileiro-belga InBev, em 2008. A história é contada de uma perspectiva americana, já que a repórter entrevistou mais executivos e pessoas próximas à AB do que à InBev, e mostra como os brasileiros agem ao adquirir outra empresa. Era inevitável considerar que a SAB, principal concorrente no mercado global, seria uma das próximas presas da AB InBev.

A chamada da Bloomberg que Vaughan leu levava a um vídeo em que jornalistas debatiam a compra da SAB e seus impactos com um diretor do Deutsche Bank, Francesco Curto. "A pergunta agora é: 'O que vem depois?'", diz Francesco logo no começo da conversa. "Porque agora temos um grupo que, com-

---

* "AB InBev Buys SABMiller for $107 Billion as U.S. Deal Agreed", Bloomberg, 11 nov. 2015. https://bloom.bg/2UE8dKJ

binado, vai ter 30% de participação no mercado de cerveja globalmente. Nesse ponto, é muito difícil ver como a empresa vai continuar crescendo."

Shobna Persadh, recém-promovida à diretoria de Negócios Corporativos da SAB, estava andando pelo corredor da empresa quando foi parada por um colega e recebeu a notícia. No mesmo dia, comprou dezenas de exemplares de *Destronando o rei*, distribuiu para outras pessoas da empresa e logo ficou conhecida como "A mulher do livro". Shobna leu o relato de Julie MacIntosh no fim de semana seguinte. Na segunda-feira, quando chegou ao escritório, começou a empacotar seus pertences. Quando perguntavam por quê, ela respondia: "Estou me preparando para a AB InBev. E sugiro que você faça o mesmo".

> Eu não precisava de ninguém para me dizer que não teria mais aquele escritório. Foi o que eles fizeram na Anheuser-Busch. Se compraram a empresa americana em uma aquisição hostil e não restou nem um único membro da família acionista na AB InBev, eram esses seu estilo e seu modelo. Eu sabia que uma mudança estava a caminho. Então, de uma perspectiva pessoal, a abracei. Sabia que eu tinha que ser ágil e flexível.

Apesar de estar disposta a se adaptar ao novo contexto, Shobna lamentou se desfazer de sua sala. "Eu tinha um escritório realmente chique", diz ela, rindo. "Com muitas janelas, um piso sofisticado e até uma lagoa com peixes coloridos, pelos quais devíamos ter pagado uns 25 mil rands [o equivalente a cerca de 6.850 reais]". A executiva trabalhava na SAB havia seis anos, desde 2010. A partir daquele momento, ficou à espera do novo chefe. "Estava pronta para receber um grande monstro."

Depois de ler o livro, ela e outros colegas refinaram suas pesquisas. Uma das fontes mais consultadas foi um perfil da empresa publicado no *Financial Times*, no dia 15 de junho de 2015. O título era "Os implacáveis reis da cerveja da AB InBev".* O texto mencionava as potenciais aquisições iminentes da empresa — SABMiller aparecia no topo da lista, seguida por outras companhias globais do ramo: Diageo, Coca-Cola e PepsiCo. O artigo também descrevia a trajetória, o estilo de gestão e os principais pontos da cultura da companhia.

O segundo parágrafo da reportagem soava como uma previsão do que viveriam os africanos dali a alguns meses:

> Depois de a Anheuser-Busch, dona da Budweiser, concordar em ser adquirida pela InBev em 2008, o sr. Brito [Carlos Brito, CEO da AB InBev] e seus colegas da InBev chegaram à sede do grupo norte-americano em Saint Louis 24 horas antes para começar a tirar as pessoas da zona de conforto e avaliar quais executivos seniores

---

* "AB Inbev's Hard-Nosed Kings of Beer", *Financial Times*, 15 jun. 2015. https://on.ft.com/2W65FWZ

se encaixariam [à nova cultura]. "Em qualquer empresa, há 20% que lideram, 70% que conseguem seguir e 10% que não fazem nada", lembra o sr. Brito. "Então, claro, você precisa se livrar desses 10%... Eles estão sempre infelizes e reclamando.

O que mais chamava a atenção daqueles leitores diretamente interessados no assunto eram as descrições do perfil dos executivos (jovens enérgicos e objetivos), o constante corte de custos e a pressão por resultados, que criava um ambiente difícil.

A reportagem apresenta o brasileiro Carlos Brito, CEO global da AB InBev, como alguém que praticamente vive para o trabalho. "'Minha vida é a empresa e minha família", ele disse em uma entrevista. Brito reconhece que não tem hobbies e que o único passatempo que se permite é correr na esteira por meia hora todos os dias.

Para conhecê-lo melhor, algumas pessoas procuraram vídeos de suas tradicionais palestras para alunos da Universidade Stanford — que têm o objetivo de atrair jovens talentos. Nessas ocasiões, o executivo apresenta os principais aspectos da cultura organizacional, que hoje define como "Dream People Culture" ["Nosso sonho, nossa gente, nossa cultura"]. "Sonho é algo que todo ser humano entende muito mais do que visão e missão", resume em uma dessas palestras, no dia 11 de novembro de 2010. Na mesma apresentação, ele fala sobre meritocracia:

> Se alguém se dedica mais tempo, produz mais resultados, tem mais potencial, está disposto a roer um osso mais duro, está disposto a assumir mais responsabilidade, a ir a outros lugares, a ser transferido, merece mais oportunidade, mais exposição, mais aprendizado e construir uma riqueza de acordo com o valor que está criando.

Ao ler as descrições sobre o novo chefe, os funcionários da SAB ficavam, em geral, assustados. No entanto, ao assistir a Brito em suas palestras, tinham outra impressão. O que ele dizia parecia fazer sentido e, para alguns, soava até como um convite atraente. "Estávamos com muito medo e muito empolgados", resume Vaughan Croeser, diretor de marketing. Entre o momento do anúncio da compra, em novembro de 2015, e a aprovação do acordo por todos os órgãos internacionais competentes e pelos acionistas, concluída em setembro do ano seguinte, decorreram aproximadamente dez meses. Durante esse período, Nirishi Trikamjee, diretora de Negócios Corporativos da companhia, se perguntava: "Como lidar com esse misto de intensa tristeza e entusiasmo?".

Reencontro com a origem

Antes da aquisição pela AB InBev, a SABMiller estava para a África do Sul assim como a AmBev estava — e ainda está — para o Brasil. Apesar de tecnicamente não ter sido a primeira multinacional verde-amarela, foi fundamental para melhorar a autoestima do ambiente empresarial brasileiro, colocando o país em condições de competir com os melhores e maiores do mundo. A AmBev está entre as cinco empresas dos sonhos dos jovens, segundo a pesquisa da consultoria Cia de Talentos de 2016. Na última década, outras empresas brasileiras dos mais variados setores contrataram ex-funcionários e consultores da AmBev com a missão de reproduzir a cultura e o sistema de gestão focado em pessoas talentosas, alto desempenho e ótimos resultados.

A South African Breweries (SAB) foi fundada em 1895, em Johannesburgo, na África do Sul. Era a segunda maior fabricante de cerveja do mundo, atrás apenas da AB InBev. Com mais de duzentas marcas de cerveja no portfólio, estava presente em mais de oitenta países em 2016. Naquele ano, foi eleita a segunda melhor empresa para se trabalhar na África do Sul. "Eu só queria trabalhar na South African Breweries", diz Nirishi. Alastair Hewitt, diretor de marcas globais, está na empresa desde 1985 e faz um depoimento que revela orgulho similar:

> Éramos apenas a South African Breweries até 1992, quando começamos a comprar cervejarias ao redor do mundo e nos tornamos um modelo para a África do Sul. [...] Uma empresa sul-africana é algo que gera um orgulho inacreditável. Em todo lugar em que você fosse, se dissesse que trabalhava lá, a reação era: "Uau! Você trabalha na SAB!".

Alastair lembra que em 2002 fazia MBA na Universidade de Chicago quando foi anunciado que a SAB adquirira a americana Miller Brewing Company, formando a SABMiller. "Na minha classe, havia 47 americanos, dois britânicos e eu, sul-africano. Os americanos ficaram completamente descrentes. Quando souberam que eu trabalhava na SAB, começaram a me interrogar: 'Como uma empresa sul-africana comprou uma americana? Isso é impossível!'". Ele confessa que pensou o mesmo seis anos depois, em 2008, quando soube que a empresa brasileiro-belga InBev comprara a Anheuser-Busch. E não foi só ele. Diante da aquisição de um ícone norte-americano por estrangeiros, um grupo de pessoas nos Estados Unidos criou um site chamado "Save Budweiser" [Salve a Budweiser], que recebeu dezenas de milhares de assinaturas. O site global AdAge, que divulga notícias sobre marketing e mídia, publicou um artigo em 2008 no qual lembra que um de seus executivos disse, diante da aquisição da Anheuser-Busch: "Isso pode ser um desastre".

Agora, Alastair sentia na pele o mal-estar de ter uma empresa que é um orgulho nacional sendo passada a mãos estrangeiras. Então fez uma lista de perguntas sobre como a empresa funcionaria dali em diante e a enviou por e-mail para Carlos Brito. As respostas vieram em uma videoconferência entre os dois executivos. "Ele sentou à mesa e falou por quarenta minutos sem parar, respondendo tudo o que eu havia perguntado", conta Alastair.

Na conversa privada e depois em uma com outros diretores presentes, Brito enfatizou justamente a similaridade entre a SAB que foi adquirida e a AmBev que ele ajudara a construir nos anos 2000.

> Quando olhamos de onde viemos e de onde a SAB veio, vemos o quanto é similar [...] Uma questão que frequentemente surge é: "Quais as diferenças entre as duas empresas? Teremos algum problema no futuro em relação à cultura ao juntarmos as duas companhias?". Quanto mais eu aprendo sobre os dois negócios, mais similaridades eu vejo [...].

Um dos pontos em comum destacados por Brito foi o foco em pessoas acima de tudo. "Para sonhar grande, precisamos das pessoas certas. De ótimos líderes. Porque, no fim das contas, a empresa só pode ser tão boa quanto as pessoas e os líderes que fazem parte dela."

O encontro com a SAB foi como uma revisita da AB InBev às suas origens, fechando um ciclo e começando outro. Agora ela está presente nos cinco continentes e é, de longe, a maior cervejaria do planeta. Ser dona da marca mais valiosa do mundo, a Budweiser, foi apenas mais uma de suas conquistas. Em 27 anos, a AB InBev consolidou e tornou mais eficientes concorrentes com mais de oito séculos de existência. Hoje, tem mais de quatrocentos rótulos e uma bagagem incomparável: os erros e acertos que cobraram seus preços — algumas vezes, irrisórios, se comparados aos lucros que geraram; outras, mais altos do que seus donos e executivos gostariam de pagar. Acima de tudo, a experiência deixou cicatrizes e sinais de maturidade que só uma vida intensa pode produzir.

Certamente os desafios, externos e internos, que a empresa tem pela frente serão grandiosos. O mercado nacional e global passa por transformações importantes. Nos últimos anos, a indústria tem enfrentado queda no consumo de cerveja. Paralelamente, diversos estudos mostram que as novas gerações têm expectativas profissionais mais altas do que gerações anteriores no que diz respeito ao propósito e ao impacto do trabalho que desempenham no mundo. A motivação financeira e uma perspectiva de carreira estável já não são promessas suficientes para atrair jovens talentos. A companhia enfrenta ainda os riscos intrínsecos a qualquer multinacional: tornar-se lenta, burocrática e desconectada de seus valores originais. Mas Carlos Brito defende que a essência da companhia continua viva e no centro das atenções. "A empresa cresceu, e agora temos de lidar com uma complexidade maior do que antes e de usar a tecnologia para construir pontes, já que não podemos estar em todos os lugares do mundo ao mesmo tempo. Mas os valores que nos movem são os mesmos de sempre."

De todo modo, a companhia que nasceu no Brasil já deixou a sua marca na história do capitalismo mundial. Uma história tão improvável quanto planejada. Tão surpreendente quanto lógica. Que contou com uma combinação de método, improviso, sorte e coragem. A construção do império AB InBev aconteceu à base de fusões e aquisições que se tornaram possíveis em janelas de oportunidades, em função de conjunturas difíceis de prever ou reproduzir. É esse constante balanço entre os extremos que faz com que o caminho traçado por Jorge Paulo Lemann, Marcel Telles e Beto Sicupira seja tão consistente em sua imprevisibilidade.

PARTE 1

O Brasil

CAPÍTULO 1

Uma máquina enferrujada

O paulista Josué Bressane Júnior tinha 24 anos e estava decidido a morar no Rio de Janeiro. Ele havia passado a adolescência na capital fluminense e agora participava de três processos seletivos, na tentativa de encontrar um emprego que justificasse a mudança. Recém-formado em psicologia pela PUC de Campinas, sua cidade natal, não tinha critérios exatamente sofisticados para escolher a empresa na qual ingressaria. "A primeira que me ligar é a que vou aceitar", pensava. Em abril de 1989, um executivo do RH da Brahma ligou.

A cervejaria era forte no Rio de Janeiro, enquanto sua rival, a Antarctica, era a marca querida dos paulistas. As duas viviam uma disputa acirrada pela liderança do setor. Naquele ano, a Brahma era a número dois, com 37,8% de participação no mercado, contra 40,8% da Antarctica. Considerando a soma de Brahma e Skol (marca dinamarquesa que a Brahma adquiriu em 1980), a carioca dominava metade do mercado nacional de cervejas, com 50,3%.

O primeiro cargo que Josué ocupou na Brahma foi de analista de treinamento da fábrica mais antiga da companhia, localizada à rua Marquês de Sapucaí, em frente ao Sambódromo. A empresa tinha 21 fábricas de cerveja e 37 de refrigerantes (destas últimas, 27 próprias e dez franqueadas). Logo ele começou a questionar a escolha que havia feito. A empresa estava obsoleta. As fábricas pareciam negócios separados. Cada cervejeiro se comportava como dono de seu território. Alguns não deixavam outras pessoas da companhia entrarem na fábrica. O próprio Josué fora barrado quando tentara visitar a área de produção da antiga instalação da Cervejaria Hanseática, na Tijuca (fechada anos depois). Tanto na indústria quanto no escritório, os sistemas operacionais eram ultrapassados; os processos, lentos e burocráticos; e as incumbências que Josué recebia, aparentemente irrelevantes. Um contexto pouco animador para começar uma carreira.

Um dos primeiros desafios do jovem executivo foi desenvolver um programa de integração para as secretárias da empresa — tão numerosas quanto os gerentes e diretores, já que cada executivo tinha uma. A missão de Josué era oferecer a essas profissionais uma visão sistêmica do negócio, com um roteiro de treinamento que incluía passar um dia na indústria e outro no departamento financeiro, por exemplo. Um dia, ele notou a ausência da principal secretária do gerente-geral (que tinha uma auxiliar também). Ligou para ela para entender a falta. "Eu não vou", ela respondeu. "Tenho outro compromisso." Josué insistiu, mas não teve sucesso.

Dias depois, Josué foi chamado para uma conversa séria com o chefe. "É verdade que isso aconteceu? Você ligou para ela e perguntou por que ela não foi ao treinamento?", o chefe indagou. "Sim", respondeu Josué. "Você não pode fazer isso. Ela me perguntou quem era o baixinho 'topetudo' e pediu para eu te demitir. Não vou fazer isso, mas de agora em diante tome cuidado."

Josué ficou indignado. Para ele, aquela situação simbolizava as regras não escritas que comandavam a conduta da empresa. A Brahma, com mais de cem anos, era uma companhia antiga, na idade e no comportamento.

A velha Brahma

O Brasil fabricava cerveja desde, pelo menos, 1836, ano em que foi publicado um anúncio no *Jornal do Comércio*, do Rio de Janeiro, no dia 13 de outubro, divulgando a oferta da bebida:

> CERVEJA BRAZILEIRA, muito saborosa e saudavel; vende-se na Rua Direita n. 86, por 2$400 a duzia de garrafas. Afiança-se que com o tempo não se damnifica; e comprão-se as mesmas garrafas vasias, a 60 rs. cada huma.

Não há, porém, nenhuma indicação sobre o fabricante da bebida.

Na década de 1860, os consumidores brasileiros podiam encontrar cervejas estrangeiras no mercado, como a Dois Machados, da Alemanha; a Guinness e a Porter, da Inglaterra; e a Carlsberg, da Dinamarca. À mesma época, começavam a aparecer as primeiras marcas nacionais: Gabel, Guarda Velha, Logus, Versoso, Stampa, Olinda, Rosa, Leal, Stoffer, Commercio, Santa Maria. Todas desapareceram nos anos seguintes.

A qualidade da cerveja fabricada no Brasil era considerada inferior à das marcas importadas. A bebida era produzida por técnicas rudimentares e, por isso, continuava fermentando depois de engarrafada. Formava-se uma grande quantidade de ácido carbônico, o que, muitas vezes, empurrava a rolha e deixava o líquido escapar. Para evitar esse efeito, adotou-se o costume de prender a rolha com barbante. Em função disso, as variantes brasileiras ficaram conhecidas como "cervejas barbante".

A Brahma,* cuja origem remonta ao fim do Segundo Reinado, seria a primeira marca brasileira de cerveja a vingar, graças a uma importante inovação. Fundada em 1888 pelo engenheiro suíço Joseph Villiger sob o nome de Manufactura de Cerveja Brahma, Villiger & Cia, a indústria foi pioneira — já sob o bastão de seu segundo proprietário, o cervejeiro alemão Georg Maschke — a produzir a bebida pelo método de baixa fermentação,** o que garantiria a perenidade da companhia no mercado brasileiro.

A Companhia Cervejaria Brahma foi registrada com esse nome no dia 12 de agosto de 1904, como consequência da fusão entre a Georg Maschke & Cia (que sucedeu a cervejaria original) e a Preiss Häussler & Cia Cervejaria Teutônia. Naquele momento, a empresa tinha no caixa o capital de 5 mil contos e uma fábrica, localizada à rua Marquês de Sapucaí, 142, no Rio de Janeiro.

Ao longo do século xx, a Brahma cresceu à base de aquisições e parcerias, assim como a rival paulista, Antarctica. De 1928 a 1980, foram realizados onze importantes negócios, entre eles a compra das cervejarias Guanabara, Cruzeiro, Hanseática e Sul-Riograndense. Em 1946, adquiriu a Cervejaria Continental, resultado da fusão de outras três empresas, comandada pela família Ritter, que, na década de 1980, iria se tornar a terceira maior acionista da Brahma, seguida pelos Künning e Gregg (herdeiros de dois dos principais executivos da companhia, Johann Friedrich Künning e Karl Hubert Gregg, que se tornaram acionistas).

Outros dois passos determinariam a direção do crescimento da Brahma no futuro. Um deles, em 1972, foi a associação com a brasileira Fratelli Vita, fabricante de refrigerantes e cristais fundada em 1902. Com a parceria, a Brahma introduziu três marcas de bebidas sem álcool em seu portfólio: Sukita, Guaraná Fratelli e Gasosa Limão. Em 1980, foi realizada a aquisição do controle acionário das Cervejarias Reunidas Skol-Caracu s/a, que passaram a se chamar Brahma, Administração, Investimentos e Participações Ltda.***

---

* Um livreto que reconta a história da empresa, distribuído para os funcionários no aniversário de cinquenta anos da companhia, relaciona a palavra ao nome homônimo da divindade da trindade suprema da religião hindu. O texto dizia que era "bem admissível que Joseph Villiger se tenha deixado fascinar apenas pelo exotismo desse nome oriental".
** A baixa fermentação é realizada com a levedura *Saccaromyces uvarum*, que atua no fundo do tanque convertendo açúcares em álcool e gás carbônico a uma temperatura próxima de 12 °C durante oito ou nove dias. Como no século xix a tecnologia de resfriamento necessária para a produção ainda não era popularizada, os cervejeiros recorriam a métodos rudimentares, como enterrar a bebida para alcançar uma temperatura mais baixa que a ambiente ou importar gelo dos Estados Unidos.
*** A Caracu nasceu como uma pequena cervejaria em Rio Claro, em 1899, mas passou para o sorocabano Francisco Scarpa (pai do socialite Chiquinho Scarpa) em 1930. Em 1967, foi vendida à dinamarquesa Skol.

Alguns compromissos e muitos restaurantes

Em 1983, a Brahma adquiriu a Geneal, um negócio de cachorro-quente e outros alimentos comercializados por meio de venda direta com ambulantes uniformizados. A empresa tinha uma parceria com a Coca-Cola, que consistia no licenciamento de algumas carrocinhas estacionadas na praia com a marca da multinacional de bebidas estampada. Um diretor da Geneal, sabendo da rivalidade entre as indústrias de bebida, avisou seu novo chefe, Hubert Gregg, do acordo. Ao receber a notícia, o presidente da Brahma pediu que o funcionário levasse uma cópia do contrato para o departamento jurídico analisar. Mas não havia contrato. Era apenas um compromisso verbal, com duração de alguns meses. "Se há um contrato verbal, a Coca-Cola permanece", decretou Gregg. Para ele, não importava se estava ou não registrado nem quem estava do outro lado da mesa. Combinado era combinado.

Descrita por ex-funcionários como uma empresa "ética", que honrava os compromissos, a pioneira Brahma já não era mais a inovadora que fora um dia. Na década de 1980, havia se tornado uma organização decadente. Tinha seu quadro de funcionários inchado. Os recursos eram geridos com critérios questionáveis. As fábricas contavam com maquinário de, em média, quarenta anos, com aspecto visivelmente envelhecido. Em compensação, o prédio da Marquês de Sapucaí abrigava seis restaurantes para atender às diferentes categorias de funcionários que trabalhavam ali e no escritório. Um deles ficava na fábrica e servia o almoço dos operários, em esquema de bandejão. O segundo era das secretárias e assistentes administrativos, com duas entradas e dois salões diferentes. Em outro almoçavam os assessores e gerentes de divisão (segunda linha). O quarto era para gerentes de departamento e gerentes-gerais (primeira linha). Do outro lado de uma parede de madeira, ficava o restaurante dos diretores, onde costumava almoçar Gregg. Frederico Boabaid, conhecido como Fred, gerente da Brahma de 1987 a 2007, lembra que conseguia escutar as risadas da chefia enquanto almoçava: "Quando eles riam alto, a gente brincava: 'A ação valorizou!'". O sexto restaurante, no sétimo andar do prédio da administração central, era menor que os demais e usado principalmente para receber visitas ilustres. Nele, eram servidos licor e charuto ao final das refeições. Os pratos variavam de acordo com a categoria.

A remuneração dos executivos era, em média, 30% mais alta que a do mercado, incluindo 14º e 15º salários para cargos acima de gerência, independentemente da performance. Os funcionários administrativos podiam tirar 45 dias de férias por ano. Todos os diretores tinham direito a usar um carro da empresa, com motorista. Era comum vê-los chegar para trabalhar acomodados no banco de trás do veículo, lendo o jornal.

Fred ressalta que, para ele e outros funcionários, a companhia não parecia decadente. Ele destaca o fato de que, no início dos anos 1980, a cervejaria adquiriu algumas fábricas e a Skol. No final da mesma década, concluiu a construção de sua maior e mais moderna unidade industrial, em Jacareí (SP).

Nos anos 1980, a equipe administrativa da Brahma estava dividida em dois prédios. No escritório da Marquês de Sapucaí, a administração central (AC) até 1992, ficava a diretoria, que incluía alguns integrantes dos clãs de origem alemã. O último dos sete andares era inteiro ocupado pela sala do conselho, decorada com móveis antigos em madeira escura. Quando os membros das famílias acionistas estavam na AC, um dos elevadores era reservado para seu uso exclusivo. No escritório da Tijuca, na Zona Norte carioca, ficava a parte de processamento de dados.

Uma oportunidade construída

Hubert Gregg conheceu o Banco Garantia no início dos anos 1980. Em 1981, já na presidência da Brahma, ele enfrentava um cenário complicado para a indústria em geral, em função da hiperinflação no país. Entre 1980 e 1989, década em que diferentes planos econômicos foram lançados para combater a inflação (sem sucesso), o IPCA subiu de 99% a 1973% ao ano. Uma das medidas do governo para conter a situação foi impedir que os fabricantes de cerveja aumentassem os preços. Com isso, eles foram obrigados a absorver o aumento do custo das matérias-primas, reduzindo as margens de lucro. Em meio a essas preocupações, Gregg se viu diante de outro problema, ao perceber que um investidor chamado Mário Slerca comprava ações da Brahma no mercado, ganhando sem alarde uma participação crescente na companhia. Ao se dar conta de que estavam próximos de sofrer uma aquisição hostil, Gregg e os demais acionistas majoritários contrataram o Banco Garantia, que tinha uma excelente reputação no mercado, para ajudá-los.

Foi Jorge Paulo Lemann, fundador e mais importante operador do Garantia, quem conduziu um acordo com Amador Aguiar, controlador do Bradesco, que já conhecia os alemães acionistas da Brahma. O caminho encontrado por Aguiar foi sugerir que a SulAmérica comprasse a parte de Slerca no negócio. O tradicional banqueiro paulista havia mantido por três anos uma associação com a companhia em uma seguradora de previdência privada e continuava próximo à liderança da empresa, que também era carioca. A solução funcionou temporariamente. Em 1983, a SulAmérica começou a comprar ações da Brahma na Bolsa e, outra vez, Gregg se assustou. Lemann foi chamado de novo para organizar o acordo ao lado de Amador Aguiar, interlocutor da seguradora. A SulAmérica foi pressionada a vender sua participação. O Garantia fez parte do bloco que financiou os donos da cervejaria para recomprar as ações da seguradora, e foi o responsável por redistribuir os papéis da Brahma no mercado, dessa vez de forma pulverizada.

O episódio com o Bradesco e a SulAmérica aproximou Lemann de Amador Aguiar, e garantiu a confiança de Gregg. "Desde então, comecei a falar para eles que, se um dia quisessem vender a companhia, eu gostaria de comprar",* disse Lemann. E esse dia chegaria.

---

* Cristiane Correa, *Sonho grande: Como Jorge Paulo Lemann, Marcel Telles e Beto Sicupira revolucionaram o capitalismo brasileiro e conquistaram o mundo*. Rio de Janeiro: Sextante, 2013.

CAPÍTULO 2

Não é só sobre dinheiro

Jorge Paulo Lemann é carioca, filho de mãe brasileira e pai suíço — o fundador da fabricante de laticínios Leco, abreviatura de Lemann & Company. Aos sete anos começou a jogar tênis no Country Club, tradicional clube da elite carioca, localizado na avenida Vieira Souto, em Ipanema. Treinava diariamente, venceu diversos campeonatos infantis e, aos dezessete anos, foi campeão brasileiro juvenil. Participou dos grand slams de Roland Garros e Wimbledon em 1962.

Lemann estudou na Escola Americana no Rio de Janeiro, uma das melhores da cidade. Os pais queriam que ele tivesse uma excelente formação, o que incluía fluência em inglês, numa época em que essa não era uma exigência comum no mercado de trabalho brasileiro e, mais tarde, se mostraria uma vantagem a seu favor. Ao fim do curso, foi eleito pelos colegas aquele com mais chances de alcançar o sucesso.

A exemplo de um primo seis anos mais velho, Alex Haegler, filho da irmã de sua mãe, Lemann decidiu estudar economia em Harvard. Naquela época, brasileiros eram raros por lá. "Talvez eu tenha sido aceito em Harvard apenas por minhas habilidades no tênis, já que, definitivamente, não tinha um bom desempenho acadêmico",* disse ele. "Naquela época era bem mais fácil do que hoje. Este ano [2012], Harvard está recebendo noventa candidatos do Brasil. Na minha época, era um ou dois a cada três anos."

No início do curso, Lemann não parecia realmente preocupado com seu desempenho ou com sua imagem. Suas notas eram baixas, e ele chamou a atenção ao fazer uma brincadeira nada simpática: soltou fogos de artifício na praça central do campus. Como consequência, recebeu uma carta que recomendava que se retirasse de Harvard. Decidiu não o fazer, mas mudou de postura. Criou

---

* "From Harvard Slacker to Wimbledon to Buffett's Professor and Partner: Meet Lemann, Brazil's Richest", *Forbes*, 15 mar. 2013. http://bit.ly/2WagN5d

um método para otimizar seu tempo de estudo: conversava com outros alunos e professores para saber como era o ensino das disciplinas dos anos seguintes na prática antes de escolher que matérias cursaria. Também estudava provas de anos anteriores, que eram muito parecidas com as que seriam aplicadas nos seguintes. Concluiu o curso em três anos.

Lemann queria trabalhar no mercado financeiro, onde acreditava que poderia ganhar muito dinheiro. Mas o setor ainda era insignificante no Brasil. Até 1966, não havia banco de investimentos em operação no país. Seu primeiro emprego, como vendedor de ações na Deltec, uma empresa carioca, consistia em bater de porta em porta em busca de clientes. Ele logo desanimou. Decidiu aproveitar o diploma de Harvard para ter uma experiência profissional fora do Brasil. Em 1961, conseguiu um estágio no banco Credit Suisse, em Genebra. A experiência em um banco de referência incluía os aspectos de uma grande organização que já o desagradavam: hierarquias rígidas, processos lentos e cheios de regras. Em compensação, o esporte o interessava cada vez mais.

Ele foi chamado pelos colegas para participar do campeonato do banco e, para surpresa de todos, venceu a competição. O destaque lhe rendeu outro convite: representar a Suíça na Copa Davis, em 1962, uma vez que tinha dupla cidadania. Na ocasião, porém, seu desempenho deixou a desejar. Na estreia, perdeu por três sets a zero. Ele encarou o placar com pragmatismo: era um indicador de que tinha poucas chances de ser bem-sucedido caso resolvesse transformar o esporte em profissão.

Mas as lições e a prática amadora do esporte iam acompanhá-lo pelas décadas seguintes. "O fato de que eu tinha jogado tênis e aprendido a perder e voltar e analisar me ajudou muito",* disse aos 78 anos.

No ano seguinte, Lemann voltou ao Brasil e foi contratado pela Invesco, uma pequena corretora. Sua função era estruturar a área de mercado de capitais. Em pouco tempo, seu trabalho ganhou projeção dentro e fora da companhia, mas a trajetória foi interrompida em 1966, quando a empresa quebrou. Por trás da aparência de que tudo ia bem no negócio, havia um problema básico: saía mais dinheiro do que entrava. Aos 27 anos, Lemann perdeu não só o emprego, mas também seu investimento, já que tinha 2% do capital da companhia. Depois, passou pelo banco Libra, no qual detinha uma participação de 13%, e atuou no mercado de compra e venda de títulos públicos e privados.

Nessa época, seu nome começava a ganhar reconhecimento. Entre 1963 e 1971, Lemann assinou uma coluna sobre o mercado de ações no *Jornal do Brasil*, com o título "Nos bastidores da bolsa". Em 1970, a área que ele montou no banco Libra havia crescido, mas sua fatia na empresa, não. Insatisfeito, propôs

---

* "O tênis na vida de Jorge Paulo Lemann", Instituto Tênis. http://bit.ly/2ZE3CeX

aos chefes comprar a parte deles para tocar a corretora com colegas. Não só teve sua oferta negada como foi obrigado a vender sua participação.

A proposta recusada envolvia se unir a outras pessoas de alto desempenho e crescer com elas. Dividir para multiplicar. Era essa a ideia que motivava o jovem economista. Desde a experiência em Harvard, quando se aproximou de colegas e professores para aprender com eles, Lemann sabia que se cercar de pessoas no mínimo tão boas quanto ele poderia ser um caminho rápido, justo e divertido para o sucesso. Não estava preocupado em acumular patrimônio sozinho. Tampouco aceitaria contribuir para que outros ganhassem sem compartilhar com ele. À medida que avançava na carreira, nutria o plano de trabalhar em sociedade. Luiz Cezar Fernandes e José Carlos Ramos da Silva, colegas de Libra, compartilhavam dessa filosofia. Ao deixar o banco, os três se juntaram para abrir a própria empresa. A primeira tentativa foi comprar a Vésper, uma distribuidora de valores da construtora Metropolitana.

Quem fez o sonho virar realidade foi o cearense Adolfo Gentil, ex-deputado federal e dono do banco carioca Operador, que decidiu investir no projeto. Ele era um cliente próximo de Lemann e, ao saber do negócio que tentavam fechar, avisou que era um absurdo. "Ele disse que estávamos comprando uma porcaria de uma distribuidora",* conta Luiz Cezar Fernandes. Gentil convidou para o negócio o amigo Guilherme Arinos Barroso Franco, advogado que fora assessor do ex-presidente Getúlio Vargas. O caminho escolhido para encontrar uma oportunidade foi simples: ele colocou no jornal um anúncio: "Compra-se corretora".

Em agosto de 1971, foi concretizada a aquisição da corretora Garantia por US$ 800 mil. Lemann e Ramos da Silva ficaram com 51% de participação, divididos entre eles em partes iguais; Gentil ficou com 39%; Arinos, com 10%. Em seguida, Gentil venderia uma pequena parte de sua fatia para Luiz Cezar Fernandes e Hercias Lutterbach.

Oportunidade para todos, prêmio para os melhores

O modelo implementado por Lemann na Garantia criou não só um banco rentável, mas uma cultura corporativa inovadora para o Brasil da época — e ainda hoje referência nacional. Era um patrimônio que exigia um equilíbrio ainda mais complexo do que o financeiro, por se sustentar em dois pilares de difícil controle: pessoas excelentes e resultados excepcionais, nessa ordem. Sem os profissionais certos, nada poderia ser feito, acreditava o empresário. Portanto, escolher as melhores pessoas, ainda que não se soubesse exatamente onde colocá-las, era o mais urgente. Para começar, a referência foi o banco ameri-

---

* *Sonho grande*. Op. cit.

cano Goldman Sachs, que já tinha uma cultura de meritocracia reconhecida no mercado local. Ele não apenas reproduziu valores e práticas que aprendeu acompanhando a instituição de longe, mas logo passou a ser o intermediário de parte dos negócios do banco no Brasil e a mandar pessoas de sua equipe para treinamento e estágio lá.

Encurtar o caminho aplicando o que já deu certo em vez de tentar reinventar a roda a cada novo passo é uma mentalidade até hoje disseminada nas companhias das quais Lemann é acionista. "Você tem de se preocupar com a inovação. Mas se tem alguém fazendo bem, melhor não gastar muito tempo procurando como fazer. Vai lá, olha e adapta da sua maneira, e pronto",* diz Lemann.

A consultora Fátima Zorzato, especializada em recrutamento de executivos, começou a trabalhar para as empresas de Lemann em 1994. Ela resume a filosofia dele da seguinte forma: "O princípio é questionar como podem aprender com quem sabe sobre o que devem fazer e o que não devem. Ao falar com quem já tem a experiência, reduzem o tempo de aprendizagem". Nos anos 1990, quando internet ainda era uma palavra enigmática, Lemann era visto frequentemente em seminários, palestras e reuniões sobre o assunto, promovidos por profissionais pioneiros no mundo digital. "Lembro de vê-lo sempre com mochila, caderno e caneta, numa boa, como se fosse um aluno comum. Essa abertura para identificar o que precisa saber, sem nenhum *bias* [viés], é extraordinariamente diferente da média. Ele frequentava tudo o que podia para aprender no mundo e no Brasil, e sem dúvida isso faz a diferença", afirma Fátima.

Atrair, formar, treinar e reter os jovens mais talentosos seria uma atividade intensa e contínua no Banco Garantia. Para gerar resultados fora da curva, todas as pessoas deviam estar alinhadas ao mesmo propósito de rentabilizar, o máximo possível, a empresa que operavam. E "máximo possível" não é força de expressão. O nível de entrega e engajamento que o modelo exigia não permitia pessoas mais ou menos dispostas a trabalhar, ou apenas em busca de um bom emprego, de uma carreira estável. Era preciso encontrar aqueles que, por natureza, compartilhassem da mesma ambição, força de vontade e capacidade de ação. Uma vez dentro do time, era necessário dar a eles o incentivo para ficar: compartilhar os resultados gerados de maneira proporcional à contribuição de cada um. Assim, foi criado o terreno para a prática de uma meritocracia aplicada, e não apenas defendida em discursos.

Os valores referentes à remuneração, fixa e variável, da equipe do Garantia dependiam do nível hierárquico de cada um. Os salários eram, em geral, mais baixos que os do mercado. Quanto mais alto fosse o cargo, menos expressiva era a remuneração fixa, e maior podia ser o bônus.

Havia o grupo de associados denominado "PL", dos responsáveis pelas tare-

---

* "O legado de Lemann", *Época Negócios*, 20 jan. 2009. https://glo.bo/2XLQmDm

fas administrativas, que ficavam na base da pirâmide e representavam 80% do pessoal. Eles recebiam salários na média do mercado. O segundo grupo era o de associados comissionados, isto é, operadores, profissionais da área comercial, analistas e pessoas que ocupavam funções de apoio, como advogados e controllers. Representavam aproximadamente 15% da equipe e recebiam bônus com base em distribuição de lucros. As posições mais altas tinham a possibilidade de ganhar mais proporcionalmente: a cada semestre, a fatia de 25% do lucro líquido do banco era dividida entre os associados, de acordo com o cargo e o desempenho, e a análise da performance influenciava na definição do bônus individual. No topo da pirâmide estavam os sócios e sócios-diretores, cerca de 5% do quadro. Nos anos 1980, Lemann era o único sócio-fundador operacional que permanecia no banco. Os candidatos a sócio passavam por uma avaliação de seus chefes e tinham direito de resposta por escrito a cada fim de semestre. O processo de transferência das ações dos sócios mais velhos para os mais novos se baseava em um rígido estatuto. Não era permitida entrada de parentes de sócios, para garantir a prática da meritocracia. Jovens recém-formados e talentosos que entregavam ótimos resultados conseguiam se tornar sócios em até cinco anos de trabalho no banco. A idade média dos acionistas do Garantia era de menos de 35 anos, e alguns passavam a fazer parte do seleto grupo já aos 24.

Uma vez aceito como sócio, o profissional estava assinando embaixo de uma condição que soava desconfortável para alguns no curto prazo. Seria preciso viver sob certo aperto durante os primeiros anos. Isso porque as ações recebidas eram pagas com a própria compensação variável atrelada aos lucros do banco. Ou seja, cerca de 70% dos ganhos do novo sócio eram alocados para o pagamento dessas ações durante dois ou três anos. Se, por um lado, ganhava-se o título de "banqueiro" e a perspectiva de construir um robusto patrimônio no longo prazo, por outro, ainda seria preciso fazer contas para fechar o mês.

Os critérios para a transformação de funcionários em sócios eram simples e claros na teoria, e desafiadores na prática. Era essa tensão que assegurava a busca da superação, o combustível para tornar possível o que parecia impossível. Entre as palavras-chave do sistema replicado por Lemann estavam: ética, proatividade, aprendizado contínuo, trabalho em equipe e compartilhamento de conhecimento. A Carta aos Associados resumia de maneira prática os ideais de Lemann aos funcionários. Sob o título "Nossa filosofia", dizia, por exemplo:

> O maior patrimônio de uma empresa é o que ela possui em nome e pessoa. O bom nome deve ser sempre preservado e protegido. As pessoas devem ser de alta qualidade. Para isso, selecionamos os melhores e treinamos bem. Todos participam dos lucros, e oportunidades estão ao dispor dos que trabalham no Garantia e se provam. [...] Nossa organização é objetiva, simples, informal e comunicativa.

O modelo inspirou empresas de outros setores, como Suzano e Gerdau. "O Jorge Paulo não é só um dos melhores gestores de empresas do Brasil. É um dos melhores do mundo",* disse Jorge Gerdau Johannpeter, presidente do conselho da Gerdau. "A única escola de administração que surgiu no Brasil na minha geração foi a do Lemann, do Garantia",** afirmou Francisco Gros, ex-presidente do BNDES.

As primeiras e mais valiosas escolhas de Lemann foram Marcel Herrmann Telles e Carlos Alberto Sicupira, nos dois primeiros anos de operação. Marcel ingressou no banco um ano depois da aquisição, em 1972. Filho de um piloto da aviação civil e de uma dona de casa, formou-se em economia na Universidade Federal do Rio de Janeiro (UFRJ) e durante o curso foi atraído pelo mercado financeiro por motivo similar ao de Lemann. "Descobri que meus amigos que andavam com terno bacana e moto melhor trabalhavam no mercado financeiro",*** diz. Ele entrou na Garantia depois de ser indicado por amigos para Luiz Cezar Fernandes. De cara, queria sentar na mesa de operações. Mas Fernandes lhe ofereceu uma vaga de liquidante, encarregado de transportar títulos e comprovantes das operações realizadas. Em três meses, foi promovido a operador e, menos de dois anos depois de ingressar no banco, se tornou o mais jovem sócio do grupo.

Um ano depois, em 1973, Carlos Alberto Sicupira chegou à Garantia, convidado pelo próprio Lemann. Os dois se conheceram no mar, praticando pesca submarina. Filho de um funcionário público e de uma dona de casa, Beto, como é conhecido, começou a trabalhar aos catorze anos, comprando e vendendo carros. Gostou tanto de negociar que abandonou o sonho de ser marinheiro. "Queria uma coisa que, se desse certo, eu não soubesse o limite. [Na Marinha], se fizesse tudo certo, eu sabia onde ia parar: ocupando o cargo de almirante",**** afirmou. Beto fundou seu primeiro negócio aos dezessete anos. Era uma corretora e distribuidora de valores, que vendeu um ano depois, conforme planejara. Formou-se em administração de empresas pela UFRJ e, antes de entrar na Garantia, havia passado uma temporada em Londres, no Marine Midland Bank, hoje parte do HSBC. Seu objetivo era conhecer técnicas de investimento novas, que pudessem ser aplicadas no Brasil. No banco, suas contribuições encontraram um terreno promissor para a superação dos limites.

O escritório da Garantia era aberto, com grandes mesas onde os profissionais se sentavam lado a lado. Ninguém usava terno nem passava os dias dizendo

---

* Ibid.
** Ibid.
*** *Como fazer uma empresa dar certo num país incerto: Conselhos e lições de 51 dos empreendedores mais bem-sucedidos do Brasil.* Rio de Janeiro: Elsevier, 2005.
**** "O legado de Lemann". Op. cit.

o que seus subordinados deveriam fazer. Cada um tinha sua missão e dispunha de autonomia para realizá-la. Lemann sentava em uma mesa ao fundo, ao lado de Marcel e Claudio Haddad, também sócio do banco. Quem quisesse falar com ele só precisava se aproximar. Se não estivesse ao telefone, ele levantava o olhar e discutia o tema. Em relação ao público externo e à imprensa, os executivos do Garantia sempre tiveram uma postura discreta. Raramente concediam entrevistas ou falavam sobre seus empreendimentos e sua vida pessoal.

O banco não oferecia estágio porque seus donos não acreditavam em trabalho em período parcial. Mas tinham um programa chamado Bolsa de Livros, por meio do qual reembolsavam os custos com educação e permitiam que jovens estudantes de engenharia de produção na USP — e só desse curso — trabalhassem lá. Os interessados tinham de participar de uma seleção com sete fases e apenas um ou dois entre setenta alunos eram escolhidos. Os que iam eram orientados a não falar com os profissionais, a não ser que fossem chamados. Sua função principal era carregar papéis e fazer a ponte com a universidade para organizar palestras dos sócios ou funcionários, que visavam atrair outros jovens talentosos, o que mais tarde passaria a ser feito pela Fundação Estudar. A cada três meses, participavam de um café da manhã com os sócios.

Lojas Americanas: a primeira experiência de gestão

A disciplina era o método de trabalho difundido pelo trio entre a equipe. Era preciso ter um objetivo e nele se concentrar, dizia Lemann. Diversificar demais os produtos ou serviços tiraria a força necessária para ser o melhor do mercado. Fiel a essa crença, durante onze anos o Garantia atuou apenas como investidor de empresas, sem se envolver na gestão e operação.

No início dos anos 1980, isso mudou. Convicto da possibilidade de crescimento do varejo no Brasil, Beto começou a comprar ações das Lojas Americanas e a acompanhar a administração da companhia. Foi a primeira vez que o caminho dos banqueiros cruzou o de Mário Slerca, o investidor que tentaria fazer a aquisição hostil da Brahma em 1983.

Entre agosto de 1980 e setembro de 1981, a participação do Garantia ainda não chegava a 1% nas Lojas Americanas. Mas a composição do capital começou a sofrer alterações que chamaram a atenção da liderança da empresa — e que não tinham nada a ver com o banco. Os novos investidores eram Mário Slerca, Eugênio Staub, fundador da Gradiente, e a SulAmérica Seguros.

Dessa vez, o Garantia estava no jogo como concorrente, e não mediador. Nesse papel, era difícil para os competidores superarem a agressividade de Lemann, Marcel e Beto. Ao longo de dois anos, o banco comprou 20% das Americanas. A essa altura, Beto chegara à conclusão de que, apesar da reputação negativa que a gestão da rede tinha no mercado, o negócio apresentava um enorme potencial de retorno financeiro. Empenhou-se então em convencer os sócios a comprar o controle da varejista. Lemann e Marcel concordaram com uma condição: o próprio Beto tocaria o negócio.

O plano podia soar inconsequente. Tratava-se da tentativa de reproduzir em uma empresa de 17 mil funcionários o que se fazia no banco com 170 pessoas. Os contextos eram tão díspares quanto os números. Era impossível comparar o mercado financeiro ao varejo, um setor conhecido pela necessidade de atenção constante a detalhes da operação, no qual se diz popularmente que o dono precisa trabalhar com a "barriga no balcão" para que o negócio dê certo. Os banqueiros não faziam a menor ideia de como gerir dezenas de lojas espalhadas pelo Brasil.

A despeito do tamanho do desafio e dos óbvios obstáculos para o sucesso do negócio, o controle das Lojas Americanas foi praticamente tomado à força na semana de 29 de outubro de 1982, por US$ 23 milhões. Comum nos Estados Unidos, foi a primeira oferta *hostil* da história da Bolsa de Valores brasileira, o que significa que o trio foi comprando pouco a pouco ações da companhia até deter uma posição relevante para forçar os controladores a deixar o comando do negócio. Beto continuou sócio do Garantia, mas renunciou ao seu salário para ganhar muito menos (em um primeiro momento) e se tornar o CEO de uma empresa sobre a qual nada sabia.

A primeira medida pós-aquisição foi conhecer os melhores do mundo naquele mercado. O objetivo era aprender com eles. Lemann enviou cartas para seis grandes varejistas do mundo todo, pedindo para conhecer suas operações. Dois responderam — incluindo Sam Walton, dono do Walmart, o maior varejista do mundo. Lemann e Beto foram visitar Bentonville, uma cidade no interior do Arkansas que, na época, tinha 8 mil habitantes. Em um pequeno aeroporto, encontraram Walton em condições inusitadas: sentado numa picape surrada, equipada com cães e um rifle de caça. Depois da visita, a dupla do Garantia acabou ficando amiga do dono do Walmart.

Beto chegou às Lojas Americanas com seu jeitão de mercado financeiro — uma maneira informal de se vestir (calça jeans, camiseta, tênis e mochila) e de falar (com frases objetivas, sem rodeios e sempre cheias de palavrão). Ele é conhecido por um estilo "trator" e por ser "dono da verdade". Fala alto e bate na mesa em momentos de irritação. A agressividade da cultura voltada para resultados que ele carregava consigo transparecia não só na atitude, mas também na agilidade das decisões e ações, coisa que ele também exigia da equipe. O clima agora era de "não há tempo a perder". A abordagem seria um choque para os funcionários acostumados ao ritmo de uma empresa em que relações políticas muitas vezes prevaleciam sobre o desempenho, criando ineficiência por toda parte.

Dentro da companhia, Beto conduziu uma investigação profunda para entender quem era quem e o que havia por trás das despesas. Contratou um auditor da antiga consultoria Arthur Andersen* para fazer um detalhado levantamento. Descobriu, por exemplo, o projeto da antiga liderança da empresa de erguer um segundo escritório na Barra da Tijuca, que incluiria uma quadra de tênis. Laconicamente, cancelou o plano. Outra ação inicial foi convocar à sua sala os cinquenta principais executivos para conhecer melhor um a um. Constatou que muitos mal sabiam explicar o próprio trabalho. Em alguns meses, 6500 pessoas foram demitidas, o que representava 38% do total de funcionários.

Seis meses depois que assumiu, um episódio emblemático marcaria a gestão de Beto. O empresário implementava ali um sistema de metas, controle de custos e a dura cobrança por resultados reproduzindo o modelo do Garantia. Insatisfeito com as novas regras, um grupo de trinta diretores pediu uma reunião com o chefe e tentou convencer Beto a retomar o antigo sistema de remuneração. A resposta foi que a situação seria avaliada. Ao final da conversa, três membros do grupo disseram a Beto que não concordavam com os colegas. Os outros 32 executivos foram almoçar, otimistas em relação aos efeitos da reivindicação. Na volta, tiveram a notícia de que não podiam mais entrar no prédio, pois estavam todos demitidos. "Aprendi que é preciso bater de frente — e logo — com o problema. Complacência zero, principalmente quando se está construindo a cultura da empresa",** disse Beto.

Três anos depois da aquisição, em 1985, o Garantia vendeu 19% das Lojas Americanas e recuperou os US$ 23 milhões investidos na companhia. A partir dos anos 2000, houve um salto no número de lojas inauguradas em todo o território brasileiro. Em 1994, eram 89. Vinte e dois anos depois, em 2016, o número chegou a 1127. Em vinte anos, a receita líquida saltou de R$ 2 bilhões, em 1996, para R$ 18 bilhões em 2016.

A cervejaria dos banqueiros

Desde que mediara o acordo entre a SulAmérica, o Bradesco e a Brahma, Le-

---

* Empresa norte-americana de presença global fundada em 1913 e uma das Big Five (cinco maiores empresas de auditoria, junto com Deloitte, PricewaterhouseCoopers, Ernst & Young e kpmg). Em 2002, foi julgada culpada por obstrução de justiça após destruir documentos ligados à quebra de sua cliente Enron, companhia de energia elétrica dos Estados Unidos. O escândalo levou a empresa à falência. Em julho, o hsbc adquiriu uma parte das operações da Andersen e contratou mais de vinte ex-sócios, criando a subsidiária wtas, que em 2014 reassumiu e passou a se chamar Andersen Tax. Em 2005, a Suprema Corte americana absolveu a antiga Arthur Andersen das acusações.

** *Como fazer uma empresa dar certo num país incerto.* Op. cit.

mann acompanhava a operação da cervejaria com declaradas segundas intenções. Os aprendizados e o sucesso experimentados na gestão das Lojas Americanas lhe concediam ainda mais motivos para fazer outra aposta alta em um setor desconhecido. A oportunidade surgiu em 1989, alguns meses antes das eleições presidenciais.

Naquele momento, a administração da Brahma sofria, de um lado, com a hiperinflação que afetava a indústria em geral; por outro, com o envelhecimento da companhia. Era preciso investir na modernização do maquinário e na ampliação da capacidade produtiva para atender a um mercado em crescimento. Sem um investimento externo, a cervejaria teria de se endividar para fazer incrementos. Em junho, Lemann partiu para a negociação direta com o presidente e principal acionista da empresa, Hubert Gregg.

Foram quatro meses de conversas. Em agosto, o Garantia começou a arrematar ações na Brahma em quantidade e velocidade maiores do que fizera até então. Os banqueiros compravam todos os lotes disponíveis de pequenos investidores da Brahma, muitas vezes a preços acima da cotação diária do mercado. Com isso, as ações da cervejaria tiveram valorização superior a 100% em sessenta dias. A manobra do banco foi possível porque o controle acionário da Brahma era pulverizado, como já era comum em grandes companhias norte-americanas, em que o maior acionista detinha entre 2% e 4% das ações. Na Brahma, a diretoria executiva presidida por Hubert Gregg não a controlava. Possuía uma fatia inferior a 10% do total das ações com direito a voto (Gregg detinha 33% do capital votante da holding Ecap, que unia a família dele aos sobrenomes Künning e Ritter, nessa ordem).

Apesar da pressão, Gregg e seus sócios resistiam em vender sua parte no negócio. Precisavam do aporte financeiro, mas não estavam seguros de entregar o comando da Brahma aos banqueiros. O dilema se dava enquanto outro conflito se disseminava pela mídia nacional. Lideravam a corrida à presidência do Brasil, no primeiro pleito após a redemocratização, Fernando Collor de Mello (PRN) e Luiz Inácio Lula da Silva (PT). O primeiro, embora descendente de uma oligarquia política nordestina ligada ao "velho" Brasil, vinha armado de um discurso liberalizante e cosmopolita; Lula, ligado às classes operárias e à fundação de um partido político de massa, ainda estava longe, inclusive no discurso, da versão mais "palatável" ao mercado que o levaria à Presidência em 2002. Em 1989 — quando falava em uma "nova mentalidade empresarial" e na distribuição de renda —, causava verdadeiro pânico entre setores do empresariado.

As pesquisas indicavam a vitória de Collor, que tinha 50% das intenções de voto em 30 de novembro, dezessete dias antes do segundo turno. Mas Lula crescia aos poucos, chegando a 40% nas simulações. Diante da instabilidade político-econômica, a agressividade do Garantia surtiu efeito, e Gregg, temeroso, acabou cedendo. A aquisição foi concluída em 27 de outubro de 1989, vinte dias antes do primeiro turno das eleições. Os sócios do banco assumiram o controle da empresa ao comprar 57,7% de seu capital, por meio da Braco, holding que reunia as participações de Lemann, Beto e Marcel.

Hubert Gregg continuou como presidente do conselho até 1996. Na época da compra, três filhos seus trabalhavam na companhia. Hugo Paulo tocava uma revenda em Itaguaí, no Rio de Janeiro, depois de ter passado pelo departamento comercial e pelo Grupo Especial de Comércio (GECO), que mais tarde daria origem à Diretoria de Revenda. Bruno era responsável por outra revenda em Niterói, no mesmo estado. William era diretor de suprimentos (área que depois passaria a se chamar Supply Chain). Os três continuaram ligados à empresa até meados dos anos 1990. Outros dois acionistas, Hans Künning e Paulo Künning, deixaram as posições na diretoria com a entrada dos banqueiros.

Marcel Telles comemorou a aquisição. Ele era o sócio designado para mergulhar no novo negócio, como Beto havia sido nas Americanas. Aos 39 anos, não entendia nada sobre a indústria na qual passaria a atuar. Mas tinha a disciplina para atingir resultados muito acima da média, como provaria nos anos seguintes.

Multiplicação de negócios

Depois da experiência bem-sucedida nas Lojas Americanas e na Brahma, Lemann, Beto e Marcel incluíram oficialmente em seu portfólio de investimentos a compra e a gestão de empresas com alto potencial de retorno. Em 1993, fundaram a GP Investments (GP de Garantia Partners), um fundo de private equity — isto é, uma empresa que compra fatias de outras companhias, impulsiona seu crescimento e depois revende suas ações no mercado com lucro. A GP funcionava em paralelo ao Garantia. Foi o primeiro fundo de private equity do país e a primeira empresa de investimentos da América Latina a abrir seu capital. Beto Sicupira deixou a função executiva nas Americanas para comandar o novo negócio.

O critério de composição do portfólio da GP era, inicialmente, investir em empresas em que se pudesse aplicar o modelo de cultura e gestão do Garantia. Ao longo da década de 1990, a empresa investiu em diversos setores, como ferrovias, com a aquisição da América Latina Logística (ALL), de 1997 a 2008; construção, com a Gafisa, de 1997 a 2007; comércio eletrônico, com o Submarino, criado pela GP em 1999 e vendido em 2006; e telefonia, ao participar do consórcio que arrematou, no leilão de privatização das operadoras, a Tele Norte Leste (que depois iria se tornar Telemar e Oi), de 1998 a 2008.

As experiências e os tropeços geraram dois novos critérios para os investimentos futuros do trio: não entrar mais em startups, em função do alto custo para transformar potencial em realidade, e escolher apenas mercados com potencial de consolidação global. Diferentemente de alguns fundos de private equity que entram com capital, uma participação minoritária e, em três ou quatro anos, vendem sua fatia na companhia, o negócio da GP era adquirir o controle, implantar seu modelo, crescer e se tornar competitiva no mercado mundial.

Em 2004, Lemann, Marcel e Beto deixaram o controle da GP Investments. Ao mesmo tempo que abriam espaço para sete associados mais jovens, praticando o modelo do Garantia, davam mais um passo ambicioso: criavam a 3G Capital, outro fundo de private equity, sediado nos Estados Unidos. Em 2018, tinham em seu portfólio, além da maior cervejaria do mundo, as gigantes do setor de alimentação Burger King e Kraft Heinz.

Sem garantias

Mas nem tudo são sonhos nas empresas do trio Lemann, Telles e Sicupira. Apesar dos 27 anos de sucesso, o Garantia não resistiu aos impactos da crise na Rússia, em 1998.* Os operadores da instituição avaliaram mal os riscos de uma virada repentina dos mercados, que subiam de maneira exorbitante. Em função da estratégia agressiva, o banco tinha posições robustas nas empresas investidas, das quais não conseguiu se livrar de uma hora para outra. O efeito dos problemas na Rússia foi catastrófico — na mesma medida em que seria esplendoroso o ganho do banco, caso suas apostas tivessem sido corretas.

Em 1997, o lucro do Garantia foi o equivalente a um décimo do que havia sido no ano anterior: US$ 10,8 milhões. Os acionistas tiveram de injetar US$ 50 milhões na instituição para cobrir as perdas admitidas de US$ 110 milhões (segundo os concorrentes, o valor seria bem mais alto). Para completar o cenário, o patrimônio dos fundos de investimento administrados pelo banco caiu pela metade no segundo semestre de 1997. Em junho, o valor era de R$ 4,5 bilhões. Ao final do ano, estava em R$ 2,2 bilhões. De acordo com um banqueiro da época, "foi um choque que os deixou tontos".

A informalidade do Garantia foi substituída pela tensão nos últimos meses de comando de Lemann, Marcel e Beto. Os três voltaram a operar diretamente a mesa de compra e venda de ações, algo que não fazia parte de sua rotina havia dez anos. Segundo pessoas próximas ao banco, a relação com os clientes, construída com tanto cuidado e ancorada em resultados até então invejáveis, ficou abalada. "Eles venderam dinamite", disse o diretor de outro banco de in-

---

* O mercado financeiro russo foi abalado pela crise asiática de 1997, provocando fuga de capitais e queda do preço do petróleo. O governo, com dificuldades para realizar reformas pró-capitalistas, declarou moratória da dívida externa e desvalorizou a moeda nacional, o rublo.

vestimento. Um dos que sofreu prejuízos foi Raul Boesel, ex-piloto de Fórmula Indy. Ele afirma ter perdido US$ 1,5 milhão nos fundos do Garantia, sem ter sido previamente alertado sobre os riscos que corria.

Em meados de janeiro de 1998, Lemann recebeu uma visita do ex-sócio Luiz Cezar Fernandes, então dono do Banco Pactual, um dos mais fortes concorrentes do Garantia. Segundo pessoas próximas a eles, Fernandes havia deixado o Garantia, em 1982, em decorrência de desentendimentos com Lemann. Naquele reencontro, disse: "Se você precisar de ajuda, compro o banco, ou podemos nos fundir". Lemann não topou.

Em 10 de junho de 1998, foi anunciada a venda do Banco Garantia para o Credit Suisse First Boston, pelo valor de US$ 675 milhões, dos quais US$ 200 milhões foram pagos em dinheiro. O valor restante, de US$ 475 milhões, foi pago em ações do Credit Suisse Group. Esse segundo pagamento tinha como destino os quatro principais sócios, de um total de dezenove: Jorge Paulo Lemann, Marcel Telles, Beto Sicupira e Claudio Haddad, que juntos detinham 60% do capital do Garantia.

Lemann, Marcel e Beto seguiram em frente juntos. Lemann atribui o fato de terem se tornado um trio vencedor e duradouro à combinação de diferentes habilidades e ao respeito ao espaço um do outro. "Se tenho um pouco de visão ou de bolar coisas maiores ou diferentes, eu não sou um craque da administração, o cara que sabe segurar os parafusos ou que sabe fazer as coisas funcionar e acontecer",* disse Lemann. "Os dois [Beto e Marcel] são muito melhores do que eu. O Beto gosta de cuidar de qualquer coisa, botar ordem, é um militar, na realidade. [...] O Marcel também é ótimo administrador e incentivador das pessoas e de ver realmente o que é importante."

O mestre que responde e-mails em 24 horas

Na nova história da Brahma, que estava começando em 1989, Jorge Paulo Lemann não seria o protagonista. Apesar de a oportunidade de comprar uma cervejaria antiga e transformar em um grande negócio ter nascido de sua visão, seriam Marcel e sua equipe que fariam o projeto virar realidade nas décadas seguintes. Lemann, no entanto, nunca sairia completamente de cena.

Ao longo dos anos, ele foi ganhando uma aura mítica no ambiente empresarial brasileiro, tornando-se uma figura tão presente quanto invisível. Pessoas próximas à empresa contam que, mesmo não estando mais no conselho da AB InBev, ele ainda a visita algumas vezes por ano. Lemann não só fala pouco, mas

---

* "Jorge Paulo Lemann tira oito dúvidas de empreendedores brasileiros", Endeavor, 27 jun. 2017. http://bit.ly/2DAavF1

se manifesta de maneira econômica. Cochila com a cabeça para trás durante apresentações. Não costuma fazer gestos bruscos nem expressões que entreguem o que se passa em sua mente. Segundo pessoas próximas, fica a impressão de que até hoje é o vértice de um triângulo formado com Marcel e Beto. Como se as decisões importantes tomadas por ambos fossem antes alinhadas com Lemann. Mas ninguém confirma a hipótese.

A discrição faz Lemann parecer inacessível e, de fato, ele muitas vezes o é. Se não considerar o assunto convincente o bastante, é comum que responda solicitações com frases educadas e assertivamente negativas. Mas raras vezes deixará um e-mail sem resposta. E ela chega rápido. Geralmente, até 24 horas depois de recebida a mensagem. Dependendo da pessoa e do tema, no entanto, Lemann pode ser disponível como raras pessoas nos dias de hoje — ainda mais raras se considerarmos que se trata do homem mais rico do Brasil.

Jovens interessados em estudar em Harvard ocupam sua lista de prioridades. Um estudante de dezoito anos conta, com naturalidade, que troca e-mails e mensagens de WhatsApp frequentes com Lemann. Eles se encontraram uma vez, durante uma passagem do empresário por São Paulo. "Ele é extremamente humilde", diz o estudante. "Fala como se fosse um amigo, um mentor." Na primeira conversa, o empresário fez um monte de perguntas. Queria saber quem era o garoto, de onde vinha, por que queria ir para Harvard, onde havia começado os estudos e aonde queria chegar.

O jovem estava na lista de espera de Harvard quando conheceu Lemann. O empresário disse que falaria com a direção sobre a baixa aprovação de brasileiros naquele ano. Em seguida, o garoto foi aceito na universidade.

Não é incomum Lemann receber visitas variadas em casa. De donos de outras cervejarias pelo mundo a fundadores de startups. Certa manhã, esteve lá um dos criadores do jogo eletrônico *Angry Birds*. Como outros empreendedores, o rapaz fez perguntas para saber a opinião do experiente empresário sobre os rumos de sua empresa. Lemann demonstra prazer nesse tipo de conversa. Responde às questões com a fala calma, com um ritmo de quem busca as palavras apropriadas, em uma cena que lembra a de um diálogo entre um discípulo e seu mestre.

Algumas pessoas usam a palavra "impressionante" ao se referir à conduta de Lemann. Ao mesmo tempo que é cercado por uma aura enigmática e distante, ele é alguém reconhecido por interagir "de indivíduo para indivíduo", como define um ex-executivo da companhia. Seu feito à frente da AB InBev traduz esse temperamento.

Ele idealizou o maior símbolo do capitalismo brasileiro e um dos maiores do mundo. Mas o fez sobre uma base inegociável de compartilhamento de esforços e lucros. Criou um sistema ancorado na meritocracia, que divide para multiplicar e ir mais longe.

Diante de elogios, ele sorri e divide os louros. O mérito é de todos. De seus sócios, tão bons em realizar o que ele idealiza. Dos executivos, que há anos dão duro para construir o império que ele sonhou. De fato, são todos responsáveis.

A presença de Jorge Paulo Lemann na companhia, embora hoje mais sutil e silenciosa, continua a pairar sobre as novas gerações como uma tradição que lembra onde tudo começou.

CAPÍTULO 3
Uma empresa de muitos donos

Enquanto Lemann era o dono da ideia de comprar uma cervejaria e responsável pelas diretrizes de um modelo de gestão que partia da experiência no Banco Garantia, Marcel Telles seria o grande arquiteto e executor do bem-sucedido caso Brahma — que daria origem à formação da maior cervejaria do mundo no futuro.

O negócio de Marcel era trabalhar, executar, realizar. Gostava também de orientar pessoas, muitas vezes indicando ou até distribuindo livros de gestão, liderança e tendências, hábito que nunca abandonou. Alguns dos profissionais que trabalharam com ele usam adjetivos como "duro" e, ao mesmo tempo, "justo" para descrevê-lo. Era firme, sem ser grosseiro. Chamava a atenção por andar de calça jeans, camisa polo e sapato dockside, ao estilo do Garantia. A barba em geral estava por fazer e o corpo, sempre em forma. Gustavo Pimenta, um dos primeiros jovens contratados pela empresa, se lembra de ter se surpreendido ao ver o presidente da Brahma em uma palestra na universidade em que estudava vestindo uma camisa verde-limão e sentado sobre a mesa com as pernas descontraidamente cruzadas. "Me identifico com um ambiente em que o presidente se veste assim", pensou na hora.

Esse jeitão lhe concedia um ar acessível, o que Marcel era de fato. No entanto, para alguns funcionários, a aparência criava um contraste com o rigor profissional que ele deixaria claro desde o momento de sua chegada. Apesar de ocupar o cargo mais alto, analisava de perto os detalhes operacionais do dia a dia.

João Castro Neves, que entrou na companhia em 1996 e que chegaria ao cargo de presidente da Zona América do Norte, se lembra de ter se surpreendido com a quantidade de vezes que ouviu o nome de Marcel durante o processo seletivo. Cada um que o entrevistava, comentava que o chefe havia pedido uma tarefa. "Ele estava envolvido em tudo, era megapresente", conta João. Ele achou aquilo estranho no início. Talvez fosse além da conta para alguém em sua posição. Quando chegou o momento de conversar com Marcel, perguntou diretamente: "Como fica a empresa se você sair?". A resposta do CEO foi que ele acreditava que um executivo tinha um tempo médio de dez anos em seu cargo. Depois, tinha de sair — a não ser que comprassem algo muito maior, dobrando o tamanho da empresa. Ele sabia que não ficaria ali para sempre.

Na ocasião, João estava ressabiado com um comentário recorrente de seus amigos que sabiam de seu interesse em trabalhar na Brahma. Eles diziam que a empresa havia sido comprada pelos banqueiros para ser vendida em poucos anos. Mais uma vez, resolveu perguntar ao dono. Marcel foi objetivo de novo: "Não tem nada disso. A gente adora isso aqui. É um negócio de longo prazo".

No dia a dia, Marcel parecia genuinamente interessado em entender o novo negócio. Nas reuniões a que comparecia — mantendo uma postura discreta e nem sempre anunciando sua chegada —, permanecia calado a maior parte do tempo. Depois de ouvir bastante, fazia perguntas específicas e diretas.

Ele não era tão econômico nas palavras quanto Lemann. Tampouco as desperdiçava. Os diretores que trabalharam com Marcel sabiam que tinham pouco tempo de sua atenção. Deveriam usá-lo de maneira objetiva. Quando cometiam um erro, só pioravam a situação ao tentar justificar. "Não estou pedindo explicações", dizia Marcel. "Te dei uma missão. Você é o dono dela. Resolva", dizia com sua voz grave, forte e baixa.

Uma dupla complementar

Desde o início, Marcel e seus sócios sabiam que ele precisaria de ajuda para conduzir o negócio no dia a dia. Tinham um nome em mente antes de mesmo de fechar o acordo: Magim Rodriguez, indicação de Beto Sicupira.

Os dois se conheceram quando Beto era presidente das Americanas e Magim, diretor-geral da Lacta, importante fornecedora da rede. O executivo tinha a criatividade para encontrar soluções improváveis, somada a uma capacidade de execução obstinada. Prova disso foi um episódio ocorrido anos antes.

Na época da Páscoa, uma das mais movimentadas para a indústria de chocolates, Magim determinou que cada chefe de unidade de negócios da Lacta, incluindo ele próprio, visitaria um número definido de pontos de venda. A Magim couberam as Lojas Americanas. A previsão da Lacta era vender duzentas toneladas de ovos para as 54 lojas da rede. Mas Beto resistiu a aceitar os produtos por falta de espaço. Em seguida, abriu uma brecha: "Se encontrar algum lugar para colocar seu produto, eu compro".*

Magim aceitou o desafio. Passou o dia na loja da rua das Laranjeiras, na Zona Sul do Rio de Janeiro, procurando onde colocar uma prateleira da Lacta. Mas

---

* Darcio Oliveira, "Ovelha desgarrada", *Época Negócios*, 5 maio 2009. https://glo.bo/2ZC7H3x

tudo estava ocupado pelos mais variados produtos: discos, material escolar, utensílios domésticos, roupas. O segundo andar era todo dedicado a brinquedos. Quando ele descia pela escada rolante, olhou o galpão em perspectiva e teve uma luz: colocar os ovos de Páscoa pendurados no teto da loja. Beto não só topou a inovação, como o fez em termos que eram vantajosos para a indústria: se não vendessem bem, a Lacta aceitaria a devolução de apenas 5% dos ovos. Nascia uma grande inovação que iria se espalhar pelo varejo nacional. "O Beto me conhecia", diz Magim. "Ele devia pensar: 'Esse cara vendeu o diabo. É maluco. É esse que eu quero. Porque ele vai até o fim, busca o que precisa'. E foi por isso que o jeito dele também me agradou."

Quando a negociação entre a corretora e a Brahma ainda estava em andamento, Beto começou a ligar para Magim. Inicialmente, não conseguia falar, porque Magim, não queria atender. Depois de quinze anos na Lacta, acabara de deixar a presidência. Só queria saber de se aposentar. Tinha se mudado com a família para uma casa em frente à praia de Stella Maris, no norte de Salvador. Por um ano e dois meses, todos os seus dias pareciam férias. Ele tomava sol, jogava tênis, surfava. Até que cedeu à insistência de Beto e marcou uma reunião para ouvir sua proposta.

Na primeira vez, Magim não tinha informações suficientes para entender do que se tratava. Beto, Marcel e Jorge Paulo não podiam abrir os detalhes do projeto. Beto apenas falou que era um novo negócio e que queriam que embarcasse nele com Marcel, responsável por tocá-lo. O executivo insistiu. Não poderia aceitar sem saber do que se tratava. Os banqueiros, então, contaram que investiriam no setor de bebidas. Magim pensou na hora que fosse uma franquia da Coca-Cola. Nem sonhava com um negócio gigante como a Brahma. Aceitou o convite antes de saber onde estava se metendo.

Nos primeiros meses, passava seus dias no Banco Garantia, acompanhando o trabalho dos demais executivos — a maioria jovens. Depois do período no banco, já sabendo de que empresa se tratava, passou três meses conhecendo cervejarias pelo mundo. Visitou as fábricas Kirin e Sapporo, no Japão; Warsteiner, na Alemanha; Budweiser e Coors, nos Estados Unidos; e Kronenbourg, na França.

O combinado era que ele assumiria a diretoria de marketing, enquanto Marcel seria o presidente da Brahma. Mas o acordo nos bastidores transformava a liderança deles numa cogestão. "Desde o início, a orientação do Marcel foi: 'Quem toca a companhia é você, mas vou estar aqui do teu lado, por dentro de tudo o que está acontecendo, dando palpite quando achar que devo dar e te ajudando no que precisar'", conta Magim. E foi assim.

Os banqueiros chegaram

Em 6 de novembro de 1989, chegou ao escritório a nova chefia: Marcel Telles e três executivos de sua confiança. Os paulistanos Magim, então com 47 anos, e Luiz Cláudio Nascimento, de 27 anos, conhecido como Pantera, que trabalhava no Garantia e cuidaria do caixa da Brahma, além do engenheiro mecânico carioca Carlos Brito, de 29 anos. Brito havia concluído recentemente um MBA em Stanford, financiado pelo trio dono do banco, e seria o responsável por criar um modelo de controles gerenciais para a empresa.

Logo que começaram a entender os números da Brahma, Marcel e Magim levaram um susto. Um detalhe crucial havia passado batido na fase de análise da cervejaria devido à rapidez da conclusão do negócio. O fundo de previdência da empresa somava um caixa de US$ 30 milhões, mas, para cumprir suas obrigações, precisaria de uma reserva de US$ 250 milhões, quatro vezes o montante pago pela empresa. A primeira medida da dupla seria desarmar a bomba-relógio, aliando cuidado e velocidade.

Naquela época, a regra previa que os funcionários se aposentassem com salários confortáveis, de até 20% a mais do que ganhavam na empresa, sem oferecer nenhuma contribuição ao fundo de previdência privada ao longo dos anos de trabalho. A própria companhia investia um valor comparável à remuneração do profissional para compor o fundo. Mas a conta não fechava no longo prazo. Não haveria recursos para pagar aposentadorias no futuro. Então Marcel decidiu pedir a colaboração da equipe para mudar as regras — e tornar viável o pagamento do novo valor combinado.

A mudança propunha dobrar o saldo corrente do fundo; em compensação, a partir daquele momento, os funcionários passariam a contribuir com 8% de seu salário (depois de alguns anos, isso se tornava opcional). Ao se aposentar, as pessoas receberiam o valor proporcional ao tempo de contribuição e podiam escolher receber em parcelas mensais ou sacar tudo de uma vez, como se fosse um fundo de investimento. Como aquele era um direito adquirido dos funcionários, era preciso conquistar a anuência de cada um, assinando um documento. Marcel, o carioca Danilo Palmer, diretor financeiro que trabalhava na Brahma havia vinte anos, e outra executiva da empresa conduziram aproximadamente quatrocentas conversas pessoais com os empregados para explicar a estratégia — e os gerentes de RH o fizeram com outros milhares de funcionários. No início, encontraram resistência. Os profissionais sentiam que estavam perdendo algo considerável. Pouco a pouco, porém, entendiam que, sem aquela medida, o fundo de previdência iria à falência, o que comprometeria o futuro de todos. Com muito diálogo, conseguiram implantar o sistema.

Logo no início de sua gestão, Marcel determinou que a regra agora era que todos os departamentos reduzissem suas despesas em 10% e aumentassem suas receitas em 10%. Todo ano. De cara, foram eliminados US$ 50 milhões da linha total de custos.

O grande corte aconteceu em 12 de fevereiro de 1990. De Manaus a Porto Alegre, em todas as fábricas e escritórios, as pessoas passaram o dia esperando o telefone tocar. "A diretoria está chamando", diziam do outro lado da linha. No total, 2500 funcionários, a maioria executivos, foram desligados — 10% do quadro da empresa e 18% da folha de pagamento — entre os anos de 1990 e 1991. Alguns dos primeiros a deixar a companhia foram diretores da família Gregg. Profissionais antigos foram substituídos por executivos jovens. No ano de 1990, foram trocados dez dos dezessete gerentes de fábrica por gestores que assumiam o trabalho pela primeira vez. Em alguns lugares, um gerente que havia passado o dia demitindo os integrantes de sua equipe também era demitido no final.

Uma nova esperança para Josué

Josué Bressane, o jovem profissional desmotivado pelos hábitos envelhecidos da companhia, começou a ter uma nova perspectiva. Seu chefe fora demitido. O chefe do seu chefe fora demitido. Dois colegas foram demitidos. Mas ele ficara. Com as demissões massivas encerradas, a comunicação da nova liderança com quem ficou foi transparente e bem conduzida, segundo ele. "Houve um alinhamento de cima para baixo", conta. Às cinco horas da tarde do mesmo dia das demissões, o grupo que trabalhava no escritório administrativo foi reunido em uma sala e o novo gerente das fábricas do Rio de Janeiro, que agora respondia diretamente ao primeiro escalão, passou o recado: "O que tinha que ser feito já foi. Agora vocês são o time com o qual a gente conta. A partir de hoje, temos uma nova cultura. As coisas vão mudar radicalmente aqui dentro, e vamos tocar a vida".

Em 1990, a cervejaria conquistou a liderança do mercado no Brasil para nunca mais perder o posto. Alguns analistas relativizam o êxito do modelo de gestão da Brahma, atribuindo o sucesso principalmente à conjuntura da indústria nacional naquela década. Era um setor restrito a basicamente duas empresas, familiares e inchadas, com oportunidade de ganho de eficiência e um produto de fabricação simples e similar em todo o mundo. Mas o mérito inicial do trio de banqueiros foi justamente o da escolha do investimento. Fátima Zorzato valoriza o faro apurado dos empresários para o bom negócio. "A oportunidade estava aí, qualquer um poderia escolher investir nesse setor. Mas eles fizeram isso naquele momento porque tiveram visão."

A nova Brahma

A base da nova cultura que começava a ser implantada na Brahma, entre o fim de 1989 e o início de 1990, se resumia a um conceito: a atitude de dono. Profissionais talentosos e bem preparados, comprometidos com o resultado do trabalho, atuando com disciplina em todas as etapas do processo, seriam recompensados à altura — com a possibilidade de se tornar sócios do negócio. Exatamente como era feito no Garantia.

Colocar essa mentalidade para funcionar significava, naquele momento, virar do avesso as crenças e o comportamento de dezenas de milhares de pessoas. Não seria um trabalho fácil. Mas o método era simples: começar a praticar e a falar sobre o assunto e não parar mais. Para isso, eram repetidas à exaustão frases como "Custo é como unha. Tem que cortar sempre", herdada de Beto Sicupira. "Sonhar grande e sonhar pequeno dá o mesmo trabalho", atribuída originalmente a Jorge Paulo Lemann. "Me mostra o gabarito", típica de Carlos Brito. E outras que ficaram famosas nos corredores da Brahma e, mais tarde, no mercado em geral, como "fazer a coisa certa"; "foco em resultado", "pessoas excelentes trazem resultados excepcionais", "trocar o pneu com o carro andando" e "o sarrafo é alto".

Para a engrenagem funcionar, o primeiro passo era rever o time. Os desligamentos realizados em 1989 foram acompanhados de reestruturações na empresa. Os gerentes de diversas áreas, como RH e financeiro, que cuidavam cada um de uma fábrica, foram substituídos por um gerente responsável por quatro fábricas. Aos poucos, algumas delas foram fechadas. A cultura e os processos foram, pouco a pouco, unificados sob o comando de lideranças compartilhadas. Em toda a empresa, as camadas hierárquicas diminuíram e algumas funções foram eliminadas ou agrupadas em novas.

Outra medida drástica tomada pela liderança foi a quebra de paredes de salas privadas. O formato que em algumas décadas iria se tornar tendência no Brasil era novidade no início dos 1990. Agora todos podiam ter uma visão completa do ambiente de 2,4 mil metros quadrados do escritório central. Os diretores compartilhavam uma mesa grande, localizada no centro, separada apenas por baias de vidro. As únicas paredes que restaram também eram de vidro, e ficavam nas salas para atendimento aos clientes e na mesa de operações — havia dentro da cervejaria uma mesa de operações financeira similar à de um banco, onde trabalhavam aproximadamente seis pessoas comandadas por Felipe Dutra, atual CFO da AB InBev (ABI). Marcel Telles explica a mentalidade por trás dessa decisão:

> A gente gosta muito de transparência [...] Nascemos uma corretora, depois um banco, todo mundo trabalhava na mesma sala, e isso dá muita velocidade, porque eu estou falando com o cara de marketing sobre uma ação e o cara do industrial

levanta a mão e diz: "Opa, vocês esqueceram que leva sessenta dias para produzir". [...] Quero acreditar que isso evita que tenha política.*

Os seis restaurantes que atendiam ao pessoal da administração central e da fábrica sofreram transformações. Viraram apenas três, um para o administrativo, um para a operação de fábrica e um para a presidência e diretores. Nos dois primeiros, passou a ser servida a mesma refeição. O cardápio da diretoria permaneceu diferente. Lá, eram oferecidos pratos sofisticados, como lagosta e camarão. Marcel almoçava no bandejão com o restante dos funcionários. Num primeiro momento, porém, sua postura era uma exceção. Os gerentes continuavam sentando juntos, assim como os analistas e outros grupos acostumados com hierarquias e panelinhas, como se houvesse uma parede imaginária. Os banheiros — antes os executivos tinham banheiro separado — passaram a atender qualquer funcionário.

Havia muito carregamento de caminhões, que distribuíam as cervejas pelos pontos de venda, e era comum que os motoristas se misturassem aos funcionários da fábrica para comer sem autorização. Com a nova gestão, o RH recebeu carta branca para organizar a entrada e saída nos refeitórios. A solução foi contratar um segurança, que só liberava a entrada diante da apresentação de uma credencial. Certa vez, Magim foi almoçar e não levou sua carteirinha, então foi barrado na porta. Ele pediu para chamar a responsável. Ela desceu, esperando ser repreendida pelo chefe. "Parabéns!", ele disse. "Se não fizer assim, não funciona."

Com o passar do tempo, o exemplo da liderança foi se espalhando pelo Brasil. Em 1991, Carlos Brito assumiu como gerente da fábrica de Agudos, no interior de São Paulo. Em seu primeiro dia, em vez de almoçar com sua equipe, foi ao restaurante dos operadores (havia dois refeitórios separados, para diferentes níveis hierárquicos). No dia seguinte, quando Brito levantou, todo mundo foi atrás dele para o restaurante da equipe da fábrica. As mudanças comandadas por Marcel tinham uma mensagem clara: "Nós falamos às pessoas que todo mundo estava começando do mesmo lugar, e a partir daí o que as diferenciaria seria a performance".**

Lugar de funcionário é na rua

Magim e Marcel logo ficaram conhecidos como M&M. Marcel se revelou um profissional "sedutor", como definiu Magim. "Isso é fundamental para a lide-

---

* "O que Marcel Telles pensa sobre transparência?", Na Prática. http://bit.ly/2VrhUka
** Donald N. Sull e Martin Escobari, "Brahma versus Antarctica: Reversal of Fortune in Brazil's Beer Market", London Business School, 2005.

rança. Em uma conversa de meia hora, ele conquista qualquer um." Ao longo do primeiro ano à frente da Brahma, ele fazia o que chamava de "gastar sola de sapato" — ou o "balé do asfalto". Junto com Magim, foi conhecer de perto fábricas e revendas da Brahma ao redor do Brasil. Os dois conversavam com os principais funcionários de cada região. Iniciavam o diálogo explicando que haviam chegado ali para tocar o negócio com a nova equipe na liderança, mas que confiariam nos funcionários da companhia para ocupar as posições gerenciais.

Aos sábados, Marcel se reunia com seus principais executivos: Magim, Carlos Brito e Pantera. Os encontros aconteciam em sua casa em Búzios ou no apart-hotel onde o empresário vivia, recém-separado da mulher. Começavam às nove da manhã, mas não tinham horário para terminar. A pauta era sempre a mesma: discutir o perfil dos funcionários com quem haviam conversado de segunda a sexta para definir quem ficaria e quem iria embora. Entre novembro de 1989 e janeiro de 1991, Marcel também escreveu os principais acontecimentos do negócio em treze cartas-relatórios para os sócios do Banco Garantia. O objetivo era deixá-los a par da situação da cervejaria e de suas decisões.

Com o tempo, gastar sola de sapato iria se tornar uma prática comum à liderança de todos os níveis. O trabalho consistia em visitar constantemente as áreas industrial e comercial, além dos pontos de venda. Do presidente aos funcionários que ocupavam cargos de coordenação ou gerenciais na administração central, todos passavam cerca de 70% do tempo viajando para visitar as unidades de negócio (fábricas e salas de vendas) e varejo (supermercados, lojas, bares e restaurantes). Magim conta que passava cerca de vinte dias por mês fora do escritório. "Estava sempre em algum lugar do Brasil vendo o resultado, e não era o resultado do gerente chefe, não. Era do gerente de vendas ou de fábrica", diz ele.

Um ex-supervisor de turno de fábrica conta que, certa vez, Marcel marcou uma reunião com a equipe operacional às nove da manhã. Quatro horas antes, às cinco, ele já podia ser visto passando por todas as áreas da indústria e conversando com os operários, chamando cada um pelo nome.

O propósito das visitas não era apenas verificar se tudo estava indo bem e passar novas diretrizes às equipes. Era também identificar lacunas nos processos de trabalho. Falhas, ineficiências, oportunidades de melhoria. Em suas andanças, Magim afirma que tentava entender de que tipo de suporte sua equipe precisava para melhorar os resultados. Costumava perguntar: "O que falta para atingir a meta?". Às vezes, era preciso dar estímulo, aumentar o orçamento da área. Por exemplo, para diminuir o preço da cerveja em um mercadinho onde a concorrência era mais forte.

Magim tinha um estilo complementar ao de Marcel; em muitos aspectos, oposto. Era polêmico e exagerado, porém carismático. "Enérgico" e "emocional" são algumas das palavras usadas por pessoas que trabalharam com o executivo para descrever seu jeito. Com 1,80 metro de altura, voz grave e alta, ele não passa despercebido. Sua maneira de falar, com frases secas e diretas, é tão intensa quanto sua determinação. "Sempre tive esse estilo pouco político", afirma. "Acho que as pessoas têm que saber o que penso. Se tem que falar algo, fale logo. Não fique tentando ajeitar."

Em 1991, o diretor protagonizou um episódio que ficou famoso na companhia. Fazia dois meses que ele dera a ordem para que todos os carros da empresa tivessem a logomarca da campanha de marketing da Brahma, "Número 1". Ao final de uma reunião na cidade de Bauru, no interior de São Paulo, ele e Marcel aceitaram a carona oferecida pelo então diretor Roberto Fogagnoli até o hotel em que estavam hospedados.

"Cadê seu carro?", perguntou Magim.

"É este", Fogagnoli falou, apontando para um Opala bege.

"Mas esse carro não é da companhia!"

"É, sim!", respondeu o diretor, revelando certa ingenuidade.

"Por que não está logomarcado, então?", gritou Magim, indignado.

Fogagnoli começou a explicar:

"É que eu gosto de chegar de surpresa para visitar os pontos de venda sem ninguém saber que sou da Brahma."

"Nessa merda eu não vou!!!", berrou o executivo, chutando o carro de Fogagnoli freneticamente, até amassar a porta.

No dia seguinte, a história já tinha corrido toda a empresa. Era esse o objetivo de Magim. "Às vezes, era preciso fazer um show pirotécnico para dar o exemplo. Se alguém discordasse do que estava sendo implantado, que viesse falar diretamente, e não boicotar o programa." Alguns dias depois, ele chamou o dono do carro amassado para jantar. Explicou que não se tratava de uma implicância pessoal, e sim de uma oportunidade que encontrara para dar o exemplo a toda a companhia.

Quando estava nervoso, Magim batia na mesa, gritava ainda mais alto do que seu tom de voz habitual, exagerava nos palavrões. Mas elogiava publicamente quando alguém se destacava. Um ex-gerente lembra o dia em que o chefe, já na presidência da Brahma, passou por sua mesa e o cumprimentou pelo ótimo resultado. "Eu era moleque na época e estava no telefone na hora, mas ele me cumprimentou com um aperto de mão e pensei: 'Caramba! É o presidente da empresa reconhecendo meu trabalho'."

Tolerância zero

Em novembro de 1990, Marcel assinou o texto de abertura de um livreto que recebeu o título de "Vamos à luta!". Em folhas de papel tamanho A4 dobradas ao meio, o material explicava didaticamente para os 22 500 funcionários remanescentes na companhia o que a nova liderança pretendia construir dali em diante. O tom era informal:

> Eu venho de uma firma pequena, com poucas pessoas, onde todos praticamente trabalham juntos em um grande salão, trocando ideias e opiniões. Aqui na Brahma, minha maior dificuldade é poder me comunicar com nossos 23 mil colegas [...] Então resolvi escrever esta carta para você e pedi ao pessoal do marketing que fizesse algumas ilustrações para que a leitura não ficasse muito chata.

Nas 47 páginas seguintes, um personagem ilustrado ao estilo de charge apresentava informações e percepções sobre a empresa e o mercado no passado, presente e futuro, convocando os funcionários a batalharem pela recuperação da liderança do setor. Mencionava, por exemplo: "a nossa organização foi inchando, com exagerados aumentos no quadro de pessoal burocrático, assumindo uma estrutura pesada, centralizada e lenta no processo de tomada de decisão". Ao final, um resumo em dez tópicos deixava claras as principais ideias sobre os passos seguintes: "Vamos cortar os custos desnecessários; vamos nos concentrar no essencial e parar de perder tempo com coisas secundárias; vamos nos dedicar mais à ação e menos à burocracia; vamos valorizar o nosso quadro de pessoal, treinando os antigos e admitindo sangue novo; vamos manter a excelente qualidade dos nossos produtos". É possível identificar nos tópicos desse documento a semente do que hoje a AB InBev chama de dez princípios da Dream People Culture,* como o foco em pessoas, excelência de resultados e gestão de custos. As ideias poderiam ser resumidas em um conceito principal: ter um objetivo claro, o grande sonho, e alinhar as pessoas em torno dele.

---

* Os dez princípios da AB Inbev em 2019 eram: NOSSO SONHO 1. Nosso sonho nos inspira a trabalhar juntos, unindo as pessoas por um mundo melhor. NOSSA GENTE 2. Pessoas excelentes, com liberdade para crescer em velocidades compatíveis com seu talento e recompensadas adequadamente, são os ativos mais valiosos da nossa Companhia. 3. Selecionamos, desenvolvemos e retemos pessoas que podem ser melhores que nós mesmos. Avaliamos nossos líderes pela qualidade das suas equipes. NOSSA CULTURA 4. Nunca estamos completamente satisfeitos com nossos resultados, que são o combustível de nossa Companhia. Foco e tolerância zero garantem uma vantagem competitiva duradoura. 5. O Consumidor é o Patrão. Nos conectamos com nossos consumidores oferecendo experiências que têm um impacto significativo em suas vidas, sempre de forma responsável. 6. Somos uma companhia de donos. Donos assumem resultados pessoalmente. 7. Acreditamos que o bom senso e a simplicidade orientam melhor do que sofisticação e complexidade desnecessárias. 8. Gerenciamos nossos custos rigorosamente, a fim de liberar mais recursos para suportar o nosso crescimento no mercado de maneira sustentável e rentável. 9. Liderança pelo exemplo pessoal é o melhor guia para nossa cultura. Fazemos o que falamos. 10. Nunca pegamos atalhos. Integridade, trabalho duro, consistência e responsabilidade são essenciais para construir nossa Companhia.

O narrador do livreto era um personagem inspirado no lutador Mike Tyson, que sofrera sua primeira derrota no dia 11 de fevereiro de 1990, em um embate em Tóquio. Marcel comparou a situação do lutador à da Brahma, que, em 1989, tinha 37,8% de participação de mercado, enquanto a Antarctica tinha 40,8% — uma diferença que podia parecer pequena à primeira vista, mas era suficiente para tirar o sono dos executivos, já que as duas cervejarias batalhavam cada ponto percentual do mercado. Durante uma reunião, Marcel falou aos executivos presentes: "Temos que ser iguais ao Mike Tyson. Levamos uma surra da Antarctica, fomos a nocaute, e agora precisamos dar a volta por cima".

No final do livreto, havia um recado: "No verso desta página há um espaço para você anotar suas opiniões, ideias, dúvidas, sugestões e até mesmo as críticas". Era um convite para que qualquer pessoa falasse diretamente com o novo presidente da empresa. Josué Bressane, o analista de RH que já trabalhava na Brahma quando o Garantia chegou, foi um dos que escreveu. Questionou alguns pontos, disse que não concordava com outros. Dois meses depois, recebeu em resposta uma carta pessoal assinada por Marcel.

O personagem inspirado no Mike Tyson voltaria a aparecer em 1995, na cartilha "Gente", uma espécie de versão atualizada do primeiro livreto. Um dos itens do documento discorria especificamente sobre um dos mais importantes pilares da nova cultura: atrair e reter os melhores profissionais. Em "Recrutamento e seleção", um entre os três tópicos que explicavam o tema dizia: "A companhia dá preferência ao recrutamento interno, podendo qualquer pessoa da Brahma candidatar-se a cargos vagos na empresa, desde que atendidos os requisitos exigidos".

Os trainees chegaram

Em 1990, a principal porta de entrada da Brahma se tornou o programa de trainee. O objetivo era atrair jovens inteligentes, bem formados técnica e culturalmente, com disposição e energia acima da média para o trabalho, vontade de enriquecer e de "fazer parte de uma companhia com escala para causar mudanças positivas e relevantes no mundo", como costumam dizer os executivos. Não havia necessidade de ter experiência prévia e eram bem-vindos os que não tinham medo de falar o que pensavam. Basicamente o que Marcel, Lemann e Beto já faziam no banco, mas agora numa proporção cem vezes maior.

Para encontrar os jovens talentos, eram feitos os tradicionais anúncios em jornais, mas logo no primeiro ano Marcel e Magim começaram a fazer palestras para estudantes dos cursos de economia, engenharia e administração nas universidades de primeira linha. A prática se tornou usual na companhia. Carlos Brito, diretor-presidente da AB InBev, e outros integrantes da liderança executiva se apresentam nas principais universidades do mundo algumas vezes por ano. O propósito é atrair as melhores pessoas do público que se identificarem com seu discurso. "A única vantagem competitiva sustentável são nossas pessoas e nossa cultura", disse Carlos Brito, 28 anos depois do início de sua carreira na Brahma. "Nossa cultura não é a única que funciona. Mas é a que funciona para nós. Contratar as melhores pessoas na universidade ainda é e sempre será nosso foco." Para Brito, a maioria da equipe de liderança da AB InBev foi contratada logo depois de se formar. Ele acredita que para alguém que passou anos em outra empresa é mais difícil se adaptar ao ambiente da companhia.

Algumas das poucas inspirações da Brahma foram os programas de trainee do Banco Nacional, da varejista Mesbla e, claro, das Lojas Americanas, que receberam seus primeiros jovens recém-saídos das universidades em 1989. Desde o início, o processo, idealizado pelo trio de banqueiros, tinha duração de dez meses, e seus principais atrativos eram a formação generalista, sem direcionar para nenhuma área específica, e a chance de assumir cargos altos no curto prazo. Uma vez lá dentro, as possibilidades para os novos talentos seriam identificadas e, quando necessário, criadas. "Nossa máquina depende sempre de gerar oportunidades para os jovens que treinamos, que são excepcionais e têm muita sede por desafios",* afirmou Lemann. "É por isso que nós somos sempre obrigados a inventar novidades que dão oportunidades para as pessoas que trabalham conosco."

Orientados por Marcel sobre os critérios que deveriam usar, os diretores regionais conduziram a seleção em seus respectivos estados. Na capital fluminense, sede da empresa, ele próprio entrevistava os finalistas. Josué foi promovido de analista a coordenador e passou a conciliar o trabalho na fábrica à condução do programa de trainee no Rio de Janeiro. Em 1992, na terceira edição do processo, foi incumbido de avaliar as contratações feitas nos dois anos anteriores em todo o país. Nem todos os escolhidos se encaixavam nos critérios estabelecidos. Diante desse diagnóstico, algumas pessoas foram encaminhadas para cargos técnicos. Depois de alguns anos, o programa passou a ser centralizado no Rio de Janeiro, onde eram realizados a seleção e o treinamento dos candidatos.

O processo seletivo começava com provas de conhecimentos gerais, fluência em inglês e competências em informática (exigências incomuns para a época). Em seguida, aconteciam as dinâmicas que avaliavam, segundo critérios severos, as habilidades para lidar com situações inusitadas, capacidade de negociação e de suportar pressão e a disponibilidade para assumir novas atribuições. Um dos participantes da primeira turma de trainees conta que as avaliações eram mais difíceis do que qualquer vestibular. Além das exigências técnicas e de compor-

---

* "Jorge Paulo Lemann: 'Nosso negócio não é cerveja, nem hambúrguer ou ketchup, é gente'", Endeavor Brasil. http://bit.ly/2Pv0jCt

tamento, ele destaca o tempo de duração do processo seletivo (seis meses) e a flexibilidade exigida do candidato. Para participar de uma das etapas, o candidato precisou sair às pressas do interior de Minas Gerais, onde trabalhava, para atender a uma convocação da empresa no Rio de Janeiro, feita de um dia para o outro. Na última fase, quando eram conduzidas entrevistas com a diretoria, os participantes costumavam se surpreender com a informalidade da conversa e o teor das perguntas, que em geral versavam sobre assuntos pessoais e atitudes, e não sobre suas áreas de formação ou competência técnica.

Em novembro de 1990, os 25 aprovados na seleção da Turma 1 do Programa de Trainee da Brahma, como depois ficou conhecida internamente, ingressaram na companhia vestindo uma camiseta feita com a frase "Os trainees chegaram" estampada. A mensagem gerou certa tensão nos funcionários antigos.

Entre os recém-chegados estavam alguns dos executivos que fizeram história na companhia. Bernardo Paiva, presidente da AmBev desde 2015; Luiz Fernando Edmond, que ficou na empresa por 26 anos, passou pela presidência da AmBev e deixou a AB InBev em 2016, depois de chegar ao cargo de diretor global de vendas; Sandro Bassili, vice-presidente de gente e gestão da Zona América do Norte; Gustavo Pimenta, ex-diretor de tecnologia da informação e serviços compartilhados; e Claudio Garcia, conhecido como Claudão, que chegou a diretor global de pessoas da AB InBev. Os dois últimos saíram da empresa em 2017.

A espinha dorsal do programa era essencialmente a mesma do processo conduzido pela companhia hoje. A primeira fase, com duração de cinco meses, consistia em uma rotação por todas as áreas da empresa. A turma era dividida em trios. Parte dos grupos era alocada para as fábricas, para conhecer o processo de produção da cerveja. Outra parte se espalhava pelos setores da administração e se encontrava diariamente em uma sala reservada pelo RH para ser o QG dos trainees.

Para desenvolver a dinâmica de rotação daquela primeira turma, Josué contou com a ajuda de um engenheiro para aplicar a ferramenta de gerenciamento de projetos Program Evaluation and Review Technique (PERT). É um sistema que calcula a duração de cada atividade dentro de um contexto completo. Com esse suporte, foi possível alocar os trainees nas diferentes áreas de imersão, garantindo que cada um continuaria o trabalho começado pelo outro, sem desperdício ou repetição de tarefas. Segundo ex-executivos, o uso de sistemas e ferramentas metodológicos para apoiar as mais variadas tarefas era uma característica levada por Marcel, que buscava atalhos para aumentar a eficiência. Logo, aquele iria se tornar um dos traços mais marcantes da nova cultura e do modelo de gestão.

Os jovens eram inseridos na rotina real de trabalho. No RH, por exemplo, acompanhavam entrevistas de admissão e demissão e acordos com sindicatos. Os gestores de cada departamento tinham de responder um formulário avaliando o comportamento dos trainees que passavam por ali. Eram levados em conta aspectos como postura e nível de interesse. Os recém-contratados, por sua vez, tinham de fazer um relatório de aprendizado de cada área, apresentando os conhecimentos adquiridos naquela gerência. Também deviam apontar o que mudariam no dia a dia se pudessem. Os relatórios eram avaliados pela área de RH. Ao final da imersão, a soma dos materiais virava o que os executivos chamavam de "dossiê".

Nos cinco meses finais, os trainees eram direcionados para sua "área destino", uma unidade de negócios onde fariam um estágio dirigido. Naquele primeiro ano, alguns iniciaram a carreira no marketing, outros no comercial e três deles, com formação em engenharia, foram incumbidos de estruturar áreas que ainda não existiam, como o Planejamento e Controle de Produção (PCP). Trata-se de um sistema de gerenciamento dos recursos operacionais de produção de uma empresa, que controla desde *o que* e *quanto* será produzido até o fluxo de trabalho em cada etapa do processo, o que naquela época era uma novidade no Brasil.

Paralelamente, os trainees passavam por um treinamento comportamental, em matérias como relacionamento interpessoal, gestão de pessoas e liderança. A cada quinze dias, o profissional do RH responsável pelo programa se reunia com a turma dividida em grupos menores para avaliar sua evolução. Ao final, os participantes eram, em geral, promovidos para funções de analistas ou gerentes.

Entre 1990 e 1999, a empresa contratou mais de quatrocentos trainees, dos quais 60% viriam a ocupar posições de gerência e os outros 40%, cargos seniores. Em 1999, mais de 9 mil estudantes se inscreveram para concorrer às 25 vagas da AmBev, em um dos programa de trainees mais disputados do país.

Outras formas de começar

Além do programa de trainee, mais tarde seriam criadas portas de entrada alternativas para jovens estudantes, com exigência um pouco mais baixa. Um deles é o Talentos, uma segunda oportunidade para candidatos excelentes mas com alguma lacuna, como a falta da fluência em inglês ou de disponibilidade para mudar de cidade ou país. O Talentos tem duração de dois meses e, ao final, direciona seus participantes para alguma posição similar à dos trainees quando concluem o processo. Outro é o programa de estágio, que capta estudantes com potencial para se tornar trainees ou talentos. Com o tempo, os profissionais da Brahma passaram a ser reconhecidos no mercado pela formação robusta. Um estagiário da cervejaria geralmente tinha preparo equivalente ao de um supervisor ou coordenador de outra empresa.

Algumas posições estratégicas não podiam esperar os jovens profissionais amadurecerem na empresa. Era preciso preenchê-las com urgência e senioridade, e encontrar o delicado equilíbrio entre a calma para construir uma nova cultura e o senso de urgência para apagar os incêndios. Para casos pontuais, foram contratadas consultorias de recrutamento de executivos, como Spencer Stuart e Russell Reynolds Associates. Nos anos 1990, profissionais que trabalhavam em grandes companhias, como Colgate e Philip Morris, foram atraídos pela promessa de participar da revolução da Brahma e de ganhar muito dinheiro.

A consultora Fátima Zorzato era diretora-geral e sócia da Russell Reynolds, e fora contratada para encontrar executivos-chave em áreas que teriam impacto na empresa e no mercado nos anos seguintes. Uma das contratações foi a do ex-vice-presidente de Relações Corporativas Milton Seligman, que foi executivo da AmBev entre 2001 e 2014. Engenheiro de formação, havia sido secretário e ministro da Justiça durante o governo Fernando Henrique Cardoso, entre 1995 e 1997. Em 2018, substituiu Marcel Telles no conselho da AmBev. Também foi indicado por Fátima o advogado Pedro Mariani, vice-presidente legal da AmBev, de 2004 a 2018, e de relações jurídicas e institucionais de 2014 a 2018. "Buscávamos pessoas que tivessem provas de excelência, com energia e potencial e que fossem rápidas, comprometidas, de relacionamento fácil e confiáveis. Não passava no teste quem se deixasse levar pelo ego, concentrando a gestão em torno de si mesmo", afirma ela.

Outro consultor que trabalhou com a empresa nos primeiros anos dos novos controladores observa algumas sutilezas que precisavam ser levadas em conta na hora de encontrar os candidatos. "Era um justo equilíbrio entre quem tivesse um jeito descolado e arrojado, sem medo de opiniões inusitadas — porque eles eram inusitados na Brahma —, e, ao mesmo tempo, que tivesse um potencial técnico elevado. Quando essas pessoas se encontravam, se reconheciam de alguma forma." Segundo ele, profissionais com jeitão muito rígido ou formal não se encaixavam na nova cultura da empresa.

Juan Vergara foi um desses executivos recrutados da Philip Morris, onde trabalhava desde 1980. Em 1997, assumiu o cargo de diretor de marketing da Brahma, uma das áreas mais importantes naquele momento de virada. Ficou na empresa até 2007, e sua última posição foi a de diretor de compras da InBev. Descrito por ex-colegas como carismático, bem-humorado e falante, coordenou campanhas de sucesso. Era conhecido internamente pelo forte sotaque colombiano e pelas apresentações criativas que fazia nas convenções da empresa. Enquanto a maioria dos colegas levava arquivos de Power Point convencionais, os slides dele, preparados por agência de publicidade, tinham um aspecto mais profissional e um tom de humor.

Um engenheiro carioca conta que em 1994 estava na dúvida entre aceitar a proposta de trabalho da Brahma ou do BBA, um banco de investimento que, mais tarde, passaria a se chamar Itaú BBA e seria o braço de atacado e tesouraria do Itaú Unibanco para corporações e clientes com grandes fortunas. Depois de quatro meses desempregado, ele decidiu trabalhar na cervejaria porque acreditava que o trabalho na área industrial tinha mais a ver com seu perfil e porque a sede da companhia era no Rio de Janeiro, onde gostaria de ficar. Três meses depois, entendeu na prática um ponto crucial da cultura da empresa. Foi avisado de que teria de mudar para São Paulo, porque a administração central passaria a ser lá. "Lembro do diretor de RH falando: 'Isso aqui é um navio pirata. Você tem que tomar ação e cuidar de si mesmo. Para sobreviver aqui tem que ter resistência à frustração'."

Entrevistas de choque

Como herança do ambiente de trabalho típico do mercado financeiro das décadas de 1980 e 1990, logo se instaurou na empresa um ambiente informal, direto e agressivo. Discussões acaloradas aconteciam a todo momento, mas, em geral, não eram levadas para o lado pessoal.

Um ex-executivo afirma que a agressividade é focada no trabalho, e não nas relações. O momento de estabelecer as metas é um daqueles em que as discussões mais se inflamam. Gestores e subordinados debatem o que é o esperado e o que é possível para chegar aos compromissos assumidos por cada um. Uma ex-diretora da empresa afirma que os profissionais tinham uma maturidade emocional acima da média. Segundo ela, o que os movia era o resultado. "É verdade que, muitas vezes, eram soberbos. Mas, ao mesmo tempo, se o resultado não viesse, eles eram os primeiros a falar: 'Tem algo errado, vamos para a planilha'. São pessoas inteligentes. O trabalho duro supera a soberba."

As entrevistas com os candidatos refletiam esse clima. Não seguiam um script, fossem elas para os programas de trainees, estágio ou Talento, ou mesmo para vagas de gerência com os candidatos do mercado. Tinham a informalidade e a provocação como características principais. A intenção era testar a vontade e a resistência das pessoas e fazer com que se revelassem, além das habituais máscaras sociais.

Marcel ficou conhecido no mercado por iniciar as entrevistas com perguntas inusitadas. Fez isso, por exemplo, com um profissional de marketing contratado em 1996. Com o currículo dele em mãos, começou a conversa dizendo: "Me conta uma cagada que você já fez". O executivo contou que tinha perdido a namorada por ter levado trabalho demais para casa. Seguiram-se algumas perguntas mais focadas em sua maneira de agir, e não em seu conhecimento do negócio. Naquela conversa, ele pensou: "Quero trabalhar com esse cara!". Ficou na empresa até 2000 e chegou ao cargo de gerente.

Magim costumava conduzir as entrevistas de maneira ainda mais surpreendente. Naquele início dos anos 1990, eram tratadas como naturais cenas que hoje soam absurdas. A mais assistida apresentadora de programas infantis da TV usava minúsculos shorts e rebolava, acompanhada de centenas de crianças; os programas humorísticos faziam rir à base de piadas machistas e preconceituosas. Atitudes hoje inaceitáveis eram toleradas também no ambiente corporativo. O próprio Magim conta que, vez ou outra, fazia provocações preconceituosas para testar a postura dos universitários. "Você não é 'viado', não, né, cara?", perguntava para os garotos com um perfil introvertido. "Era preciso provocar para ver a reação da pessoa. Se você a ofende e ela fica quieta, como vai aguentar o ritmo da empresa?"

Duas entrevistas em especial o marcaram. Uma delas foi na Universidade Estadual de Campinas (Unicamp), onde fora recrutar engenheiros. Entre os candidatos, estava uma garota, estudante de biologia, com cerca de vinte anos. Ela falava bastante sem se intimidar diante dos colegas, o que chamou a atenção de Magim. Até que ele perguntou: "Fazendo biologia, em que área de uma cervejaria você pretende trabalhar?". Ela respondeu com outra pergunta: "Ué, lá não tem laboratório?". "Tem, mas você vai ficar catando bichinho?", ele devolveu. "Nessa hora, ela virou uma fera. Perguntou: 'O que o senhor está pensando? O senhor não sabe o que é biologia. Nunca estudou o assunto'", disse, levantando a voz. Resultado: foi contratada e fez carreira na companhia como cervejeira.

A segunda entrevista da qual Magim se lembra com detalhes aconteceu em 1994, com o advogado carioca Ricardo Tadeu. Na época, ele chegara indicado pela Fundação Estudar, criada três anos antes por Jorge Paulo Lemann para financiar bolsas de estudo para graduação e pós-graduação, em especial no exterior, além de treinamentos a profissionais talentosos em início de carreira. Em troca, Lemann estimulava os estudantes a voltar e trabalhar no Brasil.* Aos dezoito anos, foi o mais jovem mestre em direito em Harvard. Para conseguir que a instituição lhe concedesse a bolsa de estudos, passara por conversas com Lemann, que acompanhava de perto todos os candidatos. O único compromisso exigido em contrapartida era trabalhar em qualquer empresa no Brasil. Ricardo pretendia seguir carreira no Banco Garantia, mas, depois de passar uma semana na corretora para experimentar, não se identificou com o mercado financeiro. O ambiente lhe pareceu competitivo e agressivo demais.

Como alternativa, Lemann sugeriu que ele passasse uma semana na Brahma. Nesse momento, já havia chegado às mãos de Ricardo uma reportagem de capa publicada na revista *Exame* três anos antes, em setembro de 1991, quando a cervejaria fora eleita Empresa do Ano. "A número 1 é a melhor — mudou tudo

---

* A Fundação Estudar já impactou mais de 50 mil jovens nos diversos cursos oferecidos online e presenciais, e, até 2019, foram 673 ex-bolsistas beneficiados pelo programa Líderes Estudar, em cursos de graduação e pós-graduação, no Brasil e no exterior.

e lucrou como nunca", dizia a chamada. "A número 1" era uma referência à campanha publicitária que a empresa lançara (e que duraria oito anos) em busca da liderança de mercado. Na foto, o então gerente Carlos Brito, o mestre cervejeiro Nikolaus Bauernebl, Marcel Telles, o estagiário Marcelo Coltro e Josué Bressane Júnior levantavam as canecas de chope simulando um brinde. Segundo Josué, Marcel fez questão de sair na foto com representantes da equipe que operava com ele a transformação na companhia. "Quando li aquela reportagem, fiquei com vontade de trabalhar na empresa. Era a oportunidade de ter os aspectos positivos que vi no banco, mas em uma indústria", diz Ricardo.

Durante o processo seletivo, Magim estava em dúvida sobre o perfil de Ricardo. Ele parecia tímido. Em roda, se mantivera quieto. Na hora da entrevista, o diretor questionou: "Você é advogado e está aqui. O que quer da vida?".

Com o tom de voz baixo e a fala pausada, sem desviar os olhos de Magim, Ricardo respondeu: "Quero ser o presidente do Brasil. Mas antes quero ser o presidente da Brahma".

Magim acompanhou a carreira de Ricardo ao longo de dez anos e o define como um executivo "com acabativa", que não procrastina o que precisa ser feito. Ricardo, por sua vez, não lembra desse diálogo em sua primeira entrevista, mas sorri ao ouvir o relato e confirma que ser presidente do Brasil era um plano na juventude.

Aceleradora de gente

A formação de profissionais que começou na Brahma e se desenvolveu ao longo de toda a história da companhia até se tornar AB InBev ajudou o mercado brasileiro em geral. Com o forte sistema de meritocracia, o foco em treinamento e as oportunidades decorrentes de um crescimento rápido da companhia, os jovens executivos eram desafiados em suas capacidades e em seus conhecimentos, e aprenderam em um ano o que poderia ter levado muitos.

Fátima Zorzato compara a AmBev à General Electric, e a destaca da maioria das empresas pelo fato de "acelerarem muito o crescimento" dos profissionais iniciantes. Segundo ela, a tese da liderança é que, com pouca idade, as pessoas querem aprender. Isso atrai profissionais com energia e capacidade de entrega excepcionais. Eles vão ganhando experiência e senioridade e podem tomar dois caminhos: ser escolhidos para liderar em posições-chave e chegarem a sócios ou ir para o mercado quando a ascensão não é acelerada. Ela acredita que mesmo no segundo caso a companhia sai ganhando: "O networking dos executivos que estão ou passaram na empresa cresce tanto que sempre conhecem alguém na concorrência ou em empresas potenciais parceiras de negócios, com quem trabalharam no início da carreira".

Um dos mais importantes aspectos da nova cultura era a disciplina financeira, que também partia do exemplo da liderança. As metas agressivas, como a de cortar todo ano 10% das despesas de todas as áreas e, simultaneamente, aumentar as receitas na mesma medida, exigiam atenção constante às mais corriqueiras decisões. Marcel Telles explica a mentalidade por trás da busca inflexível pela redução de despesas.

> Sempre dizemos que quando a tempestade chega e todo mundo está se afogando, queremos resistir por mais tempo. Se todos os outros se afogarem em três minutos, queremos ser capazes de sobreviver dois minutos a mais [...] Às vezes, quando o negócio está indo bem, as pessoas olham para você e perguntam, "Por que tanta pressão?". A resposta é simples. Este é o nosso seguro contra coisas inesperadas em momentos realmente difíceis.*

Durante os catorze anos em que trabalhou ali, Josué relata ter a sensação de estar diante de uma falência iminente, embora soubesse que, a cada ano, se afastava mais essa possibilidade. "Era uma obsessão absurda por redução de despesa, não tinha dinheiro para comprar um lápis. Parecia que quebraríamos a qualquer momento, mas o lucro só aumentava." Relaxar só porque o momento mais crítico havia passado não era uma opção. Ao ficar responsável pelo programa de trainees, ele entendeu na prática o que significa ter atitude de dono. Seu trabalho exigiu disciplina na gestão de recursos e foco na execução. Se por um lado o aumento de responsabilidade tornou sua vida mais difícil, por outro, ele ganhou liberdade e autonomia como "dono" do projeto. A verba era curta, e era preciso se virar. Ele próprio pagava a condução para ir de metrô e trem quando preciso para colocar o programa de pé. "Fazia isso porque acreditava que o projeto tinha que acontecer. Nunca mais vi esse tipo de prática em nenhuma empresa", afirma Josué.

As políticas para gestão de recursos financeiros eram — e permanecem — austeras. Por exemplo, as regras referentes a viagens são as mesmas para todos os níveis hierárquicos, do presidente ao operador. Os percursos de até seis horas de voo são feitos de classe econômica. Acima disso, está liberada a compra na classe executiva. As pessoas são incentivadas a fazer uso racional da impressora, pensando duas vezes antes de imprimir documentos.

Um ex-gerente da Brahma conta que em toda reunião havia discussão sobre custos. Em alguns momentos, ele questionava tamanha atenção ao tema. "Sinceramente, será que vai fazer tanta diferença colocar todo mundo para viajar de classe econômica, imprimir frente e verso, comprar papel higiênico mais

---

* "Brahma versus Antarctica: Reversal of Fortune in Brazil's Beer Market". Op. cit.

barato?" Mesmo que não fizesse diferença do ponto de vista financeiro, isso alimentava a cultura.

A postura dos executivos não se restringia à empresa. Duas pessoas relataram ter encontrado alguns dos principais sócios da companhia acomodados na classe econômica em voos com suas famílias, de férias.

Um ex-gerente de marketing da Brahma também presenciou uma cena que marcou especialmente sua mulher. Ela costumava levá-lo de carro para o trabalho. Certo dia, passando por um ponto de ônibus próximo à entrada do escritório, ele apontou um rapaz chegando e comentou:

"Aquele é meu diretor!"

"Poxa... Você tem certeza de que é nessa empresa que quer trabalhar? Seu chefe anda de ônibus!"

Era por isso mesmo que tinha certeza, pensou ele.

Os hábitos simples tinham origem na conduta de Jorge Paulo Lemann, replicada pelos times desde o tempo do Garantia. Já depois da compra da Brahma, passou por uma situação pessoal que ilustra o comportamento. Em 1991, atravessava a estrada Rio-Santos em seu Passat, que já tinha mais de dez anos de uso, quando parou para abastecer em um posto de gasolina. O lugar foi assaltado bem nesse momento. Mas seu carro, tão pouco chamativo e atraente, passou ileso pelos bandidos, enquanto outros veículos foram abordados.

Uma ex-diretora da Brahma afirma que havia um "patrulhamento" em relação à conduta pessoal dos executivos. As pessoas observavam quem não fazia uso consciente do dinheiro. "Durante muitos anos, soava mal um diretor que comprasse um carro muito caro, como uma Porsche, por exemplo." Internamente, os diretores se referiam a essas aquisições como "sinais externos ou aparentes de riqueza". O objetivo de evitar condutas assim era transmitir a frugalidade (outra palavra recorrente) da cultura sem parecer hipocrisia. A vigilância foi se dissolvendo à medida que pessoas-chave ficavam ricas e seu patrimônio era conhecido. Mas a frugalidade continua sendo um aspecto importante da cultura, hoje difundido globalmente.

Gestão inteligente não é miséria

Apesar da obsessão por cortes, a liderança da Brahma não economizava em pontos fundamentais para o sucesso do negócio. "Eles não são mão de vaca, ou não cresceriam do jeito que cresceram", diz o consultor que recrutou alguns executivos nos primeiros anos da nova gestão da Brahma. "São extremamente pragmáticos e criteriosos na alocação do dinheiro. É uma cultura despojada, sem luxos nem privilégios." A companhia não economiza, por exemplo, na formação de seus executivos. Diversos gerentes e diretores tiveram cursos patrocinados na

Europa, nos Estados Unidos ou na Ásia, para aprender ferramentas que ainda não haviam chegado ao Brasil e que poderiam ser aplicadas ao negócio.

Na década de 1990, alguns períodos exigiram um esforço maior para a redução de gastos. Em 1998, Marcel e os principais executivos da companhia não receberam bônus, porque o desempenho geral tinha sido abaixo da meta. Mesmo nesse período, alguns ex-funcionários lembram que a liderança não cogitou diminuir ou abolir as viagens para a realização de auditorias nas revendas que distribuíam bebidas pelo Brasil, e cada viagem era feita por seis ou sete pessoas.

A Número 1 de fora para dentro

Em 1989, a Brahma não era a número um do Brasil. A Antarctica era a cerveja mais consumida. Tinha 40,8% de participação de mercado contra 37,8% da cervejaria carioca. Magim estava decidido a inverter isso. Como diretor de marketing, buscava uma campanha que tivesse força para isso e já tinha em mente o publicitário que indicaria para comandar a operação — antes do almoço na Globo, quando Marcel dispensara Faveco, então presidente da agência SMP&B para o Brasil e América Latina. Eduardo Fischer, sócio da Young & Rubicam, já havia trabalhado com Magim antes. Agora indicava Cláudio Carillo, que fazia parte de sua equipe, para ficar à frente da conta da cervejaria carioca. Os dois publicitários assinaram juntos a primeira campanha da nova gestão da empresa, batizada "Brahma, a número 1".

Ainda no primeiro semestre de 1990, Carillo praticamente produziu a campanha durante um mês de trabalho, para apresentar a proposta a Marcel e Magim. O conceito era simples e podia soar sem graça se apenas explicado, sem o impacto das imagens em movimento. Então, o que ele fez foi mostrar algumas das cenas do primeiro comercial da campanha. Uma delas era um pingo caindo em uma caneca cheia de cerveja e causando uma explosão na espuma. "Quando vi aquilo, falei: 'Isso é inédito no Brasil, é maravilhoso'", conta Magim. Na versão que foi ao ar naquele ano, essa imagem aparecia mais ou menos no meio do comercial, ao som de uma música instrumental que criava um ar solene.

Parte da estratégia de marketing foi transformar a proposta do camarote da Brahma. O espaço já existia desde que os desfiles das escolas de samba passaram a ser realizados na Marquês de Sapucaí, em 1978. Em 1984, foi inaugurado o Sambódromo, e o camarote continuou sendo montado, com uma estrutura tubular apenas para o Carnaval, em frente à portaria da administração central. Era um espaço utilizado internamente pela cervejaria e por seus convidados, com três divisões: uma para a presidência, outra para a diretoria e a última onde eram recebidos os clientes e convidados.

A cerca de um mês para o Carnaval daquele ano, José Victor Oliva visitou o lugar com Marcel, Magim e outros executivos. De cara, reparou na vista: o melhor ângulo para os desfiles no Sambódromo. Imaginou a festa que seria possível armar ali. Ao saber que só recebiam alguns poucos convidados durante o Carnaval, lançou sua ideia: "Vamos fazer um camarote incrível aqui?". Em poucas semanas, o projeto estava desenhado. O sucesso seria incalculável.

A partir do Carnaval de 1991, o camarote foi aberto ao grande público. O propósito era popularizar a marca Brahma. Logo se tornou uma importante arma na briga pelo mercado. O novo organizador contratado foi José Victor Oliva, fundador da casa noturna The Gallery, ícone dos anos 1980, e dono da agência Banco de Eventos. Ele ajudou a transformar aquele lugar em ponto de encontro das principais celebridades a cada ano. Na década de 1990, passaram por ali figuras como Roberto Carlos, Silvio Santos, Xuxa, Marta Suplicy, Lula, Romário, Diego Maradona e Ron Wood, guitarrista dos Rolling Stones. Em 1994, o cantor Caetano Veloso foi barrado porque não topou vestir a camiseta temática "Brahma, a número 1". O mesmo aconteceu com Arnold Schwarzenegger, em 2001. Até hoje o Camarote da Brahma reúne personalidades de diferentes meios. Em 2018, estiveram presentes, por exemplo, Zeca Pagodinho, Arthur Zanetti, Daniele Hypolito, Gilberto Gil, João Doria, Gabriel Chalita, Leandro Karnal, Nany People, Anitta, Dudu Nobre, Erick Jacquin e Black Coffee.

Parte da campanha visava atrair consumidores mais elitizados para a Brahma. Para atingir esse público, Eduardo Fischer teve uma ideia sofisticada: reunir em um evento cultural histórico João Gilberto e Tom Jobim, dois cantores lendários que não se falavam havia trinta anos. Os shows, um no Rio de Janeiro e outro em São Paulo, marcariam a gravação do comercial da cerveja. Colocar a ideia em prática exigiu uma "engenharia extraordinária", segundo Victor Oliva. Os músicos se recusaram a ensaiar juntos, o que deixou a equipe de marketing apreensiva até o último minuto. Além dos clássicos, eles cantaram o jingle "Pensou cerveja, pediu Brahma chopp, Brahma chopp, Brahma chopp", com um sofisticado arranjo no violão tocado por João Gilberto.

Não bastassem todas as dificuldades inerentes à produção de um espetáculo desse porte, João Gilberto fizera mais uma exigência: queria um tapete cor de abóbora debaixo de seu banquinho no palco. A equipe de marketing estava com dificuldade de encontrar a peça ideal. Até que, numa noite de folga, Victor Oliva foi jantar na casa da mãe. De repente, viu um tapete da cor exata de que precisava. "Mãe, vou precisar do seu tapete emprestado, tá bom?", falou, interrompendo o papo de família e já enrolando o objeto, que acabou ficando com João Gilberto depois da campanha.

Os dois músicos nem se cumprimentaram durante os encontros. Mesmo assim, criaram um clima emocionante. O ponto alto do espetáculo era a apresentação de um vídeo em que o já falecido Vinicius de Moraes aparecia brindando com um copo de uísque — que foi substituído, em uma edição, por um copo de cerveja. Os dois amigos levantavam as mãos para brindar com ele. "Foi uma comoção, de arrepiar", diz Victor Oliva.

A campanha iria se tornar um marco para a publicidade nacional, antecipando uma tendência: o conceito de marketing 360 graus. Segundo Nizan Guanaes, sócio-fundador do Grupo ABC, contratado na época pela Antarctica para enfrentar o estardalhaço causado pela concorrente, "a publicidade brasileira nunca tinha visto isso antes". "Ela [Brahma] mudou tudo: embalagens, ponto de venda, o comercial de trinta segundos, assessoria de imprensa, política de patrocínio de eventos, tudo",* diz ele.

Os executivos da Antarctica ficaram irritados com a mídia da concorrente. Ela propagava uma liderança de mercado que, naquele momento, a Brahma não detinha. A disputa pública entre as duas empresas não era recente. Pioneiras no investimento robusto em publicidade desde as primeiras décadas do século XX, elas intensificaram seus esforços nos anos 1950 e ainda mais nos anos 1980 e 1990. As campanhas, em geral, tinham apelo popular e contavam com estrelas do futebol e da música brasileira. O sambista Adoniran Barbosa, por exemplo, nos anos 1970 participou de uma propaganda da Antarctica que apresentava o jargão: "Nós viemo aqui para beber ou para conversar?".

Rapidamente, o slogan "Brahma, a número 1" se transformou em realidade. Em 1990, a cervejaria era a líder, ainda que só com 0,3 ponto percentual sobre a Antarctica: 38,1% contra 37,8% de market share. Somando a Skol, a companhia carioca detinha 50,8% do mercado.

Propaganda na marra

Quatro anos depois do lançamento da campanha, a Copa do Mundo dos Estados Unidos era uma oportunidade de reforçar o discurso mundialmente, o que interessava a liderança da Brahma, que tinha planos de internacionalizar sua operação. Magim marcou uma reunião na Rede Globo com o intuito de patrocinar a transmissão dos jogos. Porém, a Coca-Cola havia chegado primeiro e, responsável pela distribuição da Kaiser, não queria dividir as cotas com a cervejaria carioca. Marcel e Magim criaram uma war room [sala de guerra] para discutir o caso com profissionais de diversas áreas e representantes da agência de publicidade — prática que se tornou comum na empresa sempre que se estava diante de uma crise ou de um desafio.

A solução a que chegou a equipe foi um ataque inteligente. Se não podiam contar com a emissora que transmitiria os jogos no Brasil, contariam, então,

---

* Victorio de Marchi, *De duas, uma: A fusão na mesa*. São Paulo: Bella, 2018.

com todos os outros elementos importantes no evento. Magim negociou o espaço na arena diretamente com a emissora francesa que faria as imagens originais do amistoso entre Brasil e Paris Saint-Germain, no Parc des Princes, em Paris, em 20 de abril. Estudaram a localização das câmeras e compraram espaço dentro do estádio para colocar a marca carioca. Quando a câmera mostrava o gol, lá estava "Brahma" ao fundo. Também foram contratados jogadores, como Raí, Bebeto e Romário. O combinado era: no momento em que marcassem um gol, deveriam comemorar levantando o dedo indicador, que simbolizava "Número 1" — o que José Victor Oliva chama de "gesto mágico", que lembrava o corriqueiro movimento de chamar o garçom em um bar ou apontar a cerveja preferida.

Para convencer os craques brasileiros, o publicitário Eduardo Fischer e o advogado de sua empresa, Sérgio D'Antino, passaram três dias entre França e Espanha, onde jogavam os atletas. "Num jantar com vinho, Raí disse que não faria campanhas de bebida. Eduardo reagiu: 'Sabe qual o teor de álcool no vinho que você está tomando? 14%. A cerveja tem 4%'. Ele sorriu e aceitou", contou D'Antino.* No total, foram contratados 26 jogadores.

Naquela época, a disputa por imagem em rede nacional — e, nesse caso, internacional — não era tão usual quanto iria se tornar nas décadas seguintes. Ainda era pequena a quantidade de empresas com porte e caixa para comprar essa briga no Brasil. Os ganhos, em contrapartida, eram imensuráveis. Ter a marca estampada em um estádio da Copa do Mundo diante de milhões de espectadores significava levar o produto aos mais remotos cantos do país. A TV ainda era o meio mais seguro de acessar as massas.

Segundo Magim, a Globo tentou evitar a propaganda informal em 1998, cortando o mais rápido possível as transmissões em que aparecia Brahma, muitas vezes limitando a imagem às pernas dos jogadores. "Mas não dava para fazer isso o tempo todo. Cerca de 70% das imagens a Globo teve que mostrar", diz ele.

O que levou a Brahma a ocupar de fato a primeira posição no mercado nacional ia além de campanhas de imagem e da mudança de comportamento dos funcionários. Havia um terceiro pilar fundamental naquela guerra. Dentro das fábricas, na distribuição e na área comercial, outros batalhões estudavam meticulosamente como transformar paixão em números de planilha, suor em processos de trabalho e talento em boas práticas.

---

* "Eduardo Fischer", *IstoÉ Gente*, 18 dez. 2006. http://bit.ly/2UWJbLC

CAPÍTULO 4
Uma enorme startup

Marcel e Magim sentavam lado a lado na sede da Brahma. Mas, para falar sobre a estratégia ou sobre a equipe, encontravam-se fora da empresa. Em uma dessas conversas informais, o diretor colocou na mesa uma curiosidade pessoal.

"Marcel, o que você quer da sua vida? Considerando que já tem bastante dinheiro e poder..."

O empresário fez uma pausa de alguns segundos, então respondeu: "Quero realização. Dinheiro é dinheiro. Ganhar um pouco mais ou um pouco menos não vai mudar nada na minha vida nem na dos meus sócios. Mas queremos nos realizar. E realizar. Empreender, crescer. Pelo prazer de fazer isso".

Marcel chegara à Brahma empolgado. Tinha inúmeras ideias e muita disposição para desenhar estratégias e executá-las com o time. Mas, nos primeiros anos, sua rotina era "matar um leão por dia". "O comecinho da Brahma foi heroico. [...] Talvez porque a companhia crescesse tão rápido e as pessoas mudassem tanto de lugar, não havia processos que assegurassem as boas práticas", disse ele. "Quando a gente descobria *como* fazer alguma coisa, era difícil dar continuidade ou reproduzir aquilo. Ficava a sensação de estar sempre reinventando a roda ou tendo muita iniciativa, mas, às vezes, pouca 'acabativa'".*

Ele enfrentava obstáculos maiores do que havia previsto, como o rombo no fundo de pensão e a resistência dos gerentes de fábrica, além dos desafios inerentes ao negócio, sobre o qual ainda sabia pouco. De nada adiantaria ter as melhores pessoas se não estivesse claro *o que* elas deveriam fazer, *como* e *por quê*. Era preciso aprender rápido, para então orientar. Identificar os problemas essenciais e criar soluções consistentes. Mudar a realidade enquanto ela acon-

---

* Cristiane Correa, *Vicente Falconi — O que importa é o resultado: O professor de engenharia que revolucionou o modelo de gestão no Brasil*. Rio de Janeiro: Sextante, 2017.

tecia. "O que preciso para garantir que esta companhia não só tenha sucesso, mas se torne a melhor do Brasil?", Marcel se perguntava dia e noite.

Como financista, ele sabia elencar prioridades com excelência. Mas, por não conhecer as minúcias daquela indústria, precisaria primeiro fazer um raio X na Brahma para depois definir o que pedia sua atenção com mais urgência. Por meio de conversas com os funcionários e análise dos números, em poucas semanas, fez seu diagnóstico. Debruçou-se sobre ele e construiu um plano. Identificou três prioridades para começar a mudar a gestão da companhia. "Seres humanos não são capazes de manter mais do que três coisas ao mesmo tempo na cabeça. Nós simplesmente não fomos feitos para isso",* afirma ele. Aquelas seriam as primeiras metas da empresa. O desafio era traduzi-las em ações objetivas para cada funcionário da cervejaria.

A primeira medida era otimizar a distribuição. A Brahma precisava chegar ao consumidor de qualquer canto do Brasil. Para isso, Marcel entendeu que precisaria profissionalizar as revendas. A segunda ação era garantir a qualidade do produto. De que adiantaria chegar a bares, restaurantes e supermercados se o produto não atendesse ao gosto das pessoas? Garantir a qualidade implicava padronizar a fabricação, o que tiraria a autoria — e o poder — dos mestres cervejeiros (gerentes das fábricas). A terceira meta era fazer um grande corte de custos. Essa era uma questão de sobrevivência. Para a companhia ter futuro, precisava gerar caixa no presente.

Meta número 1: o controle sobre as revendas

A distribuição era um negócio à parte — e, sobre ele, Marcel sabia ainda menos do que sobre fabricar cerveja. Uma parcela da atividade tinha peso incalculável. Dependia da relação dos revendedores com os donos de bares, restaurantes e supermercados. Outra parte podia ser medida. Podia, mas não era. Como intermediários, os pequenos empresários ficavam com uma fração variável do lucro da venda. Porém, não havia critérios nem limites para definir essa variação. Para resolver o problema, Marcel precisava, primeiro, dissecá-lo.

Ele começou pelo fim. Foi buscar referências de gestão na maior cervejaria do mundo: a Anheuser-Busch. Em 1991, o diretor de revendas Adilson Miguel foi para St. Louis, nos Estados Unidos, conhecer a sede da cervejaria. A viagem deveria durar uma semana, mas no último dia ele deparou com um material que chamou sua atenção: um livro interno, chamado *Dimensions of Excellence* [Dimensões da excelência], que servia como guia para os distribuidores, reunindo orientações detalhadas sobre a rotina dos vendedores. Ligou para Marcel e

---

* "Brahma versus Antarctica: Reversal of Fortune in Brazil's Beer Market". Op. cit.

pediu para ficar mais uma semana, estudando aquele documento. Com base no desempenho operacional, a Anheuser-Busch fazia um ranking anual dos melhores revendedores de sua rede. Aquela seria a inspiração para o início da profissionalização das revendas da Brahma. Adilson conseguiu um exemplar do material dos anos 1980. Era um "tijolo", com capa de couro, papel de linho e diversas ilustrações.

De volta ao Brasil, os diretores da Brahma precisavam entender a própria rede de distribuidores antes de tentar replicar o modelo. Conduziram um estudo sobre a gestão dos revendedores de Brahma e Skol. Analisaram os custos, números de clientes, quilômetros rodados e margens de lucro. Muitos revendedores não sabiam responder nem as perguntas básicas sobre o próprio negócio. O diagnóstico dividiu as pequenas empresas em três categorias: as bem administradas, as nem tanto, mas com potencial de melhora, e as mal administradas, sem aparente perspectiva de evolução. As piores deveriam ser vendidas para outras, bem geridas. Assim, começaria uma consolidação do mercado. As melhores ganhariam escala e receita para se aprimorar ainda mais.

Um dos problemas identificados no levantamento tinha sido o tamanho da variação na margem de lucro dos distribuidores. Na capital do Rio de Janeiro, esse valor era de 13,4%. Em Resende, no interior do estado, era de 50%. No Nordeste, algumas margens passavam de 100%. Eram discrepâncias injustificáveis do ponto de vista matemático, mas compreensíveis de uma perspectiva política.

Muitas das revendas eram de ex-funcionários, amigos ou parentes de empregados da Brahma. Segundo Carlos Brito, que participou da reformulação do programa, a maioria dos problemas tinha sua origem na relação com distribuidores dentro desse perfil e em decisões baseadas em interesses pessoais. No Rio de Janeiro, por exemplo, a companhia alugava alguns de seus depósitos para as revendas de pessoas próximas. Os outros distribuidores, que não eram ex-funcionários ou parentes, tinham de construir os próprios depósitos ou alugá-los de terceiros. Em alguns casos, a cervejaria também emprestava vasilhames, caixas e garrafas (itens que tinham um custo relevante para o revendedor) até que a distribuidora fosse capaz de comprá-los.

A solução para diminuir a diferença entre as margens de lucro surgiu em uma reunião com gerentes comerciais de todo o Brasil. Eles definiram uma tabela de margens escalonadas de acordo com o volume de cerveja vendido. Quanto maior o volume, menor a margem, por causa do ganho de escala. A diferença entre o maior e o menor valor diminuiu e ganhou limites: entre 17% e 35%. Com o passar dos anos, o sistema foi aperfeiçoado, incluindo outros indicadores que tornariam a tabela de cálculo mais precisa.

A diretoria da Brahma analisou também os pontos fortes da gestão das revendas. Com base nas melhores práticas dos distribuidores, foi desenvolvida uma planilha compartilhada com toda a rede. A partir dali, todos precisariam apresentar regularmente à Brahma os dados financeiros e o número de pontos de venda (havia um mínimo estabelecido pela cervejaria).

Uma consultoria recomendou a consolidação dos revendedores das marcas Brahma e Skol. O objetivo era reduzir custos. Marcel foi contra a medida. A economia financeira não parecia compensar um prejuízo inestimável. Muitos dos revendedores da Brahma eram herdeiros de um negócio que perdurava havia duas ou mais gerações. Em geral, tinham uma situação econômica estável e satisfatória. A maior parte dos revendedores Skol, em contrapartida, era a primeira geração de empresários, com energia e disposição para correr atrás do sucesso e, nas palavras de Marcel, "estavam famintos para fazer o negócio deles crescer [...] Um distribuidor de Skol saía com o próprio furgão de entregas para garantir que os clientes estavam felizes enquanto a esposa, sentada no banco de passageiro, checava os livros da contabilidade".* Sua decisão iria se mostrar acertada. Em 1999, a Skol já estava na liderança do mercado, com 27% de participação, em comparação a Brahma com 22%, Antarctica com 18%, Kaiser com 21% e Schincariol com 8%.

Subindo a barra

O material brasileiro inspirado no *Dimensions of Excellence* foi batizado de Programa de Excelência em Revendas. Lançado em 1992, foi encabeçado pelo gerente Fred Boabaid. Ele lembra uma discussão em torno do uso dos termos "programa" ou "plano de excelência". A conclusão foi de que "plano" soava como algo pontual, com começo, meio e fim, enquanto "programa" passava a conotação correta, de um projeto contínuo, a ser aprimorado constantemente.

O "book de excelência", como ficou conhecido internamente, seria o primeiro de uma série. A cada ano, seu conteúdo era atualizado e o material engrossava. A edição número um tinha cerca de trinta páginas. Na segunda metade dos anos 1990, os livros chegaram a ter trezentas páginas. Tratava-se de um guia de conduta que indicava, nos mínimos detalhes, a rotina e os comportamentos esperados dos revendedores. Mencionava desde as rotas de pontos de venda até orientações de atitude, como a importância de o profissional estar barbeado, com o cabelo penteado e o sapato engraxado. Nem os elementos externos escapavam. O banheiro da revenda e o pátio onde os produtos estavam armazenados tinham de estar limpos. Os carros ou caminhões usados pelo distribuidor tinham de ser pintados todo ano.

Os funcionários da Brahma passariam a auditar os distribuidores com base nos books; visitariam os galpões para verificar se haviam cumprido as regras e

---
* Ibid.

em que medida. A exemplo do projeto da Anheuser-Busch, o programa de excelência brasileiro homenageava os "embaixadores", isto é, os distribuidores que superavam o próprio desempenho. Não precisavam ganhar dos demais, mas de si mesmos. O prêmio era um blazer azul-marinho com a palavra "embaixador" estampada, da grife Ricardo Almeida, simbolizando a excelência exigida.

Os que faziam mais pontos no programa eram premiados em uma convenção anual. Ficavam mais próximos da diretoria da empresa, em reuniões em que recebiam um suporte ainda maior para aprimorar a gestão.

As convenções anuais tinham uma importância fundamental na construção da cultura da Brahma e foram se sofisticando ao longo dos anos. Marcel enxergava os rituais de celebração como momentos para reforçar a mensagem e, com isso, o engajamento dos funcionários. Desde os primeiros anos da década de 1990, havia uma convenção regional e outra nacional, que reunia os gerentes comerciais, diretores regionais e corporativos e revendedores com uma pontuação mínima no Programa de Excelência. O evento durava três dias — dois de premiação e um de treinamento. Acontecia em regiões badaladas, como Salvador, na Bahia, Aruba, no Caribe, e em Orlando e Las Vegas, nos Estados Unidos.

A primeira edição da convenção nacional, realizada em 1992 em Salvador, reuniu aproximadamente novecentas revendas, das quais cerca de vinte foram premiadas. No auditório escuro, uma tela preta descia sobre o palco, mostrando a mesma mensagem assinada por Marcel na abertura do book daquele ano. Algumas de suas palavras foram:

> O que todas elas [as melhores empresas do mundo] têm em comum é a obsessão pela excelência, a permanente insatisfação com seus altíssimos resultados, a certeza de que sempre dá para fazer melhor tudo o que fazem hoje e o estabelecimento de metas inacreditavelmente altas para si mesmas. Nosso programa de excelência também é assim [...] É ele que nos fará, não melhores do que este ou aquele adversário, mas "a" empresa de bebidas do Brasil.*

A melhor revenda da Brahma no Brasil era a do Carlão, um distribuidor do município paulista de Cajamar, que ficou na rede por várias décadas. Na hora em que ele subiu ao palco para receber o prêmio, começou a ser exibida no telão uma entrevista com seus dois filhos e sua mãe. No vídeo, a mãe falava da certeza que sempre tivera de que ele daria certo na vida. O revendedor derramou algumas lágrimas diante da surpresa. Mas era só uma amostra do que viria a seguir. De repente, entrou no auditório a própria mãe, que havia chegado no avião da Brahma. Diante de mais de 2 mil pessoas que assistiam ao espetáculo, entraram também os dois filhos dele, e a família toda começou a caminhar em direção ao

---

* Book de Excelência de 1992, apresentado por Fred durante a entrevista.

palco. Em seguida, foi premiada a melhor revenda Skol do Brasil, comandada por dois jovens irmãos, que também foram surpreendidos com a presença do pai. O operador de cabos, que fazia assistência técnica na convenção, passou por Fred e falou: "Não tenho nada a ver com isso, mas estou chorando".

Mais tarde, em 1995, uma nova convenção entrou no calendário anual da companhia: a internacional, inaugurada em Aruba, no Caribe. Participavam só os revendedores premiados na convenção nacional, os diretores regionais e os gerentes comerciais com melhor desempenho. Esse passou a ser o maior evento da empresa, e portanto aquele em que os funcionários mais queriam estar. Sua duração era de quatro dias, todos lotados de apresentações e premiações, sempre com uma superprodução. Em uma edição, Marcel chegou montado em um cavalo, e bem mais tarde, em 2002, houve até show do Roberto Carlos. Muitas vezes o evento era sediado nos Estados Unidos (na Disney ou em Miami, por exemplo), mas já foi celebrado em Paris e na África do Sul, durante a Copa do Mundo de 2010. O objetivo era sempre o mesmo: encantar e inspirar os profissionais.

Como resultado do trabalho inicial, a Brahma diminuiria o número de distribuidores de 957, em 1989, para 358, em 1998. Os revendedores remanescentes ganharam escala. O tamanho médio de um distribuidor aumentou quatro vezes em sete anos, passando de uma média de 27,7 hectolitros vendidos por ano, em 1989, para 108,9, em 1996.

Projeto Forró: um novo negócio

Em meados dos anos 1990, o sistema de distribuição voltou ao topo da lista de prioridades da Brahma. Em Recife, a situação estava especialmente crítica para as revendas. Desde 1994, a empresa começara a perder mercado para a Antarctica e até para a própria Skol. Para continuar competitiva, foi preciso baixar os preços, reduzindo as margens de lucro. Com isso, era difícil encontrar um distribuidor disposto a adquirir um concorrente, o que emperrava o processo de consolidação da rede.

Como forma de apagar aquele incêndio, Marcel decidiu se arriscar em um novo território: começaria a internalizar a distribuição. Em vez de só apoiar as fusões e aquisições do setor, a própria Brahma compraria algumas revendas. Aquela era uma maneira de absorver a margem de lucro dos intermediários e centralizar a gestão do negócio.

Em 1996, para coordenar a nova etapa da transformação do sistema de vendas da Brahma, Luiz Fernando Edmond foi o escolhido para assumir a diretoria regional do Nordeste. Ele convocou como gerente de vendas Bernardo Paiva. Os dois haviam adquirido e gerido, pela primeira vez na companhia, uma distribuidora própria, na Argentina, em 1994. Aquela era uma das primeiras operações da Brahma fora do Brasil (simultaneamente à chegada da cervejaria à Venezuela). Inicialmente, a ideia era trabalhar em parceria com uma revenda local, mas diante de um desempenho abaixo do esperado, a diretoria decidiu comprar a empresa e fazer distribuição direta.

Luiz Fernando e Bernardo se basearam no próprio método de gestão do Programa de Excelência em Revendas já implantado com a rede terceirizada no Brasil desde 1992. No entanto, logo ficaria claro que o sistema funcionava melhor quando supervisionado de fora. Na hora de praticar, algumas exigências soavam como supérfluas, gerando mais trabalho e custos do que facilidades de execução. Por exemplo, a frequência da pintura dos veículos e da manutenção dos centros de distribuição: ambos precisariam ser mantidos em bom estado, mas talvez não precisassem passar por revisões anuais. Importava o resultado, e não a frequência da reforma, concluíram os executivos da Brahma. Eles adaptaram o programa aplicado às revendas no Brasil para a realidade que conheceram na Argentina, focando em melhorar a gestão e reduzir custos. Os ajustes no programa realizados pela dupla seriam fundamentais para enfrentar os desafios em Recife.

A iniciativa foi batizada de Projeto Forró, com o objetivo de manter sua confidencialidade. Com os gerentes de vendas, "donos" do projeto, agora dentro da companhia, o aprendizado e o ganho de eficiência seriam mais rápidos. As orientações da Brahma sobre a postura do vendedor e o posicionamento do produto, que antes precisavam de bons argumentos para convencer os distribuidores a adotá-las, agora passavam a ser ordens da liderança. Ao mesmo tempo, a Brahma refinava as próprias regras, a partir da experiência.

Ao saber que podiam receber uma oferta pelo negócio, alguns revendedores que conheciam Magim, Marcel ou Lemann, ou tinham amigos próximos deles, recorreram ao trio na expectativa de conseguir condições especiais de negociação. Para não dar margem a critérios subjetivos, a diretoria se baseou nas regras já estabelecidas pelo Programa de Excelência. Eram os números ligados à rentabilidade do negócio que indicariam os alvos da cervejaria.

Se por um lado a companhia ganhou poder e território, por outro, teve de aprender a se comportar em um novo mercado. Os desafios dos primeiros anos culminaram em alguns prejuízos financeiros. Uma das principais dificuldades iniciais foi o controle de crédito dos pontos de venda. Além da expertise técnica, os revendedores independentes tinham a vantagem de conhecer seus clientes de longa data. Muitas vezes, quem tocava a distribuidora era filho ou neto do fundador, o que significava que a relação com os clientes havia sido construída por gerações. Os distribuidores sabiam em quem confiar para oferecer condições flexíveis de pagamento. Já os funcionários da Brahma que passaram a cuidar do negócio levaram um tempo até aprender que nem tudo era seguir processos.

Quando o relacionamento interpessoal era parte dos negócios, as situações exigiam mais do que liderança, conhecimento técnico e método. Era preciso ter jogo de cintura, empatia e, em alguns casos, intuição. Mas foi também a estrutura de gestão da companhia que permitiu que, com o tempo e os percalços, os novos gestores desenvolvessem sistemas para controle de crédito, entre outros recursos.

A estratégia bem-sucedida em Recife foi replicada em outros estados. Aos poucos, a Brahma internalizava seu sistema de distribuição por meio de projetos batizados com o nome do piloto: Forró Porto Alegre, Forró Curitiba, Forró Brasília, Forró Sergipe, entre outros. Os distribuidores terceirizados que ficaram na rede tiveram margens de lucro entre as mais robustas do mundo e reconheceram o papel da Brahma na profissionalização do setor. Alguns gostaram da mudança, porque tornou a gestão mais profissional. Outros não se adaptaram às exigências. Depois de tantos anos administrando à sua maneira, resistiam a seguir o protocolo e se desfizeram dos negócios.

Em 1996, Brahma e Skol somavam cerca de mil revendedores. Em 1999, esse número já havia sido reduzido para 720 — e diminuiria quase pela metade nos anos seguintes. As negociações eram feitas uma a uma, em um processo que durou até a primeira década de 2000.

Para os distribuidores terceirizados que permaneceram na rede, o Programa de Excelência em Revendas foi ganhando novos desdobramentos. Como a maioria das pequenas empresas era familiar, a cervejaria investiu em um curso de formação de sucessores. Inicialmente, o programa era oferecido pelo Instituto Brahma. O treinamento foi dividido em cinco módulos. Em cada um, os filhos dos donos das revendas passavam uma semana frequentando a sede da companhia e voltavam para casa com algumas tarefas a cumprir e apresentar no módulo seguinte.

A última etapa era cumprida nos Estados Unidos, onde os participantes passavam por experiências diversas. Por exemplo, visitavam a Eagle Brands, distribuidora da Anheuser-Busch; e a Universidade Disney, onde fariam um treinamento de recrutamento e formação de talentos. Em 1995, o Instituto Brahma daria origem à Universidade Brahma. Era uma iniciativa pioneira no Brasil, uma simbiose entre técnicas administrativas e a criação de um ambiente acadêmico de pesquisa e sistematização de conhecimento prático. Mais tarde, outras grandes empresas criariam braços de educação executiva no Brasil.*

O Forró chegou ao Rio de Janeiro em meados de 1999. A operação de vendas ganhava espaço e relevância dentro da Brahma. Para orientar o dia a dia

---

* Depois da fusão com a Antarctica, nos anos 2000, a Universidade Brahma passou a se chamar Universidade AmBev. Em meados da mesma década, com a internacionalização da companhia e a atuação global da instituição, seu nome mudou para AB Inbev University.

nas salas de vendas (nome da área de distribuição interna), já não bastavam as diretrizes técnicas e comportamentais do programa de excelência. Era preciso cuidar também da gestão.

As ferramentas para preencher essa lacuna estavam em outra área da empresa: a industrial. Na primeira metade dos anos 1990, enquanto a diretoria reinventava as revendas, as fábricas passavam por uma transformação tão intensa quanto aquela — mas de natureza diferente. Marcel contratou um consultor para criar processos e métodos para que todos atingissem suas metas. O trabalho começou na indústria e iria se espalhar para toda a companhia. A soma dessas novas ferramentas ao que já era praticado nas revendas deu origem a mais um book: o do Programa de Excelência em Vendas.

Qualidade de gestão e gestão de qualidade

De nada adiantaria garantir que a Brahma chegasse com eficiência a todos os cantos do país se a qualidade do produto não fosse boa. Enquanto uma equipe comandava a profissionalização das revendas, outra conduzia a segunda medida definida por Marcel: transformar a cerveja carioca na melhor do Brasil.

O antigo presidente da Brahma, Hubert Gregg, havia encomendado um estudo da maior consultoria estratégica do mundo para rever a estratégia da companhia. Marcel manteve o estudo, mas com outra finalidade. Ele acreditava que a última coisa de que precisavam era de uma grande estratégia. "Uma empresa só pode aproveitar oportunidades extraordinárias se for muito boa nas operações básicas." Sua nova orientação para a pesquisa era identificar as medidas industriais que a Brahma deveria tomar para ser excelente. "Nos fizemos a seguinte pergunta: Se pudéssemos começar do zero, quais tipos de fábricas deveríamos construir e onde?" As visitas que fizera com Magim por cervejarias em diversos países o ajudaram a tomar as decisões a seguir. "A grande vantagem do Brasil é que sempre se pode pegar um avião para ver como o país vai estar em dois ou três anos. Voltamos com um monte de ideias."*

A conclusão do estudo foi a de que a cervejaria tinha fábricas demais — a maioria delas muito pequenas para atender a demanda. Algumas plantas, como a de Jacareí, no interior de São Paulo, eram altamente eficientes (produzindo até 4 mil hectolitros por operador por dia). Outras, mais antigas, produziam apenas entre 150 e 200 hectolitros, usando as mesmas medidas. Era uma diferença gritante. Entre 1989 e 1991, a empresa fechou mais de dez fábricas. A produção de Brahma e Skol, antes separadas, passou a acontecer em indústrias compartilhadas, respeitando as fórmulas de cada uma.

---

* "Brahma versus Antarctica: Reversal of Fortune in Brazil's Beer Market". Op. cit.

Em 1996, foi inaugurada, no Rio de Janeiro, a maior fábrica de cerveja da América do Sul, com tecnologia de ponta que permitia a produção de 12 milhões de hectolitros da bebida diariamente. A previsão era de que seriam gastos US$ 400 milhões no projeto. Ao final, o valor chegaria a US$ 700 milhões. Desde o início da nova gestão, a liderança da Brahma, hábil em negociações, soube tirar proveito de benefícios fiscais concedidos pelos governos dos estados em contrapartida à construção de indústrias. Essa iria se tornar uma importante fonte de economia financeira da empresa.

Marcel teve um incentivo nada cortês para dar o passo seguinte na melhoria das fábricas. Em seu primeiro ano na Brahma, a Polícia Federal apareceu na sede da empresa pedindo explicações sobre o aumento do preço da cerveja. De 1986 a 1990, o Brasil vivia sob uma inflação descontrolada e, na tentativa de contê-la, o governo de José Sarney havia estabelecido o congelamento dos preços. Para fazer qualquer reajuste, os empresários precisavam primeiro recorrer a um órgão ligado ao governo federal, denominado Conselho Interministerial de Preços (CIP). Era ele quem aprovava ou não a mudança no valor das mercadorias, em 21 categorias de produtos — entre eles, a cerveja. A fiscalização exigia a demonstração dos custos detalhados de produção. Sua maneira de analisar os números, no entanto, ia na contramão da lógica empresarial: quanto maiores as despesas, maiores as chances de ter o aumento de preços autorizado. Ou seja, eram beneficiadas as companhias menos eficientes.

Depois do episódio, em 1991, Marcel marcou uma reunião com a secretária nacional de Economia, Dorothea Werneck. Queria melhorar o diálogo com o órgão responsável pelo tema. Era preciso criar um caminho que funcionasse para os dois lados, governo e setor privado, pensava ele.

No encontro, Marcel tentava justificar a Dorothea por que precisava de autorização para aumentar os preços. A secretária, porém, estava mais interessada em entender os detalhes sobre a saúde financeira da companhia. Sua mentalidade, afinada com a dele, era de melhorar a eficiência da administração privada no país em geral. Percebendo que os processos de produção na Brahma estavam ainda bagunçados, sugeriu que Marcel procurasse um consultor, mineiro como ela, para ajudá-lo a aplicar ferramentas de gestão de ponta em suas fábricas.

Marcel foi então apresentado ao engenheiro Vicente Falconi, professor da Fundação Christiano Ottoni (e, mais tarde, fundador da Falconi, consultoria de resultados) e um dos pioneiros em métodos gerenciais no Brasil. O professor, como ficou conhecido na empresa, estudara o assunto em diversas visitas ao Japão, um grande propulsor da mudança na mentalidade industrial na década de 1980. Os conceitos lá originados influenciariam o avanço das práticas empresariais ao redor do mundo.

Depois do contato inicial com o consultor, Marcel o levou para dentro da Brahma. No final de 1991, um grupo de trezentos gestores da cervejaria foi convocado para uma palestra de Falconi no auditório do hotel Sheraton, no Rio de Janeiro. Ele discorreu a respeito de produtividade e rotina. A apresentação foi o ponto de partida para um treinamento que transformaria de maneira definitiva o trabalho nas fábricas. Para tocar o projeto, foi escolhida a gerente de planejamento integrado Regina Langsdorff, conhecida por ser durona e assumir o papel de guardiã das causas que tinha em mãos. A mudança na gestão da indústria seria uma delas, a mais marcante de sua carreira. Marcel já disse, diversas vezes, que sem sua ajuda a companhia não chegaria aonde chegou. Regina passou três décadas na empresa e faleceu no fim da segunda década de 2000.

De obra de arte a fatos e dados

Os mestres cervejeiros, que tinham o cargo de gerentes industriais, se comportavam como artistas produzindo cada um a "sua" cerveja. A postura deles fazia parecer que aquela empresa gigante era, na verdade, o agrupamento de marcas autorais. Algumas histórias, contadas com orgulho pelos cervejeiros, ficaram famosas na companhia. Elas mostram a falta de consistência nos processos fabris, na contramão da indústria mundial de cerveja, que avançava no uso de sistemas de padronização.

A fábrica localizada ao lado do prédio da administração central no Rio de Janeiro, por exemplo, ainda fabricava a bebida com os tanques descobertos. A maioria das grandes cervejarias havia abandonado esse processo, que resultava na variação do paladar do produto. A Cervejaria Astra, controlada pela Brahma, ficava próximo à praia, em Fortaleza. Ex-funcionários afirmam que, antes da chegada de Marcel, a bebida começou a ficar com gosto salobro. Isso porque os cervejeiros a bebiam enquanto produziam, deixando os tanques expostos à maresia.

Para Marcel, não fazia sentido os consumidores procurarem na embalagem o local de origem de cada garrafa de cerveja. Todas as Brahmas deveriam ter o mesmo sabor, onde quer que fossem produzidas. A padronização exigia eliminar as exceções mesmo se fossem positivas. Um caso lendário era o da bebida fabricada em Agudos, no interior paulista, que era conhecida como a melhor cerveja do Brasil por causa da qualidade da água da região.

Naquele tempo, a qualidade costumava ser associada ao sistema industrial de fabricação, com todos os seus rigorosos processos. Alimentos e bebidas caseiros, orgânicos e naturais não tinham o apelo que passariam a ter depois dos anos 2000. A Brahma nem sonhava que as microcervejarias poderiam ser suas concorrentes. As marcas da AB InBev (da qual a Brahma hoje faz parte) foram particularmente atingidas pela nova onda, sendo criticadas pelo excesso de padronização e a constante busca por produtividade. Mas, nos anos 1990, a preocupação dos empresários era seguir os passos dos maiores fabricantes da bebida no mundo.

Para tirar o poder dos cervejeiros, Magim costumava dizer frases como: "Temos de voltar essa companhia para o mercado. Fábrica é só um acidente. A gente pode alugar uma fábrica para produzir a cerveja". No entanto, ele precisaria ser mais específico para promover a mudança estrutural de que a companhia precisava.

Certa manhã, entre o final de 1991 e o início de 1992, o professor Falconi e uma equipe da Brahma acompanharam um mestre cervejeiro em sua fábrica durante um dia. A orientação era de que o gerente agisse como se não estivesse sendo observado. Ele se aproximava de um tanque, colocava um pouquinho do líquido em um copo, cheirava e, sem medição alguma, mandava os operários aumentarem a temperatura. Em seguida, chegava perto de outro tanque, colocava a bebida no copo, cheirava e mandava baixar o pH. A cena se repetiu diversas vezes, com comandos diferentes.

Além do acompanhamento do trabalho na fábrica, foram conduzidos alguns testes. Durante um dia, uma garrafa foi tirada da linha de produção a cada hora. A análise do material mostrou que, em um mesmo local, a bebida mudava consideravelmente de características ao longo do dia. Falconi mandou buscar uma garrafa de cerveja em cada fábrica da Brahma, todas produzidas nos mesmos dia e hora. Para efeito de comparação também foram separadas garrafas da concorrência, compradas nas mesmas cidades em que eram produzidas Brahma. Por meio de métodos científicos e estatísticos, ele apresentou um resultado desanimador para a equipe da cervejaria. Cada planta fabricava um produto diferente. Para concluir a avaliação, o consultor encomendou um teste na unidade considerada a mais eficiente da empresa, porque fazia uso da tecnologia mais moderna do grupo, a de Jacareí, no interior de São Paulo.

A confusão estava comprovada. Marcel ficou indignado, e tinha agora "fatos e dados" — jargão incorporado pelos funcionários à época — para orientar uma grande mudança.

Sob a coordenação de Falconi, a diretoria da Brahma utilizou referências no mercado para elevar o nível da qualidade da cerveja e da gestão nas fábricas. Essas referências passaram a ser chamadas de benchmarks, um processo de comparação entre dois sistemas. O menos desenvolvido se espelha no melhor, copiando seu passo a passo em busca de resultado similar. Marcel já usava esse modelo com seus sócios, imitando modelos que os inspirassem — como o Goldman Sachs no caso do Garantia; o Walmart nas Lojas Americanas e a Anheuser-Busch na Brahma, para citar os mais emblemáticos. O consultor atribuía nome e método àquela prática: usava o conceito de abertura e fechamento de gaps [lacunas], partindo de onde se estava para onde se queria chegar, um modelo intensamente utilizado até hoje na gestão da AB InBev.

No caso das fábricas, os benchmarks iniciais foram as indústrias visitadas por Marcel e Magim ao redor do mundo somadas aos conceitos apresentados por Falconi. O principal deles foi o Qualidade Total,* uma estratégia de gestão difundida entre as décadas de 1950 e 1960 pela Toyota. Mais tarde, o conceito ganharia um significado mais amplo, com o intuito de englobar realmente *tudo* o que envolve um produto, da idealização ao seu uso no dia a dia.**

Nos primeiros meses, o método soava chato e burocrático. Os funcionários, que já estavam se habituando ao ritmo frenético imposto pela nova liderança, agora tinham de aprender nomes e processos detalhados sobre a indústria. O jeito professoral de Falconi, com a voz monotônica e um conhecimento mais teórico do que prático, contribuía para a imagem enfadonha do trabalho. Durante aquela primeira palestra do consultor, Magim só pensava: "Esse negócio não vai dar certo. É muito discurso". O próprio Marcel resistia às novidades. Certa vez, assistindo a uma palestra de Falconi quinze anos depois de sua entrada na empresa, o empresário comentou com Luiz Fernando Edmond, então CEO da AmBev: "Estou aqui vendo como ele foi importante, quanta contribuição deu para nossa companhia". Ao que Edmond respondeu: "É verdade, e se você não tivesse atrapalhado tanto ele teria feito muito mais e melhor". Marcel concordou. "Naqueles primeiros tempos, [...] não podíamos parar para refletir sobre os processos, e foi ótimo ter alguém ali o tempo todo, fazendo o papel de um missionário da organização, das boas práticas."***

Entre os anos de 1993 e 1994, o trabalho ficaria mais encorpado ao dar origem ao Programa de Excelência Fabril (PEF). Era o segundo book de excelência da companhia, baseado nos aprendizados do Programa de Excelência em Revendas e nos ensinamentos de Falconi. Nos anos seguintes, seriam desenvolvidos os Programas de Excelência em outras áreas, como vendas e logística. Cada

---

* Total Quality Management, que busca um alto nível de qualidade não só do produto, mas da relação com todos os agentes envolvidos na produção. O termo "controle da qualidade total" foi usado no ambiente empresarial pela primeira vez em 1956 pelo norte-americano Armand Feigenbaum, ex-diretor mundial da General Electric e ex-presidente da Sociedade Americana para o Controle de Qualidade. Segundo ele, a ideia de qualidade só poderia resultar de um trabalho em conjunto de todos os envolvidos no desempenho da companhia, com ênfase na comunicação entre as áreas, principalmente entre os funcionários responsáveis por fabricação, materiais e design de produto.

** O conceito de qualidade total abarcava: orientação ao cliente; qualidade técnica em primeiro lugar; ações durante a fabricação orientadas por prioridades, fatos e dados; controle de processos e da dispersão (baseada em dados que mostrassem quando havia uma possível falha no processo); investigação das causas de falhas; necessidade de cada funcionário saber que a qualidade de seu trabalho impactará a experiência do cliente final, independentemente da etapa da linha de produção em que esteja; identificação das verdadeiras necessidades dos clientes; tentativa de evitar erros já identificados; comprometimento da alta direção da empresa na fabricação dos produtos.

*** Vicente Falconi — *O que importa é o resultado*. Op. cit.

uma tinha sua cópia do book do ano corrente, utilizada principalmente pelo gerente para orientar a equipe.

Para crescer é preciso estar vivo

Para atingir a terceira meta estabelecida por Marcel — aumentar a rentabilidade da companhia —, uma orientação constante era enxugar os custos fixos. Mas depois dos primeiros anos não seria mais tão fácil encontrar as gorduras no dia a dia.

Entre 1993 e 1994, Marcel fez mais um corte na equipe industrial. Com o ganho de eficiência e o fechamento de fábricas, o time foi reduzido em um terço: de 13610 funcionários para 9003. Ao longo de um fim de semana, os gerentes seniores da Brahma "leiloaram" para outras áreas os funcionários que não manteriam em seus times. Cada gestor descrevia as qualidades do trabalho da pessoa que seria desligada. Os demais avaliavam se os atributos estavam alinhados às suas metas. Nesse caso, podiam pleitear o profissional. A modernização das fábricas combinada à redução na equipe gerou um ganho de 97% de produtividade de 1993 a 1995.

A partir de 1998, a cervejaria adotou mais uma ferramenta de gestão financeira que até hoje é parte fundamental de seu modelo: o Orçamento Base Zero (OBZ). Trata-se de um sistema de planejamento no qual cada custo precisa ser justificado, mesmo que tenha feito parte do período anterior. A cada ano, o responsável pela área começava do zero seu orçamento. A Brahma foi uma das pioneiras no Brasil a adotar o sistema, originalmente aplicado na empresa norte-americana de tecnologia Texas Instruments, em 1969. Em 1973, Jimmy Carter, então governador do estado norte-americano da Georgia, usou a ferramenta para elaborar o orçamento do estado. Mais tarde, fez o mesmo em seu governo federal.

A ferramenta desafiava o padrão de muitas empresas que partem do orçamento do período anterior para definir o do seguinte. Nas reuniões de OBZ da Brahma, cada gestor apresentava seus argumentos para que os parâmetros fossem discutidos pelas demais áreas. Com base nas melhores práticas (os benchmarks internos) era escolhido o número ótimo para cada linha da planilha de todos os departamentos.

O prêmio das algemas de ouro

O compartilhamento de melhores práticas iria se tornar uma das chaves da gestão da Brahma. Ao longo dos anos 1990, a diretoria incumbiu equipes espalhadas pelas operações do Brasil de registrar os processos e as ideias bem-sucedidas.

Os books das melhores práticas de cada área reuniam a experiência de milhares de profissionais em seu dia a dia e seriam um imensurável atalho para o avanço da empresa. O objetivo era tornar acessível em tempo real o conhecimento adquirido constantemente. Por exemplo, se uma máquina quebrasse em qualquer fábrica do país, o operador podia consultar o book para ver se aquilo já havia acontecido antes. Muitas vezes, sim. E, nesse caso, encontraria a solução para o problema. A cada ano, mais experiências eram incorporadas ao documento.

Em 2007, a eleição das melhores práticas passou a acontecer durante o Leadership Performance and Change (LPC), um evento que reúne apenas os sócios da empresa. O formato da apresentação, que continua o mesmo, é similar ao de uma feira de ciências escolar. Os funcionários escolhem entre três e cinco melhores práticas de cada área. Ao final do evento, uma delas é selecionada para entrar no book.

O sistema de remuneração seria a costura entre todas as pontas do modelo de gestão. As metas atreladas a bônus eram o elo entre as ferramentas no dia a dia. Desde seu primeiro ano na empresa, Marcel implementou um modelo de remuneração variável para o nível executivo. Os salários oferecidos na Brahma passaram a ficar até 30% abaixo dos salários da concorrência, a exemplo do modelo do Garantia. Em compensação, os bônus vinculados ao desempenho poderiam até triplicar a renda do ano. "A gente não vai socializar o bônus", costumava dizer o empresário. "Um bônus tem de ser alto o suficiente para realmente motivar as pessoas. Se você der para todos, não será alto o bastante."* No estatuto da empresa, foi definida a distribuição de até 10% do lucro líquido consolidado aos empregados como bônus, desde que a companhia atingisse suas metas gerais. O sistema idealizado por Marcel evitaria uma distorção comum a grandes empresas, em que executivos ganham bônus altíssimos enquanto as companhias dão prejuízo.

Cada funcionário tinha, entre suas atividades cotidianas, até cinco prioridades diretamente ligadas aos objetivos da Brahma. As tarefas tinham de ser possíveis de mensurar, como margens de lucro e custo de produção. O desafio dos diretores era encontrar o ponto ótimo das metas de cada executivo. "Meu maior desafio é definir as metas certas, que sejam quase impossíveis, mas não de fato impossíveis de se alcançar",** disse Marcel. Segundo ele, a tendência dos gestores é dizer que o sucesso de alguns indicadores é excludente. Por exemplo, o crescimento de receita e o de lucratividade não poderiam ser alcançados juntos, já que o aumento de um geralmente implica o sacrifício do outro. "Um bom CEO tem de saber até onde pode pressionar sua equipe."***

---

* "Brahma versus Antarctica: Reversal of Fortune in Brazil's Beer Market". Op cit.
** Ibid.
*** Ibid.

Para funcionar, o sistema precisaria ser monitorado o tempo todo. Os gestores tinham de olhar de perto os resultados de sua equipe mês a mês. Os modelos de relatórios usados na antiga Brahma eram genéricos demais para as pretensões de Marcel. Não detalhavam os números nem estavam preparados para ser alimentados continuamente. O empresário queria um modelo preciso, que não deixasse margem para dados camuflados ou ruídos de comunicação. Coube ao gerente de vendas Carlos Brito criar o modelo, que incluía dados de entrada e saída para cada produto, território e tamanho de embalagem. As informações eram rastreadas semanalmente, e os números eram divulgados por toda a companhia. O executivo passou os primeiros oito meses de trabalho, entre novembro de 1989 e julho de 1990, desenhando o sistema, inspirado no que era usado em uma empresa do setor de alimentos a que tivera acesso.

Os objetivos ficavam expostos na parede do escritório da companhia. A cada trimestre, ganhavam indicadores sobre os "alvos" almejados. Um ponto verde, se fosse atingida a meta; vermelho, se não fosse; e amarelo com um ponto de interrogação se atingida no limite. Brito repetia uma frase que aprendera com o trio de banqueiros: "É melhor ficar no vermelho uma vez na vida do que amarelo a vida inteira". Cada profissional seria remunerado de acordo com seu desempenho. Quem contribuísse mais, ganharia mais.

Além da remuneração variável agressiva, Marcel implantou o modelo de sociedade praticado no Garantia, que Lemann idealizava propagar em larga escala. O sistema partia de 10% a 20% dos funcionários com melhor desempenho na companhia, de qualquer nível hierárquico,* aqueles que, na prática, lideravam o todo e moviam a máquina, não importando seu nível de senioridade. Uma vez reconhecidos, esses profissionais eram convidados para se tornar sócios da empresa. Inicialmente, a forma de identificar essas pessoas era o olho no olho. Em suas constantes visitas às operações da cervejaria pelo país, Marcel conversava com as equipes, entrevistava novos funcionários e trainees. A cada ano fazia suas apostas.

Com o crescimento da empresa, a área de Gente e Gestão (equivalente ao RH) estruturou a avaliação de desempenho semestral com base nas orientações de Marcel. O modelo era similar ao que iria se difundir em grandes empresas. No fim do primeiro semestre (ou no início do segundo) e no começo do ano seguinte, os gestores se reuniam com cada integrante de seu time para avaliar seu desempenho. Falavam sobre o alcance das metas e possíveis ajustes de rota para conseguir atingi-las.

Uma vez por ano, os diretores de cada unidade de negócio — das regiões e, mais tarde, dos países — se encontravam para a Reunião de Gente. Cada um falava do desempenho de todos os executivos de seu time. Em seguida, os demais

---

* A regra mudou a partir da criação da InBev, em 2004.

opinavam, definindo o futuro imediato das pessoas. Alguns eram promovidos, outros continuavam em desenvolvimento, poucos entravam em um plano de recuperação, e os que apresentassem baixo desempenho de maneira recorrente eram desligados.

Nessa mesma reunião, os gestores faziam suas indicações de novos sócios. Os demais votavam aprovando ou não sua entrada no grupo, usando um cartão verde para "sim" e um cartão vermelho para "não". Só eram eleitos os aprovados com unanimidade — o que acabou em 2004, quando a empresa se fundiu à Interbrew, criando a InBev, e as indicações a sócio passaram a ser vinculadas às diferentes faixas da hierarquia da empresa. Nos anos 1990, havia, em média, duzentos sócios. A avaliação de desempenho e a reunião de Gente eram aplicações concretas da meritocracia.

Os funcionários aprovados como novos sócios ganhavam a possibilidade de comprar ações da Brahma. Como muitos ainda não tinham dinheiro suficiente para adquirir todo o pacote que lhes era oferecido, até o início dos anos 2000 a companhia financiava a aquisição — e ainda aumentava seu prêmio, oferecendo 1,5 vez o valor correspondente à fatia do novo sócio. Ele pagaria o adiantamento da empresa com os bônus futuros, mas só poderia retirar o lucro a partir de cinco anos da compra.

O adiantamento do valor para comprar as ações e o investimento extra da empresa não são mais praticados na AB InBev hoje. Mas é válida até hoje a possibilidade de adquirir, após cinco anos, lotes de ação ao preço em vigor na data da concessão. O mecanismo é uma aposta prática na valorização da empresa nesse período. Os executivos costumavam chamar o modelo de "algemas de ouro", já que à medida que os anos passavam e a reserva engordava ficava mais caro deixar a companhia.

O modelo de remuneração criava uma realidade comum aos gerentes. Com o que ganhavam fixo por mês conseguiam pagar as contas básicas. Qualquer aquisição extra, como carro e apartamento, costumava depender dos bônus. Diversos funcionários economizaram enquanto construíam seu patrimônio de centenas de milhões de dólares. Um ex-gerente da Brahma conta que passou quinze anos investindo o bônus em ações da empresa. Outros relatam a dificuldade de explicar para a família que se dedicavam tanto ao trabalho e, ao final do ano, não tinham nem mesmo o bônus para gastar.

O sistema era acompanhado por um forte discurso motivacional. "Vocês vão ganhar muita grana!", repetiam com frequência os executivos da nova gestão. Um ex-gerente da cervejaria lembra uma vez em que Magim chamou um dos diretores no fim de uma seleção do programa de trainees e, na frente dos candidatos, perguntou: "Quanto você tem em ações da Brahma?". O executivo respondeu. Então Magim continuou: "Olha aí, pessoal. Ele tem vinte e poucos anos e esse tanto de dinheiro. Você quer isso ou não quer?".

A possibilidade de ganhar bonificações agressivas continua sendo um forte atrativo nos processos de integração da AB InBev globalmente, mas o discurso da liderança nas aquisições mais recentes (Anheuser-Busch e SABMiller) ficou mais suave. Enfatiza as oportunidades de crescimento na carreira decorrentes da meritocracia e a possibilidade de "construir um patrimônio".

Para criar as diretrizes práticas da meritocracia na Brahma, uma das inspirações de Marcel foi Jack Welch, considerado CEO do século XX, que liderou a General Electric entre 1981 e 2001. Durante sua gestão, a companhia seguiu uma regra conhecida como 20-70-10. Tratava-se da distribuição dos funcionários em uma empresa meritocrática, segundo Welch. Os 20% com melhor performance deveriam ser recompensados; os 70% medianos poderiam ser mantidos; e os 10% com pior desempenho deveriam deixar a companhia.

Inicialmente, Marcel criou um ranking de pontos para nortear o pagamento de bônus. Só 50% das pessoas ganhavam bônus; 10% ganhavam bônus duplo. Mais tarde, com o crescimento da empresa, todos passaram a ganhar desde que atingissem uma pontuação mínima. A mentalidade, no entanto, sempre foi a mesma: privilegiar quem tem desempenho acima da média.

Pressão por resultados

Para acompanhar os resultados, Marcel criou reuniões mensais entre a diretoria e os gerentes: Reunião de Desempenho Comercial (RDC), na área comercial, e Reunião Gerencial de Desempenho (RGD), na indústria. Logo, esses se tornaram dois dos momentos mais importantes da rotina, tanto para a liderança quanto para os funcionários — ao longo dos anos, ambos foram aprimorados e passaram se chamar Sistema de Desempenho Gerencial (SDG). A pauta oficial eram os resultados financeiros, compilados dia a dia ao longo do mês de diferentes sistemas e reunidos em uma planilha, e o orçamento do mês seguinte. Com o encontro marcado, as pessoas precisavam estar atentas o ano inteiro ao que tinham para entregar. Não podiam se dar ao luxo de deixar para fazer contas na última hora.

Para a diretoria, era uma oportunidade de conhecer não só o desempenho, mas o comportamento das equipes. Quem tem visão estratégica? Quem tem maior potencial de crescimento? Essas reuniões foram um importante meio para a construção de uma cultura de resultado — e hoje são instrumento para mantê-la.

Nos primeiros anos, os encontros eram intensos. Marcel, Magim e a equipe responsável por organização dos dados visitavam às vezes quatro cidades num mesmo dia, deslocando-se com o jatinho da companhia. Alguns executivos perdiam o sono na noite anterior, nervosos pelo enfrentamento com a diretoria. Não raro eram oportunidades para Magim fazer seus shows (às vezes até subindo na mesa), que foram ganhando popularidade como parte da rotina da empresa. "E aí, quanto você vai me dar este mês?", perguntava ele a algum gerente. A resposta era, muitas vezes, um número abaixo do que ele esperava. Magim então tirava o sapato e atirava na direção do funcionário, gritando como quem brinca: "Toma vergonha, rapaz! Quero mais que isso. Pega sua pastinha e vai à luta".

No fim dos anos 1990, quando Magim já era presidente da companhia, ficou famoso um desses episódios. A conversa começou com a tensão habitual, em uma reunião comercial da unidade que respondia por Rio de Janeiro, Minas Gerais, Espírito Santo e Bahia. Quando expôs seus números, o gerente de Minas foi logo justificando o baixo volume de vendas do período: "Em julho, geralmente, os mineiros vão passar férias em Guarapari [litoral do Espírito Santo]. Então o volume cai. É normal". Magim aceitou a explicação.

Duas horas mais tarde, foi a vez de o executivo do Espírito Santo falar. Ele, que não havia assistido ao primeiro momento da reunião, também tinha números baixos de venda. "O volume está abaixo do esperado porque, normalmente, nesta época do ano tem muito turista vindo de Minas. Mas, neste ano chuvoso, os mineiros não vieram." Nesse momento, Magim se levantou num movimento rápido, gesticulando de maneira teatral, e começou a gritar: "Espera aí! Para tudo! Sumiram milhões de mineiros. Chama a polícia! Onde estão esses mineiros? Agora eu quero descobrir para onde eles foram!". A cena traduz o clima da Brahma descrito pelos executivos: muita pressão disfarçada de bom humor.

Para as fábricas, o momento mais esperado do ano eram as avaliações do Programa de Excelência. Marcel colocou uma meta para toda a equipe industrial, dos operários aos diretores: alcançar 50% das exigências de qualidade elencadas com o suporte de Falconi. Caso contrário, ninguém ganharia bônus. No segundo ano, o presidente aumentou a meta para 75% e, no terceiro, para 95%.

Com base nos critérios do book de excelência que guiava o PEF, as fábricas se autoavaliavam e eram auditadas por pessoas de outras áreas. Na ocasião, os operários (e não seus gestores) apresentavam os principais programas implantados no ano. Em seguida, os executivos-auditores entrevistavam funcionários e faziam um checklist. A avaliação consistia em observar as condições do ambiente e questionar os operadores sobre aspectos do Qualidade Total. O auditor perguntava, por exemplo: "Como foi seu primeiro mês na companhia?". Muitas vezes, descobria que a integração não havia sido feita — e podia corrigir a execução do método. O ranking gerava uma competição interna, que trazia melhorias contínuas à Brahma.

Um plano para todo dia

Para organizar os novos processos, Falconi cunhou um conceito hoje conhecido na AB InBev como *tripé da gestão*, composto por liderança, método e conhecimento técnico. Segundo o consultor, 70% do resultado é fruto da liderança. Um gestor forte pode compensar lacunas no método e no conhecimento; já esses dois últimos itens, sozinhos, não costumam levar ao sucesso, diz ele. As empresas, em geral, investem em capacitar seus líderes e oferecer conhecimento técnico. O *método*, no entanto, é comumente negligenciado. Não é raro que cada profissional precise encontrar o próprio caminho. Marcel queria que na Brahma fosse diferente: indicar o caminho seria uma forma de encurtar o percurso, aumentando a produtividade.

Diante dessa demanda, Falconi implantou o Gerenciamento pelas Diretrizes (GPD): um sistema de desdobramento ou cascateamento de metas, termos que iriam se tornar usuais na companhia. Na prática, consistia em fazer com que cada funcionário entendesse sua responsabilidade dentro do objetivo principal da empresa. Se uma das metas de um diretor comercial era atingir determinado volume de vendas, por exemplo, seu desdobramento consistia em dividir esse volume pelas regiões sob seu comando, levando em conta as condições de cada área. O modelo era simples, difícil era atingir os resultados.

Para ajudar as pessoas a monitorar o próprio desempenho, o consultor apresentou outra metodologia: o Plan, Do, Check and Act (PDCA), que iria se tornar conhecido dentro da empresa como Promete Depois Corre Atrás. É um modelo mental para o alcance de metas. Tudo começava com o planejamento (Plan), em que o profissional deveria fazer análises, contas, conversar com outras pessoas para chegar a um cronograma de atividades. Se o objetivo fosse aumentar o volume em 10 mil hectolitros, seria preciso, antes de tudo, responder a algumas perguntas. Quanto seria necessário subir de volume por cliente para chegar ao resultado? De qual marca de cerveja? De qual embalagem? Seria necessário entrar em uma área nova? Quanto volume incremental as ações renderiam? Tais perguntas levavam a um plano de tarefas.

A segunda etapa, o D (Do), se referia à execução do planejamento, ou a realização do cronograma de atividades. O C (Check) era a análise do trabalho realizado, pela comparação do resultado planejado com o que foi alcançado. Medir o resultado era um diferencial ressaltado pelos profissionais que passaram pela Brahma. Por fim, o A (Act) eram os ajustes de rota.

Alguns diretores hoje treinam suas equipes no PDCA por meio de uma comparação com a vida fora do trabalho. Segundo eles, as pessoas já têm esse modelo mental para suas férias, mas tendem a não o levar para a empresa. Quando se vai viajar, o primeiro passo é definir o destino. Em seguida, começa-se a buscar o hotel, segundo alguns critérios. Geralmente, as passagens e as reservas de hospedagem são feitas com antecedência para conseguir melhores preços. Então se organiza uma programação para aproveitar os dias da melhor forma. Para tudo isso, há um orçamento, que será balanceado entre todas as despesas de acordo com as prioridades. Quanto será gasto por dia? Quanto será dedicado a restaurantes? Será reservado um dia para uma refeição em um lugar mais sofisticado? A ideia do PDCA é tão simples quanto aplicar essa mentalidade ao trabalho.

Mais tarde, os diretores da Brahma, junto com Falconi, somaram novos sistemas ao PDCA. Por exemplo, o método de abertura e fechamento de gaps, presente em todos os projetos da companhia até hoje. Com base no diagrama de Pareto — um gráfico que visa à priorização dos problemas e mostra que 80% das consequências advêm de 20% das causas —, a equipe foi treinada para identificar as lacunas-chave em cada desafio e trabalhar em suas soluções, gerando saltos de eficiência.

Liderados por Carlos Brito, os executivos da Brahma decidiram colocar essa cultura no papel enquanto ela ainda se formava. Em meados dos anos 1990, Marcel indicou que os profissionais se organizassem em grupos para registrar a cultura corporativa que estavam construindo. Embora inspirados na filosofia do Banco Garantia, os conceitos ganhavam vida própria na cervejaria — e precisavam de ajustes finos para traduzir a realidade.

Quais das ideias iniciais trazidas por Marcel se mostravam adequadas à Brahma? E quais não funcionavam? O que a diretoria estava aprendendo na indústria de bebidas que não fazia parte do mercado financeiro? Que práticas eram incentivadas, quais eram apenas toleradas e o que deveria ser banido? O que fazer rotineiramente para transformar a companhia na melhor do mercado? A partir de questões como essas, a cultura começou a ser definida em palavras. Ela seria a semente do conceito Dream People Culture, que se tornou uma bandeira interna da liderança da AB InBev. A orientação para resultados, o reconhecimento das pessoas com alto desempenho e as oportunidades de crescimento rápido na carreira eram alguns dos principais pontos.

No fim dos anos 1990, Lemann podia celebrar a confirmação de sua hipótese. Havia um tesouro escondido sob a terra que pisavam. Isso não significava apenas que a cervejaria havia sido uma boa aposta de investimento e que a gestão executiva caminhava bem. Significava, acima de tudo, que a visão do banqueiro apontava na direção da maior de suas ambições. As conquistas na Brahma eram o primeiro degrau de uma escada invisível para a maior parte das pessoas. Lemann, seu idealizador e discreto condutor, sabia que era só seguir em frente, revelando e refinando o plano a cada fase — parte que cabia a Marcel. Era sobre isso que ele falava com Magim ao explicar que o objetivo era "se realizar e realizar. Empreender, crescer". A base estava construída. O próximo passo era ganhar escala.

CAPÍTULO 5

Antarctica: a Brahma de ontem

Até a chegada de Marcel, a disputa entre Brahma e Antarctica conservava um ar pueril. Como duas crianças que brincam em uma gangorra, gentilmente alternando a vez de quem está por cima e quem está por baixo, as companhias não tinham por que correr. Eram líderes absolutas do setor e, ainda que outras marcas despontassem no mercado, o faziam em ritmo (aparentemente) lento o bastante para que as cervejarias centenárias decidissem quando e como reagir. A história das duas empresas era similar. Assim como a gestão enroscada em excessos de hierarquias e processos, e as decisões lentas.

A Companhia Antarctica Paulista era a mais velha das duas. Nasceu em 1885, três anos antes da concorrente, como uma empresa que fabricava e vendia gelo e armazenava alimentos, em São Paulo. Naquela época, a capital paulista preservava uma atmosfera bucólica, bem diferente do ambiente urbano que iria se desenvolver nas décadas seguintes. Lampiões a gás iluminavam as ruas, o bonde era o principal meio de transporte público e um comércio ainda incipiente despontava, impulsionado pelo setor cafeeiro. Logo, outras áreas comerciais iriam se mostrar fundamentais para o crescimento do país — e promissoras para aqueles dois investidores.

Os donos da Antarctica compraram um terreno grande na Água Branca, na Zona Oeste paulistana. Dois comerciantes europeus radicados em Santos, o alemão João Carlos Antônio Frederico Zerrenner, conhecido como Antônio Zerrenner, e o dinamarquês Adam von Bülow, leram a notícia no jornal. Eles tinham recém-aberto o escritório de representação comercial Zerrenner, Bülow & Cia, que importava equipamentos e matéria-prima e exportava café (mais tarde, eles fundariam a Cafeeira de São Paulo). Ao saber do terreno da Antarctica, vislumbraram um novo nicho.

A geladeira só seria criada 25 anos mais tarde nos Estados Unidos. Naquela época, o gelo era a principal forma de conservar comida. Portanto, tinha importância crucial para as indústrias. Mas o acesso ao produto ainda era restrito a poucas pessoas e em pequenas quantidades. As empresas de alimentos importavam alguns blocos em navios vindos da Europa. A alta demanda somada à dificuldade de acesso fazia daquele um artigo de alto custo — e, portanto, um bom negócio, concluíram Zerrenner e Von Bülow.

A dupla se aproximou da empresa paulista e logo passou a fornecer gelo. Com a relação comercial, os empresários europeus acompanhavam de perto os avanços da companhia. Em pouco tempo, se tornaram os principais credores da Antarctica e, em seguida, entraram como sócios. Uma aposta cujo retorno nem eles poderiam prever.

Cinco anos depois, em 1889, Zerrenner e Von Bülow tiveram um encontro que definiria o futuro de seus negócios. O cervejeiro alemão Louis Bücher, que fabricava a bebida em pequena escala, soube que a Antarctica estava parcialmente ociosa. Ofereceu uma parceria à companhia para poder fabricar cerveja em maior escala. Zerrenner e Von Bülow, cientes desse novo mercado que despontava, a aceitaram na hora. Para expandir a produção de Bücher com qualidade, trouxeram da Alemanha cervejeiros experientes para trabalhar com ele, como Julius Staehle e Ambrósio Hirschmann. O jornal *A Provincia de São Paulo* (que, com o advento da República, passaria a se chamar *O Estado de S. Paulo*) noticiou o início da produção de cerveja na fábrica paulista. A bebida começava a ganhar popularidade.

Mas o crescimento não viria sem oscilações. Em 1893, uma crise econômica quase levou a Antarctica à falência. O ministro da Fazenda de 1889 a 1891, Rui Barbosa, havia adotado uma política baseada na concessão de crédito fácil, por meio da emissão de dinheiro. O objetivo era estimular a industrialização do Brasil. No entanto, isso gerou efeitos colaterais problemáticos.

A combinação de especulação financeira, inflação e diversas empresas sem lastro para parte de seu patrimônio cobrou um preço alto. Foi o que entrou para a história como Encilhamento, um dos episódios mais importantes da política econômica da época, com consequências duradouras. O processo teve início ainda no fim do Império, quando Afonso Celso de Assis Figueiredo, o visconde de Ouro Preto, era ministro da Fazenda, e perdurou na mudança para a República, quando Rui Barbosa assumiu o ministério.

Na Antarctica, a solução encontrada por Zerrenner e Von Bülow foi trocar seu crédito e os recursos que já haviam investido na companhia por um aumento em sua participação acionária. Com isso, deram um respiro ao caixa e se tornaram os controladores da empresa, com 51,15% do capital — reduzido de 3 mil contos de réis a praticamente metade: 1710.*

---

* Entre os demais acionistas, os principais eram Antonio Campos Sales, Antonio de Toledo Lara, Augusto Rocha Miranda, Teodoro Sampaio e Asdrúbal do Nascimento.

Sob a nova direção, a empresa foi reorganizada e passou a atuar exclusivamente na fabricação de cervejas e refrigerantes. Logo, voltou a crescer.

A disputa pelo novo mercado das colas

Na segunda década de 1900, a Antarctica expandiu rapidamente. Em 1912, foi lançado o primeiro refrigerante da marca, a Soda Limonada. O produto era o embrião de um relevante mercado que chegaria oficialmente em 1921, com a criação do Guaraná Champagne Antarctica.* O nome era uma referência à fruta silvestre da floresta amazônica e ao vinho produzido na região homônima no nordeste da França. A fórmula da bebida era resultado de uma série de experimentos realizados no mundo nos últimos séculos.

A notícia mais antiga que se tem da soda é de 1767, quando o britânico Joseph Priestley criou um meio de produzir água com gás. Mais tarde, em 1832, o americano nascido na Grã-Bretanha John Matthews desenvolveu o que ficaria conhecido como *soda fountain*, um aparelho que fabricava água com gás de forma simples. Farmacêuticos passaram a reproduzir a mistura, pois acreditavam que a água gaseificada tinha propriedades terapêuticas, indicadas para tratar de leves cólicas a doenças complexas, como poliomielite. O produto se popularizou nas farmácias dos Estados Unidos no século XIX, que vendiam os combinados como tônicos. Esses xaropes gasosos dariam origem ao refrigerante.

Um deles agradou especialmente o gosto dos consumidores, a partir de 1886. Era um concentrado com propriedades estimulantes à base de noz-de-cola,** folhas de coca e outros ingredientes. O norte-americano John Pemberton foi o responsável por desenvolver a bebida — e deu-lhe o nome de coca-cola. Doze anos depois, em 1898, chegou a concorrência, com a pepsi-cola. A matéria-prima era a mesma noz-de-cola somada a um ingrediente particular, a pepsina, uma enzima que, diziam os fabricantes, ajudava na digestão. O produto só chegaria ao Brasil em 1952.

Com a popularização da coca-cola, o guaraná se revelou uma importante arma da Antarctica na briga pelo crescente mercado de refrigerantes. Sua receita nascera a partir de um método de processamento criado pelo médico flu-

---

* Uma década antes de a Antarctica lançar seu guaraná, uma pequena indústria de bebidas, a Fábrica Cyrilla, fundada pelo químico alemão Ernst G. Geys e pelo caixeiro-viajante Frederico A. Diefenthaler, lançou o primeiro guaraná engarrafado, batizado de Guaraná Cyrilla, no Rio Grande do Sul.

** Noz da planta cola (também conhecida como orobó e café-do-sudão), nativa da África que chegou às Américas através dos escravos. Possui uma alta concentração de cafeína e, por isso, uma de suas aplicações é como estimulante digestivo.

minense Luís Pereira Barreto, que resultava em um xarope. Com base nele, o químico industrial e professor de farmácia Pedro Batista de Andrade criou a fórmula específica da Antarctica. Ele conseguiu eliminar a adstringência e o amargor natural da fruta e adicionou ingredientes como água gaseificada, açúcar, semente de guaraná, aroma natural, acidulante e conservantes. Mas claro que isso não era — nem é — tudo.

Os elementos que compõem o refrigerante e suas quantidades são um sigilo que os donos e funcionários da Antarctica se orgulham de manter há quase um século. "Um dos segredos mais bem guardados da indústria brasileira", costumam dizer. O mistério, intencionalmente cultivado, seria o mote de campanhas de marketing da empresa no futuro. Em 2011, por exemplo, a Antarctica fez uma propaganda apresentando os "guardiões de sua fórmula".

São três gerações de empregados, artesãos ou químicos responsáveis por protegê-la há aproximadamente noventa anos. Os diretores da empresa os nomeiam em processos longos e seguindo critérios objetivos e subjetivos, como tempo de casa, comprometimento com a marca e paixão pelo produto. Os outros funcionários não sabem quem são os guardiões, o que contribui para a aura mística que envolve o tema. Só os membros do Conselho Guaraná, um grupo formado por ex-guardiões, sabem sua identidade. São eles que escolhem os sucessores do time atual e passam os conhecimentos aos "herdeiros". Uma dinâmica similar à de uma sociedade secreta.

A fórmula do Guaraná está guardada em duas salas-cofre, em São Paulo e Manaus. Em cada uma fica só uma parte da receita, em um arquivo de um computador não ligado em rede. Há apenas duas cópias das chaves das salas, guardadas por duas pessoas. A fórmula original está dentro de um envelope lacrado em um cofre-forte. Se alguém conseguisse burlar o sofisticado sistema de segurança e a encontrasse, teria ainda outro obstáculo: ela está escrita em um código que só pode ser decifrado por meio de um manual guardado em outro lugar. O cuidado é tamanho que, muitas vezes, os guardiões compram itens de que não precisam para fazer o produto, com o objetivo de confundir possíveis bisbilhoteiros. O Guaraná Antarctica é líder em seu segmento no Brasil, com quase 40% de participação de mercado.

Aliados para o resto da vida

Zerrenner costumava passar alguns meses por ano na Alemanha para rever a família, os amigos e fechar contratos. Em uma de suas visitas à terra natal, no final da primeira década de 1900, o empresário conheceu a alemã Helena Mathilde Ida Emma Kruschke, por quem se apaixonou. Helena gostava de ler e estudar, e fazia trabalhos de caridade com os pais. Os dois casaram no dia 7 de junho de 1909, na Alemanha, já com uma idade avançada para os padrões da época: Helena tinha 44 anos; Antônio, 66. Ela se mudou para o Brasil com o marido.

Em outra de suas estadas na Alemanha, em 1922, Zerrenner tivera um encontro igualmente marcante, com o jornalista Walter Belian, formado em filosofia. Os dois ficaram amigos. Oito anos mais tarde, Belian chegava ao Brasil para ser o braço direito do empresário na Antarctica e em assuntos pessoais. Zerrenner estava com problemas de saúde e pensava no futuro da empresa.

O início da década de 1930 foi conturbado não só para ele. A expansão do ciclo do café no Brasil até então se devia principalmente ao fato de o país fornecer o produto para o mundo todo. Seu peso na economia global permitia que controlasse os preços. Mas, no fim da década de 20, a produção interna aumentou muito mais do que a demanda externa. Em 1929, com a Grande Depressão, os Estados Unidos entraram em uma recessão econômica que se espalhou globalmente e afetou a exportação brasileira. A saúde econômica do país também estava frágil.

Aos 87 anos, Zerrenner foi à Alemanha tratar de um problema de saúde. Uma das recomendações dos médicos foi que não voltasse ao Brasil naquele momento. Ele sabia que na empresa não o esperavam boas notícias e temia que alguns de seus sócios aproveitassem o mau momento econômico e sua ausência para tirar vantagens particulares. Então decidiu retornar ao país de qualquer maneira e encontrou exatamente o que imaginara. Parte dos diretores tentava tirá-lo judicialmente do comando da Antarctica, afirmando que suas ausências constantes prejudicavam a gestão. Mas não conseguiram derrubá-lo.

Três anos depois, aos noventa anos, ele morreu, no dia 8 de setembro de 1933. Belian e o advogado da família, Antônio Bento Vidal, orientaram sua esposa a proteger o patrimônio construído pelo marido. Em seu testamento, no entanto, o empresário alemão deixara escrito que era preciso respeitar "quaisquer desejos de última vontade deixados pela então viúva". O desejo de Helena era criar uma fundação para atender a necessidades da sociedade, o que era também um nobre destino para a herança do marido. Ela registrou o plano no próprio testamento, escrito em 1934.

Só dois anos depois, porém, em 5 de agosto de 1936, a Fundação Antonio e Helena Zerrenner foi oficialmente criada em São Paulo — três meses depois da morte de Helena. Detinha cerca de 60% das ações da Antarctica. Mas só depois de inúmeras audiências, negociações e justificativas à Justiça — tudo devido às reivindicações dos diretores, que queriam o controle acionário da companhia —, a entidade começou a funcionar. Embora as primeiras iniciativas tenham acontecido em 1943, apenas em 14 de março de 1944 a fundação foi reconhecida judicialmente como única herdeira de todos os bens deixados pelo casal e dona da maior fatia da cervejaria.

O propósito inicial da fundação era atender às famílias de funcionários e ex-funcionários: crianças, estudantes pobres e órfãos, filhos de empregados necessitados da empresa, assim como funcionários impossibilitados de trabalhar por doenças ou idade. Entre suas principais iniciativas estavam a fundação da Escola Técnica Antarctica e do Hospital Santa Helena.

Contratempos seguiram ao longo da década de 1940. A Antarctica, assim como outras empresas dirigidas por imigrantes alemães, sofreu efeitos colaterais da Segunda Guerra Mundial, iniciada em 1939. Certo dia, Ademar de Barros, interventor federal do Estado Novo do então presidente Getúlio Vargas, ocupou a empresa e prendeu seus diretores — entre eles, Belian — por considerar a companhia "propriedade de alemães". Um informante dissera à polícia que o empresário contrabandeava armas para o país nazista, escondidas em caixas de cerveja da marca paulista. Bens e equipamentos correram o risco de ser confiscados. Mais tarde, o próprio presidente interveio, desculpando-se à empresa pelo mal-entendido.

"A" chance

Entre as décadas de 1960 e 1980, a Antarctica mudou de patamar. Adquiriu o controle da Bohemia, a mais antiga cervejaria do país, que havia sido criada em Petrópolis, no Rio de Janeiro, em 1853, e era dona de um maquinário obsoleto que já completara vinte anos. A pequena fabricante produzia apenas entre 40 mil e 50 mil dúzias de garrafas por mês, mas tinha uma marca forte, o que emprestou a imagem de alta qualidade do produto à Antarctica, que adequaria seu modelo às condições industriais.

Foi nessa época que Victorio de Marchi entrou na empresa, tendo começado a carreira na fundação. Único homem entre duas irmãs, Victorio é filho de pai italiano e mãe brasileira, descendente de italianos. Nasceu em 1938, no bairro da Mooca. Sua família era de classe média, e o ambiente em sua casa, "sem requintes, mas com tranquilidade e afeto".* "Sempre tivemos um relacionamento muito próximo, muito italiano", diz. Até os catorze anos, passava os dias jogando futebol. Era geralmente interrompido pela avó ou pelos pais, que iam buscá-lo depois de horas fora de casa. Até que precisou começar a trabalhar para pagar os estudos em 1953, enquanto cursava a última série do ginásio.

O primeiro cargo que ocupou na fundação foi o de auxiliar na contabilidade da Escola Técnica Antarctica. Quatro anos mais tarde, ingressou na hoje extinta Faculdade de Economia, Administração e Finanças de São Paulo, no Brás.

Victorio conheceu jovens e executivos da Antarctica que transitavam pela fundação. A mais importante foi Erna, irmã e braço direito de Belian na empresa. Sempre preocupada com o futuro dos garotos, em 1962 ela soube que

---

* *De duas, uma: A fusão na mesa.* Op. cit.

Victorio havia se formado na faculdade. Não comentou com ele, mas o recomendou ao irmão. Poucos dias depois, Victorio seria surpreendido por um convite.

Erna perguntou se ele poderia ir à sede da Antarctica dali a dois dias, uma quinta-feira, às dez da manhã, conversar com Belian. Victorio confirmou, com um misto de entusiasmo e espanto. No dia marcado, ele esperou cerca de uma hora para ser recebido pelo presidente da empresa.

"*Querrido* amigo!", disse Belian, ainda com sotaque alemão, apesar das três décadas no Brasil.

Em seguida, desculpou-se com Victorio: havia se atrasado porque tivera de tratar de uma urgência com o gerente da Antarctica em Brasília. A conversa com Belian — que foi, na verdade, uma sabatina — durou mais de duas horas. O presidente queria saber o que o jovem economista já havia feito profissionalmente. Victorio contou sobre a experiência na fundação e sobre como poderia empregar na Antarctica as técnicas que aprendera na faculdade. Bem impressionado, Belian propôs que ele trabalhasse como seu assessor pessoal em assuntos econômicos e financeiros. Um cargo imponente para um recém-formado. Mas o executivo não parecia se importar com aquilo. Queria que ele começasse na segunda-feira seguinte. "Ele foi muito gentil comigo",* diz Victorio. "Não é exagero dizer que essa entrevista decidiu toda a minha vida profissional."**

A carreira de Victorio foi "dura e trabalhosa",*** como ele a define. Ele passou pela área de contabilidade, quando Belian implantou um sistema de custos sofisticado para a época, capaz de apurar os gastos reais de produção. Depois foi para a gestão de outras empresas dos mesmos acionistas da Antarctica, como a Corn Flakes, que produzia matéria-prima para a cervejaria. No fim dos anos 1960, com o avanço na carreira, decidiu fazer uma segunda faculdade, de direito, já ciente da perspectiva de ficar ali para sempre.

A economia do país era uma montanha-russa, o que contribuiu para transformar Victorio em um profissional parrudo. Entre os anos de 1968 e 1973, o Brasil viveu o período que ficou conhecido como "milagre econômico". O PIB cresceu a taxas superiores a 10% ao ano (ritmo similar ao da China a partir da década de 1990) e a inflação se manteve sob controle. O crescimento da Antarctica acompanhou o país. Belian tomou uma série de medidas para descentralizar as atividades industriais e comerciais. O principal objetivo era produzir a cerveja perto dos mercados consumidores, o que reduziria uma das maiores despesas: a logística. A aquisição de novas marcas fez parte da estratégia de expansão. As mais importantes foram a compra da Polar, cervejaria do Rio Grande do Sul, e da Cerman, no Amazonas.

---

* Entrevista de Victorio de Marchi ao Museu da Pessoa. http://bit.ly/2Py3mJO
** *De duas, uma: A fusão na mesa.* Op. cit.
*** Entrevista de Victorio de Marchi ao Museu da Pessoa.

Na década de 1970, os dirigentes da empresa decidiram rever sua logomarca. A estrela de seis pontas com um A no meio havia sido criada em 1895, inspirada no ícone pelo qual eram identificadas as tabernas onde se vendia cerveja durante a Idade Média. Mas ao negociar acordos de exportação para o Oriente Médio, a companhia passou a ter problemas, porque árabes associavam o logo à estrela de davi, símbolo sagrado dos judeus. A Antarctica foi então incluída em uma lista de empresas com as quais não se devia fazer negócio. Os dirigentes da companhia decidiram então dissociá-la da cerveja. Em 1935, a imagem de dois pinguins passou a integrar os rótulos, em uma referência ao continente da Antártica, e essa se tornou a logomarca oficial da empresa.

Walter Belian morreu aos 84 anos, no hospital da Fundação Zerrenner, em um domingo de 1975. Dias antes, ele havia caído em seu apartamento e fraturado o fêmur. Erna assumiu a presidência da Antarctica em seu lugar. Era incomum uma mulher comandar uma companhia naquele tempo, mas ela enfrentou a resistência de alguns funcionários com seu jeito cordial de sempre. Seu principal papel era garantir o elo entre os acionistas da empresa e preservar o foco social da fundação.

Nos anos 1980, a Antarctica cresceu entre 10% e 12% ao ano. Os investimentos eram provenientes de recursos próprios da companhia, incentivos fiscais e financiamentos de bancos de desenvolvimento. A inflação estava altíssima no país, mas as vendas continuavam aumentando, e a empresa se expandia rapidamente para atender à demanda.

A diretoria criou o Grupo Antarctica em 1984 para organizar todas as empresas sob um mesmo guarda-chuva. Entre elas, estavam a cervejaria Columbia, de Campinas, a companhia de alimentos Corn Flakes, distribuidoras de bebidas como Dubar, Recife e Beberibe, uma empresa de propaganda (Progres) e uma de malte (Agromalte). A holding chegou a reunir 23 companhias, mas reduziu esse número ao longo da década seguinte.

Um dos primeiros desafios enfrentados pelo grupo depois da reorganização foi a conjuntura macroeconômica do país. O Plano Cruzado, lançado por José Sarney em 1986, adotou como uma de suas principais medidas para conter a inflação o congelamento de preços de produtos, serviços e combustíveis. Logo a estratégia se revelou insustentável, e as mercadorias começaram a sumir das prateleiras em função da alta demanda. Em compensação, surgiram mercados paralelos que exigiam pagamento de ágio pelos produtos. As exportações diminuíram, as importações aumentaram e as reservas cambiais acabaram. Novamente, a inflação disparou, afetando o preço dos produtos. A hiperinflação seguiria, com momentos de alívio e piora, até 1994, com a implantação do Plano Real.

Vários chefes e decisões lentas

Enquanto os desafios do mercado se sofisticavam, a Antarctica se tornava uma empresa complexa. Desde 1915 era registrada na Bolsa de Valores de São Paulo e desde 1965 tinha o capital aberto. As decisões mais importantes eram tomadas por um grupo de diretores, em um sistema que se refinou ao longo dos anos. Nove conselheiros, indicados pela controladora da companhia, a Fundação Zerrenner (que detinha 90% das ações, enquanto o restante estava pulverizado), se revezavam na presidência do Conselho de Administração; cinco diretores, indicados pelo conselho, se alternavam como presidente executivo. Chegar a um consenso era, portanto, um processo de tempo indefinido. Muitas vezes, demorava mais do que os problemas poderiam esperar sem causar prejuízos à empresa. Victorio era o responsável pelo planejamento econômico e financeiro da companhia e fazia parte dos dois grupos. Também estavam entre os principais conselheiros Roberto Gusmão e José Heitor Attilio Gracioso.

Um consultor que visitara a empresa nos anos 1990 conta que, nas apresentações das quais participou na sala do Conselho de Administração, uma das cadeiras permanecia sempre vazia. Certa vez, ele foi ocupá-la, mas os diretores o impediram. Explicaram que ninguém podia sentar ali em respeito a um dos chefes, já falecido. Victorio de Marchi afirma que essa orientação não existia na empresa. Ele atribui o suposto episódio a um caso pontual, provavelmente em respeito à figura de Walter Belian, que tivera um papel importante para a companhia e seus funcionários.

A Antarctica da década de 1990 era comparável à Brahma dos anos 1970. As duas tinham hierarquias rígidas, processos burocráticos, hábitos formais, escritórios com arquitetura e decoração sóbrias e de aspecto antigo. Os principais móveis que ocupavam a diretoria da Antarctica eram feitos em madeira escura e pesada, alguns com detalhes em couro, e a mesa do conselho era excessivamente comprida. "Parecia um escritório de advocacia do início do século xx", afirma o consultor. "Quando eu chegava lá, minha sensação era de ter voltado no tempo."

Assim como na Brahma antiga, na sede da Antarctica havia um elevador que só era usado pela diretoria. Mas um detalhe destoava: durante o expediente, toda a equipe podia pegar cerveja em uma geladeira sempre cheia. O centro de distribuição, também localizado na Mooca, reproduzia a aura ostensiva e antiga do escritório. Parecia um palácio, com tonéis dourados, cerca de dez salas de diretores decoradas com cadeiras altas e vagas na porta para a diretoria.

A Brahma e a Antarctica dividiam o mercado de forma equilibrada. Mesmo sem combinar estratégia, seguiam planos e ritmos similares, devido aos estilos de gestão parecidos. Em um ano, uma saía um pouquinho na frente. No ano seguinte, a outra ultrapassava. Uma era a mais querida em São Paulo, a outra no Rio de Janeiro, e a liderança era dividida no resto das regiões. Não havia por que mudar a tática nem se apressar. Até o dia em que Marcel assumiu o comando da Brahma e mudou o jogo.

"Imagine uma briguinha entre duas crianças. De repente, Anderson Silva entra para apoiar uma delas", compara um consultor que trabalhou para a Antarctica nos anos 1990. "[A cervejaria paulista] começou a apanhar e não tinha capacidade nem para entender o que estava acontecendo. A sensação geral entre os funcionários era: O que estão fazendo na Brahma? Esses cariocas estão loucos! Estavam todos com medo, apavorados."

Uma das mudanças que colocava a Brahma vários passos à frente da Antarctica era a profissionalização dos revendedores. A cervejaria paulista havia tido acesso ao mesmo programa de excelência promovido pela Anheuser-Busch que inspirara a transformação na concorrente. Isso porque a empresa norte-americana tinha feito uma parceria de distribuição com a Antarctica e, em 1996, detinha 5% da brasileira (com a opção de chegar a 30% nos quatro anos seguintes, o que não aconteceu). Parte do acordo era oferecer acesso total às melhores práticas de distribuição (e outros programas) da Anheuser-Busch. Mas a Antarctica foi lenta demais na tentativa de replicar o programa. A maioria dos distribuidores de sua rede mantinha o perfil dos que atendiam a Brahma até a década anterior, de pessoas indicadas, parentes de funcionários ou ex-funcionários da empresa. Continuava sendo um sistema mais político do que profissional, enquanto a rival avançava em disparada.

A primeira tentativa de acompanhar o mercado — ou ao menos de parar de perder market share sistematicamente — foi feita em 1994. Em vez de usar o know-how da Anheuser-Busch, ao alcance de suas mãos, a Antarctica optou pelo caminho mais caro. Contratou uma consultoria estratégica internacional em busca de ganho de eficiência. Poderia ter dado certo, se seus diretores tivessem aceitado a ajuda pela qual pagavam. Mas a atitude parecia mais uma tentativa imediatista de mudar os números do setor do que uma vontade real de rever comportamentos e se tornar uma empresa mais eficiente não só no curto, mas também no longo prazo.

Os consultores não conseguiram fazer o que precisavam para melhorar a situação da empresa. "Não queriam mexer naquele mastodonte", afirma um profissional que participou do projeto. "Não estavam dispostos a perder o ar faraônico que tinham. Mas para fazer nosso trabalho, seria preciso sacudir aquele sistema."

Quatro anos depois, a diretoria contratou uma nova consultoria com o mesmo objetivo: profissionalizar a distribuição. Em 1998, a companhia detinha 18,6% de participação no mercado contra 24,2% da Brahma e 23,7% da Skol. Naquele momento, melhorar a eficiência era menos uma opção e mais uma condição para a Antarctica continuar a sobreviver. Dessa vez, o projeto começou a avançar. Mas a passos muito lentos. Ainda era pouco para concorrer com a Brahma.

Concorrência irrelevante

Naquele momento, o setor de cervejas no Brasil se limitava basicamente a Brahma, Skol e Antarctica. Havia uma crença — da qual Marcel compartilhava — de que uma das barreiras para a entrada de novas marcas era o fato de 90% da cerveja ser vendida em garrafa. Investir nas embalagens de vidro e depósitos para armazená-las tinha alto custo. Brahma e Antarctica não incentivavam o desenvolvimento de embalagens descartáveis como forma de proteger o mercado que dominavam.

Analisando em retrospectiva, as garrafas podem ter sido uma barreira de entrada até os anos 1970, mas isso não impediu empresas menores de ganharem mercado, inclusive utilizando garrafas e garrafeiras das maiores. Schincariol e Kaiser eram prova disso. Já existiam, ainda que pequenas. E logo começariam a incomodar as grandes.

A Schincariol havia sido criada em 1939, inicialmente como uma fabricante de refrigerantes sediada na cidade de Itu, no interior de São Paulo. A primeira cerveja da marca fora lançada em 1989, ano em que Marcel assumiu o comando da Brahma. Posicionada como uma cerveja popular, com um preço mais baixo, tinha menos de 1% de participação no mercado. A Kaiser tinha uma importância maior em 1989, com 7,9% de market share, enquanto a Brahma e a Antarctica dominavam aproximadamente 40% do mercado cada uma.

A Kaiser tinha sido fundada em 1982 por Luiz Otávio Possas Gonçalves, um dos principais acionistas do Grupo Gonçalves-Guarany, dono, desde 1947, de duas grandes engarrafadoras da Coca-Cola em Minas Gerais. O empresário investiu todo o seu capital disponível na criação da marca de cerveja, sediada em Divinópolis, Minas Gerais. No dia 22 de abril de 1982, colocou a primeira garrafa da bebida no mercado.

Em 1983, Hubert Gregg, então presidente da Brahma, compareceu à inauguração de uma nova fábrica de cerveja da concorrente, no Hotel Intercontinental, no Rio de Janeiro. Segundo o ex-diretor Geraldo Guimarães, Gregg se aproximou do presidente da Kaiser, o carioca Armando Sarmento, um senhor de setenta anos que fizera carreira no mercado publicitário entre as décadas de 1930 e 1960, à frente da agência McCann Eriksson no Brasil e nos Estados Unidos. "Foi logo afirmando que tínhamos entrado em um negócio de larga escala, que nossa fábrica era muito pequena e inviável e que ele estaria à nossa disposição em seu escritório, na hora em que resolvêssemos vender a cervejaria."*

Mas Luiz Otávio tinha um trunfo: podia aproveitar a eficiente rede de distribuição que levava o refrigerante mais consumido do Brasil a pontos de venda espalhados por todo o país. Distribuir os produtos em supermercados, bares

---

* Geraldo Guimarães, Marcos Rechtman e Roberto Lima Netto, *Nova Estrutura: Reinventando sua empresa*. Rio de Janeiro: FGV, 2004.

e restaurantes era — e ainda é — um dos principais desafios das indústrias de bens de consumo em um país tão extenso quanto o Brasil (o quinto maior do mundo), com transporte deficiente, majoritariamente rodoviário. A criação de uma cervejaria ligada à Coca-Cola, com cobertura de quase 100% do mercado nacional, teria ainda a vantagem reversa de reforçar a distribuição do refrigerante. Essa prática abria uma exceção na política mundial da empresa, que até hoje não entra no setor de cervejas, e foi um feito do empresário mineiro.

Em 1984, a Coca-Cola Internacional comprou 10% da Kaiser. Dezoito anos depois, em 2002, a canadense Molson adquiriu a cervejaria por US$ 765 milhões. Em 2006, a marca brasileira mudou de mãos mais uma vez, quando a mexicana Femsa, engarrafadora da Coca-Cola, assumiu seu controle, por meio de um pagamento de US$ 68 milhões por 68% do capital da companhia, mais dívidas de cerca de US$ 60 milhões. Outros 15% da empresa continuaram com a Molson e 17% com a holandesa Heineken em 2007.

A diferença de preço entre a compra e a venda da Kaiser pela Molson se explica na queda de sua participação no mercado brasileiro. Quando a Molson comprou a Kaiser da Coca-Cola em 2002, a marca tinha 15,4% de mercado. Em junho de 2004, a participação havia caído para 7,4%. Em 2006, as marcas Kaiser e Bavaria detinham juntas 8,7% do mercado brasileiro de cerveja. Segundo dados da AC Nielsen, principal empresa de pesquisa do setor, cada ponto percentual do mercado brasileiro de cervejas equivale a R$ 100 milhões.

Antes da queda, ainda na década de 1990, Kaiser e Schincariol começaram, aos poucos, a incomodar as grandes cervejarias. Em 1998, a participação da Kaiser já estava em 15,5% e a da Schincariol em 7,3%, enquanto a Brahma tinha 24,2% do mercado, a Skol, 23,7%, e a Antarctica, 18,6%.

A cervejaria do dr. Victorio

Victorio de Marchi, o "dr. Victorio", como muitos passaram a chamá-lo na empresa, era o "rosto" da Antarctica naquela época. Assumiu como diretor-geral em 1998 e permaneceu na função até 2000. Um senhor de expressão séria na maior parte do tempo, nos anos 1990 costumava vestir terno e gravata de cores discretas. Sua comunicação, mesmo com as pessoas próximas, ainda hoje é cerimoniosa. Quando perguntado, por exemplo, sobre sua cerveja preferida, começa a responder com: "Veja, eu vou dizer". Então explica que existem dois tipos básicos da bebida no mundo: a europeia, com um paladar mais forte e amargo, e a americana, mais leve. "Para o meu paladar eu prefiro mais a tendência alemã, uma cerveja mais forte, com mais lúpulo, mais encorpada."*

---

* Entrevista de Victorio de Marchi ao Museu da Pessoa.

Um consultor que o conheceu no início dos anos 1990 o descreve como um profissional quieto e resistente a notícias que não o agradam. Ele conta sobre uma reunião com vários consultores, que deveriam dar seu parecer sobre um problema da empresa. "Era ele quem nos explicava o que pensava estar acontecendo: 'Isso é assim por tal motivo'." Ao justificar situações desfavoráveis à Antarctica, Victorio costumava mencionar fatores externos, culpando ora a agressividade da Brahma, ora a falta de atitude de seus distribuidores.

O consultor também ficou surpreso ao saber que alguns funcionários que trabalhavam na companhia havia mais de vinte anos nunca tinham cruzado com o chefe no escritório. Quando questionado sobre a distância em relação à equipe, Victorio afirma que sempre atendeu "a todos muito bem", mas que não é do tipo "que dá tapinhas nas costas". "Não sou bonzinho. É o meu perfil. O que valorizo são os princípios de uma pessoa. Os meus, eu não quebro", diz.

Ex-funcionários da cervejaria que trabalharam diretamente com Victorio o definem como alguém ético e justo. Um deles tinha planos de deixar a empresa quando não via perspectivas de crescer na carreira, mas decidiu ficar depois de Victorio pedir que o fizesse. O chefe reforçou o quanto o trabalho dele era importante e que, em breve, surgiriam oportunidades, sobre as quais ainda não podia falar — e, no momento oportuno, cumpriu sua palavra.

Um encontro tão óbvio quanto improvável

Como presidentes das duas maiores cervejarias do Brasil, Victorio e Marcel eram grandes rivais. Disputavam cada ponto percentual do mercado. Por isso, havia um saco de pancadas em forma de pinguim em uma das revendas da Brahma. Todo dia, às sete da manhã, os revendedores literalmente batiam no pinguim e entoavam gritos de guerra. Um deles, em ritmo de "Marcha soldado", dizia: "Mata pinguim/ Pinguim tem que matar/ Mata, mata, mata/ Pinguim é pra matar". Depois dessa, estavam prontos para o trabalho, que podia ser resumido na luta contra a concorrência.

Porém, como líderes de um importante setor da economia nacional, Marcel e Victorio eram aliados. Alternavam a presidência do Sindicato Nacional da Indústria da Cerveja (Sindicerv) e compartilhavam os interesses da classe relacionados a temas como tributação e regulação das cervejarias no Brasil. "Sempre que tínhamos oportunidade, Victorio e eu chorávamos as mágoas. Reclamávamos das dificuldades que nosso setor enfrentava e do custo do dinheiro", conta Marcel. Também eram eles que indicavam a direção do mercado. Além das reuniões sindicais, encontravam-se em eventos do setor, como a Oktoberfest de Blumenau, e assunto entre eles não faltava.

No Carnaval de 1995, Marcel e Victorio se sentaram à mesa juntos mais uma vez. Papearam sobre as dificuldades de crescimento da indústria nacional. Depois de uma década e meia de hiperinflação, o Brasil atravessava uma crise cambial sem precedentes. O cenário era favorável à entrada de investimento estrangeiro no país e limitador para as companhias nacionais. Mesmo fazendo uso de linhas de crédito preferenciais, a comparação dos juros pagos por grandes companhias nacionais e norte-americanas era de 10% ao ano em termos reais e não mais que 3%. Ambos estavam incomodados com as perspectivas.

Não precisava ser visionário para deduzir quais eram essas perspectivas. O futuro do setor privado brasileiro era óbvio, se nada diferente fosse feito. Em 1999, entre 142 operações de fusões e aquisições mapeadas no país, cem eram dominadas pelo capital externo — 70% do total.

"Se uma companhia americana quisesse adquirir uma cervejaria brasileira, poderia pagar o dobro do oferecido por um concorrente nacional, já que, em oito anos, a taxa de retorno seria idêntica nos dois casos", afirma Victorio. "Logo percebemos que vivíamos uma situação complicada e que ficaríamos estagnados", concordou Marcel. Desde a década de 1980, tanto a Brahma como a Antarctica já haviam sido procuradas por multinacionais como Anheuser-Busch, Miller, Kirin, Coca-Cola e Pepsi, interessadas em se associar a elas.

Parcerias sem compromisso

Uma das tentativas de parceria mais marcantes do setor foi liderada pela Pepsi-Cola (hoje PepsiCo). Nos Estados Unidos, a marca tinha 30% do mercado enquanto sua rival, a Coca-Cola, tinha 40%. Em tamanho, a Pepsi já era maior que a Coca. Com faturamento de US$ 57,8 bilhões em 2011, ocupou o 43º lugar na lista das quinhentas maiores empresas americanas da revista *Fortune*. Já a concorrente ficara na septuagésima posição, com receita de US$ 35 bilhões. Mas a marca não deslanchava no Brasil.

A Pepsi-Cola chegou ao país em 1952 e nunca atingira 10% de market share, enquanto a Coca-Cola tinha 50% das vendas. Um dos pontos que poderia ajudar a multinacional era entrar no mercado da cerveja. Em um país tão extenso quanto o Brasil, já ter uma rede de distribuição de bebida representa uma vantagem relevante.

A Pepsi tentara se associar à Brahma na década de 1980. A cervejaria engarrafava e distribuía os refrigerantes e esperava, em contrapartida, que seu produto também fosse vendido aos estabelecimentos que faziam parte de seu sistema logístico, ganhando participação no mercado. Mas a parceria não funcionou. A liderança da Pepsi não confiava na conduta da Brahma. Acreditava que a cervejaria priorizava a venda de seu produto em detrimento do refrigerante. Com a entrada de Marcel Telles na gestão e seu perfil de gestão agressivo e na ponta do lápis, o acordo ruiu de vez.

Em 1993, a Pepsi voltou a investir no Brasil, dessa vez por meio de um acordo de distribuição com a Buenos Aires Embotelladora (Baesa), que iniciou suas atividades no país em dezembro de 1994, ao adquirir os contratos de franquia que a Brahma tinha com a Pepsi. Dois anos depois, os jornais começaram a publicar notícias sobre problemas financeiros na Baesa — como ações trabalhistas e dívidas bancárias. Então a Pepsi se aproximou da Antarctica. As duas companhias tinham contato desde 1980, quando a cervejaria brasileira adquirira a Alterosa, uma empresa da cidade mineira de Vespasiano que até então era uma das franqueadas da Pepsi.

A proposta era oferecer a franquia da Pepsi em certas regiões do Brasil e a distribuição dos refrigerantes da Antarctica no exterior em troca de uma marca de cerveja. A Antarctica se interessou também pelo fato de a Baesa (que continuava aliada à Pepsi) ser proprietária de cervejarias importantes no Chile, como a Compañía de Cervecerías Unidas (CCU), que, naquele mesmo ano de 1996, começava a produzir e a distribuir Budweiser sob licença. A negociação foi intitulada internamente de Operação Tango, mas não se chegou a um acordo.

Seis meses depois, o presidente da Coca-Cola no Brasil, Luiz Lobão, procurou Victorio. Aquela era a terceira tentativa de negociação entre as duas empresas. A companhia norte-americana queria se desfazer dos 10% de participação que tinha na Kaiser e se associar à Antarctica. Começaram a montar o Projeto Imperador, uma referência ao nome da marca nacional Kaiser. Os diretores das duas empresas fizeram diversas reuniões e trocaram cartas de compromisso. O potencial acordo envolvia mais de US$ 1,3 bilhão, mas novamente o negócio não avançou.

A relação entre a Antarctica e a Coca vinha de mais longe, mas era menos íntima. Em 1921, quando a Antarctica lançou seu guaraná, só enfrentava a concorrência de produtos fabricados no Brasil. Mas Antônio Zerrenner conhecera o refrigerante norte-americano naquela mesma década, em visita aos Estados Unidos. Vinte anos mais tarde, em 1941, em meio à Segunda Guerra Mundial, a Coca-Cola chegou ao país, com a ajuda do governo, em um ambiente político conturbado.

Naquele momento, a posição do Brasil no cenário mundial era ambígua. O então presidente Getúlio Vargas manteve negociações tanto com os Estados Unidos quanto com a Alemanha — cujo poder de influência crescera nos anos 1930, sob o regime nazista, ameaçando a hegemonia norte-americana na América do Sul. Só no início de 1942, o Brasil rompeu relações com o Eixo em troca de um acordo com os Estados Unidos, que forneceria armamento para defender principalmente a região Nordeste do Brasil, que abrigava bases aéreas de defesa. Os americanos também financiaram a construção da Companhia Siderúrgica Nacional, em Volta Redonda.

Quando Coca-Cola foi registrar sua marca no país, descobriu que o nome já tinha dono: a Antarctica. Diante do sucesso no exterior, Zerrenner havia feito sua aposta nos anos 1920. Contrariada, a empresa estrangeira teve de comprar a própria marca da Antarctica. Foi com o pagamento recebido que a companhia brasileira ergueu seu escritório na Mooca, que durante muitos anos foi apelidado de "prédio Coca-Cola".

Os "quase"

Duas parcerias, em especial, poderiam ter mudado a história das cervejarias no Brasil. Uma entre a Antarctica e a Anheuser-Busch, cuja receita era de US$ 13,7 bilhões nos anos 1990, e outra entre a Brahma e a Miller, na época a segunda maior cervejaria dos Estados Unidos, com faturamento de US$ 4,6 bilhões. Foram casos de joint venture — um formato de associação entre duas companhias por um período específico e limitado — que ocorreram entre os anos de 1995 e 1998.

Antes delas, uma primeira tentativa da Anheuser-Busch de entrar no Brasil foi por meio de uma joint venture com a Brahma, que não se concretizou e foi pouco divulgada pela imprensa. Certo dia, no final de 1992, o analista Gustavo Pimenta, que ingressara na empresa na primeira turma de trainees, recebeu uma tarefa misteriosa, encomendada pelo diretor financeiro Danilo Palmer: comparar um balanço em inglês com o da filial de Jacareí (na época, a que tinha melhor resultado da companhia). Ele não disse de quem eram aqueles resultados. Gustavo questionou do que se tratava. "Pergunte menos e faça mais", respondeu o diretor.

O analista ficou até tarde fazendo cálculos e destacando os principais pontos do comparativo. Na manhã seguinte, entregou sua análise ao chefe. Danilo elogiou o trabalho e levou Gustavo para uma reunião com Eduardo Bittar, diretor da área de planejamento. Com o trabalho de Danilo em mãos, ele abriu o jogo: "Isso é parte de uma negociação secreta que estamos fazendo com a Anheuser-Busch. Inclusive, amanhã eles estão chegando aqui. Então libera sua agenda para acompanhar as reuniões". Além daquela reunião, algumas semanas depois, em janeiro de 1993, Gustavo foi convocado para acompanhar Bittar e Antônio Bonchristiano, então analista da GP Investiments, em uma das reuniões na sede da Anheuser-Busch, em St. Louis, no Meio-Oeste americano.

Quando as bases do acordo estavam alinhadas, o então presidente da empresa norte-americana, August Busch, ou August III, solicitou a presença de Jorge Paulo Lemann no encontro final. No Rio de Janeiro, a equipe aguardava a comunicação da assinatura dos papéis, sem imaginar que o acordo teria uma reviravolta. Estavam todos prontos para comemorar a parceria que os unia à maior cervejaria do mundo. Mas, no dia seguinte, quando chegaram ao escritório, a notícia foi decepcionante. "Não vai rolar", disse Bittar.

A justificativa que o diretor recebera e agora repassava à equipe era de que August III havia tentado mudar o combinado no último momento. Ele disse a Lemann que só aceitaria fazer a joint venture se ele concordasse em vender a Brahma para os norte-americanos mais tarde. Nada feito, respondeu o brasileiro.

Dois anos depois, a diretoria da Brahma aproveitou alguns termos do acordo não concluído com a Anheuser-Busch na hora de fechar a parceria com a Miller. A companhia americana possivelmente fez o mesmo ao realizar uma joint venture com a Antarctica. O objetivo de ambos os acordos — esses, sim, concluídos — era similar ao discutido na primeira tentativa: as cervejarias estrangeiras contariam com as brasileiras para produzir e distribuir sua marca no Brasil. As nacionais, por sua vez, receberiam investimentos para ampliar sua capacidade de atuação no mercado. No entanto, as duas parcerias teriam de passar pelo Cade.

A associação entre a Antarctica e a Anheuser-Busch foi anunciada no dia 14 de dezembro de 1994, depois de dezoito meses de negociações. O acordo previa a distribuição (e, mais tarde, produção) no Brasil da cerveja Budweiser, na categoria premium. A previsão era de que começasse em junho do ano seguinte (mas só aconteceu no segundo semestre de 1996). Para garantir a produção e distribuição da Budweiser, a Anheuser-Busch anunciou um investimento inicial de US$ 105 milhões. A empresa nascia com um patrimônio superior a US$ 1 bilhão e com participação de 29,86% da Anheuser-Busch. A norte-americana teria 5% da Antarctica Empreendimentos e Participações (Anep), principal subsidiária da Antarctica.

A parceria entre a Brahma e a Miller foi anunciada quase um ano depois, no dia 28 de setembro de 1995. O acordo era para distribuir (e, mais tarde, produzir) a Miller Genuine Draft, uma cerveja premium filtrada a frio a princípio apenas em São Paulo e no Rio de Janeiro. Marcel Telles estimou que investiria entre US$ 55 milhões e US$ 60 milhões na empresa ao longo de cinco anos — sendo de US$ 5 milhões a US$ 10 milhões em equipamentos para suas fábricas e US$ 50 milhões em distribuição. A Antarctica previa a produção da cerveja premium para o segundo semestre de 1996.

Em novembro do mesmo ano, a imprensa divulgou rumores de que a Miller compraria a Brahma por US$ 1,5 bilhão. As duas empresas negaram a informação. A Brahma divulgou uma nota explicando que não se tratava de uma aquisição, mas de um acordo que não previa "nenhuma participação acionária de uma parte na outra e tal assunto jamais fez parte de qualquer conversação". Era apenas um acordo de exclusividade de distribuição de produtos na América do Sul.

No dia 11 de junho de 1997, o Cade determinou que a associação fosse desfeita em dois anos (o prazo que as empresas haviam registrado no contrato era 2010). Segundo o relator do caso, Renault de Freitas Castro, seria tempo suficiente para a Miller se instalar no país e tornar a sua marca conhecida. O argumento por trás da decisão era de que a estrangeira havia entrado com muita facilidade no Brasil, sem contribuir com a concorrência, uma vez que realizou investimentos muito pequenos e que seriam mais robustos se tivesse ingressado de forma independente.

O julgamento da parceria da Antarctica com a Budweiser foi realizado no dia 23 de julho de 1997. O desfecho foi o mesmo: o Cade determinou o fim da parceria em dois anos.

As empresas entraram com pedidos de reapreciação. A nova proposta da dupla Antarctica e Anheuser-Busch previa o investimento de R$ 500 milhões na brasileira e aumentaria a participação acionária da norte-americana na principal subsidiária da Antarctica de 5% para 29,86% até 2002. No dia 9 de dezembro de 1997, o Cade aprovou a união, acrescentando mais condições. A cervejaria americana teria de fazer um aporte de capital na Anep, controladora do grupo, de US$ 80 milhões até setembro de 1999; e outro até setembro de 2002, de US$ 476 milhões. A relatora, Lucia Helena Salgado, reconsiderou seu voto anterior (contrário) com base nas metas apresentadas pelas empresas no programa de investimento. Conhecida nos bastidores do Cade por sua alta qualificação técnica e capacidade de influenciar o voto dos colegas, Lucia foi acompanhada por quatro do total de sete conselheiros (na primeira votação, apenas dois haviam sido favoráveis à união).

No caso da Brahma, Lucia não era a relatora, mas Marcel sabia que seu voto teria peso. Ela havia votado contra a associação das cervejarias. Depois do pedido de reapreciação, propôs um modelo que o empresário interpretou como financeiramente desvantajoso para a Brahma. Por isso, ele marcou uma reunião com Lucia. "O que a senhora está propondo não fecha economicamente, e vou lhe mostrar", disse, em tom baixo e cordial. Apresentou a ela seus argumentos técnicos e continuou. "Se a senhora me fizer uma proposta em que eu não perca dinheiro e eventualmente não ganhe tanto quanto a senhora acha que eu ganharia, tudo bem. Mas, para ter prejuízo, eu não posso aceitar."

Lucia Helena insistiu em alguns pontos e aceitou outros expostos por Marcel. Mais tarde, apresentou uma nova proposta, um meio-termo. Em 13 de maio de 1998, pouco mais de dois anos depois do anúncio da associação entre as duas empresas, o Cade aprovou a parceria, que já estava em andamento. Mas havia condições: o envasamento de cerveja deveria ser feito por uma terceira empresa de pequeno porte, e as cervejarias deveriam fornecer auxílio técnico a três microcervejarias brasileiras, selecionadas por oferta pública, por cinco anos, incluindo orientação administrativa e assistência técnica sobre montagem e expansão das empresas.

A Brahma chegou perto de adquirir uma concorrente, a colombiana Bavaria, entre os anos de 1998 e 1999. Mas estava difícil chegar a um acordo em relação ao valor. A cervejaria carioca ofereceu US$ 1,8 bilhão, mas os vendedores queriam US$ 2,2 bilhões em um prazo mais curto do que a Brahma estava disposta a pagar. Embora Marcel quisesse muito fechar o negócio, concluiu, depois de conversar com os sócios, que seria arriscado demais para o caixa da empresa. A compra não se concretizou.

Com as grandes parcerias estabelecidas, o destino do setor cervejeiro no Brasil parecia traçado. Agora não se tratava mais de uma tendência. Já estavam no meio do caminho para o desfecho óbvio. As gigantes estrangeiras acabariam por comprar as brasileiras. Elas tinham dinheiro, vantagens cambiais e muito a ganhar investindo em um país com o consumo de cerveja em ascensão. Mas Marcel tinha uma ideia melhor.

CAPÍTULO 6

Que tal engolir a concorrência?

O mineiro Adilson Miguel é fissurado em futebol desde criança e botafoguense fanático. Em 1959, ele tinha dezoito anos e dividia seu tempo entre jogar na equipe juvenil Tupinambás, time pequeno de Juiz de Fora, e o trabalho como viajante (representante comercial) de um laboratório farmacêutico, que considerava um "bico". Até que soube que um diretor do clube era revendedor da Brahma na cidade mineira — e arriscou uma possível mudança profissional, vislumbrando a perspectiva de ter um emprego formal. "O senhor não arranja um emprego lá para mim?", perguntou ao chefe do time. O diretor respondeu que, infelizmente, não havia vagas, mas Adilson insistiu. Cismou que queria um estágio naquela área, ainda que não remunerado. Seu intuito era aprender. Venceu o empresário pelo cansaço e foi registrado na distribuidora de cervejas como office boy. Seu salário era de 11 mil cruzeiros, compatível com o cargo mais baixo da empresa.

Adilson conseguiu o que queria três anos depois, precisamente em 18 de junho de 1962. Aprendeu sobre a distribuição de bebidas, desde o carregamento de um caminhão até a rotina dos vendedores. Então passou a discutir o próximo passo na empresa. O chefe tinha planos para que ele tocasse uma filial em Barbacena (também em Minas), mas Adilson queria ir para a área de vendas. A discussão se estendeu por dias, até que apareceu no galpão um executivo da Brahma, o gerente Núbio Flores. Adilson estava sozinho, e os dois batiam um papo informal quando um dos supervisores da revenda chegou para trabalhar e só os cumprimentou, sem interromper a conversa. Ao final, antes de ir embora, Núbio perguntou ao funcionário quem era Adilson. "Eu gostei dele, eu gostaria que ele fizesse um teste na companhia."

Ao ouvir a proposta, Adilson resistiu. A mudança de emprego implicaria morar no Rio de Janeiro — coisa que ele não queria. O clube e a família eram suas raízes. Mas acabou fazendo o teste, foi aprovado e recebeu uma oferta tentadora: um salário de 35 mil cruzeiros, três vezes o que ganhava, para ser viajante da Brahma em uma região que cobria seis cidades fluminenses: Nova Friburgo, Campos, Itaperuna, Macaé, Cabo Frio e Araruama (mais tarde, essa função passaria a chamar gerente de vendas e marketing, ou apenas GVM). Adilson não precisou pensar muito mais para concluir que a troca valia a pena.

No mesmo ano de 1962, ele se mudou para a quitinete de dois amigos, localizada na rua do Riachuelo, no centro do Rio. Ele passou os dois anos seguintes ali. Depois, mudaram todos para um bairro próximo, Catumbi, onde Adilson moraria até 1964, quando se casou e assumiu o posto de gerente comercial. Logo, acumularia também a gerência de marketing. Nas funções, aprendeu em detalhes o funcionamento do setor, da empresa e dos revendedores, o que iria se tornar seu maior trunfo. Ele conhecia de perto os distribuidores de cerveja e mantinha um ótimo relacionamento com eles. Não havia ainda uma divisão na empresa dedicada às revendas, mas Adilson chegou à diretoria de marketing antes de o Garantia comprar a Brahma, em 1989.

Quando Marcel assumiu a gestão, Adilson sugeriu que o novo chefe "mudasse tudo no setor de marketing", inclusive o diretor — ou seja, ele próprio. Como um funcionário antigo, entendia que talvez não se encaixasse nos planos da nova liderança. Decidiu-se então que Magim ocuparia seu lugar, e os dois percorreram juntos as distribuidoras espalhadas pelo Brasil para que Adilson transferisse ao sucessor seu conhecimento prático. Mas ele já havia se tornado um dos executivos-chave da empresa.

Logo nas primeiras visitas, Magim constatou que o know-how de Adilson não seria facilmente substituído. Ele era fundamental para a empresa, em especial naquele momento de transformação. Além da parte técnica, pesou principalmente a proximidade que tinha com cada revendedor. Magim explicou a Marcel por que não deveriam dispensá-lo, mas dissuadi-lo do plano de se aposentar foi difícil. Para isso, o executivo usou o já clássico argumento de que juntos construiriam um modelo inédito de empresa no Brasil, e assim ganhariam muito dinheiro. Foi criada uma posição sob medida para Adilson, a de diretor de revendas, ocupada por ele até sua saída da companhia, em 2005.

Uma novidade bombástica — e secreta

No início de 1999, Marcel chamou Adilson para uma conversa. O chefe estava vibrando com a notícia que tinha para dar. "Vamos estudar uma fusão da Brahma com a Antarctica", disse, com a objetividade usual.

Para Adilson foi como se uma onda gigante passasse por cima dele de repente. Demorou para concatenar o sentido da frase que reunia o nome da Brahma, o de sua pior inimiga e a palavra "fusão". Não entendeu nada. Ficou em choque.

Então disse: "Calma, pô, passamos a vida toda dando porrada nesse caras, rapaz, tentando matar eles, como é que nós vamos nos fundir com eles?".

Marcel sorriu. A reação de Adilson era esperada. Fazia cem anos que as duas cervejarias se enfrentavam publicamente. A batalha contra a rival permeava todas as áreas do negócio, da estratégia de marketing à rotina dos funcionários. Falar mal do adversário era parte do plano oficial.

"Mas de qualquer maneira a ideia era revolucionar", elucidou Marcel. "Então nós vamos ter um negócio extraordinário para fazer."

Adilson teria o tempo de que precisava para digerir a novidade. Aquela era uma das primeiras conversas internas sobre o tema. Marcel passou ao diretor a incumbência de estudar os pontos de interseção e as lacunas entre as duas empresas pensando em uma integração futura. Por ora, tudo deveria ser conduzido em sigilo — inclusive em relação à família.

Sonho que se sonha junto é realidade

Jorge Paulo Lemann e Marcel Telles tinham uma ideia fixa desde a compra da Brahma. O objetivo inicial de ser *uma das cinco* maiores cervejarias do mundo logo foi substituído pelo de ser *a* maior cervejaria do mundo e de comprar a Anheuser-Busch. Em uma teleconferência para investidores no primeiro semestre de 1999, meses antes de anunciar a fusão entre Brahma e Antarctica, Lemann reforçou o projeto com dados mais objetivos: "Daqui a dez anos haverá apenas quinze cervejarias no mundo e eu serei uma delas".*

Funcionários e prestadores de serviço da Brahma consideravam o discurso que ouviam de Marcel motivacional, mas ambicioso demais e até fantasioso. "Ele quer ser o maior do mundo, sempre. Não que seja um megalomaníaco. Não é, não",** afirma Adilson Miguel. "É um sonhador constante, ele não se acomoda fácil, não. [...] Quando olha para a frente, você vê uma parede. [...] O Marcel olha para lá, ele normalmente vê depois da parede. Então é uma pessoa que tem incrível relação com o futuro, ele tem uma capacidade extraordinária de fazer prognóstico, análises."

Um consultor que trabalhou com a Brahma na década de 1990 e ouviu Marcel falar de seus planos não levou a sério a ideia. Anos mais tarde, definiu o empresário como alguém que "não olhava para trás e, por alguma razão, que absolutamente não era evidente, via o potencial da Brahma de virar uma grande empresa. Cervejaria era um negócio muito grande, e dizer que queria ser

---

* "Desafio do novo grupo será unir a administração das duas empresas", *O Globo*, 2 jul. 1999. https://glo.bo/2VtkSVa

** Entrevista de José Adilson Miguel ao Museu da Pessoa. http://bit.ly/2Lfgm94

uma das cinco maiores era uma ambição absurda. Mesmo assim, ele tinha essa visão clara".

Brahma e Antarctica eram marcas tão consolidadas que viraram sinônimo de "cerveja", mas eram duas empresas diferentes — e rivais. Uma frase lendária, atribuída ao falecido Vicente Mateus, presidente do Corinthians no final dos anos 1950, expressa o contrassenso: "Quero agradecer à Antarctica pelas Brahmas que mandou para a nossa festa". Por um lado, unir as duas empresas era algo tão esquisito quanto juntar o Corinthians e o Palmeiras — ou, no Rio de Janeiro, o Flamengo e o Fluminense. Por outro, Brahma e Antarctica representavam o mesmo produto, por que não poderiam ser uma só? A união era algo tão improvável quanto óbvio.

Um nocaute para começar a conversa

Do lado da Antarctica, Victorio refletia sobre o assunto fazia algum tempo. Mês a mês, o empresário via a situação da companhia se complicar mais. Em encontros com Marcel, decorrentes dos compromissos com o sindicato patronal, eles já haviam cogitado a hipótese de união. "Numa dessas conversas, surgiu a ideia: fundir. Antarctica com a Brahma", conta Victorio.

Ele estava preocupado com a perda de market share, que se tornara sistemática desde a mudança de comando na Brahma. Em 1993, a Antarctica lançara a campanha "Uma paixão nacional" para enfrentar a concorrente que se posicionava como "Número 1" — posição que agora ocupava de fato. No final de agosto de 1997, a cervejaria paulista tentou uma nova estratégia, com mais uma marca: a Bavaria. Com um apelo popular, a cerveja tinha como garotos-propagandas as duplas sertanejas mais populares do país — Leandro e Leonardo, Chitãozinho e Xororó e Zezé di Camargo e Luciano — na campanha "A cerveja dos amigos". A aposta se voltou contra a própria companhia, que ganhou aproximadamente 5% do mercado, mas perdeu mais do que isso no total, que incluía a marca Antarctica. Acabara criando concorrência para si mesma.

Magim acompanhava o declínio da Antarctica sob duas perspectivas: como parte envolvida naquela batalha de mercado e como observador, analisando friamente os movimentos da rival para calcular o melhor momento de dar o bote. Em 1997, o executivo pediu para um trainee analisar os números da Antarctica dos últimos três anos e fazer uma projeção para os três seguintes. Em quinze dias, o estudo estava pronto. A situação da Antarctica era de fato estarrecedora.

Com o levantamento em mãos, Magim comprovou que a superioridade da Brahma em relação à rival estava sólida. Somando Brahma e Skol, a empresa carioca detinha quase metade do mercado nacional de cervejas. Mesmo com a presença expressiva de seu principal refrigerante, o guaraná, sua vantagem era pequena também nesse segmento, de apenas 1,1% de participação de mercado em relação à Brahma. A principal diferença entre as duas companhias estava na gestão. A busca constante de Marcel por eficiência se traduzia em resultados. As vendas da Brahma, em 1999, tinham sido aproximadamente 136,77% mais altas que as da concorrente. O lucro líquido da cervejaria carioca havia sido de R$ 322 milhões, enquanto a Antarctica tivera um prejuízo líquido de R$ 632 milhões, além do índice de endividamento que ultrapassava em 24% seu capital.

Em 1994, o valor de mercado das duas empresas era semelhante. O da Antarctica estava em leve vantagem em relação ao da Brahma: R$ 2,5 bilhões contra R$ 2,2 bilhões. No final de 1998, a distância entre as duas companhias se tornou gritante. O valor da Brahma havia passado a R$ 3,7 bilhões e o da Antarctica se reduzira a R$ 330 milhões. A conclusão era dura para os paulistas: entre 1994 e 1998, a Antarctica consumiu o patrimônio dos seus acionistas, enquanto a Brahma se firmou como criadora de riqueza.

No fim de 1998, a dívida absoluta da Brahma era maior do que a da Antarctica. Mas seu fluxo de caixa operacional também, o que lhe permitia cobrir sua carga de juros e proteger sua dívida em dólar (uma cobertura financeira utilizada por investidores experientes, chamada de hedge).* Em janeiro do ano seguinte, Marcel e seus sócios na GP Investments montaram um grupo com diversos CEOs para conversar com um economista influente. Eles estavam preocupados com uma possível desvalorização da moeda, em virtude da recente reeleição do presidente Fernando Henrique Cardoso. O economista disse que não havia esse risco. Vários dos executivos presentes no encontro tomaram a previsão como fato e foram pegos de surpresa por uma desvalorização de 64% duas semanas depois. Marcel não quisera se arriscar. Concluíra que o custo seria alto demais se o cenário mudasse e mantivera seu caixa preservado.

A Antarctica, no entanto, caiu de vez com a perda de valor da moeda. Seu nível de endividamento aumentou além do razoável. Em 1998, a dívida alcançava US$ 542 milhões, o equivalente a nove vezes o fluxo de caixa anual da empresa. Um agravante complicou ainda mais a situação da cervejaria paulista. Os sindicatos trabalhistas negociaram aumentos salariais ameaçando paralisação do trabalho. Embora um pequeno grupo de executivos da empresa tentasse reverter o cenário, havia muitos caciques participando de cada decisão, o que tornava o processo lento demais. E era preciso ser mais rápido do que nunca.

---

* A estratégia de hedge consiste em assumir uma posição comprada ou vendida em um derivativo (contratos futuros, opções, termo) ou investimento, visando minimizar ou eliminar o risco de outros ativos. Geralmente essas operações são realizadas através da bolsa de valores e não têm como objetivo a obtenção de lucros ao fim da operação, mas a garantia do preço de compra ou venda de determinada mercadoria em data futura.

A história mostrava que era o momento em que surgiria uma multinacional para livrar a empresa da crise. Segundo especialistas do setor, era a hora perfeita para a Anheuser-Busch aumentar sua participação e adquirir o controle da Antarctica se a joint venture ensaiada nos anos 1990 tivesse dado certo. Mesmo sem tal proximidade, a norte-americana poderia ter feito uma oferta agressiva à brasileira — e há rumores de que fez. Comentou-se no mercado que os donos da Budweiser chegaram a propor a compra pelo valor de US$ 150 milhões, o que foi considerado baixo pelo conselho de administração da brasileira. A impressão de pessoas próximas à cervejaria é a de que os americanos acreditavam que, a qualquer momento, o negócio cairia no colo deles. A Anheuser-Busch também era conhecida pela lentidão em decisões desse tipo. Nem imaginavam enfrentar a concorrência de uma rival nacional, muito menos perder uma disputa.

Mas Marcel estava pronto para agir. Quando a oportunidade se apresentou à sua frente, ele sabia exatamente o que fazer. Passara a última década preparando o terreno. E foi em frente.

O batismo da AmBev

Marcel ligou para Victorio durante o fim de semana de 8 de maio de 1999. Os dois combinaram de almoçar na segunda-feira seguinte, dia 10.

Encontraram-se em uma sala reservada na sede do banco norte-americano Morgan Stanley, no Itaim Bibi, em São Paulo. Para agilizar a negociação, tinham escolhido aquele único banco para avaliar o negócio, em vez de cada empresa indicar uma instituição diferente. De um lado da mesa, sentou Marcel, com seu estilo despojado e seu jeito de falar sem cerimônia. Do outro, Victorio, vestido socialmente e falando com suas habituais pausas.

Os dois discutiram os princípios básicos que norteariam uma possível fusão: manteriam as duas marcas, Brahma e Antarctica; aproveitariam os melhores processos de cada companhia para criar os padrões da nova empresa; instituiriam uma cogestão no conselho de administração, para garantir que as duas companhias estariam representadas.

Entre as vantagens da associação, a mais evidente era o enorme ganho de eficiência, uma vez que fabricavam o mesmo produto e distribuíam para os mesmos pontos de venda. Discutiram a redução de custos logísticos e economias em investimentos de marketing — parte relevante da estratégia das duas companhias. Enquanto faziam análises e previsões, Marcel começou a rabiscar números em guardanapos. Não havia tempo a perder. O resultado daquela primeira avaliação era animador. Uma estimativa de economia de milhões de reais no médio prazo. "Dissemos: 'Vamos deixar os estrangeiros fora e pensar em fazer uma empresa suficientemente forte, que pode nos garantir internamente e permitir que possamos crescer externamente?'",* conta Victorio.

Então chegaram para participar da conversa Jorge Paulo Lemann e Beto Sicupira. Era a primeira vez que se encontravam com Victorio. Rapidamente, todos estavam à vontade. Marcel resumiu para os sócios a conversa que tiveram durante o almoço. Enquanto ele falava, Victorio pensava em como chamaria a nova empresa que poderiam formar.

"Que tal União das Cervejarias Nacionais?", propôs.

A sugestão traduzia exatamente o que a empresa poderia ser no curto prazo. Mas usar a palavra "nacionais" limitava seu alcance. Embora fosse algo enorme para o Brasil, na cabeça do trio da Brahma aquele era só o início de uma série de movimentos, a semente de algo bem maior que poderiam construir em seguida. Marcel, de pé, com a xícara de café na mão, deu seu palpite: "Companhia de Bebidas das Américas".

Foi o nome que ficou. Carregava em si o registro do passo seguinte do plano: conquistar todo o continente. Para isso, seria conveniente adotar uma versão em inglês: American Beverage Company, ou AmBev.

O trio de banqueiros estava pronto para fechar o negócio. Só precisavam estudar *como*. Mas Victorio tinha ainda uma tarefa enfastiosa antes de dar seu "sim": convencer todos os integrantes do conselho orientador da Fundação Antonio e Helena Zerrenner, principal acionista da Antarctica, e o conselho da empresa. O primeiro a quem contou a novidade foi o amigo e diretor da cervejaria José Heitor Attilio Gracioso. Juntos, falaram com os demais conselheiros. "A recepção foi muito boa", diz Victorio. "Todos foram unânimes ao que íamos fazer, [...] porque os argumentos eram muito sólidos, as demonstrações muito evidentes".

Marcel e Victorio seguiram com as reuniões em uma sala da GP Investiments. Em outra, um pequeno grupo liderado por Roberto Thompson, conselheiro da AmBev desde 2008, e que incluía João Castro Neves e Edson, filho de Victorio, se encontraram durante um mês para montar o plano da operação. O negócio foi validado pelo banco Morgan Stanley. Em paralelo, uma equipe de doze advogados definiu os detalhes do contrato.

Pedro Maciel, que havia trabalhado na Brahma entre 1979 e 1984 (e de 1984 a 1995 como revendedor da Skol), era gerente nacional de revendas da Antarctica havia pouco mais de seis meses. Ele não fazia parte da primeira turma de informados nem desconfiava do que estava acontecendo. Em meados de junho, às nove horas da noite, jantava com a mulher e um colega de trabalho em uma pizzaria da Zona Oeste de São Paulo quando, no meio da conversa, seu telefone tocou. Era seu chefe, Paulo Pereira. Durante os trinta minutos que durou a ligação,

---

* Entrevista de Victorio de Marchi ao Museu da Pessoa.

ele estranhou as perguntas que tinha de responder. Eram técnicas, formuladas de um jeito que não refletia a cultura e o sistema de gestão da cervejaria paulista. Por exemplo, qual era o custo por hectolitro de distribuição. Aquilo era coisa da Brahma, e não da Antarctica. Pedro reconheceu o teor dos questionamentos e concluiu que as duas empresas estavam em contato por algum motivo. Mas nem passava por sua cabeça que se tratava de uma fusão. Como muita gente, ele imaginava que a Anheuser-Busch compraria a Antarctica.

Fusão inesperada

Com base na vivência e nos conhecimentos de hoje, o caminho mais curto para uma empresa crescer e se fortalecer nacionalmente é se unir à concorrente. A conclusão não parece ter nada de genial — afinal, as grandes empresas crescem basicamente de duas formas: organicamente (ganhando escala) ou por meio de fusões e aquisições de outras companhias do mesmo setor. Notícias sobre consolidação de mercados costumam ser anunciadas sem alarde.

Mas, no fim dos 1990, unir duas grandes empresas e formar uma gigante ainda era um conceito novo no país. Havia poucas operações concluídas nesses moldes, como era a joint venture Autolatina e a formação da Colgate-Kolynos.

A Autolatina foi criada a partir da união das fabricantes de automóveis Ford e Volkswagen, no Brasil e na Argentina, e durou de 1987 a 1996. A partir de 1990, quando o processo foi oficialmente concluído e a nova empresa começou a funcionar, sua fatia era de 60% no mercado brasileiro e de 30% na Argentina.

No caso da Colgate-Kolynos, em 9 de janeiro de 1995, a companhia norte-americana comprou, por US$ 1,04 bilhão, o grupo farmacêutico American Home Products, dono da pasta de dente Kolynos, que dominava 50% do mercado brasileiro. Com isso, a Colgate passou a deter 79% do setor de pasta de dente no Brasil. Para aprovar a operação, o Cade ofereceu três opções para reduzir o grau de concentração de mercado. A primeira era a suspensão do uso da marca Kolynos durante quatro anos. A segunda era o licenciamento, durante vinte anos, da marca Kolynos para outro fabricante. E a terceira era a venda da marca Kolynos a uma empresa que tivesse menos de 1% do mercado. A Colgate escolheu suspender a marca Kolynos por quatro anos, mas continuou com seus quase 80% do mercado brasileiro de cremes dentais.

Um dos principais exemplos das megafusões fora do Brasil era o da Citicorp com o Travelers Group, em 1998, um ano antes da criação da AmBev. Os ex-presidentes das duas companhias, respectivamente John Reed e Sanford Weill, se tornaram copresidentes da nova empresa, o Citigroup.

O modelo idealizado por Marcel seguia o mesmo caminho. Embora a operação entre Brahma e Antarctica fosse uma fusão, muitos analistas financeiros ficaram com a impressão de que, na prática, seria uma aquisição encabeçada pela cervejaria carioca. O principal motivo era o fato de que a Brahma teria uma parcela muito maior do que a Antarctica na nova empresa.

A Fundação Antonio e Helena Zerrenner, que controlava a Antarctica, reuniu todas as suas ações (88,09% do capital votante e 87,91% do capital total) na AmBev. Os sócios da GP Investiments fizeram o mesmo, transferindo 55,08% do capital votante e 21,17% do capital total da Brahma para a nova companhia. A relação de troca adotada foi de uma ação da AmBev por uma ação da Brahma e de 48,63 ações da AmBev por uma ação da Antarctica, na mesma espécie. Por meio do acordo, os acionistas controladores da Brahma e da Antarctica trocaram o controle direto das respectivas empresas pelo controle indireto da AmBev.

Desde o início, porém, o acordo entre Marcel e Victorio era de um controle compartilhado. Na prática, o combinado se traduzia no modelo do conselho de administração da AmBev. Marcel Telles, antes presidente do conselho da Brahma, e Victorio de Marchi, antes diretor-geral da Antarctica, passariam a ser copresidentes do conselho da companhia. Os demais integrantes eram cinco provenientes da Brahma ou da GP e quatro da Antarctica ou da Fundação Zerrenner.*

A AmBev nascia com um valor de mercado estimado em R$ 7,4 bilhões, considerando o valor total das ações das duas empresas no fechamento da Bolsa de 30 de julho. No total, havia 30 mil acionistas entre Brahma e Antarctica. Os ativos totais da nova empresa, com base em dezembro de 1998, correspondiam a R$ 8,1 bilhões (equivalentes a US$ 6,7 bilhões). O patrimônio líquido era superior a R$ 2,8 bilhões (cerca de US$ 2,3 bilhões), e a geração de caixa anual, consolidada, era superior a R$ 880 milhões (cerca de US$ 730 milhões).

No comunicado das duas companhias, elas declaravam que as vendas domésticas totalizaram, em 1998, R$ 10,3 bilhões, equivalentes a mais de US$ 8,5 bilhões. Eram fabricados 8,9 bilhões de litros de bebida, sendo 6,4 bilhões de litros de cerveja e 2,5 bilhões de litros de refrigerantes, águas, chás e isotônicos. O plano de Marcel e Victorio era unir, na AmBev, as fábricas das duas empresas espalhadas por dezoito estados, além de indústrias em Uruguai, Argentina e Venezuela. As duas companhias exportavam para mais de 25 países.

O acordo de acionistas foi assinado no dia 1º de julho de 1999, às 14h, na sede social da AmBev, localizada à avenida Brigadeiro Faria Lima, 3729, sétimo andar, em São Paulo. Os sócios da GP Beto Sicupira e Roberto Thompson ocupavam respectivamente as posições de presidente da mesa e de secretário. Além dos acionistas, estavam presentes representantes da consultoria Deloitte,

---

* A formação inicial do conselho de administração da AmBev era: Beto Sicupira, Jorge Paulo Lemann, Danilo Palmer, Roberto Thompson, Vicente Falconi, José Heitor Attilio Gracioso, Roberto Gusmão e José de Maio Pereira da Silva.

da Touche Tohmatsu Auditores e da Apsis Consultoria Empresarial, que tinham auxiliado na construção dos termos do negócio.

Uma multinacional brasileira

Um mês antes do anúncio, o diretor financeiro da Brahma convocou os principais executivos-sócios para uma reunião. A mensagem foi: "De hoje até o próximo mês, vocês não podem mais fazer nenhuma operação, de compra ou venda, de ações da companhia na Bolsa de Valores". O motivo ainda não podia ser revelado. Todos saberiam em breve. Assim que ele virou as costas, começou a especulação. Na Brahma, a ideia preponderante era de que a Miller compraria a cervejaria, por causa da parceria que já existia.

O principal desafio da AmBev era também sua maior força: deter 70% do mercado de cervejas do Brasil. Tal valor poderia ser interpretado como uma concentração de mercado perigosa. Uma empresa que domina uma parcela tão grande do mercado, com uma concorrência insignificante, tem poder para fazer o que quiser com o preço dos produtos. Se assim entendesse o Cade, a fusão estaria arruinada. A imagem da companhia também poderia se tornar negativa diante da opinião pública. Os riscos eram altos.

Por isso, cada detalhe da comunicação era fundamental na estratégia. O plano A previa o anúncio da fusão no dia 7 de julho de 1999, uma quarta-feira. Até lá, acreditavam os empresários, teriam tempo suficiente para amarrar todas as pontas do negócio e comunicar aos órgãos envolvidos: o governo e as entidades reguladoras Cade e CVM.

Na última semana de junho de 1999, um sinal de alerta acendeu na Antarctica. Um funcionário avisou Victorio que havia recebido um telefonema de um jornalista de *O Estado de S. Paulo*. "Estou sabendo de uma negociação para juntar a Brahma e a Antarctica", dissera o repórter. O executivo respondera que era uma loucura, que jamais aconteceria. Era preciso correr.

O possível vazamento foi seguido de uma movimentação incomum nas ações da Antarctica na Bolsa de Valores. O mercado parecia especular a transação. De terça, dia 29 de junho, para quarta, dia 30, as ações da cervejaria registraram uma valorização de 8,1%, bem acima da alta de 2,2% do Ibovespa. O volume de negócios com ações da companhia passou de R$ 292 mil na sexta-feira, dia 25, para R$ 4600 na segunda-feira, e de R$ 2960 na terça para R$ 2,3 milhões na quarta. No caso da Brahma, as ações aumentaram em uma proporção menor, já que, na hipótese de fusão, a Antarctica beneficiaria mais claramente seus acionistas.

No dia 30 de junho, Marcel e Victorio comunicaram a novidade, primeiro, ao presidente da República, Fernando Henrique Cardoso, em um encontro com duração de mais de uma hora, organizado por Mauro Salles. Era útil avisar e buscar a simpatia da mais alta autoridade do país, mas o presidente não teria poder oficial sobre as entidades responsáveis por aprovar ou não acordos entre empresas.

Não é a Budweiser

No mesmo dia 30 de junho, duas semanas depois do episódio da pizzaria, Pedro Maciel recebeu outra ligação de seu chefe, Paulo Pereira. Era um chamado para jantar em sua casa no dia seguinte, às oito, sem atraso. Embora os dois costumassem sair junto com as esposas, Pedro nunca havia ido à casa de Paulo.

Também estavam no jantar outros dois executivos da Antarctica. Quando o chefe começou a anunciar o "grande negócio", todos tiveram o mesmo pensamento. "Não é com a Anheuser-Busch?", interrompeu Paulo. "Então só pode ser a Brahma!", concluiu Pedro.

No dia 1º de julho, as diretorias das duas empresas foram oficialmente comunicadas da notícia. Na Brahma, a mensagem foi passada ao mesmo tempo para todas as unidades de negócio internas. Os porta-vozes de cada região seguiam um roteiro para explicar a criação da tal multinacional brasileira.

A reação geral na Brahma foi de euforia, mas também de estranhamento. Em um primeiro momento, algumas pessoas se sentiram traídas, já que a Antarctica era a principal rival. Até então, todas as ações visavam, direta ou indiretamente, "matar o pinguim". De repente, ouviam que seriam parte de um mesmo time. Aquilo soava esquisito. "Me unir à Antarctica? Eles estão loucos? Jamais vou beber Antarctica", diziam alguns. Outros, além de celebrar o tamanho do negócio, não disfarçaram a alegria pela liberdade que acabavam de ganhar: "Vamos poder tomar guaraná! Finalmente!". Os executivos mais radicais não deixavam nem mesmo os filhos beberem o refrigerante antes da fusão. Para isso, chegavam a dizer que a bebida fazia mal à saúde. Agora pensavam em qual argumento usariam para mudar a regra em casa.

Na Antarctica, o clima era tenso. Acompanhando o desempenho da Brahma, os funcionários sabiam que a partir daquele momento suas carreiras, até então seguras pela estabilidade da empresa, passavam a correr perigo. E estavam certos.

Marcel e Victorio aguardaram a Bolsa de Valores fechar naquele dia 1º de julho para assinar o acordo de acionistas e enviar um comunicado da fusão ao mercado, com o título: "Antarctica e Brahma se unem para criar a Companhia de Bebidas das Américas — AmBev. Nasce uma multinacional verde e amarela". O documento era assinado por Victorio, Marcel e Magim, e foi publicado nos principais jornais no dia seguinte. Mas, ainda na noite de 1º de julho, foi veiculado um anúncio publicitário de dois minutos, criado por Salles e protagonizado pelo jornalista Paulo Henrique Amorim.

A AmBev nascia com um patrimônio líquido superior a US$ 2,3 bilhões e geração de caixa anual, consolidada, superior a US$ 730 milhões. O comunicado deixava clara a ambição de crescer internacionalmente, tanto pelo nome registrado em três idiomas (português, inglês e espanhol) como pela estratégia apresentada pelos sócios:

> Estes dados, considerada ainda a situação favorável em que se encontram as empresas que agora se associam, permitirão que a AmBev avance, com energia e segurança, na busca da realização de seus objetivos domésticos e internacionais sem ser demasiadamente afetada pelo elevado custo do dinheiro no Brasil ou pela pouca disponibilidade atual de crédito.

O Estado de S. Paulo publicou uma notícia que refletia a falta de familiaridade dos brasileiros com a notícia: "Parece estranho que dois competidores que se enfrentaram durante cem anos resolvam, de uma hora para outra, virar parceiros. Mas os tempos são outros. A globalização hoje passa por cima dessas diferenças".

Virou uma cervejaria só. E agora?

Naquela noite, o *Jornal Nacional* divulgou a criação da multinacional. Durante e depois da transmissão, tocaram sem parar os telefones dos sócios, funcionários, consultores, prestadores de serviços e outros profissionais da companhia que acabava de ser anunciada. "Você sabia?" era a pergunta repetida à exaustão. "Não!" era a resposta mais recorrente. No dia seguinte, a liderança das duas empresas convocou os revendedores para explicar os novos planos. O mesmo foi feito com outros agentes do mercado, como os sindicatos e donos de pontos de venda.

A repercussão apontava preocupações com o alto poder de mercado da empresa. Representantes de associações como a de supermercados manifestavam ansiedade em relação às já duras negociações de preços. Como ficariam sem a pressão da concorrência para barganhar descontos? Os jornalistas especularam sobre a diminuição de investimentos em publicidade. O poder da AmBev assustava o mercado.

A concorrência demorou um dia para se manifestar. Então, a diretoria da Schincariol adotou uma postura política. Disse ter concluído que a união das duas maiores cervejarias poderia até abrir espaço para o crescimento das vendas de outras marcas. Na mensagem, destacou uma vantagem em seu favor: uma empresa menor poderia ser mais eficiente do que a gigante. Logo depois do anúncio da AmBev, a Schincariol decidiu aumentar em R$ 10 milhões (de

R$ 25 milhões para R$ 35 milhões) os investimentos em propaganda e promoção em 1999.

A Kaiser, que faria uma barulhenta campanha contra a aprovação da AmBev pelo Cade, divulgou que era contra o negócio. "É inaceitável, em qualquer economia do mundo, concentrar em uma única empresa mais de 70% da venda de um produto", dizia o comunicado. Em outro trecho, a companhia afirmava que não poderia admitir o retorno de práticas comerciais restritivas, que pudessem acarretar prejuízos para fornecedores e varejistas, além de afetar a arrecadação de impostos e a geração de empregos.

Nos meses seguintes, Humberto Pandolpho, presidente da Kaiser, especialistas e jornalistas questionariam as reais intenções de Victorio e Marcel. O discurso público defendia o fortalecimento econômico do país, mas foram levantados fatos e perguntas sobre o risco de acontecer justamente o contrário: a empresa ser vendida para um grupo estrangeiro tão logo atingisse tamanho e valor suficientes para gerar aos seus acionistas um retorno que justificasse a venda.

Enquanto o Brasil digeria a notícia, uma sala de reunião no prédio da Antarctica foi transformada em "war room". Com o apoio da consultoria de gestão Gradus, dezenas de executivos, de diferentes áreas da Brahma e da Antarctica, passaram oito meses se encontrando diariamente. Eles eram designados por Marcel e Victorio. Adilson Miguel e João Castro Neves, um dos jovens talentos que ingressara na Brahma em 1996, eram os líderes. Em discussões que duravam em média três horas por dia, o grupo se dividia em equipes. Cada uma estudava as principais práticas de cada empresa, nos diferentes setores. Elas não trocavam ainda informações estratégicas nem números. Para tanto, precisariam aguardar a aprovação do Cade. Com base nas conversas, planejavam os processos que prevaleceriam quando a AmBev começasse a operar. Enquanto na Brahma as rotinas e ações estavam descritas nos books, na Antarctica faltava estrutura para nortear os funcionários. Por isso, a maior parte das práticas de gestão que prevaleceram foi da cervejaria carioca.

A cada período (entre dez e quinze dias), os times da war room apresentavam suas conclusões para um comitê. Havia diversos deles, misturando lideranças das duas companhias: Marcel, Magim, Victorio, Paulo Pereira e Adilson Miguel, entre outros.

Para reforçar a segurança das informações, os consultores mudavam a cor das folhas da impressora todo dia. A ideia era desencorajar qualquer um que pensasse em levar para casa os registros das discussões. Todos os participantes andavam com o número de telefone da área de comunicação externa à mão caso fossem abordados por jornalistas — o que aconteceu algumas vezes. Enquanto a fusão não fosse aprovada pelo Cade, as informações estratégicas das empresas não poderiam ser oficialmente trocadas. Mas os principais processos já estariam mapeados. A war room seria uma prática comum na AmBev sempre que a empresa estivesse diante de um desafio pontual.

Marcel e Victorio estavam prontos para ganhar o jogo, embora aquela ainda fosse uma fusão improvável. A predominância de Brahma e Antarctica no mercado era incontestável. A alta concentração de mercado era um perigo real à economia. Mas eles sabiam que aquele não era um cálculo apenas matemático.

CAPÍTULO 7
O fato que foi contra os argumentos

A reportagem do *Jornal Nacional*, de dois minutos e 29 segundos, colocara lado a lado os presidentes da Brahma e da Antarctica, Marcel Telles e Victorio de Marchi, e apresentara os números por trás da fusão. A nova empresa ficaria com 71,6% do mercado, "muito, comparado com os 15,2% da Kaiser, 8,5% da Schincariol e 4,6% de outras marcas", dizia o telejornal.

Aquela poderia ser a terceira maior cervejaria e a quinta maior produtora de bebidas do mundo. Um dos objetivos declarados da AmBev era conquistar espaço no mercado externo. Funcionários, sindicalistas e membros do governo se preocupavam com demissões em massa. Marcel afirmava que precisariam de pessoal para operar os altos volumes da empresa, mas não era específico quanto ao que viria a seguir: "Não estamos dizendo que vai ou não vai acontecer alguma coisa. Mas é nossa firme intenção fazer alguma coisa para o crescimento [da empresa], mas que tome muito cuidado, tenha muita atenção, com o emprego". O economista Ruy Santacruz, que ocupava uma das sete cadeiras do Cade, ficou inconformado com o que viu no *Jornal Nacional*. Como os empresários ousavam anunciar aquilo em rede nacional antes de ser aprovado pelo órgão?

A rigor, não havia nada de irregular na atitude. A lei permitia que companhias que se unissem notificassem o Cade em até quinze dias. Mas dados o vulto da operação e os aspectos controversos envolvidos, o anúncio parecia imprudente. Além disso, na visão de Ruy, um dos primeiros especialistas na legislação antitruste no Brasil, a fusão feriria a concorrência e, portanto, não podia acontecer. Certamente não sem uma análise minuciosa.

A AmBev concentraria aproximadamente 70% de um mercado com altas barreiras de entrada. As dificuldades de uma empresa nova começavam na construção da marca. Brahma e Antarctica não se tornaram símbolos de cerveja da noite para o dia. O segundo obstáculo era a distribuição da bebida. A logística no país é um tema desafiador para qualquer companhia que precise fazer seu produto chegar ao consumidor, em virtude da grande extensão do território e dos altos custos do setor. Essa combinação de fatores indicava que a nova cervejaria poderia facilmente ditar as regras do mercado e abusar dos preços.

Enquanto eram marcas independentes, o consumidor tinha a liberdade de fazer a escolha de seu rótulo. Se achasse que a Brahma estava cara demais, podia optar pela Antarctica — levando os valores estipulados por todas as concorrentes a um patamar razoável. Se as duas marcas, porém, passassem a fazer parte da mesma companhia — somando a elas Skol e Bavaria, que pertenciam respectivamente a Brahma e Antarctica —, isso significaria que Marcel e Victorio teriam condições de elevar o preço o quanto quisessem.

Aquele era um caso sem precedentes no Brasil. Portanto, precisava ser analisado com muita ponderação. O Cade já havia aprovado fusões de outros setores (como autopeças, material de escritório e alimentação)* que representavam concentrações de mercado maiores do que os 70% da AmBev. Mas o conselheiro entendia que se tratava de setores que, por diferentes motivos, não concediam às empresas fundidas o poder de mercado que a nova cervejaria passaria a ter.

Assim que a reportagem acabou, Ruy telefonou para a casa de João Bosco Leopoldino da Fonseca, seu colega de Cade e especialista em direito econômico e de concorrência. Os dois concordaram que era um absurdo e que precisavam fazer alguma coisa. No dia seguinte, 2 de julho, a AmBev notificou o Cade sobre a fusão. Na próxima sessão do órgão, João propôs aos demais conselheiros fazer uma medida cautelar impedindo a fusão de acontecer até que o Cade se manifestasse.

Naquela época, a atuação do órgão era limitada. Muitas vezes duas empresas já operavam como uma só quando a autarquia julgava o caso. Levava alguns meses até os conselheiros analisarem o cenário e tomarem a sua decisão. Se não se autorizasse a fusão ou a compra, os envolvidos tinham de voltar atrás e desfazer a operação.

Por conta do impacto do negócio, João propunha que o Cade decidisse sobre a matéria antes que o negócio fosse concretizado, com base em estudos e análises pormenorizados. Era não apenas o mais lógico, mas como funcionava na maior parte do mundo. Na prática, a medida interromperia a fusão até segunda ordem.

João fez uma relação de quesitos jurídicos que Brahma e Antarctica não poderiam completar antes do "sim" do Cade. Ruy se concentrou em fazer o

---

* Concentração de mercado de outras fusões aprovadas pelo Cade, segundo a revista *Veja* de 9 de fevereiro de 2000: Brosol/Echin (autopeças): 96%; Helio/Carbex (material de escritório): 85%; Colgate/Kolynos (higiene): 78%; Mahle/Cofap/Metal Leve (autopeças): 78%; Ajinomoto/Oriento (alimentação): 72%.

mesmo do ponto de vista econômico. O resultado foi um documento de oito páginas, que propunha que o processo de fusão deveria levar no mínimo 120 dias para ser apreciado pelo Cade. Até lá, as companhias não poderiam fechar ou desativar parcialmente as fábricas, demitir funcionários como estratégia de integração, cassar o uso de marcas, alterar estruturas e práticas de distribuição e comercialização, alterar relações comerciais com terceiros e integrar as estruturas administrativas, entre outras coisas.

Em 14 de julho, a medida cautelar foi aprovada por todos os conselheiros — Ruy, João, Lucia Helena Salgado (a mais antiga na instituição, tendo ingressado em 1996), Marcelo Calliari, Mércio Felsky, o presidente, e Gesner Oliveira — e assinada pela relatora do caso, Hebe Romano. No dia seguinte, estava valendo.

Era a primeira vez que o Cade tomava essa iniciativa para um processo em andamento, e foi um marco na história da instituição. Desde 2012, o rito observado no caso AmBev ganhou força de lei. Agora é obrigatória a submissão prévia ao Cade de fusões e aquisições de empresas que possam acarretar concentração econômica.

No caso AmBev, a instituição foi rápida em esclarecer, por meio de notas, que não se tratava de um prejulgamento, mas de uma forma de não afetar o mercado de maneira irreversível — por exemplo, com a extinção de marcas ou o fechamento de fábricas.

Um "puxadinho"

O Cade foi criado em 1962, ligado ao Ministério da Justiça, como um conselho integrante da estrutura da Presidência da República. Sua função era fiscalizar e reprimir qualquer abuso de poder econômico. Na prática, porém, tinha pouca expressão até os anos 1990. Nesse período, o órgão era composto de um presidente e outros quatro membros nomeados pelo presidente da República, depois de aprovados pelo Senado Federal.

Por um lado, a política de controle de preços durante o governo militar era incompatível com a livre concorrência. O mesmo governo também estimulava a criação de grandes grupos econômicos originados, muitas vezes, de fusões e associações entre empresas. Por outro lado, as decisões do Cade eram frequentemente revistas pelo Poder Judiciário. Muitas condenações por abusos foram anuladas na Justiça — havia dificuldade na produção de evidências das práticas anticompetitivas.

Em 1990 o país passava por sucessivas crises econômicas, e o governo de Fernando Collor defendia a abertura do mercado para controlar a inflação. Um ano mais tarde, em 1991, a Lei 8.158/91 deu origem à Secretaria Nacional de Direito Econômico (SNDE), vinculada ao Ministério da Justiça, que tinha como função garantir o livre mercado. Essa mesma lei responsabilizou o Cade por analisar atos de concentração de empresas em vez de só coibir condutas pontuais que ameaçavam a concorrência.

Nessa época, o Cade não tinha sede, e os documentos dos processos administrativos ficavam empilhados numa sala, sem qualquer preservação. Em junho de 1994, a instituição ganhou poder de decisão, apesar de continuar vinculada ao Ministério. Com a abertura econômica e o controle inflacionário por meio do Plano Real, o Cade passou a ser uma peça-chave em processos de consolidação de mercado.

No fim da década de 1990, alguns conselheiros do Cade sentiam ainda certa resistência de integrantes do governo em relação aos órgãos independentes. As decisões técnicas poderiam ir contra interesses políticos, o que gerava desconforto entre as autoridades.

Tecnicamente, a aprovação da AmBev era improvável. Uma fusão que resultaria na concentração de 70% do mercado já era polêmica, e o fato de se tratar do setor de cerveja era um complicador a mais. Tratava-se de uma indústria que funcionava mais local do que globalmente, diferente de um setor como o de commodities, em que o preço respeita parâmetros globais. Mesmo uma marca global de cerveja pode ser mais cara ou mais barata de acordo com as peculiaridades da região — o que torna mais perigoso ter um competidor com tanto poder sobre a concorrência. Diversos especialistas — brasileiros, americanos e europeus — afirmaram que uma fusão com as características daquela entre Brahma e Antarctica, do ponto de vista técnico, não poderia ser aprovada em lugar nenhum do mundo. A narrativa de Marcel Telles e Jorge Paulo Lemann se resumia no slogan que defenderia publicamente a fusão: o da criação de "uma multinacional verde e amarela", desenvolvido pelo publicitário Mauro Salles.

No dia 5 de agosto de 1999, a revista inglesa *The Economist* publicou uma reportagem com o título "Flag of convenience" [bandeira da conveniência], em que questionava os argumentos favoráveis à fusão e chamava a atenção para o risco de aquele caso abrir a porta para outras uniões de grandes empresas no Brasil. O texto começava com uma ironia: "Talvez Brahma e Antarctica nunca tenham ouvido o ditado do dr. Johnson, que diz 'O patriotismo é o último refúgio dos canalhas'". Terminava com o alerta:

> O risco é de que a lógica de criar grandes campeões nacionais em algumas empresas incentive as autoridades a buscar fusões em todos os lugares. O acordo Brahma-Antarctica estabeleceria um precedente perigoso se recebesse o sinal verde. Os brasileiros devem tomar cuidado com o que chamam de ufanismo — nacionalismo exagerado e sentimental — e não permitir que grandes empresas monopolistas cubram seus olhos com a bandeira.

O que sustentava o marketing da "multinacional verde e amarela" era uma tese defendida pela equipe que trabalhava com a AmBev e consistia no apoio ao crescimento de empresas nacionais. Assim, poderiam crescer a ponto de competir no mercado global. De acordo com essa visão, unir a Brahma à Antarctica não era uma ameaça ao Brasil. Ao contrário, fortalecia o país no contexto mundial.

Um dos integrantes do grupo de apoio à AmBev era o economista Luciano Coutinho. Professor da Unicamp e secretário executivo do Ministério da Ciência e Tecnologia durante o governo Sarney,* ele foi um dos contratados pela AmBev para fazer estudos independentes que mostravam a viabilidade da fusão. Também houve outros quatro pareceres públicos, realizados pela Federal Trade Commission e por economistas, advogados e outros especialistas brasileiros.**

A situação crítica da Antarctica contribuía para o argumento de que, se não se unissem, as empresas brasileiras acabariam nas mãos das estrangeiras. A fusão poderia preservar a companhia e os milhares de empregos que ela gerava. Os pareceres econômicos favoráveis à fusão indicavam que a criação da AmBev e sua forte presença no mercado de cerveja seriam fatores suficientes para provocar a queda nos preços. Isso porque permitiria economias de produção, por conta do ganho de sinergia e da escala de fabricação ainda maior, que, por sua vez, seriam repassadas ao consumidor. Tal cenário era oposto ao que previa Ruy Santacruz. Os donos da Brahma e da Antarctica prometiam repassar ao consumidor a economia de custo que teriam com a fusão.

No dia 4 de julho de 1999, três dias depois do anúncio da AmBev, o então presidente Fernando Henrique Cardoso se posicionou favoravelmente à fusão das cervejarias, em uma entrevista ao *Jornal do Brasil*. Ele mesmo tocou no assunto ao defender que as empresas brasileiras precisariam se reestruturar para fazer parte de uma economia mais aberta ao cenário internacional. Foi então perguntado sobre a possível formação de um "monopólio". "Mas o mundo, hoje, funciona em termos de oligopólio", respondeu.

> A Coca-Cola, o que é? Como é que eles vão competir, mais tarde, com a Coca-Cola, se não estiverem fortes aqui? Não é isso? É a concepção. Você não pode mais pensar em termos de mercado nacional. O mercado é internacionalizado. Então, você tem

---

* Em 2007, Luciano assumiria a presidência do Banco Nacional de Desenvolvimento Econômico e Social (BNDES) e faria da tese das campeãs nacionais o mote de sua gestão, que foi até 2013. No entanto, o banco investiu em companhias já gigantes, como JBS, Oi e Fibria, e algumas delas mais tarde se viram envolvidas em problemas financeiros e éticos.

** Foram favoráveis à fusão os pareceres da Federal Trade Commission, do advogado Calixto Salomão Filho, especialista em direito concorrencial ligado à Universidade de São Paulo, da engenheira Isabel Vaz, ex-consultora da McKinsey, dos economistas João Victor Issler, pesquisador e coordenador do Instituto Nacional de Ciência e Tecnologia (INCT), e do advogado Manoel Gonçalves Ferreira Filho, ex-professor da USP e vice-governador de São Paulo entre 1975 e 1979.

que olhar se no ramo tem concorrentes ou não [...] Eu não quero nem antecipar se isso vai ser legal ou não [referindo-se ao Cade]. Vamos discutir. Estou dizendo qual é a tendência mundial: são as megafusões. Quer dizer, nós precisaremos ter multinacionais brasileiras.*

A jornalista de economia Miriam Leitão mencionou a entrevista com o presidente em sua coluna no jornal *O Globo* no dia 6 de julho. Ela começou o texto com uma ironia, dizendo para fecharem o Cade e a SDE e revogarem a lei de defesa da concorrência. "Eles não são mais necessários, porque o presidente da República já disse o que pensa: acha que a Brahma e a Antarctica devem se fundir para enfrentar a Coca-Cola."

Quatro dias antes, quando as cervejarias notificaram o Cade, ela escrevera um texto com o título "Água no chope". Dizia que se o governo permitisse a fusão, seria por razões políticas ou por se render ao marketing tendencioso das companhias. "Será uma rendição caipira a um modismo que este país nem compreende bem. O Brasil ainda não tem uma estrutura antitruste eficiente. O mercado ainda é fechado. Como pode achar que está preparado para entrar neste mundo mais complexo, em que a concentração aumenta e a competição é preservada?"

Sete meses depois, enquanto o Cade ainda analisava o caso, Fernando Henrique recebeu uma visita ligada à AmBev. Roberto Gusmão, conselheiro da Fundação Zerrenner, controladora da Antarctica, e sogro de um ex-distribuidor de Campinas, esteve em seu gabinete no dia 14 de fevereiro de 2000. FHC e Gusmão eram amigos desde a militância política na União Nacional de Estudantes (UNE), nos anos 1940 e 1950.

O ex-presidente registrou em seu diário que a Antarctica estava em uma "situação péssima". Ele se referia a "uma dívida de US$ 600 milhões" que teria passado para mais de US$ 1 bilhão. "Isso foi o que levou a Antarctica a fundir-se com a Brahma, formando a AmBev, que é rumorosa",** escreveu o presidente. Em suas notas, enfatizou a autonomia do Cade para decidir o caso. "O Roberto é educado, nunca forçou nada nesse sentido, queria apenas saber das coisas. Eu disse: 'Olha, espero que o Cade decida, o Cade é autônomo, nenhum de nós vai fazer pressão sobre o Cade, apenas o Cade sabe e vai saber com clareza que o governo o prestigia. O que ele decidir está decidido'".

---

* "Temos de enfrentar a concorrência", *Jornal do Brasil*, 4 jul. 1999. http://bit.ly/2L2Gxzn
** Fernando Henrique Cardoso, *Diários da presidência: 1999-2000*. São Paulo: Companhia das Letras, 2017.

O Fla-Flu das cervejas

A AmBev gerava barulho na mídia e discussões nas mesas de bar. As pessoas tomavam partido, contra ou a favor da fusão, como quem torcia por um time de futebol. "Virou um Fla-Flu", disse o ex-conselheiro Ruy Santacruz. A principal responsável pela polaridade pública foi a Kaiser, que desde o início mostrou que faria tudo o que pudesse para evitar a formação da nova rival.

No dia 11 de julho, a empresa iniciou uma guerra midiática contra a AmBev. Publicou um anúncio em que defendia que a operação fosse vetada pelo sistema de defesa da concorrência. Alguns dias depois, Marcel e Victorio responderam com a publicação de outro anúncio, com o título: "Por que a Coca-Cola não gosta da AmBev?".

O argumento era o de que a AmBev seria uma ameaça às práticas anticompetitivas da Coca-Cola. A empresa de bebidas norte-americana tinha 10% do capital da Kaiser e era responsável pela distribuição da cerveja. Os empresários concorrentes fizeram menção às atitudes anticompetitivas da Coca-Cola, cuja política de preços baixos pesava fortemente contra bebidas fabricadas por empresas pequenas. Sem a mesma estrutura, as pequenas produtoras não conseguiam baixar tanto seus valores. Além disso, havia a venda casada e o uso de um sistema de distribuição único para seus produtos, o que lhe garantia vantagens desproporcionais.

As mesmas acusações eram também feitas por Humberto Pandolpho, presidente da Kaiser, em relação à Brahma e à Antarctica. Ele discorreu sobre o tema em um documento de cerca de vinte páginas, baseado em pareceres jurídicos contrários à fusão, que entregou ao Cade na tentativa de evitar a operação. "É um ato de extrema concentração, não adianta apenas regulamentar."* A briga midiática foi noticiada pelo jornal americano *New York Times*, que entrevistou Marcel Telles e Humberto Pandolpho sobre o assunto.

Em seguida, a Kaiser lançou dois filmes publicitários de trinta segundos cada um, que seriam veiculados por quinze dias nos intervalos do *Jornal Nacional*. A campanha custou R$ 5 milhões à cervejaria. Pandolpho dizia publicamente que se tratava de uma reação. Ele queria contar ao consumidor o que significa a fusão de seu ponto de vista.

Em um dos comerciais, chamado "Com fusão", o "baixinho da Kaiser", que já era conhecido do público, observava um cliente se aproximar do balcão de um bar e pedir algumas marcas de cerveja da Brahma e da Antarctica. O garçom atendia aos pedidos, mantendo a mesma garrafa. Mudava só os rótulos, colocando um sobre o outro. A mensagem era clara: a AmBev dominaria o mercado,

---

* "Kaiser coloca no ar anúncios de R$ 5 milhões contra a fusão", *Folha de S.Paulo*, 16 jul. 1999. http://bit.ly/2UZZ5oK

acabando com a concorrência. "Estamos fazendo menção à confusão estabelecida", disse o presidente da Kaiser.

No dia 10 de novembro de 1999, Pandolpho foi capa da revista *IstoÉ Dinheiro* com a manchete: "Nós não vamos deixar a AmBev sair do papel". A chamada trazia acusações à AmBev, mencionando "interesses escusos de governos" e "práticas ilegais na distribuição".

Os interesses e seus conflitos

Hebe Teixeira Romano Pereira da Silva foi sorteada relatora do Cade no caso AmBev. Ex-chefe de gabinete da Secretaria Executiva do Ministério da Justiça, era uma conselheira novata no Cade: chegara à instituição no dia 1º de julho, mesmo dia do anúncio da fusão. Mineira de Uberaba, era funcionária do Ministério da Justiça desde 1986. Entre 1995 e 1997, foi secretária de direito econômico e, em seguida, ocupou o cargo de chefe de gabinete da secretaria-executiva do Ministério. Foi indicada ao Cade pelo então secretário executivo do Ministério da Justiça, Paulo Afonso Martins de Oliveira, ex-ministro do Tribunal de Contas da União.

Por não ter uma vasta experiência na área antitruste, Hebe decidiu estudar o tema para tomar sua decisão, e não apenas na teoria. Ela se baseou em uma apuração prática para dar seu voto. Começou por adaptar àquele caso específico o conceito econômico de mercado geográfico relevante (área na qual as empresas participam na oferta e procura dos serviços ou produtos relevantes e onde as condições de concorrência são equivalentes em relação às áreas vizinhas). Para definir o mercado relevante da AmBev, começou por mapear todas as fábricas da Brahma e da Antarctica. Em seguida, abriu o *Guia Quatro Rodas* na mesa de casa e debruçou-se sobre ele dia após dia, traçando os acessos a cada unidade industrial. A partir dessa análise, dividiu o mercado geográfico relevante de acordo com o acesso de cada fábrica a seus distribuidores.

Algumas pessoas próximas criticaram seu método, afirmando que ela estava distorcendo um conceito-padrão. Ela, no entanto, argumenta que optou por considerar o cenário real em vez do hipotético.

A conselheira visitou uma das fábricas para ouvir as preocupações dos empregados em relação à possível fusão entre as duas cervejarias. "O único medo que eles tinham era de serem mandados embora", afirma. Ela levaria isso em conta na hora de dar seu voto.

Logo que Hebe foi anunciada relatora do processo, a Brahma contratou uma consultora para apoiar as empresas no caso: a advogada Neide Teresinha Malard, especialista em direito econômico. Neide e Hebe eram amigas havia anos. A advogada havia sido conselheira do Cade no início dos anos 1990, e é lembrada pelos colegas pela competência técnica e seriedade profissional. Fazia um ano que fundara o escritório Malard Advogados Associados, especializado em consultoria em direito da concorrência e da regulação.

Assim como outros advogados, economistas e consultores, a favor ou contra a fusão, Neide visitou o Cade diversas vezes ao longo dos quase nove meses em que o caso foi analisado. Suas conversas eram principalmente com Hebe, em seu gabinete. Essa é uma prática comum e vista com naturalidade pelos conselheiros.

Naquela época, o Cade tinha uma estrutura precária. O órgão ocupava metade de um corredor pequeno no primeiro andar do anexo II do Ministério da Justiça. Eram cerca de duzentos metros quadrados divididos em oito salas — uma para cada conselheiro, uma para o presidente, outra para a secretária, e o plenário ao fundo. Hoje a instituição ocupa um prédio inteiro de aproximadamente 2 mil metros quadrados, em Brasília. O ambiente com aspecto improvisado facilitava o trânsito informal de pessoas. As visitas, em geral, não eram anunciadas nem registradas em um livro de presença. "Alguém chegava para falar conosco, os conselheiros, entrava no corredor e abria nossa porta sem anúncio", conta Ruy Santacruz.

Desde 1996, o presidente do Cade era o economista Gesner Oliveira, ex-secretário-adjunto de política econômica do Ministério da Fazenda. Ele havia votado a favor das parcerias entre Brahma e Miller e entre Antarctica e Anheuser-Busch nos anos 1990, com algumas restrições. Quando foi notificado sobre a criação da AmBev, o então ministro do Trabalho, Francisco Dornelles, entrou em contato com Gesner. Em seguida, reuniu os seis conselheiros para repassar o recado que acabara de receber: "Temos que decidir esse processo, porque a Antarctica não aguenta mais. São dez mil empregados na rua". Ao repassar o recado à equipe, Gesner não disse qual seria sua decisão — se favorável ou não à criação da AmBev.

A economista Lucia Helena Salgado havia ingressado no Cade em 1996, quatro anos antes do julgamento da AmBev. Foi relatora do caso Kolynos-Colgate e autora da fórmula que condicionou a fusão à retirada da marca Kolynos do mercado brasileiro por quatro anos.

No caso AmBev, Lucia logo se declarou impedida de votar. Seu argumento era de que havia um conflito de interesse, já que seu ex-marido, o economista Edgard Pereira, trabalhava como consultor e prestava serviços esporádicos para o escritório Franceschini e Miranda Advogados, que atendia a Kaiser. A rigor, o impedimento era relativo, uma vez que ela já estava separada de Edgar e que ele não trabalhava diretamente com a cervejaria. Mas a decisão foi dela. Além de Lucia, João Bosco se declarou impedido. Sua razão era mais clara: em seu escritório de advocacia, ele atendia a PepsiCo, que tinha uma parceria com a Brahma.

Os advogados Marcelo Calliari, especialista em direito da concorrência e comércio internacional, e Mércio Felsky, ex-presidente do Banco do Estado de Santa Catarina (Besc), completavam os cinco votos que decidiriam o futuro da AmBev. Ambos integravam o Cade desde 1998. Marcelo era visto como um admirador de Gesner, mas deixava dúvidas sobre seu voto, porque, conceitualmente, tinha uma posição desfavorável àquele tipo de fusão.

Alguns conselheiros se encontravam no Restaurante Dom Francisco para tomar chope depois do trabalho. Em uma dessas ocasiões, Marcelo defendia seus pontos favoráveis à fusão das cervejarias quando Lucia o interrompeu: "Como você vai justificar tecnicamente?". O papo logo mudou de rumo. Aquela foi a única vez que os colegas ouviram Lucia comentar o caso, indicando que, se fosse votar, não aprovaria o acordo de cara. Como confidenciou a pessoas próximas mais tarde, ela condicionaria a aprovação da fusão à venda de uma importante marca, como a Skol.

O cenário era hipotético. Por enquanto.

O barulho da Kaiser

No dia 20 de janeiro de 2000, o jornal *Gazeta Mercantil* publicou uma novidade sobre o caso AmBev: a conselheira Lucia Helena Salgado havia mudado de ideia e votaria. A alteração em seu plano era justificada pela troca de advogados da Kaiser. No dia anterior, José Inácio Franceschini (a quem o ex-marido de Lucia prestava consultoria) deixara o caso.

Franceschini é um senhor de setenta anos, que fala com formalidade e dedica tempo a procurar as palavras adequadas em sua mente. Tem uma notável preocupação em expressar o significado preciso do que quer dizer. Um dos termos que usa, embora pouco comum em uma conversa coloquial, é o que lhe parece mais adequado para explicar um possível — e legítimo — interesse do governo na aprovação da AmBev: soerguimento. "Era uma tentativa de soerguimento da situação do Brasil, que precisava atrair investimentos."

Ele discordava da fusão entre Brahma e Antarctica. Em uma audiência pública no dia 14 de outubro de 1999, em que estava presente também Ataíde Guerreiro, representante dos distribuidores Antarctica, o então advogado da Kaiser pediu a palavra. "Se a globalização é a justificativa de uma operação financeira que não depende de um efeito adverso para o consumidor brasileiro, para o mercado brasileiro... que ocorra e sejam felizes." Para ele, não havia argumentos que sustentassem tecnicamente o nascimento da nova empresa. Mas o advogado não compactuava com os planos do presidente da Kaiser, Humberto Pandolpho, de declarar uma briga pública às duas concorrentes que queriam se juntar, usando frequentemente a mídia e o sistema judiciário como meios para isso. "Sempre fui um profissional técnico", afirma Franceschini. O novo advogado da Kaiser era Túlio Egito Coelho, que defendia a Souza Cruz e a Coca-Cola. Sua estratégia incluiu fazer denúncias de condutas ilícitas do Cade à Polícia

Federal. "Hoje vocês perderam o processo", disse Franceschini ao presidente da Kaiser ao se despedir do caso.

Três meses antes da troca de advogados, Pandolpho comparecera sem intermediários a uma audiência com o presidente Fernando Henrique para defender seus interesses. No dia 29 de outubro, o porta-voz da presidência, Georges Lamazière, avisou a imprensa que FHC "não vai, nem pode, nem deve participar, de forma alguma, do processo decisório"* relativo à fusão das empresas Brahma e Antarctica. Ele reafirmou que o Cade era totalmente independente.

Os julgadores se tornam julgados

Desde meados de dezembro, o Cade atraía uma atenção pública indesejada. Corria uma investigação da Polícia Federal sobre uma suposta tentativa de suborno da Kaiser. Tudo começou depois de uma visita do advogado Aírton Soares à relatora do caso, Hebe Romano, em sua sala de trabalho entre os dias 10 e 15 de dezembro. Aírton representava a Associação Brasileira das Distribuidoras Antarctica (Abradisa) — que, assim como a Fenadisc (rede de distribuidores de produtos Skol), não se posicionava contra a fusão, mas pleiteava a manutenção da distribuição terceirizada das cervejas da AmBev. Até aquele momento, ainda era o modelo que prevalecia nas duas cervejarias, embora a Brahma já tivesse começado a incorporar algumas revendas.

Hebe era conhecida de Aírton. O advogado havia trabalhado com o marido dela, Mário Júlio, quando os dois foram assessores de Maurício Corrêa, então ministro da Justiça no governo de Itamar Franco, entre 1992 e 1994. Segundo Hebe,** Aírton disse que precisava alertá-la sobre alguns problemas. Ele teria afirmado que os passos dela eram "vigiados milimetricamente" e que a Kaiser havia disponibilizado R$ 20 milhões para combater a fusão — o que já teria atraído dois conselheiros do Cade que votariam contrariamente. Hebe disse não ter acreditado, mas a confusão estava instaurada.

A investigação envolvendo Aírton Soares e Hebe Romano se estendeu até 17 de julho de 2000, quase três meses depois da conclusão do caso AmBev no Cade. Os conselheiros, os empresários, os advogados e outras pessoas envolvidas, direta ou indiretamente, na fusão tiveram de depor à Polícia Federal. Embora não tenha havido comprovação de tentativa de suborno nem condenações, o caso teve um efeito moral negativo sobre o Cade.

Hebe Romano teve sua imagem desgastada entre os colegas e o presidente

---

* "FHC diz que não vai interferir na decisão sobre futuro da AmBev", *Folha de Londrina*, 29 out. 1999. http://bit.ly/2GJocU2

** Em depoimento à Polícia Federal em 27 de janeiro de 2000.

da Kaiser. Em 28 de fevereiro, a cervejaria apresentou uma petição ao órgão solicitando o afastamento da conselheira da relatoria do processo, por conduzir o caso com uma atitude anti-Kaiser. "Era um clima de guerra", disse uma pessoa que trabalhou no caso sobre os bastidores do Cade. O advogado da Kaiser, Túlio Coelho, conhecia Hebe pela proximidade dela com a Ordem dos Advogados do Brasil (OAB). Além do pedido formal, ele a enfrentou em uma audiência pública, na frente de outros conselheiros. "Você não tem condições de ser relatora", disse, com o tom de voz elevado. Hebe ficou em silêncio, mas seus colegas se uniram em sua defesa, sabendo que o afastamento dela teria impactos negativos para a instituição, que já sofria uma forte pressão.

Gesner Oliveira atribuiu a pressão a uma tentativa de desmoralizar o Cade. "É aquela estratégia conhecida de tentar desmoralizar o juiz para abrandar a sentença."* Para ele, o fato de o delegado ter declarado que não houve envolvimento de membros do Cade no caso fazia o órgão sair fortalecido do episódio. Ele também afirmou que o maior número de críticas à instituição era reflexo da maior importância que ganhava.

Um fato, vários argumentos

Os argumentos pró e contra a união entre Brahma e Antarctica se fortaleciam ao longo dos meses. O primeiro parecer, realizado pela Secretaria de Acompanhamento Econômico (Seae), do Ministério da Fazenda, foi divulgado em 11 de novembro de 1999. Entre as principais recomendações apresentadas no documento estava a venda da marca Skol e de seus ativos — quatro fábricas e, se fosse o caso, outras unidades ainda desconhecidas do Seae que fabricassem a cerveja.

Em um comunicado entregue à imprensa, a AmBev respondeu que a condição seria revista pela Secretaria de Direito Econômico (que divulgaria seu parecer quase três meses depois) e pelo Cade, nas fases decisivas do processo. Vender a marca Skol eliminaria o valor da própria fusão. Sem a Skol, a AmBev seria menor do que a própria Brahma em volume.

A mensagem da AmBev demonstrava o otimismo de Marcel e Victorio. Segundo a nota, a empresa tinha "plena convicção" da decisão final favorável. Eles asseguravam que a fusão significaria redução no preço da cerveja — o contrário do normalmente esperado em situações em que uma empresa detém uma fatia tão grande do mercado. A empresa calculava a redução de 14% nos custos com a fusão.**

---

* "Cade terá atuação maior, afirma Oliveira", *Folha de S.Paulo*, 15 maio 2000. http://bit.ly/2G-CXonb
** De acordo com a documentação da AmBev enviada a Seae, SDE e Cade.

Mas o parecer da SDE não foi melhor para a AmBev. Divulgado em 31 de janeiro de 2000, o documento reforçava a recomendação de venda de um dos seus negócios — Brahma, Antarctica ou Skol. Tanto a análise da Seae quanto a do SDE indicavam que a nova empresa concentraria mais de 65% das vendas de cerveja em todos os mercados relevantes, chegando a percentuais superiores a 80% e 90% em algumas regiões do Norte e Nordeste do país. Os números eram elevados demais para garantir a livre concorrência.

Diante dos pareceres favoráveis aos seus interesses, Humberto Pandolpho fez uma provocação. "Caso a AmBev decida vender alguma de suas empresas, temos o maior interesse em comprá-la",* afirmou.

Fernando Henrique registrou em seu diário sua opinião sobre o parecer da SDE, no dia 15 de fevereiro de 2000. Ele afirmava ter lido o documento e falado com os "rapazes" que o haviam feito. "É um parecer jurídico, os rapazes são jovens ainda, bastante jovens, talvez não tenham visto os ângulos econômicos da questão, mas cumpriram a missão deles, são corretos, e o parecer mostra que há risco de monopólio." Em seguida, comentava a questão do monopólio na economia contemporânea: "as empresas estão se fundindo adoidado pelo mundo afora e isso pode prejudicar o Brasil que fica sem possibilidade, com a nossa legislação, de ter empregos competitivos".**

O presidente tomou nota ainda de uma reclamação que fizera a Roberto Gusmão, conselheiro da Fundação Zerrenner: "Olha, a AmBev está fazendo crer que é uma luta nacionalista contra a Coca-Cola e que o governo está do lado da Coca-Cola. Isso é um absurdo, o governo não está do lado de ninguém".

Na semana anterior, a AmBev voltava a afirmar que a Kaiser tentava impedir a aprovação do Cade para defender os interesses da Coca-Cola. Magim Rodriguez fez um pronunciamento na TV dizendo que não se tratava da luta entre duas grandes cervejarias contra uma cervejaria aparentemente pequena, como a Kaiser tentava apresentar. "É a luta de duas empresas brasileiras contra um gigante chamado Coca-Cola." Magim afirmou ainda que o medo da Coca-Cola era de que o Guaraná Antarctica conquistasse novos mercados, possibilitados pela AmBev.

Duas páginas em troca de 180

Uma notícia sobre o terceiro parecer oficial, feito pela procuradoria-geral do Cade, inflamou ainda mais o caso. No dia 22 de março, uma equipe de seis

---

* "CUT e Força Sindical comemoram parecer sobre AmBev". *Diário do Grande ABC*, 31 jan. 2001. http://bit.ly/2IH8UkI

** Fernando Henrique Cardoso, *Diários da presidência: 1999-2000*. Op. cit.

procuradores entregou ao procurador-geral da instituição, o advogado Amauri Serralvo, um relatório de 180 páginas. Era uma profunda análise técnica da fusão. O relatório foi pedido por ele para embasar seu parecer final, que seria entregue aos conselheiros do Cade. Somado às demais análises, deveria ajudar a instituição a tomar a melhor decisão.

Amauri era novo no cargo. Fora nomeado procurador-geral da instituição em 22 de março de 1999. Ele não tinha muita experiência na área de concorrência e falara a respeito a uma comissão de economia do Senado em 9 de março do ano anterior: "Confesso a vossas excelências que me assustei com o fato de ter sido convidado para ocupar o cargo em função do meu desconhecimento da área econômica. [...] Confesso que sou neófito em matéria de Cade".*

Enquanto os dois primeiros pareceres, da Seae e da SDE, indicavam a aprovação com severas restrições, o da procuradoria era mais duro. "Consideramos que não há apenas uma redução nos níveis de concorrência. Há um verdadeiro aniquilamento da competição no setor cervejeiro, eis que a nova estrutura de oferta — em que a AmBev terá como rivais as cervejas da marca Kaiser e Schincariol — não recompõe a rivalidade entre as marcas Brahma e Antarctica",** dizia um trecho do relatório.

Assim que o material chegou às mãos de Amauri, o procurador se viu em um dilema. Ele era favorável à fusão. Fazia parte do grupo que acreditava que uma multinacional brasileira fortaleceria o país no cenário econômico global. Presidente da OAB de 1987 a 1989, tinha o respeito de colegas.

Poucas horas depois de receber o parecer de sua equipe, Amauri Serralvo saiu de seu gabinete com um novo parecer — que seria o documento definitivo da procuradoria-geral do Cade. O texto assinado por ele tinha duas páginas e oito tópicos. Não era só o tamanho que o diferenciava da primeira versão. O conteúdo apontava a conclusão oposta: era favorável à aprovação da AmBev. Ele argumentava que o aumento de concentração não seria problema se o Cade tomasse "providências necessárias para neutralizar os efeitos anticoncorrenciais da operação", mas não especificava que restrições seriam necessárias. Segundo o procurador, a fusão atendia ao "interesse maior do país" e resultaria no aumento de eficiência de Antarctica e Brahma num nível entre R$ 300 milhões e R$ 500 milhões. Em entrevista, Amauri defendeu a venda de marcas menores, como a Bavaria, que pertencia à Antarctica.***

Os integrantes da equipe de Amauri ficaram enfurecidos quando souberam que seu trabalho fora desconsiderado. Estavam de folga, concedida pelo pró-

---

* "Parecer pró-AmBev provoca brigas", *Correio Braziliense*, 25 mar. 2000.
** "Relatório condena o negócio", *Correio Braziliense*, 25 mar. 2000.
*** "Procuradores do Cade divergem sobre AmBev", *O Estado de S. Paulo*, 24 mar. 2000. http://bit.ly/2Vr5VTp

prio procurador-geral, no dia seguinte à entrega do trabalho. Quando colegas os avisaram do novo documento, foram todos ao Cade. Entre 15h30 e 16h30 da quinta-feira, dia 23 de março, os procuradores entravam e saíam da sala do chefe, inconformados. Quem passava próximo ao corredor ouvia as reclamações em tom elevado. "Esse seu despacho é um absurdo. Só pode ter sido feito por alguém que não entende de economia, nem de mercado", disse um dos procuradores. "Tenho vergonha desse seu despacho", afirmou outro. Amauri respondeu que estava feito e pronto. "Se eu quisesse, podia ter dito em duas linhas que não concordava com o trabalho de vocês",* encerrou.

O mal-estar extrapolou as paredes da instituição no dia 25 de março de 2000, quando o jornal *Correio Braziliense* publicou uma reportagem divulgando as diferenças no conteúdo dos dois pareceres.

Segundo pessoas próximas, pelas opiniões expostas e palavras utilizadas por ele em seu parecer final, ficou a impressão de que Amauri havia pedido ajuda ao presidente do Cade, Gesner Oliveira. "O Gesner era uma pessoa em quem ele confiava. Eles tinham a mesma opinião, e, como não conhecia tão bem o assunto, é compreensível que Amauri tenha pedido o auxílio dele para defender seu ponto com embasamento técnico", afirma um ex-conselheiro da instituição.

Independentemente das discórdias, o julgamento do caso estava marcado para quatro dias depois, 29 de março.

Festival de liminares

A Kaiser estava empenhada em evitar que o cronograma fosse cumprido. Ao longo de um mês, a cervejaria ou pessoas supostamente ligadas a ela, em diferentes estados, pediram à Justiça que suspendesse o julgamento do Cade. Oito pedidos de liminar** chegaram oficialmente ao conhecimento da autarquia. Os motivos variavam em torno do mesmo tema: interpretação da união entre Brahma e Antarctica como uma ameaça à concorrência. Em alguns pedidos, era citada também a investigação policial envolvendo os conselheiros.

A cada novo pedido de liminar, a equipe da procuradoria da instituição e a da própria AmBev trabalhavam para evitar que a medida fosse concedida. Em geral, os pedidos eram negados pela Justiça. Mesmo assim, Sergio Bermudes, um dos advogados mais renomados do país, que defendia a AmBev, expressou sua irritação diante do esforço da rival. Declarou que a Kaiser solicitou as limi-

---

* "Parecer pró-AmBev provoca brigas", *Correio Braziliense*, 25 mar. 2000.
** Esses foram os pedidos de liminares encontrados durante a apuração deste livro. Mas, em entrevista, Victorio de Marchi menciona 27 liminares.

nares "para ver se alguma pega".* E chamou a atitude da empresa de "molecagem sistemática, chicana despudorada e vergonhosa ilicitude" ao fazer "o mais condenável dos jogos forenses".

Na véspera do julgamento, uma ação popular alimentou a esperança de Humberto Pandolpho de conseguir o que queria. Foi concedida uma liminar em Bauru, no interior de São Paulo. O pedido feito pelo advogado Milton Mattiazzo como uma ação popular solicitava o impedimento da sessão do Cade ou que ficassem suspensos os efeitos deliberados na reunião, além de insistir no afastamento da relatora, Hebe Romano.

Durante toda a manhã do dia 29 de março, os procuradores do Cade se empenharam em derrubar a liminar. O advogado da AmBev entrou com um recurso para cassar a decisão. Uma ajuda bem-vinda contra as liminares foi a do conselheiro João Bosco, que, como ex-juiz federal, conhecia de longa data outras autoridades judiciais. Ele saiu de Brasília no dia do julgamento, no voo das 7h. Ao chegar a São Paulo foi direto falar com a desembargadora federal Cecília Hamati. "O que essa empresa [a Kaiser] está querendo é pura e simplesmente prorrogar o julgamento. Mas o Cade tem uma obrigação legal de se pronunciar dentro do prazo. Vamos dizer 'sim' ou 'não' para a fusão."

Cecília concedeu a liminar liberando novamente a sessão, às 13h55 — cinco minutos antes do horário marcado para começar. Minutos antes, no entanto, Gesner Oliveira tivera uma notícia ruim: outra liminar fora aceita. Mas ele ainda não havia sido intimado da decisão até a hora de começar o julgamento.

O dia do julgamento

Em 29 de março, às 14h pontualmente, foi iniciada a sessão que decidiria o futuro da Brahma e da Antarctica.

Enquanto isso, os advogados da Kaiser tentavam a todo custo fazer com que o Cade recebesse a liminar, mas o fax não completava a ligação. Todos os aparelhos estavam desligados quando o julgamento começou.

Qualquer um podia acompanhar a votação, como de praxe no Cade. Cabiam doze pessoas na audiência do plenário, mas naquele dia havia mais de cem para assistir à tão esperada decisão. Na primeira fileira estava Victorio de Marchi, que se manteve impassível durante todo o julgamento. Do lado da Brahma, estava João Castro Neves, então um jovem executivo que ingressara na companhia em 1996. Marcel Telles e Carlos Brito ficaram em um hotel em Brasília. Havia diversos jornalistas e fotógrafos.

---

* "AmBev condena estratégia da Kaiser", *Diário do Grande* ABC, 29 mar. 2000. http://bit.ly/2Py4iOk

Para diminuir a balbúrdia, Gesner pediu para que fosse instalada uma televisão numa sala ao lado — que não tinha janelas nem ventilação. Sessenta pessoas se aglomeraram em cadeiras de plástico. Ainda havia gente nos corredores. O julgamento foi transmitido ao vivo pelo canal a cabo da Radiobrás, o NBR, e durante a madrugada o sinal passou a ser transmitido pela TV Nacional, também da Radiobrás.

A sessão durou cerca de quinze horas — das 14h até por volta de 5h. Durante esse período, foram servidos apenas café e água. Nenhuma refeição.

A primeira a falar foi a relatora, Hebe Romano. Seu voto era o mais longo, com oitenta páginas, escritas durante três meses de trabalho, em casa, com a ajuda de dois estagiários de direito. O texto trazia uma série de informações sobre as duas empresas e o mercado. Por exemplo, uma lista das 21 companhias das quais a Brahma era acionista (no Brasil, na Argentina, no Uruguai e no Paraguai) e das onze brasileiras subordinadas à Antarctica.

O voto de Hebe foi favorável à fusão — com algumas restrições. Algumas das principais eram: venda de uma das marcas Bavaria ou Polar, que detinham juntas aproximadamente 6% do mercado nacional, o compartilhamento da distribuição com cervejarias menores e a necessidade de justificar ao Cade as demissões nos quatro anos seguintes e de implementar um programa de requalificação às pessoas dispensadas, para que conseguissem se recolocar no mercado de trabalho.*

Enquanto Hebe lia seu voto, o clima no plenário esquentava em todos os sentidos. O ar condicionado não era suficiente para refrescar o lugar. De repente, às 15h55, uma das lâmpadas do equipamento de um fotógrafo, posicionada logo acima da cabeça da relatora, explodiu. Ela deu um grito, porque o barulho parecia de tiro, então vira que queimara sua roupa. Passado o choque, a sessão seguiu, tumultuada por celulares que tocavam. Cada vez que isso acontecia, Hebe olhava feio para o dono do aparelho.

O segundo a votar foi Ruy Santacruz, que levou 1h30 para ler seu parecer de 64 páginas, contrário à fusão.

Por volta das 16h30, a sessão foi interrompida. Túlio Coelho, advogado da Kaiser, trazia nas mãos a liminar que determinava a suspensão do julgamen-

---

* Trecho do voto de Hebe, referente à dispensa de funcionários: "Sabe-se que toda operação que envolve a diminuição de gastos em busca de maiores eficiências, no que concerne à melhoria de qualidade do produto, envolve também a diminuição da mão de obra. Aliás, esta é a lógica eficiente da realização das grandes fusões. No entanto, em razão da AmBev possuir uma grande massa de trabalhadores, a diminuição da mão de obra poderá trazer consequências no que concerne à questão social do desemprego. A AmBev deverá se comprometer a manter o nível de empregos, sendo que a eventual dispensa sem justa causa, que venha a ocorrer nos próximos quatro anos, deverá ser justificada ao Cade, através de estudos que comprovem a modernização. Fica a AmBev obrigada a implementar programa de requalificação da mão de obra a ser dispensada, com vistas à realocação desses empregados no mercado de trabalho".

to. Ele a entregou ao procurador. Tratava-se de uma ação solicitada por um grupo de funcionários da fábrica da Kaiser, na cidade de Jacareí, pedindo o adiamento da decisão do Cade até a conclusão do inquérito sobre o suposto esquema de suborno.

Alguns instantes de silêncio depois, Amauri se pronunciou: "Nós não podemos aceitar esta comunicação porque ela veio através de um escritório interessado. Vamos continuar o julgamento". Mércio se pronunciou em seguida, votando a favor da fusão.

No início da noite, houve outra interrupção no julgamento. Dessa vez, por um oficial de justiça. Ele passou pela multidão com alguma dificuldade, aproximou-se da mesa e entregou o documento nas mãos de Gesner.

O presidente do Cade leu o comunicado e, em seguida, entregou-o mais uma vez ao procurador-geral. "Presidente, pode continuar o julgamento", ordenou Amauri. O silêncio foi interrompido pelos sussurros da plateia. Amauri acreditava que poderia suspender a liminar. Levantou-se de sua cadeira e saiu da sala. A sessão seguiu. Algumas horas depois, o procurador voltou, com uma decisão favorável ao Cade. A sessão — que na prática não fora suspensa— estava liberada para prosseguir.

Marcelo Calliari foi o quarto conselheiro a falar. Em seu voto, propôs uma restrição à criação da nova empresa, além das já descritas por Hebe: a AmBev teria não apenas de vender a marca Bavaria e dar acesso à rede de distribuição, mas também se desfazer da Polar e da Bohemia. Um entrante nacional também deveria adquirir cinco fábricas espalhadas pelo Brasil. Seu objetivo era que a nova cervejaria tivesse condições de competir de fato com a AmBev.

Humberto Pandolpho também falou. Usou parte dos quinze minutos aos quais tinha direito em nome da Kaiser. "Antes da globalização, devemos ter a moralização",* disse olhando para Hebe Romano.

O voto mais curto, com catorze páginas, foi o do presidente, Gesner, o último a se pronunciar, favorável à fusão.

Na madrugada do dia 30 de março, a AmBev estava aprovada.

A sentença

A decisão final foi assinada pela relatora, Hebe Romano, e pelo presidente do Cade, Gesner Oliveira. O texto apresentava a conclusão do grupo de conselheiros, com base nos pontos comuns de cada voto, deixando de fora defesas pontuais de um ou outro integrante do grupo.

A AmBev teria de vender a marca Bavaria e cinco fábricas com capacidade

---

* "Chances para o novo concorrente", *Correio Braziliense*, 31 mar. 2000.

total de produção de 709 milhões de litros em perfeito estado de conservação e funcionamento, que não poderiam ser fechadas pelos quatro anos seguintes. Pelo mesmo período, teria de fazer uso da rede de distribuição da AmBev em todos os mercados relevantes regionais e teria de justificar ao Cade as demissões que fizesse, além de implementar um programa de requalificação aos demitidos. Foi decidido ainda que só poderia fazer acordo de exclusividade com os pontos de venda quando tivesse investido em bares, restaurantes ou supermercados de maneira relevante. Por exemplo, instalando freezers especialmente desenvolvidos para gelar as garrafas de cerveja na temperatura que normalmente agrada o consumidor brasileiro (-5°C).

Em junho, a AmBev contratou o banco de investimento norte-americano Donaldson, Lufkin & Jenrette Securities (DLJ) para negociar a venda da Bavaria e das fábricas. No final de julho, havia dez companhias estrangeiras interessadas na compra da marca, entre elas a South African Breweries (SAB) e a Anheuser-Busch. A melhor proposta, no entanto, não foi de nenhuma das duas.

Pouco mais de sete meses depois do julgamento, no dia 7 de novembro de 2000, a AmBev anunciou a canadense Molson como compradora da marca Bavaria e de cinco fábricas por US$ 98 milhões pagos à vista. Cada fábrica ficava em uma região do Brasil: Getúlio Vargas (RS), Ribeirão Preto (SP), Cuiabá (MT), Salvador (BA) e Manaus (AM). A Molson detinha 45% do mercado do Canadá, estava em 24º lugar entre todas as cervejarias do mundo e havia faturado US$ 1,8 bilhão em 1999. A operação foi aprovada pelo Cade em 13 de dezembro daquele ano e formalizada uma semana depois, em 20 de dezembro de 2000.

A AmBev assinou um Termo de Compromisso de Desempenho com o Cade, contendo todas as exigências da decisão final dos conselheiros. Durante sete anos, a companhia prestou contas ao órgão regulador semestralmente, detalhando sua conduta em relação a cada uma das medidas acordadas, sob o acompanhamento de auditores independentes aprovados pelo Cade.

Victorio de Marchi, a relatora Hebe Romano e outras pessoas ligadas à empresa consideraram a decisão do Cade ao mesmo tempo justa e dura, em função de suas exigências. Por outro lado, alguns especialistas as consideraram insuficientes. A nova empresa foi noticiada por veículos internacionais, como o *New York Times* e a BBC. As reportagens apresentavam as duas principais visões sobre a AmBev. Enquanto a Kaiser e outros críticos reclamavam do poder de mercado que a empresa teria para ditar o preço das bebidas, "a maioria dos reguladores aparentemente entendeu a fusão como condizente com o objetivo da política econômica mais ampla do governo — incentivando a formação de grandes empresas capazes de competir no mercado externo",*

---

* "Brazilian Regulators Approve the Merger of 2 Big Brewers", *The New York Times*, 31 mar. 2000. https://nyti.ms/2VrAubL

publicou o jornal americano. A mesma reportagem dizia ainda que a aprovação fora recebida com surpresa pelo mercado brasileiro, apesar das várias restrições impostas.

Provavelmente não é fato

Nem a visão de Jorge Paulo Lemann nem o planejamento de Marcel Telles poderiam prever os fatos. Nas duas décadas que se seguiram à fusão, o mercado de cerveja, no Brasil e no mundo, passou por transformações relevantes. A Schin chegou a 12,6% de participação em 2005. Em 2011, com 11,2% do mercado, foi vendida para a japonesa Kirin. A Kaiser, que atingiu 15% de market share em 1998, começou a cair. Foi de 18% em 2000 para 8,5% em 2012. A holandesa Heineken comprou a marca em 2010, ao adquirir o setor de cerveja da mexicana Femsa, que incluía, além da Kaiser, a Xingu e a Bavaria — esta última fora vendida pela Molson à Femsa em 2006.* Em 2017, a Heineken comprou também a Brasil Kirin, dona da Schin. Outra marca, insignificante na época da fusão, ganhou relevância ao longo dos anos: a Itaipava, do Grupo Petrópolis, foi de 2,4% de market share em 2000 para 10,8% em 2012.

O mercado ficou mais complexo e pulverizado. O número de empresas do setor registradas no Brasil cresceu de 266 cervejarias em 2010 para 679 em 2017.

O conselheiro Ruy Santacruz deixou o conselho do Cade no mesmo ano da aprovação da AmBev. Seis meses e uma semana depois de sua saída, ele estava passando de carro sobre a ponte Rio-Niterói, indo de sua casa para a Fundação Getulio Vargas, onde dava aula, quando tocou seu celular. Era Victorio de Marchi, agora copresidente do Conselho de Administração da AmBev. Ruy estranhou a ligação. Afinal, era o único que havia votado contra a fusão.

"Ruy, queremos te contratar para nos ajudar em uma questão..."

O ex-conselheiro o interrompeu. Agradeceu, mas foi logo explicando que infelizmente não poderia aceitar. Assim como os ex-colegas de Cade, tinha de cumprir uma quarentena autoimposta por eles. Durante seis meses depois de deixar a instituição, não podiam trabalhar no mercado. Mas agora foi Victorio quem o interrompeu.

"A quarentena terminou na semana passada."

Ruy ficou surpreso. Parou de falar, fez as contas mentalmente e viu que o empresário tinha razão. Sendo assim, aceitou a proposta. Durante dois anos, prestou consultoria para a AmBev em casos que a empresa precisava submeter ao Cade. "Aquela atitude me mostrou que era uma empresa que estava de olhos,

---

* A mexicana Femsa pagou US$ 68 milhões por 68% da Molson, dona da Kaiser, Bavaria e Xingu. A Heineken ficou com uma fatia de 17% da empresa, e a Molson manteve 15% de participação.

mente e coração abertos para ouvir quem tinha votado contra a criação dela. Eles [os donos e executivos] não ficam parados no ego."

A percepção de Ruy corrobora uma apresentação realizada pela economista Elizabeth Farina em junho de 2011, na conferência Antitrust in the Americas, evento promovido pelo Instituto Brasileiro de Estudos de Concorrência, Consumo e Comércio Internacional (Ibrac) e pela American Bar Association. Ao mostrar a evolução do controle de concentração no Brasil, ela analisou o caso AmBev mais de dez anos depois. Mostrou que o preço real da cerveja estava 10% abaixo daquele praticado em 1999, enquanto a margem de Ebitda do negócio havia crescido de 26,2% para 49,9% entre 1999 e 2010. Também indicou uma correlação negativa entre os aumentos de preço da AmBev e seu market share. Ou seja, aumentos de preço da cervejaria eram seguidos de perda de market share. Concluiu que preços mais baixos, margens maiores e maiores quantidades (5% ao ano) eram condizentes com ganhos de eficiência.

Muitas vezes Ruy e os diretores da cervejaria falaram do julgamento em tom de brincadeira. Os diretores lembravam com frequência que as previsões do antigo conselheiro sobre o provável aumento abusivo de preço da cerveja não aconteceram. Ruy respondia dizendo que é por isso que usam sempre a palavra "provável" para analisar cenários econômicos futuros. "De fato, não aconteceu o que eu previa", admite o ex-conselheiro. "Em parte porque o mercado mudou e em parte pela gestão da AmBev, que continuou correndo atrás de redução de custo, eficiência, ganho de produtividade, lançando novos produtos. Não aumentaram preço. Não sentaram em cima da marca."

Nessa época, o pessoal que vinha da Brahma já estava acostumado a ouvir Marcel Telles falar sobre a importância dos meios para chegar aos fins almejados. Algumas das frases repetidas por ele aos funcionários era: "Queremos resultados, mas com ética", "Malandragens e espertezas corroem a empresa por dentro. Não praticamos nada do gênero" e "Construir uma marca é muito difícil, destruir é facinho". Hoje, o item dez da descrição da cultura da AB InBev, a configuração global da empresa que nasceu como AmBev, é: "Não pegamos atalho".

Entre os mais preocupados com os resultados da fusão estavam os funcionários da Antarctica e os distribuidores de todas as marcas da AmBev. Permaneceriam na empresa e na rede? Depois de nove meses de incertezas, as respostas finalmente viriam.

CAPÍTULO 8
Aposta dobrada

Alguns dias depois de consolidada a fusão, Magim Rodriguez reuniu cerca de 150 gerentes e diretores para uma conversa. Ele era diretor-geral da Brahma desde 1998, e seguiu no cargo com a criação da AmBev, em 2000. Seu objetivo no encontro era deixar claro quais seriam os passos seguintes da equipe: "Quem está aqui agora tem que estar disposto a trabalhar doze horas por dia e no fim de semana. Vai ter que correr atrás. Não se ganha dinheiro olhando no relógio para ver se já está na hora de ir embora. Uma empresa foi feita para dar lucro. E isto é uma empresa".

O discurso de Magim refletia o que já se via na prática. A diretoria da AmBev, formada por nove executivos vindos da Brahma, assumiu o comando e começou a transição. Marcel deixara sua função operacional e agora era copresidente do conselho de administração ao lado de Victorio de Marchi.* Continuava a dar o direcionamento estratégico da empresa e participaria pontualmente de episódios emblemáticos nos anos seguintes. Desde a união com a Brahma, Victorio mudou um pouco sua postura. Adotou um jeito mais descontraído. Deixou de usar gravata no dia a dia, mantendo apenas a camisa social. Passou a falar de maneira mais informal com outros profissionais da empresa e incluiu a atividade física em sua rotina. Foi descrito por pessoas próximas como "mais jovem do que na época da Antarctica".

Como em qualquer fusão, a principal preocupação dos funcionários da Antarctica eram as possíveis demissões. A decisão do Cade incluía alguns obstácu-

---

* Em 2000, a diretoria era composta por Magim Rodriguez (diretor-geral), Carlos Brito (diretor de vendas), Claudio Braz Ferro (diretor industrial), Guilherme Rodolfo Laager (diretor de logística e informação), Adilson Miguel (diretor de revendas), Juan Vergara (diretor-geral de refrigerantes), Luis Felipe Dutra (diretor financeiro e de relações com investidores), Mauricio Luchetti (diretor de gente e qualidade) e Miguel Patrício (diretor de marketing). Em 2001, a única mudança foi a saída de Guilherme Rodolfo Laager da companhia.

los em relação a esse tema. Não seria tão simples para a companhia resultante cortar a equipe da noite para o dia, pois assumira o compromisso de justificar todos os desligamentos durante a reestruturação e se responsabilizar pela recolocação e pelo treinamento dos profissionais demitidos.

Mas era claro que o corte viria, e os novos diretores passaram os primeiros meses rodando todas as áreas da companhia para identificar quem se destacava, exatamente como Marcel havia feito depois da aquisição da Brahma. Muitos dos profissionais avaliados pediram demissão, pois não se ajustavam ao estilo de gestão que se iniciava.

Certo dia, no primeiro ano pós-fusão, gerentes de RH de todo o Brasil trocaram mensagens e ligações durante a manhã. O assunto era um só: a divulgação dos "listões" — a relação de profissionais que seriam dispensados da área industrial e dos Centros de Distribuição Direta (CDDs). Os gerentes de cada setor receberam de seus diretores cerca de duzentos nomes que deveriam cortar naquele dia. A surpresa foi grande: na lista havia também pessoas da Brahma, um sinal de que ninguém estava a salvo. Os critérios para escolher quem ficaria eram transmitidos claramente pelos diretores: a pessoa devia ser "aderente à cultura" e "performar", ou seja, entregar bons resultados financeiros.

Durante a tarde, centenas de pessoas, a maioria ainda vestindo jaqueta com a marca da cervejaria paulista, foram encaminhadas para uma sala em grupos de cinco. Já sabiam o que as esperava. As conversas de desligamento foram "objetivas e respeitosas", segundo ex-analistas e gerentes. A cena se repetiu algumas vezes ao longo daqueles primeiros anos, nas diferentes áreas da AmBev.

Antes da fusão, as duas empresas somavam 18,5 mil funcionários no Brasil (aproximadamente 10 mil da Brahma e 8 mil da Antarctica). Em 2002, esse número havia sido reduzido para 17 mil.

O melhor das duas

Enquanto da porta para fora a AmBev se apresentava como se sempre tivesse sido uma empresa só, da porta para dentro uma operação de guerra foi montada para integrar pessoas, sistemas e processos. As empresas que, apesar de rivais, haviam sido tão parecidas no passado à época da fusão eram discrepantes nos mais diversos aspectos — da roupa dos funcionários aos números do caixa. Era fácil reconhecer quem vinha de cada cervejaria. Os profissionais da Brahma se vestiam de maneira informal, com as já conhecidas camisa polo, calça jeans, mochila. Os da Antarctica ainda usavam traje social. Tinha até quem vestisse suspensório. Mas a diferença essencial era a mentalidade por trás da administração de cada uma.

O escritório da Antarctica continuava na Mooca, ao lado da fábrica de cervejas, refrigerantes e licores. Ali continuou funcionando o escritório regional de

São Paulo. Mas a sede da AmBev passou a ser no escritório da Brahma, então localizado no Centro Empresarial de São Paulo, na avenida Maria Coelho Aguiar, Zona Sul da cidade. Em 2003, foi transferido para o terceiro e quarto andares do prédio em que está até hoje, na rua Dr. Renato Paes de Barros, 1017, no bairro paulistano do Itaim Bibi.

Magim tocava a empresa sem se envolver nos pormenores da integração, assim como a maior parte dos funcionários. Mas cerca de cem pessoas escolhidas pela diretoria conciliavam suas tarefas diárias à união operacional da Brahma à Antarctica. O grupo que estudou conceitualmente a adaptação dos processos antes de o Cade permitir a conclusão da aliança deu lugar ao "grupo de transição". Executivos vindos das duas companhias — mas liderados pelos da Brahma — mergulharam nos meandros de cada processo.

Carlos Brito, então diretor de vendas, liderou dezessete subgrupos, chamados de grupos-tarefa. Cada um atuava em sua respectiva área, incluindo gente e gestão, marketing, vendas, produção, compras e meio ambiente.

Os encontros aconteciam, primeiro, em uma sala no centro empresarial que não fazia parte da AmBev, mas havia sido alugada para aquela finalidade. Alguns meses depois, mudou-se para uma sala batizada de "QG" no quarto andar do prédio que abrigava o antigo escritório da Antarctica. Só entravam ali os encarregados da transição, identificados por crachás. As informações discutidas eram confidenciais.

A regra para aquele trabalho era comparar os processos de cada área nas duas empresas e escolher o melhor — ou desenhar um terceiro misturando os pontos fortes de ambos. A grande maioria das práticas que prevaleceram foi da Brahma. Os primeiros seis meses, portanto, se resumiram a replicar tudo o que dera certo na cervejaria carioca, em escala dobrada. Aquele era um teste de maturidade.

A disciplina na execução — grande força do modelo da Brahma — seria, mais uma vez, crucial para o plano funcionar. O dia a dia de fabricação, vendas e distribuição tinha de continuar operando normalmente, enquanto as duas companhias se tornavam uma só. Desde o primeiro momento, foram instauradas reuniões mensais para acompanhar os resultados das áreas comercial e industrial, assim como as avaliações de desempenho. Em 2000, todos os funcionários já tinham metas para bater.

Roteiro e atitude

Os diretores que vinham da Brahma passavam para as novas equipes os conceitos que deveriam ser adotados. Na primeira década dos anos 2000, alguns dos responsáveis por multiplicar o conhecimento foram Luiz Fernando Edmond, então diretor de distribuição direta, e seu chefe Carlos Brito, diretor de vendas. Durante as convenções anuais, Edmond ensinava aos novos gerentes sobre gerenciamento de diretrizes, para o cascateamento das metas, e Brito sobre PDCA, para que cada um monitorasse o próprio desempenho.

O fato de os professores serem diretores de peso que estavam na Brahma desde o início da gestão de Marcel passava a mensagem de que o tema era realmente importante. Um ex-gerente de vendas que trabalhou na AmBev entre 2000 e 2007 guarda até hoje seus cadernos com anotações daquele tempo. Uma de suas notas diz: "Não aprender com o que falamos. Aprender com o que fazemos". "O conteúdo é simples. Qualquer apostila ou livro pode ensinar", diz ele. "Mas o fato de serem os diretores nos passando os conceitos fazia com que entendêssemos não só a técnica, mas também a cultura da companhia."

Apesar do desafio da integração, os programas de excelência funcionavam como uma cartilha eficiente. Estava escrito tudo o que deveria ser feito em qualquer cenário, inclusive o de falhas. Se o resultado não fosse atingido, dizia o book: reveja a ação e identifique o que deu errado. Se fosse o esperado, estava escrito qual era a atitude seguinte. Era como o "volte três casas" ou "avance uma" de um jogo de tabuleiro. Tudo havia sido criado de modo a não deixar brechas para desvios de rota. A mentalidade era aproveitar a experiência de quem desbravara o território e agora oferecia os atalhos aos recém-chegados. O desafio não era saber o que fazer. Era fazer.

Nesse caminho, o "como" era tão importante quanto o "o quê". Por isso, uma das preocupações de Marcel era reforçar — e formalizar — os conceitos da cultura com o grupo agora heterogêneo. Em 2001, Brito liderou a criação de uma nova apostila da cultura, consolidando os aprendizados dos anos anteriores. Mais do que uma cartilha para consulta, o material seria usado para treinar os diretores regionais, que deveriam replicar o conteúdo com suas equipes pelo Brasil.

Como era padrão nos documentos internos da AmBev, o guia da cultura indicava o que os executivos deveriam mencionar em cada slide — com fundo branco e letras pretas — das apresentações. Ao longo dos anos, Marcel incluía lemas mais detalhados em seu discurso. As afirmações agora não eram apenas indicações da direção a seguir: eram respostas aos desafios práticos, às críticas e aos aprendizados na migração de Brahma para AmBev. Por exemplo: "O lucro é fundamental para manter as melhores pessoas na empresa e o crescimento é fundamental para gerar oportunidades, mas jamais sacrificamos nossas marcas ou a qualidade dos nossos produtos pelo resultado".

Um dos aspectos que Marcel mais se preocupava em reforçar era a atitude de dono. O estímulo para que cada um se responsabilizasse pelo próprio avanço na empresa era um ponto-chave do modelo, e ia na contramão do que era comum no ambiente corporativo brasileiro. Geralmente, os RHS e lideranças das empresas eram os principais responsáveis por cuidar da carreira dos funcionários, indicando o caminho que poderiam seguir para crescer internamente. Na AmBev era diferente. As oportunidades também eram oferecidas pela companhia, mas para aqueles que tivessem uma atitude proativa e que superassem as expectativas.

Na prática, essa atitude proativa se traduzia na criação de diversos projetos pelos próprios executivos em suas respectivas áreas de atuação. O que a diretoria dizia era aonde deveriam chegar. A partir dessa direção, cada um seria responsável por apresentar a própria trajetória para contribuir com o objetivo principal da companhia — e batalhar pela aprovação do chefe. Os objetivos da empresa em geral se resumiam a crescimentos numéricos. Para ajudar a companhia a atingi-los, cada um criava seus projetos dentro do escopo de sua área. Por exemplo, o lançamento de um programa de fidelidade para os pontos de venda que priorizassem os produtos da Brahma; um novo rótulo para alcançar um público até então distante da cervejaria; parcerias com a indústria de eletrodomésticos para desenvolver geladeiras mais adequadas para a venda dos produtos AmBev. O mesmo valia para a carreira. Os funcionários tinham liberdade para buscar vagas e se candidatar a cargos em áreas diferentes daquelas em que atuavam, em qualquer operação da empresa.

A atitude de dono significava, em alguns casos, ir contra as ordens da própria diretoria. Um ex-gerente de fábrica no Rio de Janeiro decidiu manter em sua equipe um supervisor que vinha da Antarctica porque acreditava em seu potencial. Em alguns meses, ele o indicou para a função de mestre cervejeiro, o que representaria um avanço na carreira. Mas o diretor da área não deu seu aval. Ele orientou o gerente a demiti-lo porque "não tinha o perfil da empresa". O gerente desobedeceu e não contou aquilo a ninguém.

Dois anos depois, o supervisor havia deslanchado. A aposta valera a pena. A diretoria regional mudou, e seu novo chefe adorou o supervisor. Quis levá-lo para trabalhar no escritório, o que significaria uma promoção. Ao ouvir a história completa, o novo diretor ficou indignado: "Você está louco? Tinha que ter demitido o rapaz". A história finalmente chegou ao antigo diretor, que estava em outra área. Quando soube do que aconteceu, ele chamou o gerente para conversar. "Ainda bem que você não fez o que eu mandei. A gente ia perder um talento. Agora vamos botar o cara para crescer!" "Não só fiquei aliviado, como admirado. Foi uma atitude humana. Ouvir um chefe dizer 'Obrigado por não ter me escutado' é fantástico", diz o gerente, que trabalhou na empresa entre 1995 e 2008.

Nem luxo nem miséria

A preocupação em gastar pouco — cada vez menos para fazer as mesmas coisas — já estava inculcada na mentalidade dos executivos vindos da Brahma. Mas exigiria uma mudança de padrão nos da Antarctica. A divergência vinha à tona em conversas entre as equipes de diferentes áreas e explicava por que as margens de lucro da cervejaria carioca haviam engordado tanto quanto as dívidas da paulista durante os anos 1990.

Um episódio no setor logístico ilustrava a diferença de raciocínio. Um executivo da Brahma insistia no desenvolvimento de um sistema próprio de logística. A tecnologia cruzaria dados de 550 distribuidores, 45 CDDs, 38 fábricas e 350 itens de estoque (embalagens de diferentes marcas da empresa). Com base na análise automatizada de variáveis de previsão de vendas, custo e produção regional, o programa indicaria o melhor planejamento para atender aos pedidos.

Do outro lado da mesa, o executivo da Antarctica resistia a aceitar a implantação do projeto. Seu argumento era o de que, no fim das contas, todo aquele investimento resultaria em só 10% de economia.

"Dez por cento não faz diferença!", insistia ele.

"Como não faz diferença?", questionava seu par, levantando a voz e arregalando os olhos. "Em uma empresa que movimenta bilhão, qualquer metro faz muita diferença."

O projeto foi implantado, e resultou em uma economia de R$ 19 milhões em processos de produção e logística em 2001. O valor era o equivalente a 2,4% do lucro líquido da AmBev naquele ano.

Em pouco tempo, o conceito de frugalidade estaria difundido na AmBev. Refletia-se tanto na conduta das pessoas no dia a dia quanto na relação da empresa com o mercado. Eventos para investidores, por exemplo, não tinham luxo. Nessas ocasiões, a companhia não servia cerveja nem contratava uma equipe para credenciar convidados. Quem chegasse escrevia o próprio nome em um crachá. "Esse detalhe faz toda a diferença", diz um analista financeiro que cobre o setor no Brasil. O comportamento não significava, porém, que a AmBev adotasse uma postura desleixada ou descuidada. Os ambientes dos eventos e o próprio escritório tinham decoração simples, mas com materiais de qualidade e estética moderna — como seriam os escritórios da companhia em outros países, nos anos seguintes. Os executivos enfatizam que nunca se cultuou precariedade. O que se combatia, e se combate até hoje, era ostentação e luxo, como móveis de grife e obras de arte milionárias, itens comuns em diversas grandes empresas no Brasil.

Uma empresa dentro da empresa

Como condição para a fusão, nos primeiros quatro anos a AmBev estava proibida de fechar fábricas de cerveja, mas não de refrigerantes. Em 1999, a Antarctica tinha 22 fábricas e a Brahma, 28, somando cinquenta. Em 2002, a AmBev tinha quarenta, dez a menos. Como nos demais setores, o critério para decidir abrir ou fechar uma fábrica era sempre a combinação de corte de custo e eficiência. Um dos poucos sistemas herdados da Antarctica foi o ERP da SAP, empresa alemã que desenvolve softwares de gestão. A Brahma já havia estudado implantar o SAP. Mas a diretoria decidira manter seu sistema próprio, que muitas vezes se resumia a planilhas de Excel. Era uma tecnologia mais precária, mas que funcionava, porque a aplicação era minuciosa. Agora o momento era outro. Diante da infinidade de desafios que começavam a encarar, os diretores decidiram unir os primorosos processos da Brahma aos recursos de ponta usados na Antarctica — até porque eles já estavam pagos.

Na área administrativa, os ganhos de eficiência derivaram de uma aposta de Marcel e Magim em um conceito novo no ambiente de negócios. A AmBev nasceu com cinco diretorias regionais: Norte, Nordeste, Sul, Sudeste e Centro-Oeste. Cada uma tinha dois núcleos, um de vendas e outro fabril. Em cada núcleo, por sua vez, havia uma área de suporte própria, formada por financeiro, compras e gente, e gestão. No entanto, depois de ler uma reportagem em uma revista norte-americana sobre tendências em negócios, Magim começou a ver as equipes de apoio com outros olhos. Era gente demais fazendo as mesmas tarefas. O texto que o inspirara contava um caso de uma empresa que havia criado uma área de serviços compartilhados. Tratava-se de uma central responsável por concentrar o trabalho de suporte, que não tinha ligação direta com a atividade principal da empresa, mas que precisava ser feito recorrentemente e em grande volume, como a compra de produtos de limpeza e de materiais de escritório. Magim chamou Vicente Falconi para conversar. Apresentou a ideia que lera na revista. O consultor não só apoiou como disse que tinha o sonho de construir um Centro de Serviços Compartilhados (CSC). A consultoria Accenture ajudou no desenho da nova área. O intuito era concentrar os trabalhos de apoio às áreas principais que até então estavam diluídos nos cinco escritórios do Brasil.

Claudio Garcia, o Claudão, era na época gerente de orçamento e desempenho e lideraria o projeto. Ele apresentou o conceito do CSC em uma reunião com a gerência. Para ilustrar o conceito, projetou a imagem de um barco grande, pesado, navegando contra a maré alta. Em seguida, seu contraponto: um barco menor, firme e leve, que avançava rápido. Com a analogia queria mostrar que, com o CSC, a empresa poderia deslanchar sem perda de tempo, dinheiro e energia em atividades que não tinham a ver com o negócio principal. Parte dos diretores e gerentes permaneceu cética quanto à eficiência da nova área. Questionavam a agilidade para resolver problemas corriqueiros em um ambiente separado. Parte do desafio da equipe de Claudão seria superar essa resistência.

O CSC foi montado em Jaguariúna, um município da região metropolitana de Campinas, no interior de São Paulo. Com 29 500 habitantes, tratava-se de um polo tecnológico e, portanto, ofereceria as condições necessárias de comunicação com o resto da companhia. O novo escritório ocupou um antigo galpão da Antarctica que estava ocioso ao lado de uma fábrica da empresa.

Um time de quinze pessoas se mudou para Jaguariúna em 2001 para construir a nova área. Em seis meses, a primeira etapa do projeto dera certo, e começava a chamar a atenção da empresa.

A área passou a funcionar como uma prestadora de serviço dentro da própria AmBev. As demandas agora eram atendidas por meio da abertura de chamados. De acordo com a natureza de cada área, havia um prazo para a resolução do problema. O modelo foi replicado por diversas companhias brasileiras nos anos seguintes. Em 2005, outro time liderou a expansão das áreas de suporte do CSC no Projeto Propulsão.

Sonho para todos

É difícil precisar quando Marcel ancorou formalmente o discurso da cultura da AmBev à ideia de sonho — que vinha de "sonhar grande", expressão atribuída a Jorge Paulo Lemann. Mas há muito tempo esse é um conceito que permeia toda a comunicação interna da empresa. Em vez de falar em missão, visão e valores, como a maioria das corporações faz, na cervejaria se fala em sonho. Hoje, essa é a "Dream People Culture", filosofia oficial que resume o modus operandi da companhia e funciona como uma cartilha para os funcionários.

Chamar de sonho o objetivo da empresa e de cada pessoa que trabalhava nela conferia um sentido maior a todo o pragmatismo que movia a AmBev no dia a dia. A rotina de executivos e operários naquele negócio essencialmente industrial era, muitas vezes, repetitiva. Poderia ser mecânica e sem graça. Mas a cultura de sonho era como um molho especial e único que atribuía sabor e identidade a um prato, por si só, trivial.

Um dos principais desafios da diretoria da AmBev era encantar todos os funcionários com essa ideia, incluindo no discurso os conceitos de crenças e princípios. O diálogo era inicialmente estranho para o ambiente corporativo. Ao mesmo tempo que se falava de ganhar milhões de reais, se falava de sonhos. Com o tempo, as pessoas entendiam a mentalidade e consideravam o discurso motivador. No caso dos operários de fábrica, no entanto, aquilo parecia outro idioma. Para eles, em geral, trabalho era trabalho, muitas vezes braçal. Sonho era outra coisa — em alguns casos, bem distante do trabalho. O melhor caminho era o exemplo, acreditava Marcel. Não bastava ter uma bandeira ou falar bonito. Seria preciso encontrar formas de traduzir o sonho em práticas cotidianas, que se tornassem parte da realidade da nova companhia.

O instrumento para tanto já existia. Eram as metas de cada área e de cada funcionário — dos executivos aos operários —, atreladas, de um lado, ao objetivo da companhia e, de outro, ao desempenho pessoal do profissional ao longo do ano. Nas fábricas, essas metas estão ligadas ao Programa de Excelência Fabril, o PEF, hoje batizado globalmente de Voyager Plant Optimization — VPO, que determina indicadores de diversas frentes do processo. Entre eles, produtividade nas linhas, segurança, consumo de água e eletricidade, meio ambiente e perdas. As unidades competem internamente e entre si. Os funcionários das fábricas com melhor desempenho recebem bonificações financeiras. Outra forma de ganhar reconhecimento interno (embora, nesse caso, não haja remuneração em dinheiro) é o compartilhamento de melhores práticas também entre as unidades industriais. Quando algum operário cria uma melhoria no processo, recebe a atenção dos diretores corporativos. Com alguma frequência, esses casos vão parar na convenção global da companhia. Desde o início da AmBev, essas eram formas de materializar a ideia de sonhar, acreditar no próprio plano, realizar e ser recompensado por isso — fortalecendo o conceito.

Uma das oportunidades de transformar palavras em atitudes foi o "75-20", um projeto local que aconteceu entre 2000 e 2001 na fábrica Nova Rio, no bairro carioca de Campo Grande. Aquela era a maior fábrica de cerveja da América Latina, construída pela Brahma em 1994. O nome 75-20 se referia às metas que deveriam ser alcançadas na conclusão do trabalho: 75% de eficiência e 20 milhões de hectolitros da bebida produzidos por ano.

O comitê que desenvolveria a estratégia de trabalho era formado por Claudio Braz Ferro, diretor industrial, Maurício Luchetti, diretor de gente e gestão, Vicente Falconi, consultor, e Eduardo Bartolomeo, diretor regional que, em setembro de 2001, fora convidado para substituir o gestor anterior na liderança do projeto.

Naquele momento, o que os executivos conheciam era o grave sintoma dos problemas da unidade: faltava cerveja nos pontos de venda do Rio de Janeiro. Mas, quando analisavam os indicadores de eficiência da fábrica, a informação não fazia sentido. Segundo o sistema logístico, com 70% de eficiência, era possível produzir determinada quantidade de cervejas, mas na realidade só se produzia a metade. Algo estava errado. Logo se descobriu que a falha era consequência da manipulação que alguns funcionários haviam feito nos dados.

Embora fosse um projeto local, era um dos casos que Marcel acompanhava de perto, participando de algumas reuniões. A falta de produto era um tema fundamental para a cervejaria, e aquela era uma oportunidade de dar o exemplo da cultura na fábrica, combatendo a corrupção pontual e aumentando a autoestima dos operários. Em casos como esses, em que se comprovava a responsabilidade de algumas pessoas pela fraude nos resultados ou processos, os envolvidos eram demitidos por justa causa — inclusive como forma de dar o exemplo para toda a companhia, segundo relato de diversos ex-funcionários.

Bartolomeo montou uma equipe para aplicar os princípios descritos no PEF. Não era preciso ter uma grande ideia para resolver o problema: bastava colocar em prática o manual da Brahma.

Na época, a estagiária de gente e gestão da fábrica Nova Rio era uma garota de dezenove anos, estudante de administração. Na primeira conversa que teve com Bartolomeo, surpreendeu-se com o jeitão do diretor: "Aonde você quer chegar aqui, garota?", perguntou ele. Era seu primeiro emprego e ela não sabia nem os cargos que existiam na AmBev. "Você tem que querer chegar ao meu lugar", ele mesmo respondeu. "Aquilo teve um alto e positivo impacto sobre mim naquele momento", ela afirma.

O diretor "martelava" regularmente a cultura para as pessoas da fábrica. Ele iniciava as reuniões dando exemplos práticos de comportamentos esperados pela diretoria. Sempre escolhia um dos itens do livro da cultura e questionava alguém do time: "O que você fez hoje para praticar isso?".

Em 2003, o projeto 75-20 foi concluído com resultado bem acima do esperado: 93% de eficiência na fábrica e capacidade para produzir os 20 milhões de hectolitros por ano. O efeito moral também foi atingido. A corrupção pontual foi combatida e a autoestima da equipe foi elevada. Para os operários, a filosofia do sonho se tornava aos poucos mais tangível.

Revolta na distribuição

Mas nem tudo ia bem. Desde o anúncio da união entre as cervejarias, havia uma preocupação da diretoria da AmBev com a reação dos revendedores. No momento em que a empresa foi criada, dezenas de distribuidores de Brahma e Antarctica já tinham sua saída marcada — e nem todas seriam tranquilas e amigáveis. Outras ainda seriam anunciadas, e precisariam passar por negociações. Alguns distribuidores processariam a companhia e fariam barulho na imprensa.

A partir de 2002, a companhia estabeleceu um cálculo-padrão para definir quanto pagaria a cada revendedor com quem rompesse o contrato. Baseava-se nos ativos e no cadastro de cada ponto de venda. Por isso, os números variavam de um estabelecimento para outro. Logo que a fusão foi aprovada, Adilson Miguel reuniu os 630 distribuidores de Brahma, Skol ou Antarctica para dizer que, embora não pudesse responder de uma vez quem ficaria na rede, ninguém sairia sem negociação.

Aproximadamente quarenta revendedores, representados pelo advogado Ricardo Sayeg, professor de direito econômico da PUC-SP, saíram da rede assinando o acordo proposto pela cervejaria. Parte deles, no entanto, tentou voltar atrás na decisão. Alguns diziam ter aceitado os termos da AmBev por falta de opção. Outros, que negociaram o encerramento do contrato antes de 2002, exigiam que a cervejaria revisasse seus pagamentos, seguindo a nova metodologia. Alguns já tinham até entrado com ações na Justiça, mas tiveram os pedidos negados. A diretoria da AmBev se recusava a rever tratos já concluídos.

Em 2005, um grupo de revendedores desligados pela companhia, representado pelo ex-distribuidor e advogado Renato Artero, começou a procurar os executivos da AmBev na tentativa de reabrir as negociações que haviam assinado. O grupo formou a Associação dos Distribuidores e Ex-distribuidores dos Produtos AmBev do Estado de São Paulo e da Região Sudeste (Adisc-SP), e acusava a companhia de não ter pago a alguns distribuidores o valor acordado. "Isso não é verdade", afirma Pedro Maciel, ex-diretor responsável por conduzir boa parte das negociações pessoalmente. "A empresa cumpriu integral e religiosamente todos os acordos assinados."

Além de procurar os diretores da cervejaria, Artero liderou ações coletivas e conseguiu audiências públicas no Senado. Em 9 de novembro de 2005, a Adisc entrou com pedido de revisão da constituição da AmBev pelo Cade. Era uma tentativa de vincular as reivindicações dos ex-revendedores a um suposto abuso de poder da companhia. Mas não teve sucesso. Em 23 de julho de 2008, o órgão antitruste afirmou que a AmBev havia cumprido todos os compromissos assumidos na fusão.

Em 2016, Artero apelou à Comissão Interamericana de Direitos Humanos, mas não conseguiu reabrir as negociações.

Em 16 de agosto de 2017, a Justiça Federal de São Paulo determinou a extinção da ação movida pela Adisc. Ao longo desse período, o Cade arquivou diversas denúncias de ex-revendas. No total, a AmBev ganhou 82% dos processos judiciais envolvendo revendas. Entre as ações que a AmBev perdeu está uma movida por um distribuidor de Valença, no Rio de Janeiro, e concluída em fevereiro de 2016. A cervejaria foi acusada de ter usado cláusulas draconianas no contrato e de ter exercido abusos na relação comercial. Os dois sócios da distribuidora disseram ter sido forçados a vender seu negócio "a preço vil" a uma concorrente maior, indicada pela AmBev. Por isso, a empresa teve de pagar R$ 1,7 milhão com juros e correção monetária.

As reivindicações e ações judiciais deixaram marcas na rede de revendedores pelos anos seguintes. Hamilton Picolotti, presidente da Confederação Nacional das Revendas AmBev e das Empresas de Logística da Distribuição (Confenar) entre 2009 e 2013, afirma ter chegado à confederação quando já existia "muita animosidade" entre os distribuidores e a companhia. No entanto, relata que sua experiência com a companhia é positiva. "Encontrei na AmBev gente do bem e de boa vontade, que queria resolver os problemas, e não os complicar." Picolotti destaca o então diretor Pedro Maciel, Ricardo Tadeu, que nessa época era vice-presidente nacional de vendas, e João Castro Neves, então presidente da empresa. "Eles nunca nos forçaram a fazer algo que não deveria ter sido feito", diz. Segundo ele, tudo era muito discutido e "quando o ruído era maior do que o benefício, adiávamos a decisão".

Pedro Maciel, que deixou a empresa em 2015, considera o saldo do trabalho com as revendas positivo. "Os distribuidores podem falar o que quiserem sobre a companhia, menos que não tiveram a oportunidade de negociar. Minha consciência está tranquila", afirma. "Não só fizemos a coisa certa, como fizemos do jeito certo."

Em 2002, a rede de distribuição da AmBev atendia a mais de 1 milhão de pontos de venda, em mais de 5 mil municípios do Brasil. Era formada por quinhentos revendedores exclusivos e 44 CDDs. Até 2015, seriam negociadas a saída ou a venda de cerca de quatrocentos distribuidores. Em 2018, havia aproximadamente cem associados à Confenar.

O esforço da AmBev resultou em um grupo mais enxuto de distribuidores, em um modelo híbrido, que inclui empresas terceirizadas e CDDs. A diretoria buscou um ponto ótimo entre o número de revendedores absorvidos e de distribuidores que manteve terceirizados. Estes, que continuam independentes, têm um papel estratégico para a companhia, já que trabalham com maior transparência de gestão, se adequaram às exigências da AmBev e mantêm um relacionamento próximo com os pontos de venda das regiões em que atuam.

Skol, Brahma e Antarctica numa compra só

O Projeto Forró, de compra de distribuidores pela companhia, que começou na Brahma em Recife em 1996, também daria mais um passo. Alguns dos distribuidores adquiridos pela AmBev passariam por uma mudança em sua organização. Agora, teriam de compartilhar as equipes para atender, simultaneamente, às três principais marcas da companhia: Brahma, Skol e Antarctica.

Era um pensamento novo. Na década de 1990, Marcel sequer havia considerado juntar os revendedores de Brahma e Skol, apesar da recomendação de uma consultoria. Marcel não queria misturar os dois grupos e expor o entusiasmo dos novos à lassidão de alguns veteranos. Agora, porém, o contexto havia mudado.

Apesar da alta concentração de mercado da AmBev, a empresa não tinha seu território garantido no médio nem no longo prazo. Era preciso brigar com marcas que cresciam no país, como Kaiser, Schin e Itaipava — e com a ameaça das que poderiam chegar de fora, como a holandesa Heineken, que entrou no Brasil em 2010. Consolidar as revendas seria uma forma de ganhar eficiência e controle sobre a gestão de toda a rede, e se fortalecer diante das concorrentes. Marcel concluiu então que era hora de lançar a distribuição trimarca, tanto nas revendas terceirizadas quanto nos CDDs. A AmBev contratou a consultoria

Gradus para ajudar a fazer os cálculos de performance ideal e de ganhos de custos de distribuição.

O conceito de trimarca foi apresentado por Adilson em uma convenção com cerca de duzentos revendedores em Orlando, nos Estados Unidos, em 2000. "Esse é o futuro da distribuição", disse o diretor. Enquanto ouviam, os revendedores voltavam a se perguntar o que aconteceria com eles no novo cenário.

A resposta era objetiva. Ficariam na rede os que tivessem pontuação acima de 90% no Programa de Excelência. Algumas cidades tinham um distribuidor diferente para cada marca da AmBev. O primeiro passo seria identificar os melhores das regiões. Eles ficariam na rede e seriam incentivados a comprar os demais.

Pedro Maciel, ex-diretor nacional de revendas da Antarctica (que antes fora distribuidor da Skol), agora fazia parte da equipe de Adilson. Foi gerente de revendas até 2004 e, a partir do ano seguinte, diretor. Como gerente, ele se tornou o responsável por duas frentes: a expansão da distribuição direta e o aumento de produtividade dos distribuidores, que deu origem ao Programa de Produtividade das Revendas (PPR) e atenderia as distribuidoras próprias e terceirizadas. A intenção era ajudar todos os negócios a ganhar musculatura para ser mais competitivos.

As iniciativas do PPR incluíam transferir conhecimento, desenvolver processos e fazer parcerias com fornecedores. Com a consolidação, uma distribuidora que atendia 2 mil pontos de venda de repente passaria a atender 5 mil. Se ela usava vinte caminhões, passaria a usar sessenta. Se tinha dez vendedores, teria de aumentar para trinta. O que a equipe de Pedro Maciel fazia era capacitar os distribuidores por meio de diversos programas e ações.

O time de produtividade levava os revendedores especialistas em várias áreas para falar com os pequenos empresários e ajudar na gestão dos negócios, como logística, vendas, movimentação de mercadorias e gestão de armazéns.

Por exemplo, a AmBev fez uma parceria com uma fabricante brasileira de caminhões para desenvolver um veículo com menor custo e maior capacidade, sob medida para as bebidas e os tipos de trajeto que faziam seus vendedores. O resultado foi um caminhão apropriado para carregar o dobro de pallets do modelo-padrão.

Sob o guarda-chuva das revendas, havia ainda uma terceira frente: o programa de sucessão, que tinha sido trazido da Brahma e ganharia força. O principal objetivo era preparar as distribuidoras para o crescimento no longo prazo, garantindo que houvesse profissionais capacitados para tocar os negócios quando outros saíssem da operação.

Todo o projeto inicial com as revendas, com suas três frentes, foi batizado de Cemex. O nome era uma alusão à terceira maior produtora de cimentos do mundo, a Cementos Mexicanos. A inspiração surgiu de Carlos Brito e Juan Vergara, que haviam estudado o caso da cimenteira mexicana em um curso de estratégia de uma semana em Harvard, pouco antes da fusão. De 1992 a 2000, a companhia adquiriu outras cimenteiras na Europa e nas Américas — incluindo a Southdown, com sede nos Estados Unidos, que tornou a Cemex a maior empresa de cimentos da América do Norte. O comando para a diretoria de revendas, assim como para o resto da empresa, era, mais uma vez, se inspirar em uma história grandiosa, ainda que de outro setor. Em outras palavras: fazer o simples, sem prurido de copiar o que já tinha dado certo.

Um negócio emocional

Uma parte do trabalho da consolidação das revendas não cabia em planilhas nem podia ser resolvida com cálculos matemáticos. Era preciso empatia, paciência e delicadeza para fechar os acordos com os donos dos negócios que deixariam a rede. A decisão partia dos indicadores objetivos, mas se desdobrava em decisões e atitudes que exigiam tato e sensibilidade. Os números eram a parte fácil das conversas com os distribuidores. O difícil era administrar a carga emocional que permeava as negociações.

Um revendedor de sessenta anos que não tivesse um sucessor nem uma equipe preparada para crescer na empresa provavelmente tampouco teria um processo de contratação ou de avaliação de pessoas estruturado. Logo, sua pontuação no Programa de Excelência ficaria abaixo de 70%. Um empresário com esse perfil não teria capital para investir na aquisição de um concorrente. Quando recebesse a visita de Pedro Maciel, não haveria surpresa. Ou não deveria haver.

Adilson e Pedro Maciel eram conhecidos pelo bom relacionamento com os distribuidores. O fato de Pedro já ter sido revendedor da Skol fazia com que entendesse as dificuldades e angústias de quem estava do outro lado da mesa. Ele e uma equipe de seis pessoas conduziram a maior parte das negociações. Em alguns casos, outros diretores ajudavam, já que, por estar sempre próximos aos mercados em que atuavam, acompanhavam de perto alguns distribuidores, e às vezes identificavam oportunidades de consolidação.

Negociar com as revendas era delicado. As conversas envolviam temas como identidade, família e status. Costumava-se dizer no mercado cervejeiro que em toda cidade do país havia uma igreja, um Banco do Brasil e um distribuidor. Em outra versão, falava-se que quatro pessoas mandavam em qualquer cidade: o padre, o delegado, o juiz e o distribuidor da Brahma. As brincadeiras refletiam o prestígio inerente a um revendedor da AmBev. Acontecia com os revendedores dispensados algo similar ao que desestabiliza tantos executivos que se aposentam ou são demitidos da empresa à qual dedicaram décadas de sua vida. Eles tendiam a passar por uma crise de identidade. No caso dos prestadores de serviço da cervejaria, teriam de se acostumar a não ser mais o "João da Brahma" ou o "José da Antarctica".

Em função de todas as variáveis além dos números, os executivos da AmBev escolheram o caminho mais longo e trabalhoso para desfazer os acordos com as revendas com pior desempenho. Isso significava dedicar tempo e inteligência emocional em cada situação. Entre a primeira conversa e a venda da distribuidora, o tempo de negociação variava entre sessenta dias e um ano e meio.

Um dos casos mais marcantes para Pedro aconteceu com um distribuidor que ficou mais de trinta anos na rede. Ele resistia em aceitar o fim do acordo. "Você ficou velho, tem que sair do negócio", disse o executivo da AmBev, olhando em seus olhos, em tom cordial. Os dois tinham uma relação próxima. "O mercado mudou. Até o Pelé teve sua hora de parar", disse Pedro. O revendedor balançava a cabeça olhando para baixo. Engoliu o acordo, mas demorou. Alguns anos depois, convidou Pedro para almoçar. No dia do encontro, disse: "Eu queria te agradecer porque demorei para te ouvir e entender o que me dizia, mas realmente foi melhor eu ter saído. Sou muito mais feliz hoje".

As longas e pacientes conversas pareciam à equipe da AmBev o melhor a fazer tanto para a revenda, do ponto de vista humano, quanto para a empresa, sob a perspectiva de prevenção de crise. Se os distribuidores ficassem satisfeitos com a negociação, todos saíam ganhando.

O paradoxo do sucesso

Entre 2000 e dezembro de 2001, a fusão entre Brahma e Antarctica gerou ganhos de sinergia de R$ 498,5 milhões para a AmBev, somando as áreas industrial, de distribuição, administrativa e de compras. Logo nos primeiros anos, boa parte do empresariado brasileiro, dos mais diversos setores, passou a considerar a companhia uma referência de administração e cultura, se não em todo o seu modelo, em alguma de suas frentes: gestão de pessoas, sistema de metas e remuneração, processos estruturados, qualidade industrial, distribuição eficiente, entre outras.

Para os executivos que deixavam a companhia, conseguir um novo emprego rápido era — e ainda é — praticamente uma garantia. Dezenas, talvez centenas, de ex-profissionais da AmBev foram abordados por donos ou executivos de outros negócios, dos mais variados tamanhos, e convidados para trabalhar com eles. Mas a proposta trazia sempre um pedido tão direto quanto desafiador: reproduzir o modelo AmBev.

Dentre as empresas que tentaram replicar o modelo a partir da contratação de ex-funcionários da AmBev, três se destacam: a Gerdau, que contratou o consultor Vicente Falconi, a administradora de shoppings BR Malls e a indústria de alimentos BRF, criada a partir da fusão entre Sadia e Perdigão em 2011. Segundo diversas fontes próximas às companhias, elas conseguiram reproduzir apenas alguns processos, mas não se comparam à AmBev em termos de eficiência de execução.

O fato de ter se tornado uma referência no mercado não significava que tudo corria tranquilo para a companhia. A AmBev passava longe de ser uma unanimidade. Desde a barulhenta fusão com a Antarctica, a empresa seguiu dividindo opiniões. Seus defensores apontavam a excelência em formar pessoas, replicar modelos e criar processos, e a transparência quanto à cultura adotada para isso. Seus críticos apontavam sua agressividade excessiva e sua mentalidade voltada unicamente para resultados financeiros. A fama da cervejaria ganhara vida própria e os efeitos disso se apresentariam com o tempo. Para o bem e para o mal.

CAPÍTULO 9

A sombra do gigante

Na AmBev do começo dos anos 2000, prevalecia a sensação de que não havia tempo a perder. A vida de quem trabalhava na cervejaria era intensa e agitada. Embora se tratasse de um negócio muito sistematizado, não se podia reclamar de monotonia na rotina. As pessoas tinham pressa — ou senso de urgência, como costumavam dizer. Eram movidas por um anseio constante de realizar uma tarefa, atingir um resultado, concretizar uma ideia, ser promovidas. Um ex-diretor disse ter sentido que o lugar era "eletrizante" na primeira vez que caminhou pelos corredores do escritório da companhia. As pessoas passavam gritando, dando risada, reclamando, vibrando. "Era vivo, efervescente, desconcertante", define.

Foi essa cultura que permitiu que pessoas de vinte e poucos anos de idade testassem conceitos que poderiam ter levado anos para verem aplicados em outra grande organização. Diversos profissionais mencionam a AmBev como a grande escola de sua carreira.

Para crescer na cervejaria, havia quatro regras básicas: preparar um sucessor para assumir seu lugar assim que surgisse uma oportunidade de promoção; estar disposto a ir para qualquer lugar do Brasil (e, mais tarde, do mundo); topar atuar em diversas áreas do negócio; ser proativo, criando projetos que poderiam levá-lo mais longe.

Desde que entravam na empresa, os colaboradores eram treinados a não se limitar ao seu quadrado de especialização. Uma ex-gerente de TI conta que, em sua primeira semana de AmBev, gostou do fato de participar de uma reunião com o presidente da empresa. Era algo inédito em sua carreira. "Senti um frio na barriga e pensei: 'Não tenho bagagem de negócio para estar aqui'." Logo viu que estava enganada. Precisava apenas enxergar além do seu ramo, entender como seu trabalho influenciava os demais setores e era influenciado por ele. Passou a fazer parte de sua rotina participar de encontros de outras áreas e contribuir ativamente.

A ex-gerente e outras pessoas que passaram pela AmBev afirmam ter desenvolvido uma visão global do negócio, o que as ajudou nos empregos que tiveram depois. Pedro Leduc, analista financeiro que cobria o setor de bebidas pelo banco J.P. Morgan até 2018 (hoje investidor em um fundo internacional), ressalta a postura dos executivos de relações com investidores, os chamados RIS, com quem tratava quando tinha alguma questão. "Como nunca ficam muito tempo em uma área, os profissionais da AmBev são versáteis e ajudam a entender os problemas de fato e a encontrar soluções melhores", afirma. Se não sabem responder, Pedro diz que deixam isso claro e correm atrás da informação rapidamente.

Ser proativo significava também ter a liberdade de defender pontos de vista em debates cotidianos. Em geral, prevalece na AmBev a "lei do argumento", independentemente da hierarquia. Embora os cargos sejam bem definidos — e almejados —, as relações no dia a dia denotam uma organização horizontal. É bem visto não ficar esperando as instruções do chefe para resolver um problema ou traçar um plano para a própria carreira.

O trabalho era duro, mas ex-executivos relembram os primeiros anos da empresa como um período de "muita festa", associado a um clima que lembrava o de colégio ou faculdade. Em função do ritmo frenético de trabalho, a convivência entre os colegas costumava extrapolar o horário de expediente.

Marcel Telles incentivava os executivos a aplaudir iniciativas de outras pessoas da equipe. Vivia repetindo que, na AmBev, davam oportunidades àqueles que demonstravam ter mais potencial e os colocavam para "roer um osso maior do que se pode morder". "Tem gente que adora isso, tem gente que fica assustado pra burro. Assustou, saiu", ele afirma. "Nós damos o suporte e eles aprendem rodando. A vantagem de formar alguém assim compensa os riscos",* diz Marcel.

Mas não os elimina. Esse mesmo ambiente efervescente abria brechas para pressa, impulsividade, atitudes inconsequentes ou simplesmente imaturas, que, muitas vezes, custaram caro para a empresa.

Era comum profissionais de menos de trinta anos em cargos de confiança, com o poder de tomar decisões envolvendo centenas de milhões de dólares e equipes de dezenas de pessoas. Por um lado, o resultado foi um crescimento acelerado, invejável e inédito no mercado brasileiro — tanto dos executivos quanto da companhia. Por outro, as atitudes de alguns gestores carregavam uma agressividade questionável nas interações com os colegas.

Uma ex-gerente de gente e gestão, que entrou na Brahma em 1999 e ficou na AmBev até 2007, conta que nem todo mundo se adaptava a esse ambiente. Ela

---

* Sandro Luiz Costa Roma, "Desafios do sucesso no longo prazo em estratégias de reestruturação: o caso da AmBev", UFRJ, 2011.

Antes de ser banqueiro e dono de cervejaria, Jorge Paulo Lemann foi jogador de tênis. Ainda pratica o esporte nos momentos de lazer.

Jorge Paulo Lemann completa oitenta anos em 2019. Foi substituído pelo filho Paulo Alberto Lemann no conselho da AB InBev em 2014.

Equipe do Banco Garantia em 1996: Roger Wright, Claudio Haddad, José Olympio da Veiga Pereira, Lemann, Fernando Prado e Andrew Shores. A cultura criada no banco foi reproduzida na cervejaria e se tornou referência em todo o mundo.

Marcel Telles na capa da revista *Exame*, publicada em julho de 1999, com o "gesto mágico" da clássica campanha "Número 1".

Cartazes da Brahma em homenagem à seleção brasileira de futebol: à esquerda, em junho de 1958, quando foi campeã na Suécia; acima, em 1962, bicampeã na Copa do Chile.

Vista da antiga Antarctica, fundada em 1885 como uma empresa que fabricava e vendia gelo e armazenava alimentos, em São Paulo.

Victorio de Marchi e Marcel Telles, em 2000, depois da fusão entre Brahma e Antarctica que deu origem à AmBev. Eles passariam a ser copresidentes do conselho da companhia. Abaixo, Victorio com Carlos Brito em março de 2004.

Carlos Brito, então diretor comercial, em visita a uma sala de vendas, na primeira década dos anos 2000.

No canto esquerdo, Brito, com a mão no queixo, assiste à reunião matinal comandada pelo gerente Fabio Levalessi.

A famosa reunião matinal, realizada todo dia às sete da manhã, no Centro de Distribuição da Mooca, em São Paulo, em 17 de janeiro de 2019.

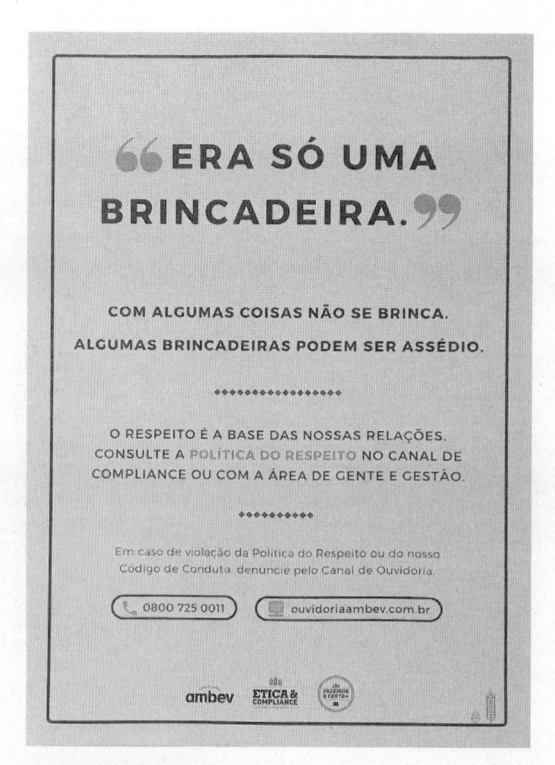

"ERA SÓ UMA BRINCADEIRA."

COM ALGUMAS COISAS NÃO SE BRINCA.
ALGUMAS BRINCADEIRAS PODEM SER ASSÉDIO.

O RESPEITO É A BASE DAS NOSSAS RELAÇÕES. CONSULTE A POLÍTICA DO RESPEITO NO CANAL DE COMPLIANCE OU COM A ÁREA DE GENTE E GESTÃO.

Em caso de violação da Política do Respeito ou do nosso Código de Conduta, denuncie pelo Canal de Ouvidoria.

0800 725 0011   ouvidoriaambev.com.br

ambev | ÉTICA & COMPLIANCE | FAZENDO O CERTO

O cartaz busca combater o assédio. No início da AmBev, certos comportamentos foram tolerados, o que gerou efeitos negativos para as pessoas e problemas jurídicos para a empresa.

Marcel Telles e John Brock, no anúncio da fusão entre a brasileira AmBev e a belga Interbrew, que deu origem à InBev, em 2004.

Carlos Brito, então CEO da InBev, em Washington, depois de falar com políticos sobre a proposta de compra da Anheuser-Busch, em 2008.

Brito em audiência do comitê judicial do Senado de Washington para discutir questões referentes à compra da SABMiller e a possível concentração de mercado, em dezembro de 2015.

Entrada do escritório da SABMiller depois da compra pela AB InBev.

Sem paredes e com mesas coletivas, divididas por diretores e gerentes, o escritório da AB InBev em Johannesburgo segue o padrão da companhia, que se tornou uma tradição no mundo todo.

Área do escritório de Johannesburgo disponível para empreendedores apoiados pelo programa social da empresa.

Escritório da SABMiller em Johannesburgo, com mesas coletivas e grafites na parede, lembra o de empresas de tecnologia.

A equipe da SAB (de colete, Ricardo Tadeu, então presidente da empresa na Zona África) em visita a uma *township* em Durban, África do Sul.

O brasileiro Michel Doukeris é presidente da companhia para os Estados Unidos e um dos mais cotados para liderá-la no futuro, ao lado de Ricardo Tadeu, diretor global de vendas.

Beto Sicupira, sócio de Jorge Paulo Lemann e Marcel Telles desde a época do Banco Garantia. Ele foi o responsável pela gestão das Lojas Americanas, primeira aposta do trio, em 1982. Em 2019, aos setenta anos, deixou o conselho de administração da AB InBev, do qual fazia parte desde 2004, e foi substituído pela filha Cecilia Sicupira.

Senior Leadership Convention: principal encontro global entre as lideranças da AB InBev.

Carlos Brito na sede da cervejaria em Nova York.

João Castro Neves, em entrevista na sede da 3G Capital, em Nova York. Ele deixou o cargo de CEO da divisão da América do Norte no início de 2018, depois de 22 anos na empresa.

Peter Kraemer, chief supply officer da AB InBev, ex-mestre cervejeiro, foi um dos norte-americanos que permaneceram na companhia depois da compra da AB pela InBev.

Dave Peacock, no escritório da rede de supermercados Schnucks, em St. Louis, em 3 de dezembro de 2018.

Em sua casa em Marathon, Flórida, Adolphus Busch IV, tio do ex-CEO da Anheuser-Busch, August IV, concedeu entrevista para este livro, em 8 de dezembro de 2018.

Adolphus Busch IV foi o único membro da família acionista que ficou do lado da InBev na aquisição, em 2008.

Fachada da casa de August Busch IV, em Key West, Flórida. Na noite de 8 de dezembro de 2018, ele falou brevemente sobre a venda da cervejaria e os novos donos brasileiros.

August Busch IV, conhecido como Quarto, filho do III e presidente da Anheuser-Busch na época da compra pela InBev, em 2008.

August Busch III, ex-presidente da Anheuser-Busch, que até hoje prova amostras de Budweiser para avaliar a qualidade do produto.

trabalhava em uma fábrica meses depois da fusão. Era uma unidade remanescente da Antarctica, e alguns dos funcionários foram mantidos. Como d. Ana, uma analista do mesmo departamento, com sessenta anos de idade e 35 de empresa. O gerente comercial da fábrica vinha da Brahma. Certo dia, a gerente chegou na unidade e deu de cara com d. Ana chorando.

"O que aconteceu?", perguntou.

"Fui totalmente desrespeitada e maltratada", d. Ana respondeu aos soluços.

D. Ana disse que não conseguia nem repetir o que o gerente comercial havia dito para ela. Então, a gerente foi conversar com ele. Quando ela contou que a analista estava chorando, ele se surpreendeu. "Como assim? Não falei nada demais, juro." Ela pediu que ele repetisse exatamente o que havia dito. Depois de pensar alguns segundos, ele contou que tinha identificado um problema no orçamento decorrente de um erro cometido na área de gente e gestão. "Cheguei para a d. Ana, na boa, mostrei o que estava errado e falei: 'Puta que pariu, d. Ana, tu me fodeu. Que merda é essa?'"

Para ele, aquela era uma maneira normal de falar sobre um problema de trabalho. Hoje a gerente ri com a história, mas na época o episódio lhe mostrou a importância de os profissionais entenderem os impactos de seu comportamento.

Uma das maneiras de equilibrar agressividade e trabalho em equipe era o sistema de remuneração variável. Ao definir metas coletivas atreladas ao ganho individual, o objetivo de Marcel era alinhar os interesses de todo o time. Se as metas de uma pessoa fossem batidas, mas as da empresa não, ninguém recebia bônus — nem o presidente. Foi o que aconteceu nos anos de 2003, 2008 e 2016.

Várias formas de ser duro

A agressividade da companhia passava inevitavelmente pela relação com os fornecedores. Quando suspeitavam não estar pagando o melhor preço pelos produtos, os executivos da cervejaria podiam ir até as últimas consequências para pressionar os vendedores. Em alguns casos isso significava construir uma fábrica própria e conhecer de perto todos os detalhes que a produção envolvia. Foi o que fizeram, por exemplo, com as tampinhas de garrafa. Em dezembro de 2000, a companhia investiu R$ 23 milhões na construção de uma fábrica em Manaus (AM).

No caso das embalagens, a decisão foi construir uma fábrica de vidros para enfrentar as grandes empresas que dominavam o setor no Brasil. O projeto foi concluído em 2008, em Campo Grande, no Rio de Janeiro. O investimento na unidade foi de R$ 160 milhões. O objetivo era, principalmente, ter uma alternativa à aquisição da matéria-prima e entender os detalhes de diferentes etapas da cadeia do negócio essenciais para o sucesso da cervejaria. Com mais conhecimento técnico, aumentaria o poder de argumentação com os fornecedores.

Com a indústria própria, os funcionários da AmBev passaram a saber onde estavam os maiores problemas de custo e tecnologia.

No mesmo ano de 2008 em que foi construída a fábrica de vidros, a cervejaria já tinha uma área verticalizada que atendia a diversas frentes: a fabricação de extrato, rótulos, concentrado (além das tampas e garrafas). A AmBev também tinha cinco maltarias próprias (duas na Argentina, duas no Uruguai e uma no Brasil).

Se por um lado o fato de a AmBev ter fábricas de matérias-primas dos produtos e das embalagens dentro da empresa aumentava seu poder de barganha, por outro incrementava o conhecimento que podia compartilhar com a indústria. Os executivos se disponibilizavam a passar para fornecedores interessados em uma relação de longo prazo as técnicas de gestão desenvolvidas internamente. Eles entendiam que ganhariam por tabela se os produtores melhorassem sua administração financeira. Por isso, tinham uma atitude "open book" com os que topavam abrir as planilhas e encaravam a relação como benéfica para todos os envolvidos.

Gritos de guerra e pedidos do sofá

Com o crescimento da AmBev, o jeito direto, agressivo e informal passou a se espalhar de maneira descontrolada, veloz e, em alguns casos, distorcida pelas diversas áreas e camadas hierárquicas da empresa.

Um dos mais ágeis condutores desse modus operandi, nem sempre positivo, foram as salas de vendas dos CDDs. A área ganhou escala nos primeiros anos e uma importância marcante na história — e no caixa — da empresa. Era ali que ficava (e ainda fica) uma equipe formada por analistas, vendedores, supervisores, gerentes de vendas e gerentes, responsáveis por montar o roteiro e monitorar as entregas diárias de pedidos. Nas paredes, ficam expostos os nomes dos vendedores e a sua meta. De acordo com os resultados, alternam-se os que recebem destaque como vendedores da semana e do mês. Os premiados ganham diplomas, TVs, motos e outros itens em reconhecimento ao trabalho.

A dinâmica continua similar. Começa com o encontro dos vendedores às sete da manhã para a reunião conhecida como "matinal", que dura cerca de quarenta minutos. Primeiro, o gerente de cada sala se reúne com os supervisores e passa as diretrizes do dia, desde recados de segurança a resultados esperados. Depois, cada supervisor tem quinze minutos para falar com os vendedores integrantes de sua mesa e repassar as coordenadas. Em seguida, o gerente faz um discurso, geralmente inflamado, na frente de toda a sala. De pé, ele apresenta os resultados do dia anterior, elogia os vendedores com melhor desempenho e pergunta as dificuldades enfrentadas pelos que não se saíram tão bem. Em seguida, dá as diretrizes para a semana ou para o dia em uma linguagem informal. Muitas vezes, propõe o "desafio do dia". Por exemplo: vender guaraná zero ou uma quantidade grande de Skol. A reunião termina com todos entoando o grito de guerra — cada sala de venda compõe o próprio hino — e batuques em instrumentos, como uma roda de samba.

Os funcionários são, em sua grande maioria, homens. Em 2019, o centro de distribuição da Mooca, referência em São Paulo, passou a ser gerenciado por uma mulher, Thais Cavinatto. A sala de vendas é como o lugar em que eles se aquecem antes do jogo e para onde retornam ao término.

Ex-funcionários contam que, até início dos anos 2000, ao final da reunião, os vendedores saíam como animais à caça. Na maior gritaria, passavam pela porta empurrando uns aos outros. Hoje, a saída é tranquila. Todos vão para a rua a passos calmos. Alguns saem de moto, outros de carro. Antes, fazem uma parada diária na "blitz", em que um supervisor faz a revisão de segurança de cada um. No caso das motos, se apresentam um defeito, vão para a oficina dentro do centro de distribuição. Se não for resolvido na hora, o vendedor pega outro veículo naquele dia.

No início da segunda década de 2000 se descobriu que muitos vendedores não faziam seu trabalho ao longo do dia. Muitas vezes, iam para casa e de lá ligavam para os pontos de venda que deveriam visitar. Um projeto da área de TI, que tinha o objetivo de desenvolver um sistema mais moderno para substituir o palmtop que usavam para marcar as vendas, desmascarou os profissionais que burlavam as regras. Isso porque a equipe de TI teve de acompanhar a rotina de vendedores e acabou ouvindo comentários dos donos de bares ou executivos de supermercados que entregaram a conduta deles. Isso ficou conhecido internamente como "pedido do sofá" ou "pedido da Sessão da Tarde", e as pessoas identificadas foram demitidas.

Com o início das revendas trimarcas, os funcionários responsáveis por Brahma, Skol e Antarctica passaram a compartilhar equipe e ambiente de trabalho. Mas, na rua, os vendedores permaneciam divididos. A orientação era de que cada um defendesse o território de sua cerveja, para manter a competição do mercado e o bom desempenho de todas.

Na prática, porém, havia outras distorções no sistema, além dos "pedidos do sofá". Alguns ex-funcionários contam que, quando o fim do mês se aproximava e um vendedor não havia batido sua meta, a pressão do supervisor aumentava com frases do tipo: "Dá seu jeito". Em alguns casos, "o jeito" encontrado pelo vendedor era invadir a região que fazia parte do roteiro de um colega. Quando o dono da área chegava para entregar, alguém de seu time já o tinha feito.

Não havia conivência explícita da chefia para burlar as regras, mas, segundo alguns profissionais, havia supervisores que às vezes faziam vista grossa. As mesmas pessoas que relatam esses fatos afirmam que isso era exceção na companhia. No geral, os diretores da empresa demitiam quem *comprovada-*

mente saía da linha. Um ex-gerente comercial, que deixou a empresa em 2009, disse que a AmBev nunca aceitou esse tipo de conduta. Ele afirma já ter visto alguns funcionários — não só nas salas de venda, mas também no escritório — ser demitidos por condutas antiéticas. Por exemplo, executivos responsáveis por auditar os cdds que tinham afrouxado a avaliação dos distribuidores no programa de excelência.

Muitos profissionais que passaram pela área mais tarde reclamaram de excesso de trabalho e de cobranças da chefia feitas com hostilidade e violência nas salas de venda. Muitos dos vendedores não tinham formação superior, e alguns justificavam a permanência na empresa pela necessidade — e dificuldade — de conseguir outro emprego.

Um ex-supervisor e coordenador de logística chegava a trabalhar dezesseis horas por dia. Ele cochilou ao volante algumas vezes e vivia com bolhas nos pés. Histórias como a dele dispararam centenas de ações trabalhistas contra a AmBev a partir do início dos anos 2000. As que envolviam danos morais geralmente se referiam aos momentos em que os funcionários não atingiam as metas. Algumas das situações extremas relatadas foram: ser coagido a se vestir de mulher; a passar por um corredor polonês enquanto sofria insultos; levar uma tartaruga para casa como símbolo da pior performance da equipe; assistir a strip-teases de garotas de programa contratadas.

Em uma das ações judiciais, um ex-vendedor afirmava que, durante as reuniões matinais, os gerentes o teriam mandado fazer flexões de braço perante os cerca de 45 colegas. Outro dizia que existiam "procedimentos internos na empresa" que os impeliam a dançar na "boquinha da garrafa", usando as peças de roupa que o gerente escolhesse. Um dos ex-funcionários da AmBev que entrou com processo na Justiça acusou os colegas e supervisores de racismo, por ter sido apelidado de ppa, abreviação de "preto, pequeno e abusado".

Alguns relatos judiciais, no entanto, não eram confiáveis. Segundo alguns ex-empregados, os casos reais chamaram a atenção de advogados trabalhistas para a empresa. Quando funcionários deixavam a companhia, esses advogados os abordavam e os incitavam a entrarem com uma ação judicial. "Na saída do cdd, em final de ano, tem advogado na porta entregando cartãozinho [...]. Já aconteceu isso comigo. Já recebi cartão de advogado trabalhista para processar a AmBev. E isso acontece com todos os tipos de nível hierárquico", afirma um ex-funcionário.*

Essa não é uma prática exclusiva contra a AmBev. Um levantamento publicado pelo jornal *Folha de S.Paulo* em 2016 dá uma ideia do volume de episódios. Segundo a desembargadora Águeda Maria L. Pereira, do Tribunal Regional do

---

*   Depoimentos extraídos de: "Desafios do sucesso no longo prazo em estratégias de reestruturação: o caso da AmBev". Op. cit.

Trabalho de Santa Catarina, advogados que agem de má-fé não são casos isolados. "A litigância de má-fé é uma prática muito comum e extremamente lastimável adotada por algumas partes e procuradores."* Não existem estatísticas oficiais sobre os casos. Em 2006, Marcio Fróes, então gerente corporativo de RH, declarou que casos como esses eram uma "distorção da cultura" e que, quando condenada, a AmBev pagava as indenizações.

Repetição sem lastro

Os episódios nas salas de venda que se tornaram públicos foram os principais responsáveis pela difusão e fortalecimento da imagem negativa que se criou da AmBev nos primeiros anos de 2000.

A origem do padrão de comportamento por trás daqueles casos era ironicamente um dos pontos mais fortes do modelo da companhia. O clima enérgico da AmBev nascia de uma herança que Marcel trouxera do mercado financeiro. Nos bancos, o ambiente típico é agressivo, na exigência por resultados e na forma de falar, e majoritariamente formado por homens — o que cria o espaço para brincadeiras machistas. A cervejaria, no entanto, tinha diferenças enormes em relação ao escritório de um banco. A mais evidente delas era a quantidade de pessoas. Enquanto no Garantia o número de profissionais girava em torno de 100, na AmBev eram milhares de funcionários, espalhados por unidades pelo Brasil.

Havia áreas de naturezas distintas dentro da própria companhia. O universo industrial não tinha nada a ver com o setor de vendas, que, por sua vez, parecia outra empresa se comparado ao escritório central. Algumas dessas áreas, como a de vendas, eram academicamente menos preparadas — outra diferença gritante para um banco de investimento, onde os funcionários, via de regra, têm uma condição social favorecida e excelente formação. No entanto, os gerentes que chefiavam esses grupos na cervejaria eram geralmente ex-trainees, tão bem formados quanto profissionais do mercado financeiro. O que acontecia no dia a dia era, muitas vezes, um choque cultural. O que aos olhos dos jovens gestores podia ser só "brincadeira", para a equipe podia soar como humilhação e abuso de poder.

Na prática, isso significava alguns gerentes falando sobre "fazer acontecer", gritando e dando socos na mesa, sem, no entanto, ter a autoridade, o carisma e o tom motivador de Marcel ou Magim. "Algumas pessoas desvirtuavam o 'ser agressivo'", diz um ex-funcionário. "Começaram a desvirtuar que o 'ser agres-

---

* "Juízes trabalhistas punem advogados que agem de má-fé", *Folha de S.Paulo*, 9 out. 2016. http://bit.ly/2WblWdA

sivo' era atingir o resultado independentemente do método utilizado", diz um ex-funcionário. "Esse meu chefe falava: as pessoas na AmBev às vezes confundem liberdade com libertinagem. Libertinagem na forma de tratar. O pessoal perde a noção: falta com respeito, xinga."*

Marcel se preocupava em formar os gestores de todos os níveis com base em princípios de liderança justos e respeitosos. Eles eram sempre aprimorados em processos como as avaliações de desempenho e os programas de sucessão. Na teoria, tudo estava estruturado. Mas na prática trazia à tona variáveis inerentes ao comportamento humano.

Ao longo dos anos, os executivos que cresceram na AmBev, muitos dos quais haviam ingressado ainda na Brahma, foram naturalmente se dividindo em dois grupos não explícitos, mas claramente diferentes. Um deles era o dos profissionais que se destacavam logo nas primeiras turmas de trainees, geralmente formados em universidades estrangeiras e financiados por Lemann. Esses tinham um perfil técnico e um estilo mais educado de gestão, mesmo que fossem objetivos, duros e pragmáticos. O segundo grupo era o dos executivos que adotavam uma forma de liderar mais emotiva, apaixonada, com rompantes de entusiasmo e atitudes agressivas. Alguns passavam do ponto, xingando ou deixando um subordinado falando sozinho por considerá-lo despreparado para uma reunião, por exemplo. São pessoas apontadas pelos colegas como conhecedoras do negócio, mas de difícil relacionamento e pouco tato.

As duas turmas podem ser associadas às diferentes maneiras de Marcel e Magim. O primeiro grupo parecia seguir os passos de Marcel. Embora fosse detalhista, analítico e duro na cobrança por resultados, o empresário era cordial e tinha um humor estável. Já Magim era caracterizado pelo temperamento exaltado e explosivo — mas não era tido como grosseiro nem desrespeitoso.

Quando Marcel falava em "fazer acontecer", suas palavras carregavam toda a autoridade inerente à sua bagagem, à sua visão de negócios e de mundo e aos riscos tomados até ali. Ele tinha lastro para defender o tema porque ele próprio fazia acontecer. Seu poder de persuasão e de convencimento não estava no título de dono, CEO ou presidente do conselho da AmBev. Estava, muitas vezes, em cenas que colocavam suas credenciais em segundo plano: quando participava de reuniões operacionais e se mantinha em silêncio na maior parte do tempo, no jeito pausado e com o tom de voz baixo com que falava quando o assunto era muito sério ou na liberdade que concedia a Magim e aos outros executivos em momentos decisivos.

Magim às vezes passava do ponto ao usar palavrões, arremessar objetos, subir na mesa e fazer perguntas provocativas aos gritos. Mas mesmo os que se incomodavam com essa conduta justificam o comportamento do chefe por

---

* "Desafios do sucesso no longo prazo em estratégias de reestruturação: o caso da AmBev". Op. cit.

seu estilo passional. As pessoas concediam a ele uma licença poética em função de seu carisma.

Quando alguns executivos mais jovens tentavam reproduzir o jeitão dos diretores, não conseguiam causar o mesmo efeito. Não se via a mesma autenticidade. "Gerentes de algumas unidades, tentando macaquear o chefe, acabam extrapolando",* diz Claudia Elisa Soares, que trabalhou na companhia entre 1994 e 2008 e chegou ao cargo de diretora de gente e gestão na área de vendas.

As atitudes fora de tom de alguns profissionais ficaram conhecidas no mercado, entre fornecedores ou potenciais fornecedores da AmBev. Até hoje, muitos prestadores de serviço se queixam da postura de funcionários da companhia em negociações e em ações do dia a dia. Afirmam que a postura dos "jovens" profissionais é presunçosa e "provocativa". "Você tem dez minutos para me convencer de que devo te dar uma chance", disse um executivo a um experiente consultor. "Naquela hora, levantei e disse que não precisava convencê-lo de nada e que não me interessava atender uma empresa que se apresenta dessa forma", disse um funcionário de outra empresa, que não chegou a fechar contrato com a cervejaria.

Diversos funcionários e ex-funcionários da AmBev dizem que esses executivos são minoria e tiveram espaço para agir dessa maneira principalmente nos primeiros três anos da companhia. Em poucos anos, a fama negativa atribuída à cultura da companhia se espalhou. E até hoje a empresa paga o seu preço.

Foco no trabalho

O que era comum a todos os gerentes e diretores da AmBev nos primeiros anos da empresa era o olhar para dentro da companhia — em vez de se preocupar com sua imagem pública. Cada um ao seu modo, os executivos estavam ocupados em construir a empresa de maneira consistente.

Essa postura vinha de cima. Lemann, Marcel e Beto Sicupira não estavam preocupados com a forma como a empresa era vista pelos outros. Acostumados à discrição que mantinham no mercado financeiro, evitavam aparições midiáticas. Mas, se enquanto banqueiros podiam se dar ao luxo de não dialogar com a imprensa, como donos das marcas mais populares de cerveja do país descobriram que o silêncio custaria caro. Não falar era deixar ecoar a fala de outros, muitas vezes contrária a seus interesses e à realidade.

Um episódio lembrado com pesar por diversas pessoas que trabalharam na companhia foi uma reportagem da revista *Exame*. Em uma exceção aberta pela empresa, a jornalista Cristiane Correa entrevistou os executivos e acompanhou

---

* "Ovelha desgarrada", *Época Negócios*. https://glo.bo/2ZCOSNr

parte do trabalho deles. O resultado foi um texto publicado em dezembro de 2000, com o título "No limite". O artigo chamava a atenção para o ambiente agressivo e competitivo da empresa e questionava as consequências do modelo. Mencionava, por exemplo, que nas aulas do curso de MBA oferecido pela AmBev as pessoas jogavam tomates de tecido em quem fizesse uma pergunta boba.

Aquilo de fato acontecia, mas o discurso interno era de que se tratava de brincadeiras divertidas, e não pesadas. Alguns funcionários da empresa achavam que a publicação não refletia a alegria do ambiente, não mostrava a cooperação entre os profissionais, tampouco traduzia o longo alcance da visão por trás do projeto, que diziam muito claro e motivador para quem fazia parte dele. Alguns dos que se dedicavam à construção daquele negócio com a entrega que o modelo exigia não se sentiram representados naquela matéria, nem em dezenas de outras publicadas ao longo dos anos seguintes, reforçando recorrentemente o aspecto agressivo da cultura e o foco em resultados como se os profissionais só se importassem com dinheiro — e a qualquer custo. "Tínhamos piadas internas que foram mal interpretadas por quem estava de fora. Acredito que houve um mal-entendido em torno disso tudo", afirma Carlos Brito. "Temos uma cultura de sonhos grandes, de 'esticar' as metas e as pessoas talentosas. De uma perspectiva de fora, isso pode ser visto de maneira negativa ou rude."

A experiência pontual daquela reportagem fez com que os executivos se mantivessem fechados à imprensa. Com isso, proliferaram os porta-vozes informais da AmBev, como ex-funcionários, um grupo naturalmente enviesado. Afinal, quem deixava a companhia, porque foi demitido ou porque quis sair, eram em geral os que não haviam se identificado com a cultura no longo prazo.

Permaneciam na companhia aqueles que se identificavam com a sua cultura ao longo dos anos — e quanto a isso, a empresa sempre foi clara. Mesmo os ex-executivos que criticam o modelo concordam que a AmBev é transparente e não "vendia" aos funcionários uma imagem diferente da real. A consultora Betania Tanure, uma das maiores autoridades em cultura organizacional no Brasil, afirma que a AmBev tem um discurso coerente. "As pessoas que vão para lá sabem o que vão encontrar. É uma empresa boa para quem está interessado nesse modelo."*

O filtro — em parte natural, em parte forjado intencionalmente — levou a AmBev a ganhar a fama de contratar certo perfil de profissional. Carlos Brito, CEO global da AB InBev desde 2005, discorda dessa imagem. "Não acredito que contratamos sempre o mesmo perfil de pessoas, e, sim, pessoas com as mesmas crenças, que se empolgam diante dos nossos princípios, que também têm a ideia de sonho, que gostam de estar cercadas pelas melhores pessoas e que

---

* "Desafios do sucesso no longo prazo em estratégias de reestruturação: o caso da AmBev". Op. cit.

têm atitude de dono." Hoje, a busca pela diversidade é um tema defendido por especialistas em gestão como forma de criar equipes mais eficientes, e a própria companhia global (ABI) tem metas de recrutamento que incluem perfis diferentes de candidatos.

Reconstruindo a imagem

Os diretores da AmBev entenderam que era preciso agir quando a imagem da companhia que se cristalizava claramente não refletia a que desejavam construir. As medidas para melhorar os desvios de comportamento e a comunicação externa começaram nos primeiros anos de 2000. Inicialmente, foram definidas três frentes: 1) tornar mais robusto o programa de liderança para preparar os jovens gestores; 2) combater ativamente a atitude dos executivos que passavam do ponto na forma agressiva de tratar os outros; 3) construir uma comunicação estratégica com a mídia, que permitisse mostrar aspectos favoráveis à companhia.

Ainda na primeira metade da década de 2000, houve uma mudança notável na postura da diretoria em relação a assédio moral. Foram determinadas regras tão básicas quanto proibir xingamentos entre a equipe e orientar que evitassem palavrões. As práticas de incentivo aos vendedores que envolviam flexões, strip-teases e outras atividades heterodoxas também foram vetadas.

Um problema recorrente nas salas de vendas se referia aos apelidos pejorativos que uns davam aos outros. Em geral, o assunto era tratado em tom de brincadeira e muitas vezes estimulado pelos próprios funcionários. Não era raro que eles pedissem para ter a alcunha impressa em seus crachás. Mas diante dos processos trabalhistas, a diretoria proibiu também essa prática. Em 2004, os coordenadores de RH passaram de sala em sala avisando que a partir daquele momento todos deveriam ser chamados pelo nome. Depois do comunicado, o funcionário conhecido como "Cheiroso" foi até a área de gente e pediu à coordenadora para manter seu apelido no crachá. "Eu sou o Cheiroso, não estou incomodado por isso." Mas não teve acordo. Seu documento passou a registrar seu nome verdadeiro.

Em suas visitas a cada unidade de negócio da empresa, os profissionais da área de RH orientavam também outras mudanças para melhorar o ambiente interno. Segundo diversas pessoas que trabalhavam na companhia nessa época, não era mais tolerado qualquer tipo de constrangimento a funcionários. "Falavam para todo mundo que a partir de agora não podíamos mais ficar zoando os outros. Diziam: 'Vamos reforçar quem é bom em vez de tirar sarro dos ruins'", conta um ex-executivo. "Nas reuniões de resultado, o foco parou de ser detonar quem não atingia as metas para valorizar quem estava indo bem, com: 'Parabéns, foi bacana!'." Foram feitos treinamentos e acompanhamentos para orientar as equipes a reforçar atitudes positivas — em vez de focar em represálias diante de erros de colegas ou subordinados. Mas a má fama já havia virado lenda.

Alguns profissionais que ingressaram na empresa a partir de 2004 afirmam que a agressividade excessiva era algo de que só tinham ouvido falar. "Eu nunca vi. Acho que existe um esforço muito grande de não deixar esse tipo de coisa acontecer nunca mais", afirma um ex-funcionário. "Acho que é um pouco de gestões passadas que acabam interpretando mal a cultura da empresa. [...] Eu sempre ouvi falar, mas nunca presenciei nada disso. Nenhum tipo de humilhação. Acho que é uma coisa meio mito, que as pessoas ouviram falar, mas nunca viram."

O esforço inicial para reverter aquela situação geraria resultados nos anos seguintes, como a redução de ações judiciais a partir de 2008. O passivo trabalhista da empresa foi de R$ 79,04 milhões, em 1999, para o ápice de R$ 309 milhões em 2004, e R$ 249,5 milhões em 2008. Em 2017, esse número havia diminuído para R$ 139,1 milhões. Tanto em 2008 quanto em 2017, a maior parte desse montante se refere a itens como "horas extras", "intervalo intrajornada" e "adicionais de periculosidade/insalubridade", segundo a AmBev. Ainda de acordo com a companhia, o valor correspondente a dano moral era 6% desse montante em 2017. No ano seguinte, a AmBev ocupava o 40º lugar entre as empresas que sofreram maior número de processos trabalhistas no país, atrás, por exemplo, da Petrobras (1º), de bancos como Santander (7º), Itaú Unibanco (8º) e Bradesco (6º) e de companhias de diferentes indústrias, como Claro (15º) e Brasil Foods (10º).*

Ainda hoje esse é um tema importante, monitorado com ferramentas mais sofisticadas como a avaliação de desempenho 360°, que permite que os profissionais sejam analisados não só pelos chefes, mas também por pares e subordinados. Há ainda um canal de denúncia usado com frequência, segundo fonte próxima à empresa. "A AmBev tem um programa robusto que coíbe casos de constrangimento entre funcionários. As pessoas denunciam, e a tolerância da empresa é zero para esse tipo de comportamento", afirma.

Frank Abenante, ex-vice-presidente global de marcas e marketing, foi um dos que reviu o próprio comportamento depois de receber alguns feedbacks negativos. "Nunca fui bom em escutar e, na empresa, ouvi coisas do tipo: 'O Frank acha que o argumento dele é o único' ou 'O Frank podia deixar as pessoas falarem um pouco mais'". Para ele, era pior saber que seu time pensava isso do que seu chefe. "Um chefe descontente dá para resolver. Mas se é seu time, na AmBev, você tem de resolver já, ou 'um abraço'." Ele afirma que melhorou, mas ainda se pega pensando que poderia ter escutado um pouco mais. "Antes eu nem percebia que era assim, achava que estava sendo legal, e hoje noto minha atitude."

---

* Ranking das Partes, Tribunal Superior do Trabalho, 31 jan. 2019. http://bit.ly/2ZzZUmF

Nova geração, novos dilemas

Quem liderou a terceira frente de mudança na empresa — construir uma comunicação estratégica com a mídia — foi o engenheiro então recém-chegado Milton Seligman. Ele foi contratado como primeiro diretor de relações institucionais da AmBev, em fevereiro de 2001. Na Brahma, a área era pequena, mas ganharia outra dimensão com a fusão com a Antarctica.

Milton pisava um terreno minado. Depois de toda a polêmica em torno da aprovação da AmBev pelo Cade, a empresa se tornara vidraça. O tamanho que por um lado lhe concedia um poder maior de mercado por outro alimentava a vigilância das concorrentes, da opinião pública e dos órgãos reguladores. Qualquer atitude questionável poderia colocar todo o projeto em risco. Não bastaria garantir processos lícitos, éticos e eficientes. Seria preciso estar sempre pronto para prová-los para fornecedores, clientes, concorrentes, governo. O novo profissional tinha a credencial de que precisava para o cargo: era respeitado pelo histórico ético no mercado e no ambiente político.

Experiente e habilidoso na condução nas conversas com o setor público, o executivo tinha passagens pelo governo e por empresas privadas. Trabalhara nas indústrias elétrica e de informática. Fora assessor para assuntos legislativos do Ministério da Agricultura, em 1985, e chefe de gabinete do ministro da Ciência e Tecnologia em 1988, durante o mandato de José Sarney. No governo Fernando Henrique fora sucessivamente secretário executivo e ministro da Justiça entre 1995 e 1997, presidente do Instituto Nacional de Colonização e Reforma Agrária (Incra) entre 1997 e 1998 e secretário executivo do Ministério do Desenvolvimento, da Indústria e do Comércio Exterior de 1999 a 2000. Sua função na AmBev era tratar de questões tão delicadas que envolviam o diálogo com o governo e a imagem pública da companhia.

A natureza do negócio — fabricar e vender bebida alcóolica — era por si só um desafio para qualquer executivo que tivesse que defender a companhia diante de outras entidades. Milton sabia disso e, antes de receber o convite para trabalhar na cervejaria, estava decidido a não trabalhar em empresas de tabaco nem álcool. "São defesas duras, dificílimas", diz ele, por se tratar de produtos conhecidos por fazer mal à saúde. Mas no segundo semestre de 2000, quando o recrutador Ricardo Rocco, da equipe de Fátima Zorzato na Russell Reynolds, ligou para ele, a conversa tomou outra direção.

"Só não quero se for uma empresa de fumo ou álcool", disse.

"De fumo não é..."

Alguns segundos de silêncio.

"Bom, se for a AmBev, eu topo conversar", afirmou Milton.

Naquela época, o trio de banqueiros não era popular no meio empresarial. "Eu nunca tinha ouvido falar do Marcel e do Beto. Do Jorge Paulo já, mas porque ele jogava tênis, e não por causa dos negócios", conta Milton. No entanto, no ano anterior, o executivo tinha acompanhado a AmBev pelos jornais. Observava com curiosidade e interesse os movimentos daquela empresa ambiciosa, e enxergou em seu projeto uma tese com a qual concordava: a de que o setor privado brasileiro tinha potencial para ir muito mais longe.

A primeira conversa na AmBev, porém, não pareceu promissora. Milton foi recebido por Victorio de Marchi e Maurício Luchetti, diretor de gente e gestão. Ainda estava com o pé atrás e tinha nas mãos um convite para ser sócio de algumas startups — um setor no qual já tinha experiência e que o entusiasmava.

A proposta da AmBev incluía os planos de ação que o tornariam sócio da companhia. Aquilo lhe soou estranho e inalcançável em um primeiro momento. "Nunca vou poder comprar", disse. Victorio e Maurício, então, explicaram que ele ganharia aquele dinheiro com o bônus que receberia como executivo da empresa. "Muito obrigado, mas não estou interessado", disse Milton ao fim da entrevista, preferindo seguir o caminho conhecido.

A reação de duas pessoas próximas a ele deixou a questão martelando em sua cabeça pelas semanas seguintes. Uma delas foi sua esposa, a jornalista Graça Seligman. Ela costumava apoiá-lo sem ressalvas em todas as suas escolhas, mas daquela vez comentou: "Não sei se você tomou a decisão certa". A outra pessoa foi o amigo e advogado Cezar Augusto Schirmer, ex-prefeito da cidade de Santa Maria, no Rio Grande do Sul, que foi contundente: "Você tinha que ter aceitado imediatamente o cargo. Liga para lá e diz que se arrependeu". Milton ponderou, mas não tinha mudado de ideia.

Em janeiro de 2001, o recrutador ligou novamente para Milton. "E aí, você refletiu sobre a proposta da AmBev?"

Em 1º de fevereiro, Milton assumiu o cargo. Alguns dias depois, fez uma reunião com Marcel, Victorio e Magim. Durante a conversa de trabalho, perguntou para Magim, em tom de brincadeira: "Vem cá, você vai me jogar tomate?". "Se disser bobagem, vou", respondeu o chefe. "De cara me identifiquei com a cultura da AmBev, com aquele negócio de pensar como dono, de fazer algo com grande impacto, de influenciar o mercado. E tudo isso sem nenhum tipo de atalho nem luta política interna", afirma Milton.

Quando chegou à empresa, os diretores alugaram uma casa na região do Lago Sul, em Brasília, para Milton comandar sua área. Ter casas em vez de escritórios era um padrão de grandes empresas como Souza Cruz e Coca-Cola. A da AmBev tinha uma arquitetura que lembrava a de um bar, o que permitiria promover festas. A mentalidade por trás da escolha do imóvel era criar um clima informal que favorecesse o relacionamento entre as pessoas — o que, esperava-se, facilitaria a comunicação com integrantes do governo para discutir interesses da indústria.

A primeira medida de Milton foi se desfazer da casa. "Quando vi aquilo, achei um horror! Era o oposto do que a gente tinha de fazer, que era criar um relacionamento profissional para influenciar a política pública." A diretoria de relações institucionais, que cuidava também de relações externas, ocupou um escritório com placa na porta em um edifício comercial. Em alguns anos, a área de Milton passou a cuidar também de responsabilidade social.

Ele logo conheceu a regra das discussões internas da empresa: com base em fatos e dados. "Ninguém na companhia nunca me disse algo como: 'Faça o que tiver que fazer, mas quero que consiga tal coisa'. Sabíamos que não ganharíamos todas e realmente perdemos, mas éramos incansáveis nas lutas pelo que acreditávamos usando meios legítimos."

Olha o que a gente faz

Uma das primeiras ações de Milton foi mostrar para o público em geral um lado até então desconhecido da AmBev. Depois de alguns meses na companhia, ele concluiu que havia uma série de iniciativas internas que deveriam ser divulgadas, mas que não eram nem mesmo medidas. Como condutas que geravam economia para a empresa, mas que tinham também impacto positivo no meio ambiente e para a sociedade. De cara, não precisaria começar nada, só mostrar o que já existia.

Entre os destaques que passaram a ser divulgados em relatórios de sustentabilidade e conversas com a imprensa estava o trabalho para diminuir o consumo de água nas indústrias. Todas as fábricas estavam equipadas com estações de tratamento de efluentes. Além disso, a empresa conduzia pesquisas constantes por novas tecnologias para melhorar os processos de fabricação e utilizar de maneira responsável as matérias-primas. Em 2004, a AmBev anunciou o uso de tecnologias limpas para eliminar o descarte de resíduos tóxicos, químicos e metais pesados depois de engarrafar seus produtos. Cerca de 95% dos subprodutos de suas operações industriais eram reciclados. Havia ainda uma iniciativa para reduzir emissões de dióxido de carbono na atmosfera. Em 2005, foi iniciado o Projeto Biomassa, para uso de resíduos de madeira, serragem, casca de coco e outros para a produção de energia em quatro unidades fabris, entre outras iniciativas.

Como já era parte da cultura da empresa, Milton foi em busca de benchmark para avançar em sua estratégia nos anos seguintes. Descobriu que grandes empresas americanas mostravam a cadeia de valor da indústria de cerveja, ou seja, o conjunto de atividades desempenhadas pela companhia, desde a interação com os fornecedores e os ciclos de produção até a distribuição final. Com o apoio da Fundação Getulio Vargas, conseguiu mapear, por exemplo, o número de empregos gerados pela AmBev direta ou indiretamente em cada uma das fases da cadeia e as iniciativas que geravam valor ao meio ambiente.

Milton também defendeu que a empresa, como líder do setor no Brasil, levantasse algumas bandeiras em prol da segurança social. A AmBev foi pioneira em causas que depois foram abraçadas pela indústria em geral: o combate ao consumo de bebida alcoólica em excesso e à prática de beber e dirigir.

Todo aquele esforço inicial seria apenas o primeiro passo de um trabalho árduo e contínuo para combater um tema que pediria mais atenção ao longo dos anos seguintes. Mas, naquele momento, quatro anos depois da fusão entre Brahma e Antarctica, Lemann, Marcel e Beto estavam, mais uma vez, enxergando um cenário mais amplo.

PARTE 2

O mundo

CAPÍTULO 10
A cervejaria dos hermanos

Quando Marcel Telles dizia que seu sonho era transformar a Brahma na maior cervejaria do mundo, ele falava sério — e não estava disposto a esperar muito. Os primeiros passos para fazer da companhia o maior player global foram dados logo depois que o Banco Garantia entrou na jogada, no início dos anos 1990. Além da tentativa frustrada de parceria com a Anheuser-Busch, em 1993, e da joint venture concretizada com a Miller em seguida, aconteceram naquele período as primeiras incursões da empresa na América Latina (inicialmente Argentina e Venezuela). Os investimentos seriam feitos principalmente com a geração de caixa da cervejaria no Brasil e o financiamento de bancos para a construção de fábricas.

A motivação maior para expandir internacionalmente, segundo Marcel e Lemann, era criar espaço para o crescimento dos jovens formados na empresa. "Nossa máquina depende sempre de gerar oportunidades para os jovens que treinamos, que são excepcionais e têm muita sede por desafios",* disse Lemann. "Nós somos sempre obrigados a inventar novidades que dão oportunidades para as pessoas que trabalham conosco." Certa vez, o consultor americano Jim Collins, autor do clássico *Feitas para durar*, perguntou a Marcel qual era o principal problema da AmBev. Ele respondeu que, se fosse mantida a estrutura existente, a falta de oportunidades internas seria um risco para a aplicação da meritocracia.** Desde o início, era preciso crescer.

O fato de a empresa ter se originado no Brasil era uma vantagem competitiva nesse aspecto. Jovens executivos nascidos em economias subdesenvolvidas não costumam dispensar oportunidades em outros países para construir uma ope-

---
* "Jorge Paulo Lemann: 'Nosso negócio não é cerveja, nem hambúrguer ou ketchup, é gente'". Op. cit.
** "O legado de Lemann", *Época Negócios*. Op. cit.

ração do zero ou promover um turnaround empresarial — ainda que em uma região ainda menos desenvolvida que a sua. Já os jovens provenientes de países desenvolvidos, em geral, preferem trabalhar em companhias que liderem as inovações, como as de tecnologia. Essa tendência faz com que setores ligados à economia antiga e tradicional sejam cada vez mais dominados por empresas de países subdesenvolvidos. Por exemplo, a mineradora brasileira Vale, as indianas Tata (que atua em diversas áreas, como aço, automóvel e tecnologia da informação) e ArcelorMittal (siderurgia) e a cimenteira mexicana Cemex. A AmBev logo faria parte dessa lista.

Adquirir, fundir-se ou fazer parcerias com outras organizações do mesmo setor fora do Brasil era também uma forma de aprender — e replicar — melhores práticas. Assim, em 1993, as possibilidades de expansão passaram a ser mais objetivamente discutidas dentro da Brahma.

Para Gustavo Pimenta, analista que havia participado ativamente da tentativa de união com a dona da Budweiser, estava clara a seriedade do plano dos diretores. "Quando você vê os sócios principais, Lemann, Marcel e Beto, fazendo networking com a indústria e criando oportunidades com potencial de negócios com os líderes mundiais do setor, você diz: 'Isso aqui realmente está sendo construído para ser grande. Não é uma empresa local'." Ele fazia parte da diretoria de planejamento, liderada por Eduardo Bittar até 1993. Cabia ao grupo estudar e indicar as melhores opções de crescimento fora do país.

Marcel e seus sócios determinaram que o primeiro passo em direção ao grande sonho seria tornar a cervejaria carioca a maior empresa de bebidas da América Latina. Para isso, miravam a liderança de mercado nos países em que passariam a atuar. Ocorre que, muitas vezes, os donos das marcas principais não estavam dispostos a vender seus negócios, pelo menos não num primeiro momento. A estratégia, nesses casos, era comprar competidoras com menor participação de mercado e potencial de crescimento, ou lançar a própria cerveja. Em qualquer uma das opções, o plano combinava estudos de oportunidade, estratégias de posicionamento, canais e formas de distribuição, marketing, preço e uma grande disposição para arriscar.

Naquele momento, a indústria mundial de cerveja, ainda fragmentada, começava a se consolidar. A belga Interbrew foi pioneira em aquisições de cervejarias menores ao redor do mundo. Em 1995, comprou a canadense Labatt. A líder mundial do setor, Anheuser-Busch, se associara à Antarctica, e a também americana Miller se associara à Brahma. Com a globalização, depender de apenas um mercado — no caso do Brasil, emergente e com frequentes altos e baixos na economia — não parecia uma opção sustentável no longo prazo.

Fortalecer-se regionalmente era, portanto, mais do que um plano de crescimento: era uma tentativa de garantir a sobrevivência das marcas. Uma vez que dominava o setor de cerveja no maior país da América Latina, a Brahma acumulava mais uma vantagem competitiva na região, inclusive em relação aos americanos e europeus que quisessem lançar suas marcas. Apesar das peculiaridades de cada lugar, havia similaridades culturais entre o Brasil e seus vizinhos.

A maioria das cervejarias dominantes na América Latina se mantinha em condições que lembravam a Brahma e a Antarctica antes da chegada de Marcel. Eram centenárias, familiares e concentravam uma alta participação de mercado. Em geral se acomodavam em uma situação de liderança confortável e se tornavam menos eficientes, mais burocráticas e morosas. Era um cenário conhecido para os executivos da Brahma e, portanto, cheio de oportunidades de aplicar os princípios de gestão que começavam a desenvolver no Brasil. Mas a teoria iria se revelar mais simples do que a prática.

Começando pelas beiradas

Depois de analisar as principais empresas do setor nos países próximos, a diretoria da Brahma definiu os primeiros destinos da expansão: Argentina e Venezuela. A entrada nos dois países aconteceria simultaneamente, a partir de 1993, três anos depois de Marcel assumir a liderança da companhia no Brasil.

Os dois países eram não só grandes mercados, como também bases para dois blocos comerciais. Um deles era o Mercosul, criado em 1991 e inicialmente formado por Brasil, Argentina, Paraguai e Uruguai. O outro era o Pacto Andino, que estabeleceu em 1993 a zona de livre-comércio entre Bolívia, Colômbia, Equador e Venezuela.* As integrações regionais tinham a finalidade de facilitar aspectos geralmente complicados na entrada de empresas em outros países, decorrentes de protecionismo dos governos. Por exemplo, a livre circulação de pessoas, a queda de custos de transporte e de produção. Segundo o ex-diretor internacional da Brahma Ricardo Wuerkert, aquele era um ponto que pesava a favor das primeiras escolhas da cervejaria fora do Brasil.**

Os pontos de partida escolhidos pela equipe da Brahma eram os que apresentavam algumas das maiores taxas de crescimento do continente, e eram dominados por uma só marca de cerveja. A Argentina, pela Quilmes, que detinha 73% do mercado;*** a Venezuela, pela Polar, com 75%.****

---

* Em 1996, o grupo mudou de nome para Comunidade Andina de Nações.
** Rubén Jiménz Candia, "Internacionalização de empresas brasileiras no Mercosul: O caso Brahma". http://bit.ly/2J4dNUB
*** "Quilmes da Argentina compra o controle da engarrafadora Baesa". *O Estado de S. Paulo*, 8 set. 1999. http://bit.ly/2IJOEyV
**** Kerry A. Dolan, "The Beer Baron", *Forbes*, 5 jul. 1999. http://bit.ly/2UHEZuf

A Argentina era um território indiscutível para o plano de expansão na América Latina, em parte pelas portas que abriria na região. Marcel queria comprar a Quilmes e já desembarcar como líder de mercado no país, além de aproveitar a grande participação no setor que a cervejaria tinha no Paraguai, no Uruguai e na Bolívia. Conquistar a empresa argentina significava expandir seu domínio para praticamente todo o Cone Sul. Ficaria em segundo lugar apenas no Chile, onde a liderança é até hoje da Compañía de Cervecerías Unidas (CCU).*

Nessa época, Marcel costumava dizer que seu objetivo era transformar a Brahma em uma "Budweiser latino-americana". A missão caberia a Eduardo Bittar, que deixou a diretoria de planejamento para ser o primeiro presidente da Brahma na Argentina. Seguindo a cultura que se desenvolvia no Brasil, ele reuniu jovens com talento e vigor para desbravar o território. Marcel indicava aonde deveriam chegar: à conquista de uma participação de mercado que, um dia, iria levá-los à liderança do setor no país. Mas o caminho teria de ser construído na raça pelos executivos, com seu apoio. Ele próprio visitava a Argentina todo mês.

A Brahma chegava ao novo mercado com a vantagem de já ser conhecida pelos consumidores, pois a cerveja era exportada para o país vizinho desde 1984, mas apenas no período de baixa sazonalidade no Brasil, quando era possível atender à demanda interna com alguma sobra. Como muitos argentinos visitavam, a passeio, estados brasileiros como Santa Catarina, Rio Grande do Sul, Alagoas e Rio de Janeiro, conheciam a cerveja brasileira.

O momento escolhido para entrar no país, 1993, também era economicamente favorável. Desde 1992, com a implantação do Plano Cavallo para combater a inflação, no governo de Carlos Menem, a moeda local mantinha paridade com o dólar americano. Era um período de bonança para os argentinos. "A época do '*Da-me dos*'", lembra Gustavo Pimenta. "Como o consumo no Brasil estava muito barato para eles, sempre que compravam alguma coisa, dobravam o pedido, aproveitando a condição favorável." A conjuntura protegia a moeda nacional e concedia segurança econômica para a Brahma tomar os riscos decorrentes da expansão.

A história da Quilmes lembrava a da Antarctica, a da Brahma e a de outras cervejarias centenárias espalhadas pelo mundo. O negócio começou em 1888, quando o alemão Otto Peter Bemberg, que havia mudado para a Argentina em 1852, fundou sua primeira cervejaria na cidade de Quilmes. A fábrica só foi inaugurada dois anos depois, em 1890, quando a energia elétrica chegou. A empresa era uma sociedade entre Otto e seu filho, de mesmo nome. Antes da cervejaria, o empresário já tinha investimentos em outros setores, como tecidos e grãos.

---

* A AmBev tentou negociar uma compra, mas o negócio nunca avançou. Hoje a cervejaria pertence à empresa de investimento Quiñenco.

A companhia adquiriu a cervejaria Palermo, de Buenos Aires, na década de 1920. Mais tarde, lançou as marcas Norte e Andes, em Tucumán e Mendoza, respectivamente. Por iniciativa da família, naquela mesma década se começou a produzir malte de cevada no país. Em poucos anos, a Argentina se tornou exportadora da matéria-prima.

Nos anos 1950, o então presidente da Argentina, Juan Domingo Perón, expropriou a cervejaria, que só seria recuperada pelos Bemberg em 1959.

A Quilmes foi integrada à holding Quinsa, formando a Quilmes Industrial S.A., cuja acionista majoritária era a família Bemberg. Quarenta anos depois, a empresa comprou a Buenos Aires Embotelladora (Baesa), principal engarrafadora e distribuidora de Pepsi-Cola e de toda a sua linha de bebidas gaseificadas da Argentina e do Uruguai. Em 2001, a companhia argentina estava nas mãos da sétima geração dos Bemberg, dividida entre Luxemburgo e Argentina, e era comandada por um executivo chamado Agustín García Mansilla.

Por conta própria

O plano ideal de Marcel não funcionou. A família Bemberg não queria vender a Quilmes. Então a estratégia de entrada da Brahma foi começar do zero a subsidiária. Com investimentos em produção, marketing e preços competitivos, ela passaria a incomodar — e a enfraquecer — a líder de mercado.

Se, por um lado, aquilo evitava reestruturações de equipe, ajustes da cultura e de processos já existentes, por outro envolvia a curva de aprendizagem de um negócio novo. Na prática, muitos tombos e prejuízos financeiros estavam por vir.

Naquelas primeiras investidas fora do Brasil, não havia processos definidos para a mudança de país e construção de operações da companhia. Como de costume na gestão de Marcel, a experiência guiaria o desenvolvimento da teoria. A energia para se aventurar em um território novo e aprender com os erros talvez tenha sido o fator determinante para resultados futuros. Mas, naquele início, o que havia era uma visão ao longe e, até ela, um terreno misterioso que os profissionais teriam de transformar no caminho. A mensagem de Marcel era a de que a velocidade era mais importante do que a perfeição. A receita era a mesma aplicada à Brahma: contratar pessoas talentosas e preparadas, implantar a cultura e perseguir um sonho. "O resto, vai lá e aprende", resume um ex-executivo.

A expatriação de funcionários, por exemplo, que muitas vezes incluía a família, não seguia protocolo. Muitas vezes, não se sabia que tipo de visto era necessário para a mudança. Não havia um critério definido para a escolha dos apartamentos ou casas em que morariam. "Era uma maluquice", diz um ex-diretor, que mudou para um país da América Latina nesse período. Cada região tinha suas políticas locais, que variavam de acordo com a moeda e outras questões conjunturais. Alguns executivos, expatriados durante alguns meses, recebiam salário no Brasil, com ajuda de custo na moeda do local onde moravam. Os acordos da empresa com os funcionários se baseavam mais na palavra do que na documentação. Só mais tarde, entre 2003 e 2004, as expatriações seriam padronizadas com a ajuda da consultoria de gestão internacional Korn Ferry.

Entre os convocados para construir o negócio na Argentina estavam Bernardo Paiva, presidente da AmBev desde 2015, Luiz Fernando Edmond, Gustavo Pimenta, Jorge Rocha e Ricardo Wuerkert. Luiz Fernando havia ingressado na companhia quatro anos antes e ocupava a gerência comercial da empresa no Mato Grosso do Sul. O combinado com Magim Rodriguez era que ele ficaria na função até 1996. Mas, onze meses depois de ter assumido o posto, no dia 18 de dezembro de 1993, recebeu um telefonema de Ricardo Wuerkert. "Você não quer ir para a Argentina?", perguntou o diretor de marketing. No dia seguinte, Luiz Fernando desembarcou em Buenos Aires.

O executivo tinha 27 anos e estava casado havia cinco meses, mas naqueles primeiros dias viajou sozinho para a Argentina. Passou a primeira semana trabalhando aproximadamente quinze horas por dia, junto com os colegas brasileiros. No dia 23 de dezembro, Marcel enviou o avião da empresa para buscar a equipe. Durante o voo, o grupo observava o pôr do sol pela janela enquanto tomava Brahma. Exaustos, mas felizes, eles riam e conversavam sobre a experiência. Passaram o Natal com a família e voltaram para Buenos Aires no dia seguinte. O mesmo aconteceu uma semana depois, na celebração do Ano-Novo. Dali em diante foram três anos trabalhando duro, mas os voos passaram a ser comerciais.

Começar o negócio no país não era modo de falar. Os jovens executivos tinham de enfrentar desafios grandes. Construir um plano enquanto o executavam. Desde encontrar um terreno rapidamente para construir a fábrica e garantir que teriam Brahma para vender no verão seguinte até conseguir mais de uma centena de milhões de dólares para financiar a obra.

O local escolhido foi Luján, uma cidade a pouco mais de oitenta quilômetros da capital. A compra do terreno custou US$ 1,11 milhão, pagos em duas mochilas levadas por Gustavo Pimenta e Jorge Rocha, de um banco a outro, a uma distância de quatro quarteirões na rua Florida, em Buenos Aires. Isso porque a antiga proprietária se recusou a aceitar um cheque administrativo: fazia questão de receber em cédulas. Foram quase duas horas em cada instituição financeira para contar as notas — e vários minutos de tensão enquanto os executivos circulavam com o dinheiro nas costas, protegidos por dois seguranças à paisana.

Aos 26 anos, Gustavo foi o responsável por bater à porta do mercado financeiro em busca de empréstimo para pagar a conta de US$ 120 milhões pela construção da unidade industrial, já que a equipe queria proteger o caixa no Brasil. Conseguiu apoio do Banco Mundial e de dez bancos locais.

Eduardo Bittar havia escutado falar na certificação ISO 9000, um conjunto de normas e padrões para garantir a gestão da qualidade de um produto ou negócio que começou a se difundir no Brasil nos anos 1990. O conceito ficou em sua cabeça e ele decidiu transformá-lo em um objetivo. A fábrica da Argentina nasceria com a certificação para ser um modelo para toda a companhia.

Os executivos não tinham experiência na construção de unidades industriais, já que haviam herdado as fábricas que já existiam quando a Brahma foi adquirida pelo Banco Garantia. Aprenderiam na prática a comandar uma obra desse porte e a supervisionar detalhes do trabalho.

Em 29 de novembro de 1994, a Brahma inaugurou sua primeira fábrica na Argentina, depois de nove meses de construção. A nova unidade industrial ocupava 25 mil metros quadrados e, inicialmente, estava habilitada a produzir 150 milhões de litros anuais de Brahma Chopp — mas chegaria a 300 milhões, aproximadamente 15% do que, anos depois, seria a capacidade da maior fábrica da empresa no mundo, localizada no México.

Uma mudança "Braba"

Para garantir que a Brahma chegaria a grande parte do mercado argentino, a empresa brasileira fez um contrato de parceria com a distribuidora Londrina, que atuava em Buenos Aires e já era a responsável pela revenda da cerveja importada do Brasil. Para expandir a área de cobertura, montaram uma pequena rede de revendedores nos arredores da capital, a maioria também distribuidores de produtos Pepsi. A cervejaria investiu em caminhões, depósito e empilhadeiras e na formação da força de vendas, mas o desempenho dos operadores ficou abaixo dos seus padrões.

O cenário era ainda pior do que a companhia enfrentava no Brasil naqueles primeiros anos da nova cultura empresarial. Havia centenas de distribuidores muito pequenos, trabalhando em família, com estrutura precária. O projeto era associar a imagem da Brahma a uma cerveja moderna e jovem — o que não combinava com o obsoleto sistema de revendedores.

Alguns meses depois, os diretores brasileiros descobriram que toda a estrutura necessária para garantir que os produtos chegassem aos pontos de venda ficava ociosa durante o inverno argentino, período em que o consumo de cerveja costumava cair 60%. A companhia admitiu prejuízos de US$ 2 milhões, tamanha era a ineficiência da distribuidora em Buenos Aires.

O projeto ficou sob a gestão de Luiz Fernando Edmond e Bernardo Paiva. Reconhecendo o erro, eles mudaram a estratégia: adquiriram a Londrina, que passou a se chamar Braba (Brahma de Buenos Aires). Os executivos usaram os critérios básicos do Programa de Excelência em Revendas que já existia no Brasil desde o ano anterior para avaliar os distribuidores. Substituíram praticamente 100% dos cerca de mil integrantes da rede. "Estando em outro país, não invente a roda: copie", diria Magim mais tarde, revendo a decisão da qual participou.

Luiz Fernando e Bernardo descobriram na prática as singularidades do setor na região. Enquanto no Brasil a distribuição visava chegar a todos os pontos de venda, no novo mercado aquilo era praticamente impossível. O custo de levar poucas unidades de cerveja a todos os bares e restaurantes era proibitivo. Foi preciso selecionar os pontos de venda buscando um equilíbrio na distribuição do produto em relação ao volume vendido.

Para isso, a dupla de executivos chegou a emendar dois dias de trabalho, incluindo a madrugada, analisando um mapa da capital argentina sobre um quadro de cortiça pendurado na parede. Marcaram cada um dos milhares de pontos de venda com um alfinete e, com uma linha, traçaram à mão as melhores rotas para os vendedores. Mais tarde, esse trabalho passaria a ser feito por um software que, em segundos, analisa variáveis como frequência e custos para gerar a melhor rota.

Para enfrentar a Quilmes, a aposta da Brahma era ousada. Os diretores tinham a pretensão de mudar o hábito do consumidor local, com o lançamento da garrafa de 600 ml. O formato era comum no Brasil, mas não na Argentina, onde a cerveja era vendida em garrafas de um litro (inexistentes no mercado brasileiro naquele período). Os executivos estavam confiantes de seu poder de transformação. Gustavo Pimenta lembra o clima na época. "A gente pensou: 'Quando entrarmos sério com a garrafa de 600 ml, vamos mostrar para o consumidor argentino que 'é o bicho', porque ele pode dividir a bebida com os amigos ou tomar sozinho". Mas a equipe brasileira logo levou um balde de água fria.

A nova garrafa não teve o efeito esperado no mercado local. A grande maioria dos consumidores argentinos continuava querendo compartilhar garrafas de um litro. Os brasileiros tiveram de aceitar que era melhor não insistir e aderiram ao formato. Mais tarde, entenderiam que a maneira mais segura de entrar em um novo mercado é oferecendo mais de uma opção, o que aumenta as chances de atrair consumo para diferentes ocasiões. Mas, naquele momento, o desafio apenas mudou de área.

A estratégia de marketing inicial consistia em replicar a campanha "Número 1", bem-sucedida no Brasil. O investimento foi de US$ 4 milhões. A marca usava atores e personalidades locais nos comerciais e nos comunicados à mídia. Foi parte da estratégia adotar um preço agressivo. Inicialmente, a Brahma era vendida entre 5% e 10% abaixo da líder, na tentativa de ganhar mercado rapidamente. Mas não foi tão fácil. Para surpresa da equipe brasileira, a familiaridade com a marca que os turistas que passavam férias no Brasil demonstravam era exceção, e não regra. "Na Argentina, a cerveja era praticamente desconhecida e o apelo [da campanha Número 1] não funcionou",* afirma Miguel Patrício, ex-diretor de marketing da AmBev.

Em 1994, enquanto parte da equipe do Brasil recebeu até catorze salários como remuneração variável, o time da Argentina não bateu nenhuma das metas e, portanto, não ganhou bônus. A fábrica ficara pronta, eles seguiam trabalhando as cerca de quinze horas por dia, mas os resultados ainda não apareciam no caixa.

A situação começou a melhorar no início de 1995, alguns meses depois que a fábrica havia sido inaugurada. A distribuição já estava afiada depois da reestruturação. Aos poucos, a cerveja foi ganhando espaço no mercado. Os consumidores passavam a reconhecer — e a querer — a Brahma. O problema, então, se inverteu. A demanda crescia mais rápido do que a capacidade da nova fábrica.

Nos primeiros meses de 1995, enquanto a indústria construída na Argentina ainda não operava em sua capacidade máxima, foi preciso montar uma grande operação logística para levar a bebida de Porto Alegre, no Rio Grande do Sul, para o país vizinho. Era um trabalho enorme. A cada dois dias, cerca de noventa contêineres chegavam a Buenos Aires de trem. A equipe da cervejaria desembarcava as garrafas cheias no depósito para ser distribuídas e enchia os contêineres com garrafas vazias. Nos picos de demanda, o time de executivos brasileiros varou noites na distribuidora. Meses depois, quando a operação da fábrica foi estabilizada, a Brahma intensificou sua campanha.

Apesar da dificuldade inicial, o sucesso da Brahma na Argentina ficaria evidente pelos números nos anos seguintes. Em 1990, quando o trio de banqueiros comprou a cervejaria no Brasil, o consumo da cerveja no país vizinho era de 6,2 milhões de hectolitros. Dois anos depois de construída a subsidiária local, em 1996, esse número havia praticamente dobrado. No final dos anos 1990, a Brahma Argentina exportava para Chile, Bolívia, Paraguai e Uruguai.

Brahma, a número 2

A Venezuela era um mercado menos óbvio para o crescimento da Brahma, mas em 1993 reunia algumas oportunidades. A primeira se revelava em um índice: o maior consumo anual de cerveja por pessoa da América Latina (maior que 75 litros por habitante). Os brasileiros queriam entender o que impulsionava esse indicador e, claro, tirar proveito dele. Enquanto um grupo desbravava a Argentina, outro era destacado para fazer o mesmo na Venezuela.

A principal marca do país era a Polar, fundada em 1941 pela família Mendoza. Em 1992, Lorenzo Mendoza Giménez, da terceira geração de herdeiros,

---

* "A estratégia de internacionalização da AmBev", *Exame*, 14 out. 2010. http://bit.ly/2GOfCU9

assumiu a presidência da cervejaria, apoiado pelo primo e diretor da companhia, Juan Lorenzo Mendoza Pacheco. Lorenzo era um dos homens mais ricos do mundo, com uma fortuna então estimada em US$ 3 bilhões.

O empresário era considerado pelos concorrentes brasileiros um "operador excepcional" do negócio. "A Polar era uma máquina de ganhar dinheiro. Os administradores eram focados, duros e tinham uma gestão até parecida com a nossa", diz um ex-diretor da AmBev que participou do primeiro período de expansão. Os venezuelanos não haviam caído na tentação comum a donos de cervejaria de usufruir da posição privilegiada de líder sem modernizar o negócio. Ao contrário do padrão de grandes competidores, não deixaram a cervejaria envelhecer e mantiveram a eficiência.

No primeiro contato que Marcel fez com Lorenzo, o empresário acabava de concluir seu MBA. Logo falaram sobre a compra que Lorenzo havia feito recentemente, da Compañía Anónima Cervecera Nacional, vice-líder de mercado no país, com um market share que variava entre 6% e 15% do setor.

O negócio havia se tornado um problema, pela alta concentração de mercado que o grupo passou a deter no país. O ministério responsável pela indústria local, vinculado ao governo do então presidente Ramón José Velásquez, nos bastidores pressionava a companhia para que tomasse uma providência para diminuir sua participação. O contato com Marcel se dava em boa hora.

Lorenzo fez sua proposta: vender a Cervecera Nacional à Brahma. O empresário brasileiro voltou ao Rio de Janeiro e discutiu a possibilidade com seus sócios. Depois da conversa, Magim Rodriguez voou até a Venezuela para conhecer o negócio de perto e montar a estratégia prática de aquisição.

Magim passou uma semana no país, visitando as principais cidades para analisar o mercado. O contexto daquela época era bem diferente da crise socioeconômica e política que se instalou a partir de 2012, no final do governo de Hugo Chávez. "Era um país bem arrumadinho", lembra Magim. No entanto, a Venezuela já enfrentava as consequências da alta dívida externa, além de inflação, desemprego, salários em queda, duas tentativas de golpe militar (em fevereiro e novembro de 1992) e a deposição do então presidente Carlos Andrés Pérez, em maio de 1993, acusado de corrupção.

A única fábrica da Cervecera Nacional ficava na cidade de Barquisimeto, conhecida como Capital da Música e pela beleza de seu pôr do sol. Lorenzo havia deixado a estrutura industrial em ordem depois da compra. Além disso, a marca tinha uma boa imagem no país e seria possível fazer uma negociação financeira favorável pelas circunstâncias político-econômicas. O negócio parecia bom para os brasileiros.

No dia 17 de janeiro de 1994, Marcel e seus sócios anunciaram, por fax, a compra da Compañía Anónima Cervecera Nacional — que um ano depois passaria a se chamar Brahma Venezuela. Não foram divulgados o valor pago nem os detalhes estratégicos do negócio. A partir daquele momento, a fábrica de Barquisimeto passaria a produzir Brahma Chopp.

Com a conclusão do acordo, os diretores da cervejaria carioca tiveram de enfrentar um desafio interno: convencer um grupo de funcionários a se mudar para a Venezuela. No início, as pessoas resistiram à ideia. Magim tentava convencê-las dizendo que a ilha de Margarita, que ficava no mar do Caribe, era venezuelana, e ficava a 27 quilômetros da costa venezuelana. Conseguiu seduzir cerca de dez profissionais.

Magim ficou quase trinta dias acompanhando de perto a operação em Caracas. Depois, passou a visitar a região uma vez por mês. A expectativa inicial era de reproduzir na Venezuela o sucesso que a Brahma já fazia no Brasil. Mas os desafios se mostrariam maiores do que o previsto, como acontecera na Argentina, embora os problemas fossem de naturezas diferentes.

O primeiro obstáculo na Venezuela seria conquistar os consumidores. Ainda que os brasileiros mantivessem uma relação cordial com os Mendoza, era muito difícil concorrer com a Polar nos bares e lojas. Pesquisas indicavam que a primeira bebida alcoólica consumida por um jovem venezuelano era a cerveja Polar. Mesmo com fortes campanhas de marketing da Brahma, a concorrente saía na frente, dona de uma força de vendas bem gerida, mais preparada e conhecedora do mercado.

Uma das tentativas do time da cervejaria foi montar a exportação para o Caribe e outras regiões da América Central. A iniciativa ajudou a aumentar a escala e a receita da subsidiária, mas estava longe de ser suficiente para garantir seu sucesso.

A Brahma não emplacou na Venezuela, e o contexto político-econômico piorava. Em 1998, Hugo Chávez foi eleito presidente do país, acabando com os quarenta anos de vigência do Pacto de Punto Fijo, um acordo entre os três principais partidos venezuelanos. Seu governo, com uma proposta socialista e acusado pela oposição de ditatorial, se fortalecia com o passar dos anos, tornando-se uma ameaça à indústria local. Ao longo de catorze anos no poder, ele conduziu políticas de inclusão social e transferência de renda que o transformaram num líder controverso — aclamado pela população de baixa renda e inimigo de diversos grupos empresariais. Entre eles, a família Mendoza, dona da Polar, e a família Cisneros, também uma das mais ricas da Venezuela e proprietária da rede televisiva RCTV e da cervejaria Regional. As disputas de poder entre o governante e os empresários se tornaram públicas e, muitas vezes, incluíam ofensas. Os diretores da Brahma não se envolviam nas discussões. Mantinham com os governantes do país um diálogo cordial, a uma distância razoável, evitando tanto problemas quanto alianças.

Apesar do esforço, a companhia não estava imune às consequências da direção política no país. A greve geral de 2002 deixou a economia do país praticamente paralisada por quase dois meses. Houve ainda uma proibição da venda de bebida alcoólica em bares e restaurantes em todos os feriados importantes do país, no início dos anos 2000.

Com muito esforço, o máximo que a AmBev conseguiu conquistar foi uma fatia de 15% do mercado na Venezuela, em 2006. Em 2010, na tentativa de aumentar sua força, a companhia comprou 15% da Cervecería Regional, dona das marcas Regional Light, Regional Draft e Pilsen, em uma "aliança estratégica", como o acordo foi anunciado. Nos anos seguintes, a situação política se complicou, atrapalhando ainda mais a operação da empresa. Deixar a Venezuela era uma opção que Marcel sempre considerou, mas só concretizou em 2013.

Na ocasião, a empresa anunciou por meio de uma carta que estava em uma situação inviável e não tinha alternativa a não ser fechar a subsidiária. Sua participação caíra de 9% para 0,9% do mercado de cerveja local ao longo de sete anos. Seus produtos continuariam a ser comercializados na Venezuela, importados de países vizinhos, como o Brasil.

Budweiser latino-americana

Em 2000, com a fusão entre Brahma e Antarctica consolidada, Marcel encontrara caminhos alternativos para pressionar a Quilmes para uma conversa. Decidiu entrar no Uruguai e no Paraguai por outro caminho e, em seguida, exportar para a Bolívia, o último território de liderança da cervejaria argentina. No dia 19 de setembro daquele ano, a AmBev anunciou a aquisição de 57,34% das ações da empresa uruguaia Salus, que tinha 24% do mercado de cervejas no Uruguai com a marca Patricia e era líder do setor de águas, com 42% de participação. A transação foi feita por meio de uma joint venture com a francesa Danone, que detete 73,75% do negócio, enquanto à brasileira couberam os 26,25% restantes. Na divisão, a Danone ficou com a água e a AmBev, com a cerveja.

Em dezembro do ano seguinte, a AmBev entrou no Paraguai — onde já comercializava as marcas Brahma e Ouro Fino (no interior do país), ambas em lata. Exportadas do Brasil, tinham uma participação de mercado irrisória. Então a empresa comprou a Cervecería Internacional, por US$ 12 milhões. A nova subsidiária, localizada a quinze quilômetros do centro de Assunção, tinha uma única fábrica. Os equipamentos, que já estavam velhos, foram substituídos por novos, enviados do Brasil. A marca local, Cerveza Internacional, foi extinta. Em seu lugar, passaram a ser produzidas Brahma e Ouro Fino, agora em grande escala e em garrafas de um litro e de 600 ml. Gustavo Pimenta, que fez parte do time da Argentina, assumiu a gerência de operações da empresa no Paraguai.

Apesar de não ser produzida no país até então, a Brahma já era uma marca relevante para os paraguaios, porque chegava ao país por meio de contrabando. Acostumado a uma única grande marca, a Pilsen, da Quilmes, e a uma segunda colocada bem distante, Munich, que tinha aproximadamente 5% do mercado, o consumidor paraguaio parecia sedento por novidade. Em menos de um ano, a cerveja brasileira foi de 2% para 22% de participação de mercado. Hoje, é a mais consumida no país.

Naquele momento, Brahma e Quilmes já competiam fortemente. Os executivos da AmBev, mais uma vez, aprendiam à medida que arriscavam. Em alguns momentos, baixaram o preço mais do que deviam, segundo a opinião de brasileiros que trabalharam na Argentina. Uma das tentativas foi investir em campanhas para vender cerveja em lata, uma matéria-prima indisponível na Argentina. Como a AmBev tinha a matriz brasileira para fornecer a embalagem, ficava em posição de vantagem. Por outro lado, perdia margem de lucro, já que a venda em lata é menos rentável do que em garrafa. Testes e cálculos eram feitos o tempo todo, buscando uma fórmula de vencer a concorrência sem enfraquecer as duas empresas.

O contato de Lemann com a Quilmes era através dos integrantes da família que viviam em Luxemburgo. A conversa avançava devagar. Marcel, por sua vez, aproximou-se de Agustín, o CEO da companhia. Convidava-o para jantar e para visitar a matriz da AmBev no Brasil. Pouco a pouco, todos começaram a discutir a possibilidade de uma joint venture entre as duas empresas. Até que os brasileiros decidiram enviar uma carta com uma oferta não solicitada à empresa, em 2001.

A ideia era aproveitar a crise econômica argentina, que piorara no início dos anos 2000, depreciando a moeda. Levava-se em conta também o fato de as ações se dividirem entre grupos da família, o que permitia que a fatia de algumas pessoas fosse comprada, com geração de caixa da Brahma, enquanto outras manteriam sua participação, mas teriam o direito de vender no futuro, em ações ou em dinheiro.

Nessas circunstâncias, a família Bemberg topou, finalmente, negociar. Em maio de 2002, a AmBev adquiriu 37% da sociedade da Quinsa. A companhia brasileira pagou US$ 346 milhões e recebeu 230 milhões de ações. A Quilmes, por sua vez, teria o controle de todas as fábricas na Argentina, na Bolívia, no Paraguai e no Uruguai. Faziam parte do acordo opções de compra que deveriam levar a AmBev a deter 97,18% do capital da Quilmes — o que aconteceria em 2006.

Os diretores da concorrente holandesa Heineken não gostaram da notícia. Tinham parceria com a Quilmes desde 1984, na joint venture Quilmes International Bermuda (QIB), que produzia e distribuía a cerveja holandesa na Argentina. A Heineken entrou com um pedido de arbitragem da Câmara Internacional de Comércio, em Paris, para impedir a fusão entre as duas empresas, e solicitou uma liminar à Justiça de Luxemburgo, onde estava sediada a controladora da Quilmes, até que saísse a decisão final do tribunal francês de arbitragem. Mas não conseguiu o que queria, e a fusão foi concluída.

Com a união, a Quilmes poderia saldar suas dívidas de aproximadamente US$ 300 milhões, decorrentes da crise econômica que o país enfrentava. Assim, se encerrava também a batalha de preços, que levara a uma queda nos rendimentos das duas cervejarias.

Quatro meses depois do anúncio do negócio, a Comissão Nacional de Defesa da Concorrência (CNDC), do governo da Argentina, suspendeu temporariamente a análise da associação entre as cervejarias. A interrupção seguia decisão judicial em resposta a um recurso apresentado pela concorrente argentina Isenbeck. Embora o acordo entre AmBev e Quilmes representasse uma concentração de 82% do mercado argentino — ainda maior do que o que representou a fusão entre Brahma e Antarctica no Brasil —, acabou sendo aprovado. Segundo pessoas próximas às empresas, o principal motivador era o interesse do governo argentino na entrada de um valor relevante de dólares no país em meio à crise econômica.

Se para os argentinos a maior vantagem era o ganho imediato, para os brasileiros aquele era só mais um passo em um plano bem mais ambicioso, que estava começando a se concretizar. Em 2005, a AmBev ampliaria sua participação na cervejaria argentina para 56,72%. Desde 2016, a Brahma é a cerveja mais consumida da Argentina.

Um golaço na América Central

Um ano depois, em setembro de 2003, a AmBev entrou na República da Guatemala, inaugurando sua primeira operação na América Central. A subsidiária começaria do zero, com a construção de uma fábrica em Teculután, que deu origem à Cervecería Rio.

Dessa vez, a equipe de brasileiros fez pesquisas de mercado antes de lançar sua marca. O trabalho rendeu uma descoberta crucial para o sucesso da cerveja. Na Guatemala, a palavra Brahma tinha um significado esquisito para uma bebida: animal no cio. Seria preciso encontrar uma alternativa.

Diante do impasse, os executivos se reuniram algumas vezes em busca de uma solução. Cogitaram lançar a Skol no país, mas a marca originalmente pertencia à Carlsberg, e a AmBev não tinha licença para comercializá-la na Guatemala. Pensaram em lançar a Bohemia, que fazia parte do portfólio no Brasil, mas o nome também já estava registrado pela líder do setor na Guatemala, a Cervecería Centro Americana, dona da Gallo. Fundada em 1886 pelos irmãos Rafael e Mariano Castillo Córdova, a empresa detinha 98% do mercado quando a AmBev chegou ao país.

A criativa solução encontrada pela equipe da Brahma foi tirar as "perninhas" do "m" (de Brahma) e transformar a letra em um "v". Assim, usando uma logomarca similar, a cerveja se chama Brahva apenas naquele mercado. A estratégia de lançamento do nome incluiu uma surpresa aos potenciais consumidores.

Aproveitando a vitória recente do Brasil na Copa do Mundo de 2002, a AmBev contratou como garoto-propaganda da marca o jogador Ronaldo. Ele chegou de jatinho, vindo da sede da Nike, em Portland, Oregon, nos Estados Unidos. Com o anúncio de sua visita, o aeroporto internacional da Guatemala, La Aurora, ficou lotado, a ponto de o Exército precisar ser acionado. Foi Ronaldo quem revelou o nome da Brahva em um programa de entrevista mexicano, apresentado por Adal Ramones, famoso em toda a América Central.

Nos dias seguintes, havia pessoas aguardando a chegada do produto na porta de bares e restaurantes. Gustavo Pimenta, que já tinha passado por Argentina e Paraguai, também fez parte da equipe da Guatemala e lembra os caminhões de entrega serem parados no trânsito por pessoas de carro. "Elas queriam comprar a cerveja enquanto esperavam o farol abrir", diz. Em dezembro de 2003, a Brahva atingiu 10% de participação de mercado no país e 18% na capital Cidade da Guatemala. A partir daquela operação, a empresa passou a exportar para El Salvador e Nicarágua.

No mesmo ano de 2003, a AmBev começou a operar também no Peru, através da construção de uma fábrica e da compra de duas outras unidades industriais e ativos da distribuidora Embotelladora Rivera, uma franquia da PepsiCo no norte do país e na capital, Lima. Nessa época, a empresa entrou também no Equador, a partir da construção de uma fábrica em Guayaquil, cidade a 250 quilômetros da capital, Quito.

A cerveja brasileira

A expansão pela América Central continuou pelo Caribe. A tentativa inicial dos donos da AmBev havia sido comprar a Cervecería Nacional Dominicana (CND), dona da líder, Presidente, que detinha mais de 60% do mercado. Mas a poderosa família León, dona da cervejaria e de empresas de cigarro, banco e outros negócios, não queria vender. Então os brasileiros seguiram com uma estratégia similar à aplicada na Guatemala: compraram em 2003 o controle da engarrafadora Embodom, exclusiva da Pepsi no país e com 56% de participação no mercado. O anúncio foi feito no dia 12 de fevereiro de 2004. A partir da parceria, a brasileira lançaria sua cerveja no mercado. Vencer a concorrência com a Presidente era uma perspectiva improvável, mas os desafios do negócio iriam se estender por diversas outras frentes.

O clima na República Dominicana era provinciano. O país tinha índices de pobreza e desigualdade social piores que os do Brasil. Em compensação, possuía lindas praias, como a turística Punta Cana e as menos populares La

Romana e Cabarete. Executivos que passaram por lá afirmam que a população do país era simpática e receptiva com os expatriados, e destacam a ótima culinária local.

Os centros de distribuição eram barracas de palha e chão de terra. Os funcionários da fábrica que pertencia à engarrafadora, localizada em Santo Domingo, andavam armados, em função da cultura autoritária do país.

Apesar da obrigação de compartilhar as decisões com os sócios locais — um cenário com o qual não estavam acostumados —, os executivos da AmBev tiveram liberdade para implantar seu modelo. Derrubaram as paredes e reestruturaram o negócio, como de costume. As barraquinhas do centro de distribuição foram reduzidas em quantidade e substituídas por construções de alvenaria. Alguns dos caminhões utilizados pelos vendedores estavam velhos e em condições impróprias para uso. A AmBev fez uma parceria com uma empresa norte-americana que passou a fornecer veículos de ponta.

Outra mudança marcante aconteceu no escritório. Quando os expatriados chegaram, encontraram banheiros espaçosos e com itens de higiene de boa qualidade, similares aos do Brasil, mas para uso restrito dos acionistas e dos funcionários de níveis hierárquicos mais altos. Para os operários, havia banheiros precários, com cabines pequenas, sujas e malcuidadas. A nova diretoria providenciou uma reforma para igualar todos os banheiros.

Nas fábricas, a comida servida "parecia de presídio", conta um ex-executivo. Em sua primeira visita a uma das unidades, ele perguntou quem preparava as refeições. Ficou sabendo que eram providenciadas pelo sindicato — a opção mais barata. Rapidamente, a equipe da AmBev contratou uma empresa que cobrava mais caro, mas servia uma alimentação melhor.

O projeto da AmBev incluía a estruturação de uma fábrica, e, mais uma vez, algumas variáveis saíram do controle. O terreno, escolhido pelos sócios locais, ficava em Hato Nuevo, a cerca de oito quilômetros da capital. A construção se estendeu mais do que os doze meses previstos. A estratégia foi contratar 100% da mão de obra no próprio país para supervisionar a construção no tempo extra. Não queriam expatriar mais um grupo de brasileiros, o que já havia se tornado um padrão nas subsidiárias da cervejaria. Os selecionados eram enviados para o Brasil, onde treinavam por dois meses e voltavam para contratar suas equipes entre os dominicanos.

Com a indústria funcionando, a Brahma Chopp foi lançada em 2005 para concorrer com a Presidente. Inicialmente, as vendas foram bem, mas logo caíram. Depois de algumas pesquisas com a comunidade para entender o fracasso, o erro ficou evidente. "Eles falaram: 'Vocês entraram errado, tinham de ter vendido como 'a cerveja do brasileiro'", conta um executivo que participou desse processo. Para reforçar a produção local, tinham decidido não associar a bebida ao Brasil, sem saber que um traço peculiar à cultura dominicana era a valorização do que vem de fora em detrimento do produto interno. Para esse executivo, houve um pouco de arrogância na postura da equipe — incluindo ele próprio. "Era um pouco do modelo de querer fazer do nosso jeito e ponto." Eles admitiram a falha, mas não se deixaram abater por ela. Qualquer tempo perdido poderia ser fatal diante da força da concorrência.

A nova estratégia para enfrentar a Presidente foi baixar o preço da Brahma. Aos poucos, a competidora começou a perder margem de lucro e a AmBev foi conquistando seu espaço no mercado. Cada ponto percentual que ganhava era motivo de muita comemoração interna. Até que, em 2012, o esforço se traduziu em uma virada no jogo. A CND não resistiu e vendeu o controle (51%) do negócio à AmBev por US$ 1,24 bilhão. A família León permaneceu sócia, com 41,6% de participação. Os outros 7,2% das ações ficaram pulverizados.

Efeito "pé na porta"

As primeiras investidas da Brahma fora do Brasil foram cheias de percalços. Parte do problema talvez tenha sido a análise menos minuciosa do que iria se tornar padrão nos processos de fusão e aquisição. A pouca intimidade, primeiro com o negócio, depois com as idiossincrasias de cada país em que chegavam, somada à pressa para fechar os acordos, pode explicar por que alguns cenários desfavoráveis não foram previstos. Mas há certamente um tanto de imponderável nos acontecimentos — e muito do método "trocar o pneu com o carro andando" típico da AmBev.

Todas as investidas internacionais da empresa ao longo dos primeiros dez anos de expansão se basearam na experiência inicial de Marcel e Magim na gestão da Brahma. Nas primeiras semanas em cada país, os novos diretores contratavam uma empresa para derrubar as paredes dos escritórios no fim de semana. Quando os executivos chegavam para trabalhar na segunda-feira, não havia mais salas privadas — com exceção das de reunião. De início causava certo mal-estar, especialmente entre os sócios mais antigos das empresas. Eles estavam entre as pessoas mais ricas da região, e a mudança na arquitetura evidenciava a perda de poder e uma estrutura hierárquica muito mais flexível. Em compensação, aproximava os diretores dos demais empregados.

Nos primeiros seis meses, a reestruturação era um choque. Assim que desembarcavam, os principais executivos reuniam todos os diretores da subsidiária para explicar o que seria feito a seguir. Qual era o plano, o investimento, a expectativa para os cinco anos seguintes. Ou seja, o modelo da companhia e suas possibilidades eram apresentados. Em seguida, mostravam a primeira meta: cada diretor teria duas semanas para reduzir em 10% suas despesas. Enquanto isso, os recém-chegados visitavam todas as operações para escolher os funcionários que deveriam ficar na nova etapa da empresa. Segundo Magim, esse processo é sempre duro, por isso deve ser breve. "O importante é tomar uma decisão. Pode ser certa ou errada, mas precisa ser rápida." Os detalhes da cultura, como os desdobramentos de metas e os efeitos práticos da meritocracia, eram apresentados ao longo de mais de um ano.

Tão importante quanto deixar ir embora quem não entregava os resultados esperados era manter os executivos abertos às novidades. "Quem está na companhia tem a história dela, a cultura, o dicionário, a biblioteca. É o Google da empresa. Esses precisam ficar", diz Magim. Anos mais tarde, Claudio Garcia, o Claudão, que trabalhou na cervejaria de 1991 a 2017, diria em uma palestra a estudantes universitários em São Paulo que foi na Argentina que os dirigentes da AmBev aprenderam a importância de manter funcionários que carregam a história da empresa adquirida na operação. Eles guardam a cultura corporativa e do país, ambas fundamentais para fazer o meio de campo entre os estrangeiros, a equipe e os consumidores.

As experiências iniciais na região que foi batizada internamente de Hila (Hispanic Latin America) foram marcadas por aprendizados à base de tropeços. Alguns se traduziram em prejuízos de milhões de dólares, como o caso da distribuição na Argentina. "De 1994 a 2000 a gente apanhou muito", afirma Juan Vergara. "Tínhamos pouca expertise em marketing e vendas e enfrentávamos concorrentes muito fortes."* Durante esse período, a participação das operações na Venezuela e na Argentina no faturamento total da empresa era irrisória. Outras áreas exigiram a estruturação de processos.

Os profissionais brasileiros, argentinos e venezuelanos que cresceram na empresa iriam se tornar pessoas-chave nas demais etapas da expansão da companhia pela América Latina. A experiência adquirida com os percalços do início e a intimidade com o idioma seriam diferenciais.

A adaptação dos funcionários locais à cultura corporativa da AmBev aconteceu sem grande resistência. Talvez até em função de alguns países terem passado por ditaduras políticas, a maioria dos profissionais locais adotava uma postura passiva diante da imposição do novo modelo de trabalho. "Algumas pessoas tinham até dificuldade de olhar nos olhos do chefe", conta um ex-gerente que participou de uma das primeiras investidas da AmBev fora do Brasil.

Em 2002, a AmBev havia se tornado a quinta maior cervejaria do mundo em volume e a com maior margem Ebitda, detentora de 67% do mercado brasileiro de cerveja e 4,2% do global. Enquanto as crises políticas e econômicas na América Latina dificultavam o crescimento das operações, uma possibilidade aparentemente distante se tornava cada vez mais próxima e factível.

---

* "A estratégia de internacionalização da AmBev", *Exame*, 14 out. 2010.

CAPÍTULO 11

Quem comprou quem?

Doze anos antes do nascimento da AmBev no Brasil, uma fusão entre as duas maiores cervejarias da Bélgica agitou o mercado europeu. As rivais Artois e Piedboeuf, donas das populares marcas Stella Artois e Jupiler, respectivamente, se juntaram para criar a Interbrew. Mais do que um negócio, era a união de dois patrimônios centenários do país, com histórias que carregavam tradições na produção de cerveja e na gestão familiar.

As duas marcas tinham posicionamentos diferentes. A Artois, mais antiga, era mais associada às populações do campo e tinha a fama de dar dor de cabeça nos consumidores. Já a Piedboeuf tinha uma imagem mais relacionada à juventude e à prática de esportes. Até os anos 1960, a Artois era a líder no país. Mas, a partir daquela década, o volume de suas vendas começou a cair, ao mesmo tempo que as marcas da concorrente ganharam visibilidade.

A Artois foi fundada em 1366, em Leuven, na Bélgica, inicialmente com o nome de Den Hoorn. Sua cerveja ganhou fama e se espalhou pela região ainda nos tempos medievais. Em 1708, a empresa recebeu um novo mestre cervejeiro, Sébastien Artois. Nove anos depois, em 1717, ele comprou o negócio e trocou o nome para Cervejaria Artois. Ao longo dos séculos XIX e XX, a Artois se tornou uma das maiores fabricantes de cerveja premium da Europa. Em 1926, foi lançada a Stella Artois. Ela era classificada como pilsner lager, variedade originária da cidade de Pilsen, na Boêmia, atual República Tcheca. É uma bebida feita à base de baixa fermentação, com sabor leve, refrescante, floral, um amargor sutil e tom claro. Seu estilo destoa da tradição belga das cervejas mais encorpadas e amargas, afinando-se com as cervejas apreciadas nos trópicos, a linha principal da AmBev.

Mas o grande pulo do gato da cervejaria se deu na gestão de um dos netos de Sébastien Artois, Leonard, responsável por uma inovadora estratégia de expansão: comprar e incorporar à cervejaria duas empresas locais do mesmo setor. Em 1787, ele comprou a Franse Kroon e, em 1793, a Prins Karel. A companhia era uma das pioneiras nessa forma de crescimento, mais de um século antes de as consolidações começarem a se tornar uma prática usual nas mais variadas indústrias do mundo. Leonard morreu em 1814 sem deixar filhos. Sua irmã, Jeanne-Marie Artois foi a última pessoa com o sobrenome da cervejaria na empresa.

Em 1952, a Artois adquiriu a Leffe, uma cervejaria local ainda mais antiga, criada em 1240 em um mosteiro. A tradição de monges preparando a bebida começou na França, mas se solidificou na Bélgica, resistiu aos séculos e dura até hoje. Ela é chamada de trapista por ser produzida sob supervisão de monges dessa ordem. Com a Revolução Francesa, entre 1789 e 1799, seguida das Guerras Napoleônicas, entre 1803 e 1815, os mosteiros foram migrando, pouco a pouco, para Bélgica e Holanda. Até hoje, existem 170 mosteiros da ordem trapista no mundo, mas apenas sete têm licença para produzir cerveja — seis deles ficam na Bélgica e um na Holanda.

A partir daquela primeira compra, os dirigentes da Artois começaram a olhar com mais apetite para o mercado externo, intensificando o processo de consolidação. Em 1968, adquiriram a holandesa Dommelsch e, em 1970, a francesa Motte Cordonier. Mas a expansão internacional não ficaria impune: uma concorrente em especial acompanhava os movimentos da cervejaria enquanto ganhava corpo. A holandesa Heineken também se valeu da estratégia de comprar cervejarias menores para acelerar seu crescimento. Depois de algumas aquisições, Henry Pierre, filho do fundador e presidente da empresa entre 1914 e 1940, tentara incluir a Stella Artois em seu portfólio. Quando sua oferta foi recusada pela competidora, não insistiu. Só perguntou qual era o endereço de seu próximo alvo na lista, a Brasserie Léopold, em Bruxelas.

Mas a grande concorrente da Artois ficava do lado predominantemente francófono da fronteira linguística que divide a Bélgica. A família Piedboeuf fundou sua cervejaria quase quinhentos anos depois da Artois, em 1853, em Jupille-sur-Meuse, um antigo município belga que hoje pertence à cidade de Liège, na região da Valônia, ao sul do país. Antes de começar a produzir cerveja, a família construiu caldeiras para cervejarias, principalmente belgas e alemãs. Até que Jean-Théodore Piedboeuf começou a fazer a própria bebida nos porões do antigo castelo de Jupille. A partir de 1910, aquela se tornou a maior cervejaria da Bélgica Oriental. Em 1920, foi comprada pela família Van Damme.

A marca mais famosa da companhia, Jupiler, foi criada por Albert van Damme e lançada em 1966. Como a Stella, era uma pilsner lager. Nas décadas seguintes, se tornou a cerveja favorita na Bélgica (em 2003, a Jupiler foi a mais vendida). A Piedboeuf também cresceu à base de aquisições. Comprou cervejarias como Het Sas, Aigle-Belgica, Krüger e Lamont, entre as décadas de 1960 e 1980.

Nos anos seguintes, as grandes cervejarias internacionais arrebatavam marcas menores no Leste Europeu, onde o colapso do regime comunista impulsionara a privatização de empresas. As famílias De Spoelberch, De Mévius e Van

Damme, donas das maiores cervejarias da Bélgica, começaram a conversar em segredo. Negociavam ações da Artois e da Piedboeuf, enquanto no mercado suas cervejas continuavam a competir.

Três anos depois, em 1987, elas arriscaram um novo passo. Anunciaram um acordo que mudaria a organização do setor não só na Europa, mas no mundo. No ano seguinte à fusão, a Interbrew era a 17ª maior cervejaria do planeta.

Pouco antes da criação da Interbrew, a belga Karin van Roy, recém-formada, foi contratada por um prazo inicial de seis meses como consultora jurídica da Artois. Seu trabalho iria se concentrar na área de sistemas da empresa e incluía o início da digitalização dos contratos da cervejaria. Karin aproveitou o período para refletir sobre seu futuro profissional. Ainda estava na dúvida entre seguir carreira como advogada em um escritório ou integrar a equipe jurídica de uma empresa como aquela.

Nas primeiras semanas na Artois, soube da união da companhia com a Piedboeuf. A notícia não agradou muitos funcionários, que se preocupavam com as possíveis demissões e o fechamento de fábricas que constava no plano comunicado à empresa. Parte do pessoal iniciou uma greve que duraria 21 dias. Segundo ela, criou-se imediatamente uma divisão interna entre dois grandes grupos: os que eram a favor da fusão e os que eram contra. A advogada estava na primeira turma, e enfrentou dificuldades para entrar no escritório naquele período. Os protestos aconteciam em frente ao prédio da empresa, obstruindo a passagem. Para evitar o confronto, ela ofereceu reforço à equipe de vendas, que foi temporariamente dividida entre outro escritório e um hotel. Gostou dos dias de greve que passou ligando para clientes na tentativa de acalmá-los e acabou se tornando analista comercial. Mais tarde, assumiu a diretoria de RH. A greve acabaria no que foi chamado de "grande harmonização", quando os diretores e funcionários chegaram a um acordo. Os seis meses do contrato inicial de Karin se estenderam pelos 28 anos seguintes.

O primeiro projeto que ela liderou na área de vendas aconteceu logo após a fusão. Sua missão era integrar os times das duas empresas, o que só se concluiu em 1991. Até então, os grupos atuavam separadamente. Os diretores temiam que os clientes, acostumados a tratar com uma ou outra companhia, resistissem se os grupos se unificassem. Coube a Karin escrever o primeiro manual para orientar o trabalho no setor, reunindo informações espalhadas no material oriundo da Piedboeuf e, principalmente, pelo conhecimento empírico dos funcionários. A falta de unidade no direcionamento havia causado uma bagunça no mercado. Por exemplo, sete vendedores da companhia atendiam o mesmo bar — cada um com um portfólio de cervejas diferente.

As descrições de Karin sobre o início de sua carreira indicam que havia similaridades entre a cultura que se estabelecia na Interbrew e a que começaria a ser criada na Brahma no mesmo período, quando o Banco Garantia a adquirira. "Havia muitas chances para os jovens que queriam entregar resultados", diz a executiva.

O cenário pré-fusão também lembra o que Marcel Telles encontrou na empresa carioca quando assumiu a gestão. "A Artois era uma empresa decadente", afirma Karin, questionando a sobrevivência da companhia pelas décadas seguintes caso não tivesse se unido à concorrente. "Talvez estivéssemos agora bebendo a Stella Artois apenas em uma cidade pequena na Bélgica. Acredito que não seria a grande marca que se tornou."

Assim como Brahma e Antarctica no Brasil até 1989, as rivais Artois e Piedboeuf dividiam o público. O vínculo ia além de uma relação racional entre um produto e consumidores que analisam o custo-benefício.

Apesar dos pontos comuns a companhias tão distantes geográfica e culturalmente, a história das cervejarias belgas refletia, acima de tudo, a biografia de seu país.

Cada cervejaria com a sua Bélgica

Apesar de não ter conflitos regionais, culturais e linguísticos tão acirrados quanto, por exemplo, a Espanha (sempre às voltas com os separatistas catalães e bascos), a Bélgica é um país historicamente dividido por comunidades bastante definidas. Ao norte, a região da Flandres é economicamente mais forte, responsável por cerca de 70% do PIB belga, concentra 59% da população e fala predominantemente flamengo, uma variante do holandês. A Valônia, ao sul, enfrenta hoje as maiores dificuldades econômicas, com altos índices de desemprego, embora tenha tido um papel importante na Segunda Revolução Industrial, no século XIX. Reúne 31% da população e fala principalmente francês. Dentro dessa divisão, existe uma singularidade: embora geograficamente seja um enclave na área da Flandres, a região de Bruxelas (que abrange a capital e dezoito comunas) tem maioria francófona e corresponde a 10% da população.

Uma reportagem do jornal *The Guardian*, publicada em 2010, usa a definição de apartheid linguístico para explicar a crise de identidade da Bélgica. Segundo o veículo, não há uma narrativa única e nacional no país, mas duas histórias opostas, contadas uma em holandês e outra em francês.

A fusão das cervejarias belgas, cada uma predominante em um dos lados da fronteira linguística, reproduzia em alguma medida os desafios do próprio país: conectar culturas diferentes em um mesmo ambiente. Na Bélgica, a população se divide em grupos heterogêneos, que, em aspectos cruciais, não se misturam, seguindo regras e costumes próprios, apesar de formar uma única nação. A realidade na nova empresa seguiria o mesmo caminho. A união das duas culturas corporativas não originaria um terceiro universo, composto pelo melhor de cada um, como seria de esperar. O resultado ficaria mais próximo de uma convivência cordial, mas não livre de atritos, do que de uma integração de fato. Para liderar esse contexto cheio de variáveis, a Interbrew contratou um novo CEO em 1988.

José Joseph Dedeurwaerder nasceu em Bruxelas e fez sua carreira na indústria automotiva. Foi diretor da Renault e vice-presidente da American Motors Corporation. Chegou à Interbrew com a ambição de construir uma grande companhia multinacional — projeto que ia ao encontro do que, treze anos depois, Marcel anunciaria para a AmBev. A partir daquele momento, a cervejaria belga teria de calibrar sua tradição industrial a um investimento robusto em marketing. Mais do que produzir grandes volumes de cerveja, seria preciso cuidar da qualidade em todos os aspectos do negócio. O foco deixava de ser atender majoritariamente às famílias acionistas para se voltar ao consumidor.

A estratégia do novo CEO incluiu fechar fábricas ineficientes e investir em novas tecnologias de produção de cerveja. Durante seu comando, a empresa praticamente triplicou a produtividade, de 2,5 hectolitros por hora em 1990 para 6,5 hectolitros em 1995. Mas, em 1993, o presidente surpreendeu o mercado ao anunciar sua saída.

Hans Meerloo, que ingressara na companhia em 1990 na área de marketing, assumiu como o novo CEO. Seguindo a tradição das cervejarias belgas, liderou o crescimento da companhia por meio de aquisições de empresas locais ao longo dos anos 1990. Em 1995, uma compra se destacou como a maior já realizada pela companhia, criando oportunidades fora da Europa. A aquisição de 100% da John Labatt, a mais rentável e segunda maior cervejaria do Canadá, custou US$ 2,9 bilhões à empresa belga. O feito garantiu à Interbrew 45% do mercado canadense (atrás da Molson, que tinha 48% naquele ano) e, ainda mais importante, abriu as portas do desejado mercado americano. A Labatt possuía uma fatia relevante do setor nos Estados Unidos desde 1987, quando comprou a Latrobe Brewing Company, dona da Rolling Rock, cerveja popular no leste do país. Era uma chance para a Interbrew apresentar suas cervejas (como a Stella) para os novos consumidores, por meio do bom sistema de distribuição que a Labatt tinha na América do Norte.

O negócio rendera ainda a participação de 22% na cervejaria mexicana Cuauhtémoc Moctezuma, dona da marca Dos Equis, segunda maior cervejaria do país (atrás do Grupo Modelo), que dominava 45% do mercado no México. A cervejaria era controlada pela Femsa Cerveza, que hoje pertence à Heineken.

Na transação, a Interbrew se desfez de investimentos que a canadense tinha em outras áreas, como canais de televisão. Também vendeu, para a Heineken, a cervejaria italiana Moretti, adquirida pela Labatt em 1989, entre outras do setor.

O acordo marcou a reorganização da Interbrew e do setor cervejeiro global. A empresa belga passou a ocupar a terceira posição no ranking das maiores cervejarias do mundo por volume, atrás de Anheuser-Busch e Miller. Internamente, passou a ter duas divisões principais. A primeira focada na Europa, na Ásia e na África; e a segunda voltada para a América.

Apesar de todos os ganhos — e de terem concedido o aval para o fechamento do negócio —, as famílias belgas controladoras da Interbrew se mostraram insatisfeitas com o alto preço pago pela Labatt. O valor da compra era o equivalente a catorze vezes o fluxo de caixa da empresa, montante que alguns analistas financeiros consideravam alto demais. Os donos do negócio atribuíam a culpa a um acordo malfeito de Meerloo, que acabou deixando a empresa no ano da compra, 1995. A imprensa local divulgou que a Interbrew agora estava sem uma liderança clara,* já que os diretores de operação na Europa, o belga Johnny Thijs, e no Canadá, o inglês Hugo Powell (que ganharia poder nos anos seguintes), passaram a se reportar ao presidente do conselho, Paul de Keersmaeker, que, por sua vez, era próximo dos acionistas.

De gole em gole

Depois da compra da Labatt, a Interbrew adquiriu cervejarias em Montenegro, Ucrânia, China, Rússia, Bulgária e Coreia. Os gastos nessas transações ultrapassaram US$ 2,5 bilhões. Em 1999, a empresa já era global. Noventa por cento do volume que comercializava estava em mercados fora da Bélgica. Tinha subsidiárias e joint ventures em 23 países de quatro continentes.

Enquanto isso, os Estados Unidos lideravam uma nova tendência no setor: a difusão de microcervejarias, que produziam a bebida artesanalmente e em pequena escala. Ao mesmo tempo, o país se abria a marcas estrangeiras. Os norte-americanos queriam experimentar novos sabores. A Interbrew aproveitou a oportunidade para começar a vender Stella em Boston e Nova York a partir de 1998.

Em 1999, o vácuo de poder na liderança global foi assumido por Hugo Powell, que se tornou CEO da Interbrew. O antigo diretor de operações no Canadá (que ingressara na Labatt em 1984) manteve a estratégia de crescer por aquisições — e também foi criticado por analistas de mercado por ter pago caro demais pela compra de outra cervejaria: a Bass, adquirida em 2000, por cerca de US$ 3,5 bilhões.

Aquela era uma das maiores e mais antigas marcas da Inglaterra. Um ano depois da operação, o órgão antitruste europeu decidiu que a Interbrew teria

---

* As famílias belgas controladoras da Interbrew, porém, se mostraram descontentes com o alto preço pago pela Labatt. Viscount Philippe de Spoelberch e Alexandre van Damme culpavam o CEO Hans Meerloo.

de vender a Bass ou a operação local da Carling, que também fazia parte do grupo. Os belgas se decidiram pela segunda opção. No final de 2001, a cerveja foi comprada por US$ 1,7 bilhão pela Coors Brewing, então a terceira maior cervejaria dos Estados Unidos.

Karin, que já atuava na área de vendas da Interbrew, tem lembranças peculiares da gestão de Powell. Quando chegou à sede da Interbrew, em Leuven, ocupou uma sala que equivalia a metade de um andar. As paredes de seu salão particular foram decoradas com pôsteres de filmes famosos, com um detalhe: os rostos dos astros de cinema tinham sido substituídos pelo rosto dele.

Sua maneira de tomar decisões também diferia da adotada por antigos dirigentes da companhia. "Até então, nos preocupávamos com as metas e com cada dólar e cada euro gastos", diz Karin. Ela lembra que, nessa época, durante uma reunião, os executivos homens ganharam anéis e as executivas mulheres ganharam broches, ambos com diamantes, comprados na Tiffany. Por um lado, os presentes geraram admiração dos funcionários. Por outro, causaram estranhamento. "Era contraditório, porque, de vez em quando, sofríamos para bater as metas e trabalhar as marcas. Não foi um período muito legal", afirma Karin.

O comportamento do chefe não impediu o crescimento da empresa. Em 2000, a Interbrew abriu seu capital na Bolsa de Valores. Em 2001, adquiriu a lendária cervejaria alemã Beck's, fundada em 1873. Na época, ela tinha mais participação no mercado norte-americano do que a Stella, o que poderia ajudar a solidificar a belga nos Estados Unidos.

Com todas essas aquisições, a Interbrew se tornou em 2002 a segunda maior cervejaria do mundo em volume, com vendas na ordem de 80 milhões de hectolitros — ou 13 bilhões de garrafas de 600 ml. A empresa havia ultrapassado a Heineken, que, na época, vendia em torno de 74 milhões de hectolitros. Só estava atrás da norte-americana Anheuser-Busch, que tinha mais que o dobro de vendas: 155 milhões de hectolitros.

Em 2003, Hugo Powell seria substituído pelo norte-americano John Brock na presidência da empresa. O novo executivo tinha sido diretor da antiga Cadbury, uma grande corporação inglesa do setor de alimentos e bebidas que deteve o comando da suíça Schweppes até 2008.

A cervejaria local mundial

A estratégia de crescimento da Interbrew ia na contramão de suas concorrentes diretas. Enquanto ela crescia por meio de aquisições de marcas locais, as competidoras ganhavam o mundo com suas respectivas marcas mais valiosas, transformando-as em desejo global.

A Anheuser-Busch, por exemplo, buscou fazer isso com a Budweiser. A Heineken, a Carlsberg e a Guinness também usaram essa estratégia. A própria AmBev seguia esse caminho na América Latina. Comprava cervejarias concorrentes, mas, via de regra, lançava sua Brahma Chopp para os novos consumidores. Apesar de ser adotado pela maioria, o modelo tinha suas lacunas.

Grande parte das vendas de cada empresa se concentrava em seus mercados locais. Os consumidores americanos correspondiam a 90% das vendas de Budweiser, enquanto 61% da receita da Heineken e 68% da Carlsberg vinham da Europa. O caminho da Interbrew foi considerado mais complicado por analistas do mercado. Em vez de aumentar as vendas a partir de uma única marca global, os belgas escolheram comprar diversas cervejarias locais ou criar parcerias em cada país para operar as marcas já existentes nas diferentes regiões. Em algum momento ao longo dos anos 1990, a mídia começou a usar a frase que resumia a estratégia da companhia: *the world local brewer* [a cervejaria local mundial]. A crença da Interbrew talvez tenha se baseado no funcionamento regionalista do próprio país. Seus acionistas acreditavam que, em qualquer lugar do mundo, a maioria dos consumidores preferiria a tradição de uma cerveja local.

A venda das marcas líderes da Interbrew — Stella, Bass e Beck's — pegava carona na entrada em cada país. A partir de alianças ou da compra de empresas regionais, a cervejaria montava sua rede de distribuição, levando suas bandeiras globais aos novos mercados. Em 2000, o desafio da companhia belga era administrar as duzentas marcas que havia acumulado, em mais de cem países em que tinha operação. Entre 1991 e 2004, a empresa adquiriu mais de trinta concorrentes. Apesar da complexidade das operações, chegara a um resultado razoavelmente equilibrado: 22% das vendas estavam na América do Norte, 46% na Europa Ocidental e 32% em mercados considerados emergentes, como Europa Oriental e Leste Asiático.

Assim como as outras grandes cervejarias do mundo — Anheuser-Busch, SABMiller e Heineken —, a Interbrew olhava para mercados em ascensão, como América Latina, China e Leste Europeu, já que o consumo de cerveja começava a desacelerar nos mercados tradicionais. Na América do Norte e na Europa Ocidental, o setor tivera pouco ou nenhum aumento de volume no início dos anos 2000, enquanto crescia o consumo de bebidas não alcoólicas, como água mineral e sucos. Nos Estados Unidos, entre 2002 e 2009, a diminuição do consumo de cerveja foi de 9%. O número de pessoas de vinte e poucos anos que preferem cerveja a outro tipo de álcool caiu drasticamente nas últimas duas décadas. Nos anos 1990, quase três quartos dos jovens entre dezoito e 29 anos gostavam mais de cerveja. Hoje, eles representam apenas 40%.

Por outro lado, o número de jovens adultos que gostam de bebidas alcoólicas foi de 13% para quase 30% — e o vinho se destaca entre os produtos em ascensão. Os consumidores que preferem vinho passaram de pouco menos de 15% no início dos anos 1990 para pouco menos de 25% em 2014. Entre as hipóteses sobre as motivações dessa mudança está o fenômeno do "saudismo" que tomou conta do mundo e demoniza alimentos e bebidas mais calóricos.

Os acordos entre cervejarias se tornaram recorrentes a partir da década de 2000 e atravessaram todas as fronteiras geográficas. A estratégia de crescer por meio de aquisições, como já fazia a Interbrew, parecia agora o único caminho possível para o futuro global do setor. A Heineken, por exemplo, registrara um crescimento de 14% nas vendas anuais de aquisições e apenas 3% de aumento das vendas das marcas já existentes.

Os complementares se atraem

No mapa da Interbrew, faltava ainda um mercado importante: a América Latina — justamente onde a AmBev havia se fortalecido desde o início da internacionalização da Brahma, nos anos 1990. A brasileira, por sua vez, estava só começando sua expansão. Ainda não atuava na Europa, na Ásia, na África nem nos Estados Unidos — regiões que já estavam no portfólio da belga. Eram dois negócios complementares, embora aparentemente distantes.

O sonho dos donos das cervejarias belga e brasileira havia se tornado o mesmo: ser a líder do setor no mundo. Constituir uma companhia realmente global, com presença em todos os continentes.

Depois de décadas de aquisições, nos mais variados lugares, os dirigentes da Interbrew se tornaram especialistas em seduzir concorrentes. Tinham clareza sobre a estratégia que seguiriam para chegar aonde faltava: se unir aos líderes de cada região do planeta — de preferência comprando suas empresas. A AmBev se encaixava perfeitamente nesse perfil no caso do mercado latino-americano. Mas os brasileiros nem cogitavam vender o negócio.

O que seus donos queriam era expandir a companhia para além da América Latina sem abrir mão do controle. A Anheuser-Busch era uma potencial parceira nesse caminho. Mas, em 2003, impunha suas regras. Segundo especulações do mercado, a cervejaria teria feito uma oferta para comprar a AmBev, o que inviabilizou o negócio. Pela Heineken, a companhia brasileira provavelmente não seria vista como uma aliada de peso igual. Entre as maiores do mundo, restava uma possível parceria com a SABMiller. Mas uma companhia comandada por países subdesenvolvidos poderia deixar os investidores internacionais ressabiados. Já a Interbrew começava a se tornar uma alternativa concreta.

Jorge Paulo Lemann e Marcel Telles se aproximaram dos belgas a partir de Alexandre van Damme. Nascido em 1962, ele é neto do criador da Jupiler, Albert van Damme, e era o acionista mais ativo da Interbrew. O empresário era conhecido no mercado europeu por suas habilidosas construções financeiras e por sua visão estratégica.

A Interbrew também era comandada por De Mévius e De Spoelberch. Assim como o trio brasileiro, os empresários belgas tinham uma postura socialmente discreta. Faziam parte da elite da elite do país: em 2017, estavam entre as 54 famílias mais ricas da Bélgica que têm título da nobreza. Juntos, em 2016 esses clãs possuíam ou controlavam fortunas avaliadas globalmente em 68,68 bilhões de euros. Os acionistas da cervejaria desempenhavam um papel de liderança nessa turma, reunindo 46,18 bilhões de euros.

A origem dos donos da Interbrew se divide em dois setores, herdeiros da fusão belga que criou a companhia em 1987. As famílias De Mévius e De Spoelberch vieram da Artois. Depois de uma série de casamentos, esses grupos passaram a representar outras famílias acionistas de menores fatias da empresa. Já os Piedboeuf permaneceram fechados nas diferentes gerações. Alexandre van Damme e seus filhos eram os únicos descendentes de Albert e Jean van Damme.

Os proprietários da Interbrew mantinham hobbies ou profissões em diversas áreas. Os dividendos da cervejaria ajudavam a financiar profissões pouco rentáveis e atividades de lazer. "Nunca venderemos nossas ações na cervejaria", disse Grégoire de Mévius (hoje conselheiro da AB InBev, assim como Van Damme). "É como uma mala que você nunca abre e que passa de geração em geração."*

O encontro de Lemann e Marcel com Van Damme aconteceu antes e durante o Carnaval de 2003. O belga foi recebido no Camarote da Brahma, no Rio de Janeiro, a convite dos empresários. Já era discutida uma possível parceria entre as duas empresas. Mas, antes da festa, o belga passou despercebido por um grupo de gerentes da cervejaria. Eles haviam sido orientados a preparar apresentações de alguns programas de áreas como marketing e distribuição para um público de 25 pessoas do mercado financeiro. Entre os convidados, estava o até então anônimo Van Damme.

As apresentações tinham de ser todas em inglês — uma prática habitual no mercado financeiro. Mas a maioria dos executivos não falava o idioma fluentemente. "Nosso inglês era macarrônico", diz um antigo gerente que participou do evento. Por isso, durante as semanas anteriores, ele e os colegas tinham contado com o apoio de uma empresa especializada em educação de idiomas e treinamento de liderança para finalizar seus slides e arrematar as narrativas. O trabalho realizado pelos funcionários da AmBev pesou a favor do acordo que começava a ser construído. Mas planos da diretoria só iam se tornar conhecidos dentro da empresa alguns meses mais tarde.

---

* "Le Belge le plus riche déménage en Suisse: qui est Alexandre van Damme?", Tendances Trends, 25 out. 2016. http://bit.ly/2IMkV8s

Os motivos para a cervejaria brasileira desejar uma união com a Interbrew eram evidentes. A belga era maior, mais antiga e ocupava mercados onde a cerveja era uma tradição — países como Bélgica, Alemanha e Holanda tinham sido pioneiros na fabricação e no consumo da bebida no mundo. Já as vantagens dos belgas em se unir aos brasileiros não eram tão óbvias para alguns especialistas do setor.

A América Latina era um mercado atraente pelo alto consumo de cerveja. Para a Interbrew, valia a pena conquistar a região e se tornar realmente global. Mas, para isso, muitos investidores consideravam que o caminho mais curto e lógico seria absorver mais uma cervejaria local e continuar no controle — e não compartilhar o comando com empresários de um país emergente.

Os belgas, no entanto, entenderam desde o início das conversas que os brasileiros não estavam interessados em vender o controle da companhia. Em contrapartida, tinham o que eles precisavam: uma cultura forte e homogênea, e um modelo eficiente para implantá-la. Ao conhecer de perto o trabalho na AmBev, não restaram dúvidas de que aquela era uma boa ideia.

O melhor dos mundos

Ao longo de sua história, a Interbrew foi diversas vezes criticada pela dificuldade que tinha de integrar as operações adquiridas. Por um lado, a estratégia de comprar marcas locais garantia que a empresa funcionasse no novo mercado desde o primeiro dia, aproveitando a cerveja já existente. Por outro, dificultava a unificação da identidade da companhia e dos processos de trabalho. No início dos anos 2000, a cervejaria belga era vista pelos analistas como uma junção de vários feudos ou federações com funcionamentos independentes. Naturalmente, a formação heterogênea gerava desperdícios de recursos visíveis (os mais óbvios eram financeiros e de pessoal, com equipes inchadas) e invisíveis (como o desgaste emocional da convivência entre profissionais com bagagens e propósitos muitas vezes discordantes).

Para continuar crescendo, unificar a cultura era um passo urgente, e os belgas entenderam que a AmBev tinha a solução. Reconheceram a primazia e a eficiência do modelo de gestão dos brasileiros para criar cultura, processos e gerar resultados. E deixaram isso claro nas interações com os empresários brasileiros, que se tornaram mais frequentes entre o final de 2003 e o início de 2004.

Depois das conversas iniciais, o trio da AmBev e as três famílias belgas escolheram uma pessoa de confiança de cada lado para avançar nos termos de um possível acordo. Os brasileiros indicaram Roberto Thompson, sócio do trio desde o Banco Garantia (que passaria a integrar o conselho da AmBev a partir de 2008). Pela Interbrew, o escolhido foi o holandês Remmert Laan, sócio da tradicionalíssima gestora de recursos Lazard e membro do conselho de administração da cervejaria.

A partir de junho de 2003, Thompson e Laan se encontraram quatro vezes em Paris, no hotel Le Bristol, na rue du Faubourg Saint-Honoré, a menos de quinhentos metros do escritório da Lazard. A proximidade entre os lugares ajudava a manter a discrição que as reuniões pediam. Durante um mês, os dois se falaram ao telefone diversas vezes.

Inicialmente, estavam alinhados. De repente, o negócio travou. A ideia era que a fusão se baseasse em troca de ações, e não em pagamento em dinheiro. Por isso, era crucial avaliar e discutir qual seria o tamanho da fatia dos donos da AmBev no novo negócio que iria se formar.

Os representantes das duas empresas ficaram um mês sem se falar. Foi Laan quem quebrou o gelo em setembro de 2003, ao ligar para o brasileiro sugerindo retomarem a conversa. Mais uma vez, se encontraram no hotel. Trabalharam sobre duas folhas de papel: em uma, listavam as questões financeiras que o negócio envolveria, principalmente a participação dos brasileiros; em outra, reuniram os tópicos referentes à governança, como a composição do conselho da nova empresa, os papéis de cada um no negócio e as regras da holding que uniria os brasileiros e os belgas. As conversas voltaram a fluir.

Um dos primeiros consensos foi que a AmBev teria participação societária menor no novo negócio (proporcional ao valor de cada empresa), mas o poder de decisão seria dividido igualmente entre as duas companhias. Alguns assuntos só poderiam ser aprovados por ambos os grupos, como a venda da empresa. As definições iniciais indicavam a criação de um documento sofisticado. Para que o negócio funcionasse, era fundamental, antes de tudo, construir uma profunda confiança entre todos os acionistas.

Thompson e Laan levaram as folhas com a lista dos consensos iniciais para os acionistas, e recomendaram que eles se conhecessem melhor antes de dar os passos seguintes. Ainda em setembro, os brasileiros se reuniram com Van Damme e os demais representantes das famílias acionistas da Interbrew: Philippe de Spoelberch e Arnoud de Pret de Calesberg (da família De Mévius). Uma semana depois, em outubro de 2003, De Spoelberch recebeu em sua casa em Bruxelas os dois sócios, Laan, os controladores da AmBev e Thompson.

Segundo pessoas próximas, Van Damme foi o principal "arquiteto" dos termos do acordo que uniria os brasileiros aos belgas. À medida que as linhas gerais eram definidas, as negociações passaram a ser conduzidas também por Stéfan Descheemaeker, do lado da Interbrew. Ele era o head de estratégia e crescimento externo da companhia, trabalhou na empresa de 1996 a 2008 e, desde então, faz parte do conselho de administração.

Faziam ainda parte do grupo de trabalho representantes da Lazard Frères, como o diretor Alexander Hecker, representantes do Goldman Sachs, pela Interbrew, banqueiros do Citibank de Nova York e o argentino Luis Rinaldini, que foi criado nos Estados Unidos, trabalhou na Lazard por mais de vinte anos e havia aberto a própria empresa. Quem cuidava da comunicação era a equipe de Steven Lipin, CEO da Gladstone Place Partners.

No dia 15 de outubro de 2003, uma reunião entre os empresários e seus assessores (cerca de trinta pessoas) na sede do escritório de advocacia Cravath, Swaine & Moore, em Nova York, selou o início oficial da parceria.

A partir desse momento, executivos das duas companhias passaram a conduzir o trabalho. Pela Interbrew, o economista Johan van Biesbroeck, conhecido como Jo, foi um dos responsáveis por colocar no papel os termos combinados entre as famílias. Ele ingressara na empresa em 1978, aos 21 anos, quando ainda estava na universidade e viu no jornal o anúncio de uma vaga na área financeira. Nos primeiros anos na empresa, passou por diferentes setores do negócio: logística, atendimento ao consumidor, comercial e eventos. Até que, nos anos 1980, foi para o departamento financeiro. Aos 31 anos, foi convidado para substituir um executivo antigo no cargo de CFO. Seu antecessor distorcera alguns números do caixa, o que abalara a confiança dos acionistas. O desafio de Jo era triplo: esclarecer os números reais da empresa, se provar capaz de ocupar um cargo para o qual era novo demais para o padrão da companhia e restabelecer a confiança dos proprietários. Jo conseguiu e se tornou um dos mais hábeis executivos na interlocução com os controladores.

Do lado da AmBev, quem liderava o grupo era Carlos Brito. Em janeiro de 2004, quando o contrato começava a ser construído, ele foi anunciado como novo presidente da empresa, no lugar de Magim Rodriguez, que se aposentava. Além de Brito, participavam das reuniões com os belgas Felipe Dutra, o CFO da empresa, e banqueiros do Citigroup. Havia ainda uma equipe de consultores para auxiliar nas áreas financeira e jurídica.

As bases do acordo resumiram as crenças e visões que os acionistas brasileiros e belgas tinham em comum. Dois pontos se destacavam: embora a Interbrew tivesse uma fatia maior do novo negócio, proporcional ao seu tamanho, a gestão seria compartilhada; e se tratava de um plano no longo prazo. Como investidores de um projeto ambicioso, Lemann, Marcel, Beto, Alexandre van Damme, De Pret de Calesberg e Philippe de Spoelberch estavam dispostos a assinar um termo que os unisse pelos vinte anos seguintes (que já foi estendido por outros dez, até 2034). "Os sócios estavam apostando toda a empresa, o que é uma atitude arriscada e muito rara", diz Jo. "Só se pode fazer isso em um ambiente com forte união entre as famílias e confiança nos executivos. O dinheiro, a princípio, você consegue achar, mas pessoas que confiam na relação é algo muito difícil." Segundo ele, o espírito do acordo estava claro desde o primeiro dia de conversa. Independentemente da participação acionária de cada lado, o poder decisório seria de 50% cada. "O sentimento era: 'Estamos neste barco juntos'. Esse espírito nunca mudou, é o mesmo até hoje", conclui Jo. A holding que reuniu as seis famílias foi batizada de Stichting AK Netherlands.

A Interbrew assumiu 57% do capital total e 85% do capital votante da empresa brasileira. Em troca, os acionistas controladores da AmBev (com exceção da Fundação Antonio e Helena Zerrenner, originalmente da Antarctica) passaram a ter uma participação de um pouco menos de 25% no capital total da Interbrew.

A Interbrew emitiu 141,7 milhões de novas ações para assumir o controle da Braco — holding de Lemann, Marcel e Beto. As empresas também trocaram ações e ativos que levariam a AmBev a incorporar a canadense Labatt, incluindo sua participação de 30% no capital da Femsa Cerveza e sua participação de 70% no capital da Labatt nos Estados Unidos. Em troca, a AmBev emitiria 9,5 milhões de ações ordinárias e 13,8 bilhões de preferenciais. Pouco mais de cinco meses depois da fusão entre a AmBev e a Interbrew, a fatia no capital da Femsa seria vendida de volta à empresa por US$ 1,2 bilhão.

As ações da AmBev seriam detidas por três grupos de acionistas: a Braco, a Fundação Zerrenner e os acionistas minoritários. Em termos geográficos, a AmBev ficaria responsável pela América, e a Interbrew, pela Europa, pela Ásia e pela Oceania — operando ainda de forma separada. As ações da AmBev continuaram a ser negociadas nas Bolsas do Brasil e de Nova York. A Interbrew permaneceu listada na Europa.

A sede da cervejaria brasileiro-belga, que logo seria chamada de InBev, ficou no antigo escritório da Interbrew, em Leuven, na Bélgica. A administração central da AmBev, agora uma subsidiária do grupo na América, continuou em São Paulo. A brasileira passou a ter dois CEOs, um para a América do Norte (Labatt), Carlos Brito, e um para a América Latina, Luiz Fernando Edmond, ambos membros da diretoria executiva liderada pelo norte-americano John Brock, presidente da Interbrew que permaneceu no comando da InBev. Os dois brasileiros iriam se reportar também ao conselho de administração da AmBev. O conselho da InBev incluía quatro membros nomeados pela Interbrew, quatro indicados pelos brasileiros e seis conselheiros independentes.

O negócio foi avaliado em 8 bilhões de euros e criou a maior cervejaria do mundo em volume produzido, mas não em rentabilidade. A InBev produzia à época 19,2 bilhões de litros de cerveja por ano contra 15,2 bilhões da antiga líder, Anheuser-Busch. Em seguida, estavam a SABMiller, com 13,5 bilhões de litros, a Heineken, com 10,7 bilhões, e a Carlsberg, com 7,8 bilhões.

Alexander Hecker, agora diretor executivo do banco de investimento Lazard, diz ter apreciado muito a experiência de trabalhar com os brasileiros. "Eu estava começando minha carreira. Até então tinha trabalhado principalmente com clientes na Europa e na América do Norte, mas ainda não havia trabalhado com empresas sediadas no Brasil."

Depois de reuniões sucessivas com os executivos da AmBev, Hecker ficou impressionado. "O time era focado, bem preparado e tinha muito conhecimento." Ele destaca a capacidade da equipe da AmBev de criar uma cultura corporativa forte, coesa e, ao mesmo tempo, focada em melhoria constante. "É uma cultura de aprendizado. De tentativa, ajustes e avanços. Incorporei algumas das lições que aprendi com eles nos conselhos para os clientes e até no meu próprio estilo de gestão."

Mas ele acredita que a visão e a iniciativa dos belgas tampouco podem ser subestimadas. "Eles perceberam que a AmBev tinha uma excelente equipe de gestão, uma forte cultura de dono e que o Brasil poderia ser um forte mercado para o crescimento futuro", afirma. Segundo Hecker, foi um acordo estratégico crítico, para o qual todos os lados estavam realmente dispostos a ser flexíveis nos termos. "Eles sabiam que o acordo prepararia a empresa com sucesso no longo prazo."

Roberto Thompson, sócio do trio de banqueiros, considera que os belgas foram humildes e visionários ao se associar aos brasileiros. "É de tirar o chapéu a atitude deles. São nobres de famílias que têm muitas gerações e tiveram o desprendimento de fazer um negócio meio a meio com os novos sócios."

Um delicado anúncio

Enquanto o acordo ainda estava sendo construído, a equipe responsável pela estratégia de comunicação trabalhava no anúncio que seria feito ao mercado. A maior preocupação era deixar claro o controle compartilhado — que ganharia o nome de "aliança global". Era preciso explicar os termos em que a AmBev, que se formara com a promessa de ser uma multinacional brasileira, passava a ter a maioria de seu capital nas mãos de uma empresa belga. Devia ficar muita clara a contraparte disso: o acordo previa que os brasileiros da AmBev passavam a dividir, de igual para igual, a gestão de uma companhia muito maior e com presença global.

No dia 2 de março de 2004, Victorio de Marchi, copresidente do conselho de administração da AmBev, visitou o então presidente Luiz Inácio Lula da Silva no Palácio do Planalto para comunicar oficialmente o nascimento da InBev. Estavam na audiência os ministros José Dirceu (Casa Civil) e Antonio Palocci (Fazenda). Ao fim da reunião, Victorio disse à imprensa que na "percepção" dele o presidente "ficou satisfeito" com a fusão, "extremamente importante para o país".*

---

* "Fusão criará a segunda maior empresa do setor", *Correio Braziliense*, 3 mar. 2004. http://bit.ly/2GJQP3d

No dia seguinte, 3 de março, poucas horas antes de a fusão ser anunciada em Bruxelas e em São Paulo, Karin estava em uma reunião quando soube da novidade. O diretor de sua área começou o comunicado dizendo que a Interbrew estava próxima de se tornar a maior cervejaria do planeta. Ao contrário de muitos colegas, ela gostou do que ouviu. "Fui uma das pessoas da sala que sentiu orgulho por fazer parte dessa grande jornada", conta. "Não entendia exatamente o que significaria na prática, mas gostava do desafio."

O inglês Stuart MacFarlane era gerente no escritório de Londres da Interbrew. Seu chefe, Steven Cahillane, então presidente da unidade de negócio britânica, chamou a equipe em uma sala e comunicou a união com a AmBev. "Um casamento dos céus", foi uma das frases ditas por Marcel e John Brock — e repetida pelos diretores responsáveis por explicar a nova empresa aos funcionários. O discurso focava na decisão das "famílias acionistas" brasileiras e belgas de juntar seus negócios em um só.

Acostumada às notícias sobre fusões e aquisições da companhia, a maioria das pessoas reagiu com empolgação. "Pensei que fôssemos para um bar beber e celebrar", lembra Stuart. "Não tinha ideia da jornada que teríamos pela frente." Dias depois, o time daquela subsidiária (assim como os das outras espalhadas pelo mundo) foi para Leuven saber mais detalhes da operação. As expectativas na matriz seguiam divididas. "Sempre há pessoas que têm medo de mudanças e aquelas que são otimistas quanto ao que está por vir", afirma Stuart. Para ele, estava claro que a união das cervejarias seria positiva. "Eu não queria trabalhar para uma empresa britânica pequena. Queria trabalhar na maior companhia [do setor] do mundo."

No mesmo dia, Marcel Telles reuniu todos os funcionários do escritório da AmBev em São Paulo. Contou a novidade e, em seguida, resumiu os termos do acordo. O anúncio era transmitido pela rede de TV interna da empresa para a equipe espalhada por outras unidades do Brasil: "A partir de hoje, vocês estão trabalhando na maior cervejaria do mundo. Parabéns. Não estamos engolindo nem vamos engolir a Interbrew. Vamos trabalhar juntos. Essa operação vai abrir inúmeras possibilidades de trabalho no mundo inteiro".

A maioria dos funcionários brasileiros reagiu positivamente. Estavam ali movidos pela perspectiva de crescimento mundial. Era um passo importante na direção que almejavam.

Um público desconfiado

Desde setembro de 2003, corriam rumores no mercado sobre a fusão. Quando confirmada por John Brock, executivo que assumiria a posição de CEO da nova empresa e que foi o porta-voz da operação, a notícia não foi tão bem recebida nem na Bélgica nem no Brasil. No dia do anúncio, as ações preferenciais (sem direito a voto) fecharam em baixa de 14,96% e as ordinárias subiram 8,05% no Brasil. No dia seguinte, as ações da Interbrew despencaram 6%. O jornal belga *Le Soir* definiu a reação dos investidores como "catastrófica".

No dia 4 de março, a AmBev divulgou um anúncio publicitário ocupando três páginas nos principais jornais do Brasil. Na primeira, havia um resumo da história da cervejaria. "Em 1999, a Antarctica se junta à Brahma e nasce a AmBev, a maior cervejaria do Brasil. Em 2002, a AmBev se junta à Quilmes da Argentina e dispara como a maior cervejaria da América Latina. Agora chegou a hora do grande sonho." Ao virar a página, estava em destaque "Está nascendo a maior cervejaria do mundo", sobre uma imagem de diversas garrafas com rótulos pertencentes às duas empresas.

À frente das outras, a Brahma e a Stella Artois se destacavam. Um texto explicativo descrevia a "aliança global" entre a AmBev e a Interbrew como "uma operação empresarial arrojada e inovadora, baseada em alicerces econômicos sólidos e atraente racionalidade financeira. Uma troca de ações e um acordo de acionistas garantirão o equilíbrio, com poder de decisão rigorosamente igual entre os grupos empresariais dos dois países".

O anúncio na TV era protagonizado pelo ator Antonio Fagundes, protagonista de *Deus é brasileiro*, filme lançado naquele ano. Ele também gravou vídeos para as redes internas da AmBev.

Para os controladores brasileiros da AmBev, aquela era uma confirmação concreta de que a promessa da multinacional verde e amarela, feita na fusão entre Brahma e Antarctica, estava sendo cumprida. E estavam orgulhosos da notícia que tinham para dar ao país. Era a concretização de um plano que poderia levá-los a outros ainda maiores. "Estamos cumprindo nosso longo sonho de vender cerveja no continente americano desde a ponta do Alasca até o extremo sul do continente",* disse Marcel.

A reação geral no país foi de desconfiança. Três grandes jornais, *Estado de S.Paulo*, *Folha de S.Paulo* e *Correio Braziliense*, colocavam em dúvida a aliança global, sugerindo que a participação majoritária indicava uma aquisição por parte da Interbrew. Alguns jornalistas e concorrentes defenderam que a companhia estava sendo vendida. No dia 8 de março, o jornalista Marcelo Onaga escreveu, no *Correio Braziliense*: "A AmBev foi vendida para os belgas, por mais que se tente dar outro nome ao negócio". Em 16 de abril, outro jornalista, Antônio Machado, assinou a coluna "Bye-bye Brasil", no mesmo jornal. "Preto no branco, a AmBev foi vendida, mesmo que na modelagem do negócio seus ex-controladores apareçam, agora, como sócios minoritários da soma de sua antiga empresa com o grupo belga."

---

* "Belgas no comando", *Correio Braziliense*, 4 mar. 2004. http://bit.ly/2GH9WJZ

Aquilo era o oposto do recado que a AmBev queria passar. A empresa já sofria com sua imagem pública desde a fusão entre as duas cervejarias brasileiras, em 1999, e agora vivia sob uma atmosfera de "não falei?", como se o trio de banqueiros tivesse ludibriado a todos para rentabilizar a companhia brasileira e agora entregá-la aos belgas.

Uma reportagem da revista britânica *The Economist* repercutia o descontentamento dos acionistas minoritários da AmBev, porque o acordo havia impactado de maneira diferente os detentores de ações ordinárias e preferenciais da empresa. Alguns dos investidores preferenciais disseram ter se sentido seriamente prejudicados. O líder do grupo foi Previ, a Caixa de Previdência dos Funcionários do Banco do Brasil. As ações preferenciais da AmBev caíram mais de 30% depois do anúncio da operação; com isso, a Previ, que detinha 3,3 bilhões de ações preferenciais, perdeu mais de US$ 308 milhões.

No mês de abril de 2004, a Previ entrou com uma reclamação na Comissão de Valores Mobiliários (CVM), alegando que a operação envolvendo a permuta de ativos entre acionistas da AmBev e da Interbrew e a incorporação da Labatt teria sido aprovada por administradores em situação de conflito de interesses e representado abuso de poder por parte dos controladores da cervejaria brasileira. A reclamação apontava ainda falhas dos administradores na condução das negociações e na divulgação do negócio. As reclamações da Previ provocaram barulho no mercado e na imprensa nos meses seguintes à fusão.

A AmBev respondeu às críticas da Previ em um documento encaminhado à CVM em maio de 2004, por Paulo Aragão, advogado do caso. "As acusações são infundadas", disse ele sobre os pontos levantados pelo fundo. "O processo de informações foi eficiente, tanto que ela [Previ] instruiu suas acusações com base nos documentos fornecidos pela AmBev." No documento, ele também mencionava que o preço que a AmBev estimou para a aquisição da Labatt (US$ 5,8 bilhões) não era alto, como alegava a Previ. "A avaliação foi feita por dois dos maiores grupos financeiros do mundo." O Citigroup avaliara a Labatt entre US$ 5,2 bilhões e US$ 6,6 bilhões, enquanto o J.P. Morgan estimara o valor da cervejaria entre US$ 6,4 bilhões e US$ 8,8 bilhões.

O advogado da AmBev defendia que o negócio era, sim, interessante, e que não prejudicaria os investidores minoritários, ao contrário do que alegava a Previ. "[A incorporação da Labatt] representaria aumento do faturamento e do lucro líquido da AmBev: de 47% e 48%, respectivamente."

A CVM entendeu que não existiam elementos mínimos para prosseguir com as investigações em relação à maioria das alegações apresentadas pela Previ, exceto em relação à divulgação da operação e ao tema de eventual conflito de interesses. O processo foi encaminhado à área técnica para avaliar se seria preciso abrir inquérito sobre esses dois temas.

Essas investigações se estenderam até dezembro de 2009, quando administradores da companhia e a CVM fizeram um termo de compromisso mediante o qual as investigações foram encerradas, sem admissão de culpa ou condenação, com um pagamento total, por parte dos administradores da empresa, de R$ 3,6 milhões referentes ao processo da Previ e R$ 15 milhões por acusação afins.

Competição passional

No dia do anúncio, 3 de março, a Schincariol também alegou que a união entre a Interbrew e a AmBev não seria uma fusão, e sim uma aquisição protagonizada pela empresa belga. "É claro que foi uma operação de compra e venda",* disse o então gerente de marketing do Grupo Schin, Luiz Claudio Araújo.

Entre abril e junho, a concorrente fez o que pôde para barrar a fusão, inclusive entregando ao Cade um parecer econômico elaborado por Lucia Helena Salgado — ex-conselheira da instituição que se abstivera de votar na fusão entre Brahma e Antarctica. A tese apresentada agora por ela era de que a operação refletiria negativamente no mercado brasileiro de cervejas, eliminando um concorrente em potencial que poderia ingressar no país. Naquele momento, o relator do caso concluiu que as práticas apresentadas no parecer (como acordos de exclusividade com pontos de venda e uso de diferentes marcas para combater a concorrência de acordo com a região) deveriam ser analisadas separadamente — o que culminaria em outro processo contra a empresa alguns anos depois. A InBev foi aprovada pelo Cade no dia 15 de junho de 2005, mas a Schincariol não abriria mão de seus argumentos tão cedo.

As reclamações da Schincariol sobre a fusão foram capítulos de uma batalha pública que já havia se estabelecido entre a empresa e a AmBev desde setembro de 2003. O gatilho tinha sido um comercial lançado pelo Grupo Schincariol para anunciar a mudança do nome e da fórmula de sua cerveja. A bebida passava a se chamar Nova Schin e tinha "novos ingredientes" e "novo sabor". A propaganda na TV durava um minuto e meio e contava com a participação dos apresentadores Luciano Huck e Fernanda Lima e dos atores Thiago Lacerda e Alinne Moraes. Mas a estrela da campanha — e trunfo da cervejaria — era o cantor Zeca Pagodinho, que se dizia consumidor de Brahma.

No comercial, Pagodinho ouvia repetidas vezes o bordão "Experimenta", entoado por uma multidão da qual os artistas faziam parte. Até que, intrigado, acabava por tomar um gole da nova cerveja. Em seguida, fazia um sinal de positivo com a mão, aprovando a Nova Schin.

---

* "Schincariol contesta versão de aliança e diz que Interbrew comprou a AmBev", *Folha de S.Paulo*, 3 mar. 2004. http://bit.ly/2L5HEhZ

A Brahma já convidara Pagodinho para eventos e havia enviado produtos para o cantor em algumas ocasiões. Mas ele nunca fizera um comercial da marca, e agora mudara de lado.

A propaganda da Nova Schin foi criada pelo publicitário Eduardo Fischer, da agência Fischer América, que atendia a Brahma no início da gestão de Marcel nos anos 1990. Assim que Magim Rodriguez, até então presidente da AmBev, viu o comercial da concorrente, reuniu a equipe de marketing e disse: "Eu quero o Zeca Pagodinho! Ele é 'brahmeiro' e é uma pessoa importante para os consumidores da nossa marca".

Em meio aos preparativos para o anúncio da fusão com a Interbrew, a equipe da AmBev montou uma war room para responder à concorrente. Trocou a agência F/Nazca, que até então atendia a conta da Brahma, pela Africa, de Nizan Guanaes, que havia atendido a Antarctica antes da fusão. Dois meses depois, a cervejaria respondeu à provocação com um filme publicitário também envolvendo Zeca Pagodinho.

Dez dias depois do anúncio da criação da InBev, em 13 de março, a AmBev lançou um comercial de um minuto, no qual Pagodinho cantava uma música inédita chamada "Amor de verão". Os funcionários viram o anúncio na primeira vez que foi ao ar, durante uma convenção de vendas da empresa. Gritaram e celebraram como se seu time de futebol tivesse sido campeão. A letra da música fazia uma clara referência ao flerte do cantor com a Nova Schin: "Quem já não viveu um amor de verão/ Até tentou e descobriu que era ilusão/ Coisa de momento que balança o coração/ Mas meu amor não tem comparação". O refrão reforçava o recado: "Fui provar outro sabor/ Mas não largo meu amor, voltei". O cantor teria recebido R$ 1 milhão pelo comercial da Schin e, em seguida, até R$ 3 milhões pela Brahma, segundo especulações de mercado.

No dia seguinte, a Schincariol lançou slogans nacionalistas, reforçando as ideias de que ela, sim, era uma empresa brasileira, enquanto a AmBev havia sido vendida aos belgas. "Experimenta investir 100% de seu lucro no país de origem." "Experimenta construir novas fábricas no Brasil, que gerem empregos para brasileiros, desenvolvimento para cidades brasileiras e produzam cerveja brasileira."

A Schincariol divulgou seu novo comercial em 16 de março com um sósia do cantor. "Zequinha" aparecia com um quadro verde ao fundo no qual estava escrito: "Prato do dia: Traíra". Na propaganda, o personagem diz que não troca a cerveja por R$ 600 mil nem por R$ 1 milhão. Mas por R$ 3 milhões "falo que amo e ainda dou beijo na boca".

No dia seguinte ao lançamento do anúncio, 17 de março, os dados do mercado de cerveja foram divulgados pela AC Nielsen. O Grupo Schincariol havia passado de 14,1%, em janeiro, para 14,6%, em fevereiro, crescimento puxado pela Nova Schin, que foi de 12,6% para 13%. A AmBev foi de 64,3% em janeiro para 64% em fevereiro, com a Brahma caindo de 18,2% para 17,8%.

O sinal verde para a criação da InBev não surpreendeu os envolvidos, já que as marcas da cervejaria belga praticamente não tinham presença no mercado brasileiro e os órgãos de suporte à análise do Cade — Seae, SDE e Ministério Público — já haviam emitido pareceres favoráveis ao negócio entre o final de maio e o início de junho.

Mesmo assim, diretores da Schincariol planejavam comparecer ao julgamento para reafirmar sua oposição à InBev. Só não puderam fazê-lo porque, naquele mesmo dia, foi deflagrada a Operação Cevada, uma megaoperação da Receita Federal e da Polícia Federal para desmantelar uma rede de sonegação de impostos, sobretudo Imposto de Renda e Imposto sobre Circulação de Mercadorias e Serviços (ICMS). Foram presas aproximadamente 70 pessoas, entre elas, controladores, diretores e advogados da Schincariol, além do presidente de outra concorrente, a cervejaria Petrópolis, dona da Itaipava.

As investigações haviam começado cerca de quatro anos antes pelo Serviço de Inteligência da Receita Federal durante outra operação, a Pista Livre, deflagrada a partir de denúncias anônimas, que envolviam também parte dos distribuidores de cerveja. O esquema supostamente se utilizava de diversos mecanismos, como notas fiscais "viajadas" (usadas mais de uma vez), entregas de produtos em destinos diferentes dos que constavam nas notas, empresas de fachada, vendas subfaturadas, importação com falsa declaração de conteúdo e exportação fictícia, entre outros artifícios. A operação resultou na expedição, pela Justiça Federal, de 134 mandados de busca e apreensão, executados em doze estados, e contou com a participação de 180 auditores fiscais da Receita Federal e 830 policiais federais.

Em nota divulgada em 20 de junho de 2005, a Schincariol afirmou que pagou R$ 1,2 bilhão em tributos no ano de 2004 e, em 2005, R$ 700 milhões. Dez dias depois da prisão, em 25 de junho, vinte dos presos foram soltos, entre eles cinco donos e diretores da Schincariol.

Em 2006, a empresa voltou a aparecer na Operação Cevada. Os acionistas Gilberto Schincariol Junior e José Augusto Schincariol foram denunciados em março daquele ano pela prática de corrupção ativa e associação criminosa, mas não foram punidos. Isso porque, no primeiro caso, as denúncias foram embasadas em interceptações telefônicas que, mais tarde, foram anuladas como provas pelo Superior Tribunal de Justiça (STJ). Assim, o MPF solicitou a extinção do processo. A segunda acusação, de prática de associação criminosa, foi extinta pelo Tribunal Regional Federal da 2ª Região em 2015 porque prescreveu. Um recurso da Operação Cevada ainda tramita no TRF contra outros réus, que não foram punidos depois da anulação das interceptações telefônicas.

Quem ganha com isso?

Na Bélgica, como já havia se tornado habitual, a Interbrew seria novamente criticada pela fusão com a brasileira por analistas e pela imprensa. As principais acusações eram de que a empresa pagara caro demais pela fatia da AmBev, ainda que a América Latina fosse um mercado em crescimento e que a companhia deixaria de ser familiar — característica valorizada no ambiente corporativo do país. Naquele ano, as empresas familiares representavam 70% do total em todos os setores da Bélgica. Patrick Casselman, um gestor de fundos no KBC Bank of Belgium, tinha ações da Interbrew em seu portfólio, e disse que não estava otimista com a notícia de que aquela era uma fusão de iguais, pois diluiria o valor das ações da companhia.

Porém, havia um grupo que defendia o negócio, em função dos mercados complementares e da expectativa de a Interbrew passar a ter uma gestão mais eficiente. O jornal belga *Het Nieuwsblad* observou que uma cervejaria flamenga (da região da Flandres) que vinte anos antes se lançara em direção ao mar agora caminhava para ser a maior do mundo. "Estes são dias emocionantes para a cervejaria Interbrew de Leuven."*

Apesar de deixarem transparecer certo ressentimento pelas notícias que enfatizavam a perda do controle nacional da companhia, os belgas tendiam a acreditar que a Interbrew ficaria no comando na prática. Afinal, o CEO e o presidente do conselho de administração (Pierre-Jean Evrard) seriam oriundos da empresa europeia. Uma vantagem legítima, já que os acionistas belgas tinham a maior fatia do negócio, defendiam os jornais locais.

Mas havia também um Comitê de Convergência, formado por Marcel Telles, Peter Harf, um conselheiro não executivo da Interbrew, e John Brock. Esse grupo seria presidido por Marcel, e seu objetivo era "facilitar e supervisionar certos aspectos do planejamento e da implementação [...] da transição dos negócios das partes e a realização dos esperados benefícios". Entre outras atribuições, o comitê ficou responsável pela formação de uma cultura unificada, pela disseminação de melhores práticas, pela designação de nomeações-chave, pelo estabelecimento de um esquema de remuneração apropriado e pela captura de sinergias.

Quem conhecia a AmBev por dentro encarou a fusão com bons olhos. Um ex-diretor, que deixara a companhia três meses antes do anúncio (sem saber o que viria a seguir), também era dono de ações preferenciais. Ao contrário da Previ, ele não se sentiu lesado nem se preocupou com o investimento. "Fiquei tranquilo o tempo todo. Sabia que a queda nas ações era transitória. Aquela turma jamais sacanearia seus investidores." Até hoje, ele mantém suas ações.

---

* "Interbrew op naar nr. 1", *Het Nieuwsblad*, 3 mar. 2004. http://bit.ly/2DAIPQl

Um dos mais respeitados gestores de fundo de longo prazo do Brasil, e que já comprava ações da cervejaria desde a época da Brahma, diz ter entendido que a gestão seria, de fato, compartilhada. Depois de ler o acordo algumas vezes, conversar com pessoas da empresa e próximas a ela, resumiu a essência do contrato da seguinte forma: "Uma das regras era que, se eles tivessem uma discordância no dia a dia, uma moeda seria jogada; se a pessoa ganhasse, poderia vetar. Mas, na próxima discordância, o veto iria se alternar". Segundo ele, a consequência disso é que "ninguém vai querer usar o veto para não perder o próximo. Então, quem tem mais mão de ferro no dia a dia acaba dominando". Conhecendo os executivos brasileiros, que ele define como "jovens loucos para dominar o mundo", não tinha dúvida de quem daria as cartas.

CAPÍTULO 12
Os garotos do Brasil

Um dos pontos mais polêmicos do acordo que deu origem à InBev foi a negociação da cervejaria canadense Labatt. Se para alguns analistas financeiros e acionistas minoritários a AmBev havia gastado demais pelo negócio, para os empresários brasileiros era uma oportunidade valiosa de mostrar sua capacidade de atuar em mercados desenvolvidos. Era a primeira vez que a companhia teria poder de decisão e liderança fora do território seguro dos países vizinhos ao Brasil, e, portanto, o cenário perfeito para criar uma operação modelo que, mais tarde, poderia ser replicada globalmente.

Da perspectiva do negócio, uma combinação de fatores fazia da Labatt um território fértil para os brasileiros. Era a segunda maior cervejaria do Canadá, em uma disputa acirrada com a também canadense Molson (que, em 2005, se uniu à americana Coors). A operação canadense correspondia a 10% do volume da AmBev — que, depois da fusão com a Interbrew, continuou existindo com uma subsidiária da InBev, da qual a Labatt fazia parte. A cervejaria detinha 45% do consumo no Canadá, oito fábricas, 62 marcas regionais e dezoito importadas — incluindo a licença para produzir e distribuir a líder mundial, Budweiser. Apesar de o Ebitda ser maior do que a média do setor na América do Norte, o lucro estava estagnado nos últimos anos. Isso significava que havia espaço para melhorar. Segundo analistas financeiros, aquela era a operação da InBev com maior potencial de redução de custos nos dois a três anos seguintes à compra.

Em termos financeiros, a aquisição da Labatt também era uma maneira de garantir grande parte da receita da AmBev em moeda forte — ao contrário do que acontecia nos países da América Latina. A escolha de quem tocaria a empresa no novo mercado, portanto, era mais do que uma indicação de um executivo bem preparado. Era uma aposta no futuro da multinacional.

Em 2004, Carlos Brito era o melhor exemplo do profissional que a diretoria da AmBev se orgulhava em ter criado — e um dos poucos que falava inglês fluentemente. Entrara na Brahma junto com Marcel, em 1989, quando tinha 29 anos. Seu cargo inicial era de gerente comercial, já como parte do pequeno grupo de apoio direto ao novo CEO. Fora responsável pelo setor de refrigerantes entre 1992 e 1997. Depois, ocupara a posição de diretor de vendas até 2001, e de diretor de operações até 2003, quando assumira a presidência da companhia. Nove meses depois, fora o escolhido para tocar o promissor mercado da Labatt, que representava a Zona América do Norte da InBev.

Marcel valorizava as qualidades que Brito reunia: boa formação acadêmica, capacidade de análise e de execução e uma incomparável bagagem prática, o que era fundamental para manter a tradição de cuidar dos detalhes e "gastar sola de sapato" em qualquer lugar do mundo.

Brito nasceu em 1960, no bairro da Lagoa, na Zona Sul do Rio de Janeiro. Estudou no tradicional colégio Santo Inácio e se formou em engenharia mecânica pela UFRJ. Já havia passado pela Daimler-Benz e trabalhava na petrolífera anglo-holandesa Shell quando foi aceito para o curso de MBA na Universidade Stanford, na Califórnia, em 1987. Sem conhecer Lemann, bateu à porta do Banco Garantia para se apresentar a ele e pedir ajuda para pagar os estudos. Lemann gostou da iniciativa e decidiu financiá-lo com três condições: a primeira era mandar relatórios mensais de como ia o curso e destacar algo interessante que tivesse aprendido; a segunda era ajudar alguém no futuro, como Lemann estava fazendo com ele; a terceira era falar com Lemann após a conclusão do MBA para ver se havia oportunidade no banco antes de aceitar qualquer oferta de trabalho.

Ele aceitou. Em outubro de 2015, contou a experiência na Califórnia a uma associação de estudantes brasileiros na Universidade Columbia. "Ser brasileiro estudando fora tinha seus problemas", disse Brito. Mencionou que naquela época o Brasil era visto como um país com inflação alta, que queimava a Amazônia e "matava crianças na rua". "No MBA aprendi [...] que meus colegas eram muito bons, ou seja, a barra era mais alta do que no Brasil, e eu tinha que dar mais duro para competir, e que, tirando o idioma (porque não consigo eliminar o sotaque), era capaz de competir de igual para igual com os outros estudantes, apesar de serem altos, bonitos e falarem inglês, enquanto eu era baixinho, careca, meio gordinho." A experiência do executivo deu origem a um programa estruturado, desde 1991, na Fundação Estudar. O investimento piloto em Brito se revelaria, no longo prazo, um dos mais bem-sucedidos de Lemann — assim como nos executivos João Castro Neves e Ricardo Tadeu. Quando Brito concluiu o curso, voltou ao Brasil e passou alguns meses no Banco Garantia, durante o processo de aquisição da Brahma, para onde ele foi em seguida.

Pelos olhos da equipe, Brito sempre foi um executivo que cumpria — e cobrava — objetivos com rigor. É sério, com a fronte franzida com frequência. "Detalhista", "duro" e "incansável" são adjetivos usados para descrevê-lo. "Se você quer obter o melhor de seus funcionários é preciso pressioná-los o tempo todo",* disse Brito a uma sala cheia de estudantes na Stanford Graduate School of Business em 2010.

Os executivos que respondiam a ele nas reuniões de desempenho da Brahma e AmBev têm lembranças marcantes desses encontros. "Ele é a pessoa mais focada que já conheci", diz um ex-gerente. Um de seus colegas tinha crises de gastrite no dia anterior às reuniões. Outro afirma que a postura dele "assusta e é intimidante". Sua maneira de falar é direta e cortante. Ele usa frases curtas e bem articuladas para dizer, olhando nos olhos e apontando o dedo enfaticamente, que a performance de alguém está abaixo do esperado. "Ele te aperta com a forma incisiva de falar, mas não te desrespeita. Nunca ultrapassou a linha", diz um ex-gerente. Com o passar dos anos, ele reconhece que o chefe foi adotando uma atitude mais "balanceada". O próprio Brito já admitiu que inicialmente não era uma pessoa fácil de lidar. "Até hoje não ouço tanto quanto deveria, mas passei a ouvir mais e a falar menos."**

No entanto, Brito nunca foi um executivo inacessível. Ficou conhecido na companhia pelo jargão "meu garoto", que usava para falar com os funcionários. Suas decisões costumam se basear em números e argumentos consistentes. Ele é capaz de fazer contas de centavos durante dias para definir se devem ou não investir em um projeto de bilhões de dólares. O venezuelano Frank Abenante, que trabalhou na AB InBev entre 2007 e 2015, chegou ao cargo de vice-presidente global de marcas e marketing e afirma que, para convencer Brito de algo que não estava em seu radar, era preciso ser insistente e melhorar, a cada oportunidade, os argumentos. "Primeiro, ele pode falar: não acredito. Depois, 'não' de novo. Na terceira vez, 'talvez'. Na quinta, 'Tá bom'. Na sexta tentativa ele vai fazer algumas perguntas. Na sétima, vai estar realmente curioso. Até chegar o dia em que ele acredita no que você trouxe." Segundo Frank, nesse momento o projeto vira "dele". "E não há embaixador na empresa melhor do que o Brito."

Algumas visitas dele às salas de venda da AmBev tiveram grande impacto para os funcionários. Por exemplo, em um dia em que todos os executivos saíam para visitar os pontos de venda e ter contato direto com os consumidores (prática replicada globalmente até hoje, inclusive com os acionistas majoritários que fazem parte dos conselhos). A vivência era uma versão do balé do asfalto, iniciado por Marcel, aplicado em larga escala. Antes de deixarem as salas, Brito assistiu a uma reunião matinal e, em seguida, conversou com toda a equipe. "Nunca vou esquecer que ele foi lá e gastou quinze minutos do dia conosco",

---

* "Rei da cerveja viaja na classe econômica e adora pressão", *O Globo*, 14 out. 2015. https://glo.bo/2UFAFvv

** "O brasileiro que comanda o mercado mundial de cerveja", *Exame*, 26 nov. 2015. http://bit.ly/2L9s0Ca

diz um ex-gerente. "Não importa que haja centenas de salas de venda e que ele não consiga ir a todas de uma vez. Na hora em que está na sua, ele realmente está presente. Quer falar com o time. Em geral, nas outras empresas, o diretor pensa que isso não é papel dele e passa para alguém fazer a visita."

A partir de 2004, Brito passou a ser a representação mais fiel do que havia se tornado a companhia que começara no Brasil e agora ganhava o mundo.

Uma operação-modelo

Para se tornar a alavanca de crescimento da InBev, os planos para a Labatt se basearam em um minucioso estudo de oportunidades. A principal estratégia definida para o Canadá seria explorar o segmento superpremium e as cervejas importadas, que tinham alta margem de lucro. Uma delas seria a Brahma, como aposta de bandeira global, assim como a belga Stella. A Brahma, no entanto, não vingaria mundialmente e, por isso, no futuro, seria substituída por outras marcas do portfólio.

O contexto contribuía para o otimismo dos brasileiros. No Canadá, o consumo per capita era baixo, e as projeções de crescimento do setor eram da ordem de 2,2% para os cinco anos seguintes. A principal concorrente da Labatt, a Molson, em 2002 comprara a brasileira Kaiser da Coca-Cola. Em seguida, vendera 20% de suas ações à Heineken. Segundo analistas do mercado, Labatt e Molson formavam um duopólio na região.

Carlos Brito levou uma equipe de aproximadamente quinze brasileiros para replicar o modelo da companhia, que já estava sólido na América Latina. Uma de suas primeiras medidas foi a reorganização da empresa agora integrada ao centro de serviços compartilhados que já atendia à AmBev — otimizando os custos. Um ano depois da integração, parte do trabalho de apoio à operação estava concentrada no escritório de Jaguariúna, no interior de São Paulo, que na época reunia cerca de quinhentos profissionais. De acordo com Trevor Stirling, um dos mais respeitados analistas financeiros do setor de bebidas no mundo, do Sanford C. Bernstein, se algum cliente local ligasse para a Labatt para fazer um pedido, quem atendia era um brasileiro falando inglês com sotaque canadense.

Esse foi um dos detalhes que chamou a atenção dele. "Os executivos da AmBev são incrivelmente bons em manter o centro da empresa local. Não faz sentido produzir cerveja no Brasil e despachar no Canadá. Mas onde podem centralizar as coisas e torná-las mais baratas, sim, eles devem fazer isso."

Uma das primeiras novidades apresentadas na gestão de Brito foi o Orçamento Base Zero, um dos principais pilares do sistema da AmBev. Com o refinamento da prática ao longo dos anos, o trabalho consistia em criar uma matriz entre as áreas operacionais (como financeiro, vendas e industrial) e diversos custos secundários (como viagens, manutenção e materiais de escritório). O responsável por áreas específicas em cada país deveria preparar todo ano um orçamento detalhado para o menor valor, sem repetir nada automaticamente do ano anterior. O chefe do país e os responsáveis por esses custos davam a aprovação final. O objetivo era garantir a melhor relação custo-benefício em todos os departamentos da empresa, agora globalmente.

Um ano depois que Brito assumiu o comando, os resultados da empresa não eram mais apenas oportunidades: tornavam-se realidade. O crescimento do Ebitda orgânico das operações da América do Norte (ou seja, sem aquisições) foi de 22% em 2005 — 7% a mais do que a promessa de Brito de que alcançaria os 15%.

Faltou combinar com os belgas

Enquanto Brito assumia a Labatt, outro grupo de brasileiros era convocado para integrar o time da Bélgica, liderado pelo norte-americano John Brock, que já era o CEO da Interbrew e permaneceu na posição com a formação da InBev. Felipe Dutra, por exemplo, deixaria o cargo de CFO da AmBev para assumir a mesma posição na InBev a partir de janeiro de 2005. No dia 1º de setembro, o jornal *Le Soir* publicou um artigo com o título "Os novos patrões da InBev", que anunciava, entre outros detalhes do acordo, a chegada dos brasileiros à Bélgica.*

Nos primeiros dias depois de concretizada a fusão, os cinquenta principais executivos da AmBev e da Interbrew (25 de cada empresa) se apresentaram para John Brock durante um evento da companhia no Casa Grande Hotel, no Guarujá, litoral de São Paulo.

Como já havia sido feito na integração entre Brahma e Antarctica, Marcel e os sócios determinaram nove frentes de trabalho que iam se dedicar a transformar as duas empresas em uma só, enquanto todas as áreas continuariam cumprindo seus cronogramas.

Foi criado um comitê de convergência e cada frente foi liderada por um diretor de área. Durante seis meses, os executivos brasileiros trabalhariam com pares estrangeiros — além de belgas, havia russos, canadenses, norte-americanos, asiáticos. No total, cerca de quarenta pessoas se dedicaram à tarefa, que era a mesma para todos: comparar processos, sistemas e práticas e escolher o melhor — ou criar um terceiro com os pontos fortes de ambos.

Do lado dos belgas, a principal contribuição seria o programa de gestão Voyager Plant Optimization (VPO), que ficaria conhecido informalmente na empresa como um "guia para fazer as coisas da maneira correta visando alcançar

---

* "Les nouveaux patrons d'InBev", *Le Soir*, 1º set. 2004. http://bit.ly/2PzUXG6

as metas". O sistema se tornou padrão em toda a empresa, e, nos materiais internos, ganhou uma ilustração explicativa em formato de uma casa. O telhado é representado pelos *resultados*, e para sustentá-la há cinco pilares: *meio ambiente, qualidade, segurança, manutenção* e *logística*. Esses são os meios pelos quais os resultados devem ser alcançados. Há ainda dois pilares horizontais — *gente* e *gestão* —, que são parte essencial de toda a construção. Gente fica na parte de baixo, como a base da casa. Gestão fica acima, entre o topo dos pilares verticais e o telhado.

A AmBev contribuiria inicialmente com suas principais frentes: a de remuneração, com a implantação do sistema de meritocracia, e a de redução constante de custos, com o Orçamento Base Zero.

A partir da integração dos sistemas e processos, os books de excelência, já tradicionais na AmBev, seriam adaptados para as diversas áreas, norteando todo o trabalho na InBev. O belga Jo van Biesbroeck liderou a implantação do programa de excelência em vendas em 2005. A empresa adotaria as convenções para premiar os ganhadores, que logo iam se tornar um dos momentos mais importantes do calendário corporativo anual.

Um gerente em São Paulo recebeu um telefonema informando que teria que mudar para Leuven, na Bélgica. Nos dias seguintes, ele falou algumas vezes ao telefone com o executivo que tinha um cargo similar ao seu na Interbrew. Chegou à cidade em junho já com uma meta a cumprir: apresentar ao diretor resultados de sua área, tanto na Interbrew quanto na AmBev, com os critérios comparados. Tudo resumido em uma página. O trabalho era necessário porque nomenclaturas como "custo", "margem de lucro" e "receita" eram reportadas de formas diferentes em cada empresa. Os resultados unificados de todas as áreas seriam compartilhados globalmente em quatro meses.

Quando ele e outros brasileiros chegaram à sede da InBev, encontraram o que mais parecia um conjunto de pequenas empresas dividindo o mesmo ambiente, cada uma com as próprias regras. "Era uma companhia de feudos. De reis e reinados." Também era uma consequência da grande quantidade de aquisições relativamente recentes e da maneira de a companhia operar refletida no jargão "a cervejaria local global". A segregação da Interbrew ia da variedade de softwares de gestão utilizados pelas diferentes unidades à comunicação dos funcionários. Muitos dos estrangeiros que trabalhavam na cervejaria não se falavam, diz um dos executivos da AmBev que participou da integração.

A prevalência da gestão local na Interbrew era mais acentuada na China, uma vez que o caminho possível para ingressar naquele mercado era por meio de participações minoritárias em dezenas de cervejarias regionais. Estas, por sua vez, apresentavam problemas de naturezas variadas. Enquanto o escritório central do país, em Hong Kong, tinha uma sala privada para o presidente, outra unidade tinha condições precárias. Em algumas regiões, as cervejas eram entregues de bicicleta. Era preciso entender o estágio de cada local para, aos poucos, solucionar os problemas.

O gerente passou a primeira noite em Leuven no hotel, finalizando a apresentação que guiaria seu trabalho no dia seguinte. Às oito da manhã, encontrou seu par para começar a análise da integração. Cumprimentou o colega, sentou-se diante dele e foi logo abrindo o computador. "Vamos validar a agenda?", perguntou no estilo típico da cervejaria brasileira. "Bom, o que vamos fazer hoje é..." O executivo o interrompeu. "Calma... Veja a minha proposta." A sugestão dele era que os dois iniciassem o trabalho com um "aquecimento". "Sou casado, tenho um filho... Me conte sua história. Quem é você?" O brasileiro, de olhos arregalados, ficou alguns segundos sem dizer nada, enquanto só imaginava que o chefe "engoliria seu fígado" no fim do dia, quando não tivesse cumprido o combinado.

O trabalho, que teria de estar pronto em julho, atrasou um mês. O prazo inicial coincidia com as férias de verão europeias, que eram inegociáveis para os belgas. Para os "ambevianos", no entanto, a situação era estranhíssima. Não cumprir a agenda não teria sido uma opção se dependesse só deles. Mas os brasileiros tiveram de fazer algo com o que não estavam acostumados: desacelerar, ajustar as expectativas e se adaptar, ainda que momentaneamente, aos interlocutores.

O ritmo era outro. Assim como os hábitos da cultura e a disposição para os negócios. Ao contrário de todas as experiências internacionais da empresa até então, daquela vez não dava para entrar "com o pé na porta", impondo um novo modelo de trabalho da noite para o dia. Assim como na maior parte da Europa, a equipe da Interbrew costumava chegar cedo ao escritório (por volta de 7h30), e às cinco da tarde ia embora. Na hora do almoço, os funcionários tomavam Stella Artois, disponível na empresa. "Alguns tomavam cinco taças e, na volta do almoço, entravam em suas salas e fechavam a porta. Algo inimaginável para nós", conta um brasileiro que participou desse período.

Os executivos da AmBev não tinham o mandato para impor sua dinâmica e velocidade de trabalho, afinal, era uma fusão com uma companhia maior, mais experiente, que ficara com uma parcela maior do capital. Eles também teriam sua curva de aprendizagem. Embora soubessem muito bem operar uma cervejaria, não conheciam as peculiaridades dos mercados pelos quais se espalhavam as operações da companhia belga.

Desafios de outra natureza

Os primeiros meses foram desafiadores para os ambevianos. Seria preciso enfrentar a resistência dos novos colegas diante das mudanças. Os belgas sussurravam pelos corredores suas insatisfações. A indisposição de alguns deles em relação aos brasileiros era notável. A atitude refletia um traço da cultura do país e da empresa. Enquanto na AmBev as regras eram determinadas pela diretoria e replicadas pela equipe sem que se dedicasse muito tempo ao brainstorming, na Interbrew qualquer tema podia dar origem a longas discussões, como uma assembleia democrática em que todos têm poder de veto. Não haveria mais espaço para essa dinâmica. E os brasileiros, aos poucos, deixariam aquilo claro.

Em uma reunião de apresentação do Orçamento Base Zero, por exemplo, conduzida por Felipe Dutra, um belga levantou a mão. "Discordo", disse. Felipe manteve a expressão inalterada. Os outros brasileiros na sala se entreolhavam, alguns sorrindo ironicamente, outros atônitos diante do comentário. Estavam acostumados a aprender as melhores práticas com quem estava havia mais tempo na empresa. Não era só uma questão de cumprir as regras, mas também uma crença de que se o método estava ali era porque funcionava e, portanto, representava um atalho. "Para que reinventar a roda?" era o pensamento estabelecido entre eles. O belga continuou. "Por que isso é importante? Esse ponto precisa ser discutido".

Outra reunião tensa conduzida pela equipe da AmBev mostrava o novo sistema de remuneração. A apresentação era feita para cada departamento separadamente. Em uma das ocasiões, no anfiteatro da sede, os funcionários da Interbrew não gostaram do que ouviram sobre meritocracia, que se baseava em salários nivelados a 80% da média do mercado e bônus agressivos. Algumas pessoas se levantaram e deixaram a sala em silêncio, como forma de protesto.

O programa de remuneração variável tinha quatro ações principais. Uma delas era o bônus inicial baseado em metas mais exigentes. O pagamento correspondia a uma combinação de metas financeiras, relacionadas ao crescimento do Ebitda, e pessoais, que variavam. O segundo era o mínimo de 50% dos bônus obrigatoriamente pagos em ações da InBev (ou AmBev). Havia ainda a opção de correspondência nos outros 50% de bônus. Ou seja, a pessoa poderia escolher se queria levar a metade do prêmio em dinheiro na hora ou investir em mais ações da companhia — o que se tornara comum e bem-visto na AmBev, já que demonstrava o envolvimento pessoal com o crescimento da empresa. Por fim, a equipe da InBev, com a ajuda de consultores, avaliou o pacote de remuneração de cada um dos 250 principais executivos em relação aos valores pagos pela concorrência. A partir do ano seguinte, os bônus seriam reajustados, usando como base de cálculo a média salarial de mercado.

Aquela era uma mudança relevante para os funcionários da Interbrew. Segundo Karin, a advogada que entrou na empresa em 1987 e ficou até 2015, antes da fusão os bônus não eram tão altos, mas eram praticamente garantidos. "Você sabia que receberia", diz ela. "Em algumas avaliações de desempenho, eu mesma gastava mais tempo explicando por que não tinha conseguido bater a meta do que simplesmente dizendo: 'Desculpe, não consegui'. Aquela era uma mudança de cultura."

Apesar das reclamações diante das novidades, elas seriam implementadas. As únicas adaptações se referiam às leis trabalhistas locais, como a carga horária de trabalho permitida.

Brasileiros por toda parte

Um relatório publicado pelo Deutsche Bank em 12 de maio de 2005 apontava os resultados do primeiro ano da fusão entre as duas cervejarias. Com o título "The Boys from Brazil" [Os garotos do Brasil], era um atestado não só do sucesso promovido pelos executivos brasileiros, mas também da operação da AmBev para o grupo que acabara de se formar.

Enquanto o mercado europeu enfrentava uma crise de consumo, as operações da InBev na América Latina e as ações tomadas por Carlos Brito no Canadá pesavam positivamente no resultado geral, compensando as dificuldades da InBev. Os analistas que assinaram o relatório — Nick Bevan, Joaquín López-Doriga e Graeme Eadie — apostavam que a crescente influência da AmBev através da organização da InBev (por exemplo, com sua cultura de custo mais agressiva) melhoraria a performance financeira da companhia no futuro.

Em setembro de 2005, foi anunciada uma grande mudança na direção da InBev. Os brasileiros, aos poucos, ocupavam os cargos de gestão, implementando o modelo decidido pelo grupo de controladores.

A mudança que eliminava qualquer dúvida sobre quem comandaria a nova empresa foi a do principal executivo. Carlos Brito deixou a operação do Canadá para assumir a presidência da InBev, no lugar de John Brock, a partir de 1º de janeiro de 2006.

Além dele, outros executivos estrangeiros se destacavam em lugar de belgas que eram desligados da companhia. Claudio Garcia, o Claudão, que passara por várias posições em finanças e operações no Brasil e era o responsável pelo CSC desde 2002, assumiu como vice-presidente de TI e serviços compartilhados para a InBev. No ano seguinte, passaria a ser o vice-presidente de gente. O português radicado no Brasil Miguel Patrício, então diretor de marketing na InBev no Canadá, assumiu a direção global da área na Bélgica. O colombiano Juan Vergara, também radicado no Brasil, ex-diretor da área internacional da AmBev, se tornou diretor de compras da InBev. Além dele, o grupo era formado por quatro brasileiros, três norte-americanos, três belgas e seis europeus de outros países.

Em alguns meses, havia cerca de cinquenta brasileiros no escritório da Bélgica. Apesar da boa formação dos executivos, a maioria dos gerentes expatriados do Brasil não falava inglês fluentemente. Como aquela era a língua oficial da companhia, tiveram problemas. Não raro, falavam português entre si no escritório, o que irritava os novos colegas. "Às vezes a gente passava por cima. Acho que os belgas ficaram horrorizados", diz o gerente. "Mas era dentro deste espírito: 'Olha, eu vim aqui para cumprir uma missão'."

A imprensa local transparecia o incômodo com a ascensão dos brasileiros. O jornal econômico *L'Echo*, por exemplo, publicou um editorial intitulado "Os sul-americanos tomam o poder na InBev" no dia 20 de setembro de 2005, logo depois do anúncio dos novos diretores. Era a primeira vez que um não belga assumiria o comando da empresa, pontuava o texto. Em 21 de setembro de 2005, o jornal *Le Soir* reforçou que os sindicatos demonstravam cada vez mais preocupações. "Não é preciso ser um grande funcionário para perceber que os sul-americanos e os anglo-saxões não têm os mesmos valores e a mesma maneira de pensar sobre as relações sociais que nós", afirmou o sindicalista Robert Gabriel. "Esperamos explicações sobre a mudança na estrutura de gestão."*

Na mesma reportagem, o *Le Soir* confirmava que "a cabeça da InBev é brasileira" e questionava a igualdade de oportunidade para executivos de outras nacionalidades. "A cor do passaporte dos executivos não importa. Se eles vieram da Suíça ou de Trinidad e Tobago, não nos importamos. O principal é que sejam competentes", analisa o artigo.

> Por que, então, essa saída dos executivos belgas? Eles eram tão incompetentes? Por que os brasileiros da AmBev obtiveram posições-chave em todo o organograma da Interbrew e isso não aconteceu na direção oposta? Por que a alta administração da AmBev não tem europeus ou norte-americanos? [...] Se a nacionalidade não importa, como é dito em Leuven, obviamente, está importando muito para os brasileiros.

A explicação dada posteriormente por alguns executivos da InBev era que, de fato, os brasileiros que já trabalhavam dentro do modelo de gestão da AmBev estavam mais preparados para implantá-lo no novo ambiente. Não fosse isso, o acordo entre as duas companhias, de dividir a liderança sobre a gestão (embora a maior parte do capital fosse belga), não iria se justificar. Naquele momento, a resposta às questões da população local veio por meio de atitudes. Com a gestão nas mãos de Brito, não havia mais tempo para debates sobre conceitos que seriam implantados.

A sede continuaria em Leuven pelos anos seguintes, no mesmo prédio que já estava sendo construído quando se dera a fusão (inaugurado em janeiro de 2005). Ao chegar, Brito implantou o modelo "open office". Derrubou as paredes que separavam as salas dos diretores e eliminou os escritórios privados. Foram tomadas outras medidas já conhecidas dos brasileiros, como a sus-

---

* "Les Managers belges trinquent à la tête d'InBev", *Le Soir*, 21 set. 2005. http://bit.ly/2UWtO61

pensão das cervejas durante o expediente (mais tarde, a companhia voltaria a disponibilizar cervejas nos escritórios depois do horário comercial). Já os carros para executivos não foram suspensos. Era preciso escolher as brigas que valia a pena comprar.

Havia sobreposições de funções e mudanças no organograma, por isso alguns funcionários foram desligados e outros convidados a ocupar novas posições, às vezes em outras regiões. Os que não aceitavam tinham que deixar a empresa.

O ressentimento de boa parte da população belga com as mudanças na empresa continuava a aparecer nos jornais. As queixas se referiam a três principais temas, que muitas vezes se misturavam: o comando da companhia nas mãos de estrangeiros, a gestão voltada para eficiência e resultados, que incorria em questões trabalhistas, e as dúvidas sobre a preservação da qualidade da cerveja, parte da tradição e da cultura do país.

O fechamento de fábricas, por exemplo, era enfrentado com protestos, ironias e lamúrias. Nas entrelinhas das reclamações havia questionamento sobre uma busca exagerada por lucros financeiros. Em outubro de 2004, foi desativada a unidade que produzia a marca Boddingtons desde 1778, em Manchester, na Inglaterra. Representantes de sindicatos em Leuven reclamaram quando souberam da notícia, inclusive porque a equipe havia passado por reorganizações recentes para tornar a fábrica mais lucrativa. Hoje, a marca é produzida em outra fábrica da empresa, em Samlesbury, no condado de Lancashire.

Meses depois, foi anunciado que, em dois anos, outra marca belga, a Hoegaarden, da vila de mesmo nome, na região da Flandres, considerado o berço das cervejas de trigo no país, passaria a ser produzida em uma fábrica em Jupille. Três mil pessoas protestaram. Muitos estabelecimentos comerciais e casas colocaram em suas fachadas um pôster com os dizeres: "Hoegaarden produz Hoegaarden". Em 2006, quando a mudança foi feita, o assunto ainda ocupava as páginas dos jornais. Funcionários revoltados se demitiam ou abandonavam seus turnos, os sindicatos pediam relatórios sobre lucratividade das fábricas tentando evitar que fechassem. Os comerciantes locais se diziam receosos de vender a marca, já que não confiavam mais na qualidade do produto, o que gerou novo protesto. Em meio a tanta revolta, em 2007 a direção da InBev decidiu voltar atrás na decisão e a cerveja voltou a ser produzida em Hoegaarden.

Quando a InBev anunciou o lançamento da Brahma em quinze novos países, o jornal *Le Soir* expressou a desconfiança dos europeus em relação à preservação dos ingredientes e da qualidade dos produtos da empresa. O jornal mencionou que o lançamento era uma "retórica mercadológica", já que a Brahma vendida na Europa não era a mesma da América do Sul. "Mas o que isso importa, como dizem os executivos da InBev, já que se trata de uma 'experiência' que o consumidor compra" (ou seja, 'e não o líquido à base de lúpulo'). Para quem ainda duvida, o trabalho do cervejeiro mudou..."*

Cada novo anúncio de reestruturação da companhia em busca de eficiência era recebido com manifestações de revolta e inconformismo da população. Em uma das ocasiões, o ministro da Economia da Valônia, Jean-Claude Marcourt, se referiu ao anúncio de reorganização como o "cinismo da gestão". "A InBev anuncia no mesmo dia mais de 1 bilhão de euros de lucro e a intenção de extinguir mais de duzentos empregos na Bélgica. É inaceitável que uma empresa demonstre tal desrespeito." Segundo ele, aquela era uma abordagem estritamente capitalista, de motivação puramente financeira.**

Divisor de águas

Parte dos antigos funcionários da Interbrew, no entanto, seguia animada com a fusão, com uma postura aberta e colaborativa durante a integração. Jo van Biesbroeck, Stéfan Descheemaeker, Stuart MacFarlane e Karin van Roy estavam entre eles. Todos têm lembranças empolgantes dessa fase. Para eles, o trabalho foi de construção conjunta da nova cultura — e não de uma simples absorção do que já dera certo no Brasil. Stuart já havia passado por diversas integrações na Interbrew. Em 2004, foi um dos primeiros convocados para trabalhar no grupo de transição. "Foi um período muito emocionante", diz. "Todos nós que éramos parte dessa organização sabíamos que aquele era um divisor de águas para as duas empresas e para a indústria mundial de cerveja."

Karin destaca as técnicas de gestão que aprendeu com os brasileiros: como fazer orçamentos, definir metas e indicadores. "Foi um período de grande crescimento. A fusão perfeita entre a antiga Interbrew e a nova AmBev. Sou muito grata a essa experiência. Depois disso, todo o resto passou a parecer simples." Ela também reconhece o aprendizado dos brasileiros. "Acredito que eles também ficaram agradecidos por ter aprendido que o mundo não é tão simples para eles quanto o Brasil."

Enquanto a principal contribuição da AmBev era o modelo de gestão, com todos os seus sistemas unificados, processos estruturados e sua cultura de dono, o ponto mais forte da Interbrew era a tradição de suas marcas, algumas com sete séculos de existência. Manter vivas por tanto tempo a alma e a história das cervejas, preservando a identidade de cada uma, desde o líquido das garra-

---

* "Boissons: Le brasseur lance dans le monde entier sa nouvelle et troisième marque globale Brahma, l'atout brésilien d'InBev", *Le Soir*, 23 mar. 2005. http://bit.ly/2XJmnMo
** "Jupille rumine sa colère", *Le Soir*, 25 fev. 2006. http://bit.ly/2J68KD9

fas até as campanhas de marketing, era uma das lições mais importantes para os brasileiros.

A InBev ainda não tem a simpatia dos belgas em geral. Quando questionada se em seu país as pessoas gostam da empresa, Karin escolhe bem as palavras para responder. "Se você me perguntar se a InBev é uma das empresas de que as pessoas *mais gostam* na Bélgica, a resposta é não. Mas é uma das mais *admiradas*? Sim. São coisas diferentes."

Ela hoje trabalha em uma companhia dirigida por um ex-executivo da InBev e conta que outras empresas estão começando a tentar replicar seu modelo de sucesso — como acontece no Brasil —, ainda que sem admitir isso publicamente.

Enfim, a número um

Os primeiros anos de InBev provaram que o modelo de gestão que começara no Brasil era capaz de se adaptar a outras culturas. Com a globalização, a empresa ganhava robustez para avançar com mais força e velocidade em mercados nos quais já havia entrado, mas ainda não controlava integralmente a gestão.

Foi o caso da argentina Quilmes, líder também na Bolívia, no Paraguai e no Uruguai. As condições para adquirir o controle na cervejaria estavam definidas desde 2002, quando a AmBev havia comprado aproximadamente 37% do negócio. Três anos depois, em 2005, a cervejaria brasileiro-belga realizou sua opção de compra, aumentando sua fatia para 56,72%. Desde então, a InBev passou a consolidar alguns resultados da Quilmes, mas a gestão continuava com os argentinos. Os diretores da AmBev tentavam influenciar as práticas de administração, já que seu modelo havia se tornado uma referência no mercado, mas enfrentavam a resistência principalmente do CEO, Agustín García Mansilla.

Agustín conhecia técnica e profundamente o negócio — e deixava isso claro nas interações com a equipe da AmBev. O máximo que os brasileiros conseguiram implantar foram algumas práticas para redução de custos em matérias-primas, mão de obra, frete, centralização de funções corporativas e benefícios. Os analistas financeiros consideraram positivas as mudanças, que aumentaram a margem de lucro da empresa.

Dois anos depois da criação da InBev, com o comando global da companhia já nas mãos de Carlos Brito, a família Bemberg, sócia da Quilmes, aceitou sentar para conversar mais uma vez com os brasileiros. E acabou vendendo o negócio. Em 13 de abril de 2006, a InBev anunciou o aumento em sua fatia de 56,72%, que já garantia o controle acionário, mas mantinha uma participação relevante da família, para 91,18% do capital acionário. A operação foi concluída em 8 de agosto do mesmo ano e representou a maior aquisição de uma empresa argentina na década.

Os argentinos não gostaram da novidade. Em 2002, quando a AmBev comprou sua primeira participação na empresa, a Isenbeck, principal concorrente local, havia feito uma propaganda cujo mote era "Como se diz 'vendido' em português?". Quatro anos depois, a frase foi lembrada pelo jornal *Clarín*, o maior do país. "Na verdade, a Quilmes foi 'vendida' ontem", afirmou a publicação.

Já os brasileiros estavam realizados depois da longa espera. Com a aquisição completa do controle da companhia, poderiam finalmente implantar seu modelo de gestão e cultura, fortalecendo a liderança da cervejaria na América do Sul. A decisão sobre quem comandaria o novo território representava outra importante aposta das famílias donas da InBev.

O escolhido foi o carioca João Castro Neves. Ele estudou no tradicional Andrews, no bairro de Botafogo, se formou em engenharia da computação na PUC-Rio e fez MBA na Universidade de Illinois, nos Estados Unidos, financiado pela Fundação Estudar, de Jorge Paulo Lemann. Começou sua carreira na Brahma, em 1996. Passou por diversas áreas da companhia, como fusões e aquisições, tesouraria, relações com investidores, novos negócios, tecnologia e serviços compartilhados e pela divisão de refrigerantes. Era o CFO da AmBev quando foi promovido à posição de presidente da Quilmes.

Aos 39 anos, João não se encaixava no perfil combativo que, em 2006, já havia se tornado um rótulo entre os principais executivos da AmBev. Bem-humorado e naturalmente hábil no trato com as pessoas, desempenharia um papel de agregador e conciliador dentro da empresa e nas relações com o mercado. Não costumava falar alto nem usar palavrões.

Nas reuniões, João era conhecido por estar sempre munido de um caderninho e duas canetas, com tintas vermelha e azul. Cada profissional de sua equipe tinha o nome escrito em um espaço do caderno. O chefe fazia as anotações alternando a cor da caneta segundo um critério que os outros desconheciam. Alguns diretores que trabalharam com ele consideram que, em certos momentos, João se envolvia além do que deveria com detalhes, fazendo microgerenciamento das tarefas. Para ele, era apenas sinal do quanto os temas eram relevantes para a empresa.

O primeiro contato de João com a Quilmes havia sido no ano de sua chegada à Brahma, uma década antes de assumir o posto de principal executivo daquela operação. Na ocasião, ele acompanhou Jorge Paulo Lemann em um encontro com membros da família Bemberg. "Para mim, um jovem começando a carreira, foi uma experiência incrível", diz. "Depois de dez anos, eu estava apto a tocar aquele negócio. Foi um sonho se realizando."

João desembarcou em Buenos Aires em dezembro de 2006. Sua estratégia foi levar menos brasileiros do que nas primeiras investidas fora do país. Nessa fase, eles já haviam aprendido uma lição importante: ao adquirir uma empresa em outro país era fundamental preservar pessoas-chave da companhia comprada, que carregassem, além da cultura corporativa, a cultura da região. A presença delas aumentava as chances de diálogo com a população e a consequente aceitação pelos funcionários e consumidores.

Mesmo com esses cuidados, o trabalho de João não seria fácil. Seu papel era comandar a empresa ícone na Argentina e "uma das mais complexas do país", segundo ele. A maneira como foi recebido no mercado prenunciava os desafios que enfrentaria. A Isenbeck preparou uma campanha publicitária em que a bandeira argentina tinha suas cores trocadas pelas cores da bandeira brasileira, em uma menção à venda de um patrimônio nacional. O problema maior, no entanto, viria no ano seguinte.

Em abril de 2007, a capital argentina sediaria o Quilmes Rock, um festival patrocinado pela companhia no estádio de futebol do River Plate. Dias antes, a imprensa local começou a divulgar notícias sobre a insatisfação do sindicato dos caminhoneiros com a mudança na direção da cervejaria. Foram feitos protestos em frente às embaixadas brasileira e belga e ameaças de invasão. Até que, no dia 10 de abril, João recebeu um telefonema do Ministério do Trabalho para que se reunisse com Hugo Moyano, o maior líder sindicalista da Argentina.

João, Mauro Vieira, embaixador do Brasil na Argentina, Moyano e seu filho, Pablo, se encontraram na embaixada brasileira. Passaram doze horas em uma sala, da qual só saíram quando chegaram a um acordo que acalmou os ânimos temporariamente. Até julho de 2008, a direção da Quilmes se comprometia a não encerrar contratos com os distribuidores.

Os ataques amenizaram, mas continuaram nos meses seguintes. João montou uma "sala de guerra" para desenvolver sua estratégia. Descobriu naquela situação adversa uma oportunidade de melhorar a comunicação externa da empresa.

Em vez de revidar ou silenciar, o executivo determinou que a empresa falaria por meio de porta-vozes. Funcionários de diferentes áreas, níveis hierárquicos e funções passaram a ter como meta o relacionamento com pessoas do mercado, do governo e da imprensa. "Quando você conversa com as pessoas, elas têm a chance de entender o lado da companhia", afirma. A medida diminuiu os ataques públicos nos anos seguintes, mas não garantiu a simpatia do público local.

A experiência colocou João entre os principais executivos da empresa globalmente. O perfil conciliador se tornou a marca de sua gestão e uma habilidade fundamental para o avanço da InBev no mundo.

CAPÍTULO 13
Esta Bud é para você

A notícia de que a InBev havia comprado a argentina Quilmes, em 2006, surpreendeu — e incomodou — a liderança da cervejaria que, durante décadas, foi a maior do mundo: a Anheuser-Busch. Quando soube da aquisição, David Peacock, conhecido como Dave, na época vice-presidente de operações da companhia e braço direito do recém-nomeado CEO, o herdeiro August Busch IV, pensou: "Meu Deus! Precisamos lutar contra isso. Eles estão avançando de maneira agressiva". Os chefes de Dave já haviam tido algumas conversas tanto com os argentinos quanto com os brasileiros com o objetivo de adquirir os negócios, mas não haviam fechado nenhum acordo. Agora estava claro que tinham perdido o timing.

Jorge Paulo Lemann, Marcel Telles e Beto Sicupira haviam tido contato com os Busch pela primeira vez nos anos 1990, quando compraram a Brahma e visitaram as fábricas da Budweiser. Na época, quem tocava a companhia era August III. Eles se reencontraram para tentar fazer uma joint venture entre a AB e a Brahma, mas não chegaram a um acordo, já que August III tentou condicionar o negócio à possibilidade de adquirir a brasileira no futuro. Então, em 1995, os norte-americanos fecharam um acordo com a Antarctica.

Outra possibilidade discutida nos anos 1990 era de a norte-americana distribuir os produtos da brasileira nos Estados Unidos. O projeto, no entanto, não avançara por causa da oposição do conselho da AB, liderado por August III.

Mais tarde, em 2004, a diretoria da já formada InBev se aproximou mais uma vez dos norte-americanos. O contato seria mediado pelo então diretor comercial Brent Willis. A ideia era tirar do papel a antiga ideia de uma parceria para distribuição. Para discutir os termos do acordo, formou-se em Nova York um grupo de 24 pessoas, metade da InBev e metade da AB. Entre elas, o brasileiro David Almeida, então vice-presidente da área de exportações e licenças comerciais.

Em 2006, Simon Thorpe, da área de aquisições, conduziu novas discussões com Carlos Brito, que havia assumido a InBev. Os encontros foram se tornando mais estratégicos. Em um deles, estiveram apenas Brito, Dave Peacock, Simon Thorpe e Patrick Stokes, o primeiro CEO da empresa sem o sobrenome Busch. "Eles estavam sempre nos cortejando", diz Dave. Brito acreditava no potencial de um acordo com a dona da Budweiser. "Sempre consideramos o mercado americano incrível para ter uma marca forte e poderosa como a deles", afirma.

Ao sair de uma das reuniões, Dave comentou com August IV: "Até que gosto desses caras. Eles são inteligentes, pacientes e agressivos". Aos poucos, os temas das conversas foram se tornando mais objetivos. "Eu me lembro de debater os números com Brito e de fazer as contas na lousa", afirma Dave. "Gostava de discutir os termos do acordo, com cada um defendendo seu lado e tudo ficando bem ao final. O Brito não é um cara que guarda rancor. Não é da natureza dele. Sempre o respeitei muito." Mais uma vez, a AB não aceitou a oferta da InBev para importar suas marcas. Nesse caso, o conselho da Anheuser-Busch defendeu que o momento econômico nos Estados Unidos não estava bom o bastante para arriscar a parceria.

August IV e seu pai pareciam não ter entendido ainda o tamanho da ambição dos competidores. Com o anúncio da compra da Quilmes e o consequente domínio dos países do sul da América Latina pela InBev, Dave finalmente entendeu o perigo que corriam. Mas seus chefes ainda não.

A norte-americana perdera o posto de maior cervejaria do mundo desde a formação da InBev. A Budweiser ainda era uma marca poderosa, como reconhecia Brito, mas praticamente restrita ao mercado dos Estados Unidos. O mundo era muito maior, embora os Busch parecessem anestesiados, com uma imagem desatualizada da própria empresa, parada décadas atrás. Aquela havia sido a maior lacuna da gestão de August III, segundo seu irmão Adolphus Busch IV, que nunca trabalhou na empresa, mas detinha parte das ações. "É muito difícil ter mais do que 50% de participação de mercado neste país", afirma. "Ele atingiu essa marca, mas não conseguiu ir além. Não conseguia entender que precisava expandir internacionalmente nem escolhia um sucessor que pudesse fazer isso." Agora era tarde demais. O cenário havia mudado. A compra da Quilmes no passado era apenas mais uma chance de negócio não concretizada pela norte-americana. Perder oportunidades havia se tornado um padrão.

A Anheuser-Busch se tornara uma empresa cheia de hierarquias e burocracias que faziam com que as decisões fossem lentas e baseadas mais em relacionamentos do que em critérios objetivos, das promoções dos funcionários às definições de novos mercados a explorar.

Assim como Brahma, Antarctica, Quilmes e outras grandes cervejarias, tratava-se de uma empresa familiar. No entanto, os Busch eram detentores de menos de 5% do capital da companhia. O restante era dividido entre acionistas independentes. O maior deles era o lendário investidor de longo prazo Warren Buffett, dono da gestora Berkshire Hathaway. Outros elementos faziam daquele um negócio único. Em alguns casos, mais dramático do que os das concorrentes espalhadas pelo mundo. A biografia da Anheuser-Busch lembrava filmes hollywoodianos, com conflitos familiares, ganância, traição, patriotismo e tragédias.

A história da empresa começou em 1852, quando o cervejeiro alemão George Schneider fundou a Bavarian Brewery na avenida Carondelet, no sul de St. Louis, uma das principais cidades do Meio-Oeste americano, localizada no estado do Missouri, na fronteira com Illinois. Em 1857, Schneider teve problemas financeiros que o levaram a vender o negócio. Três anos depois, em 1860, a cervejaria estava prestes a falir quando passou para as mãos de William D'Oench, um farmacêutico local, e Eberhard Anheuser, um alemão fabricante de sabão.

Um dos fornecedores da empresa de Anheuser era Adolphus Busch, o penúltimo de 22 filhos, que chegara a St. Louis aos dezoito anos, em 1857. Dois anos depois, seu pai morreu e ele usou a herança para comprar a empresa. A proximidade comercial com Anheuser levou Adolphus a se casar com a filha do cliente, Lilly, em 1861.

Adolphus fazia parte de um grupo de alemães que tinha se mudado para os Estados Unidos naquela década, depois da Revolução de Março, uma série de protestos da população contra a estrutura tradicional e autocrática dos Estados da Confederação Germânica. Os imigrantes chegavam à América do Norte geralmente com dinheiro para investir e desejo de negociar livremente. Eles criaram um jornal escrito em alemão, o *Mississippi Hansel-Zeitung*. O veículo publicou uma reportagem que discorria sobre as operações das trinta a quarenta cervejarias da cidade, responsáveis por produzir mais de 60 mil barris por ano, cerca de 18 milhões de copos de cerveja — todos consumidos localmente.

A bebida produzida pela empresa de Anheuser tinha dificuldade de sobreviver em meio à concorrência, pois seu sabor não agradava a todos. Pela origem alemã da família, provavelmente se tratava de uma bebida mais amarga e encorpada, que não combinava com o gosto local. Conta-se que era comum que, ao provar a bebida, que ainda não tinha a fórmula da Budweiser, os clientes a cuspissem no bar. Com o mau desempenho do negócio, a companhia acumulava uma dívida considerável. Em 1865, Adolphus Busch começou a trabalhar como vendedor na cervejaria do sogro. Quatro anos depois Anheuser comprou a parte de William D'Oench, que deixou a companhia. Mais dez anos se passaram até Adolphus se tornar sócio, em 1879.

Eberhard Anheuser morreu em 1880, aos 73 anos, e sua parte na cervejaria foi dividida entre seus cinco filhos adultos. Com o que Adolphus já tinha e o que Lilly recebeu, o casal se tornou controlador da empresa.

A partir de então, uma das primeiras atitudes de Adolphus como presidente da cervejaria foi comprar, por meio de um amigo e dono de um restaurante local, chamado Carl Conrad, a receita de uma cerveja clara e com sabor seco que, durante anos, fora produzida por monges em uma pequena vila da Boêmia chamada Budweis, região que hoje faz parte da República Tcheca. Adolphus se inspirou no nome para batizar a cerveja e lançou no mercado norte-americano a Budweiser, um produto que revolucionaria o setor cervejeiro. A nova fórmula, mais leve e refrescante (próxima ao que hoje se classifica como o padrão american lager), foi bem recebida pelo público norte-americano — e o desempenho da empresa começou a melhorar.

A Anheuser-Busch foi a primeira a pasteurizar a bebida nos Estados Unidos e a distribuí-la em mercados distantes da região em que era produzida. Mais tarde, Adolphus foi o primeiro nos Estados Unidos a usar a refrigeração artificial. Com isso, as fábricas iam se tornar os centros de distribuição de um sistema logístico que levava a bebida a pontos de venda em todo o país.

O empresário verticalizou a companhia, a partir da aquisição de empresas que realizavam atividades secundárias ligadas ao negócio, como uma fábrica de garrafas de vidro e duas minas de carvão. Construiu uma ferrovia para conectar os novos negócios à cervejaria. Fez parcerias com as tavernas (locais onde se produzia e vendia cerveja antes da existência dos bares), investindo em luminárias e copos promocionais em troca de exclusividade na venda de seus produtos.

A atitude autossuficiente e o fato de que não economizava esforços para criar condições confortáveis de atuação iriam se tornar uma das marcas culturais da Anheuser-Busch nas décadas seguintes.

Adolphus Busch era uma personalidade conhecida na região. Uma celebridade que passeava em St. Louis acenando para o público que parava para ver e apontar sua presença — muitas vezes em meio a um frenesi, que incluía gritos e correrias. Ele estava sempre impecavelmente vestido com seus ternos de alfaiataria, o cabelo grisalho, o bigode retorcido e o cavanhaque longo que era diariamente aparado por seu criado pessoal. Cumprimentava os passantes com sua voz grave e jogava moedas para as crianças. À medida que sua fortuna aumentava, cultivava hábitos ostensivos e extravagantes, que iriam se tornar uma característica de sua família pelas gerações seguintes. Mantinha mansões em St. Louis, Cooperstown (Nova York), Pasadena (Califórnia) e Bad Schwalbach (Alemanha). A propriedade de St. Louis era chamada de 1 Busch Place, e ficava em meio a um grande parque, com lagoas e fontes. A de Pasadena oficialmente era a Ivy Wall, mais conhecida pelo público como Busch's Garden (mesmo nome que, no futuro, levaria um parque construído pela empresa), em função dos catorze hectares de mata. Eram necessários cinquenta jardineiros para cuidar da área.

Entre os amigos do empresário estavam os presidentes Theodore Roosevelt e William Howard Taft, que o chamava de "Príncipe Adolphus". Ele era considerado pela população um homem poderoso e benevolente. A encarnação do sonho americano de conquista de fortuna e status por meio do trabalho. Um exemplo dessa imagem foi a comemoração dos cinquenta anos de casamento com Lilly.

Na ocasião, os dois promoveram uma festa com 40 mil garrafas de cerveja para 13 mil pessoas, mas se mantiveram a 2,2 mil quilômetros dos convidados.

Uma cervejaria que não vende cerveja

No início do século xx, a Anheuser-Busch era a maior cervejaria do país, produzindo mais de um milhão de barris por ano. Entre 1870 e 1900, o consumo de cerveja per capita nos Estados Unidos quadriplicou: foi de esporádicos quatro galões (15 litros) por ano para dezesseis (60 litros), o que já indicava um hábito da população.

Entre 1820 e 1870, chegaram aos Estados Unidos 7,5 milhões de imigrantes — dois terços vindos da Alemanha e da Irlanda, países tradicionalmente consumidores de cerveja. Uma amostra dos potenciais clientes da Anheuser-Busch se concentrava nos bairros alemães de Carondelet e Soulard, em St. Louis. Adolphus estava certo de que a cerveja em breve iria se tornar a bebida nacional nos Estados Unidos.

Adolphus morreu em 1913. Suas ações da empresa foram divididas igualmente entre seus oito filhos, com exceção do mais velho, August Anheuser Busch Sr., que recebeu três a mais por ser o administrador do patrimônio junto com a mãe.

Aos 48 anos e sem intimidade com o negócio, August A., como ficou conhecido, assumiu o lugar do pai na Anheuser-Busch. Alguns meses depois, em julho de 1914, começou a Primeira Guerra Mundial. O sentimento contra os alemães tomou conta do país, mesmo antes de os Estados Unidos entrarem no conflito em favor dos Aliados, em 1917. Em função de sua origem alemã, os Busch tomaram providências para proteger os negócios. A logomarca da cerveja era uma águia com duas cabeças, que poderia ser associada ao brasão de armas do Império Austro-Húngaro (aliado da Alemanha). Logo, a Budweiser teria um novo símbolo estampado em suas garrafas: a bandeira dos Estados Unidos. A língua alemã, até então oficial na cervejaria, foi abolida. Bustos e pinturas de Otto von Bismarck, primeiro chanceler da Alemanha unificada, que decoravam o lugar, foram removidos. Mesmo assim, as vendas de Budweiser caíram de quase US$ 18 milhões em 1913 para US$ 12 milhões em 1917.

Em 1920, foi aprovada a Lei Seca nos Estados Unidos, que impediu a fabricação, o armazenamento, o transporte, a venda, a posse e o consumo de bebidas alcoólicas em todo o país. A determinação era resultado de um movimento promovido por grupos moralistas e duraria até 1933.

Durante os treze anos que se seguiram, o desafio de August A. se resumia a manter o negócio vivo. Sua estratégia foi diversificar as áreas de atuação da empresa, já que a cerveja não era mais uma opção. Entrou, então, em mercados em que poderiam aproveitar a estrutura de sua indústria, produzindo trens, refrigeradores e sorvetes. Também lançou uma Budweiser sem álcool e um refrigerante à base de malte.

August A. não era um sucessor natural de Adolphus. Aos dezenove anos, disse à família que seria caubói. Comprou uma roupa de montaria, uma pistola e passou seis meses em um rancho no estado de Montana. Embora nunca tenha largado o amor pela caça e pela criação de gado, acabou voltando a St. Louis por exigência do pai e passou por um rigoroso programa de aprendizado dentro da empresa, começando como aprendiz de cervejeiro. Com um jeitão mais suave e gentil, subiu na hierarquia à medida que dominava as diferentes tarefas até se tornar CEO.

Em fevereiro de 1933, August A. cometeu suicídio com um tiro no peito, aos 68 anos. Entre os candidatos para sucedê-lo, estavam dois de seus cinco filhos, que já trabalhavam na empresa: Adolphus III e August Jr., conhecido como Gussie. Enquanto o pai, August A., era CEO, Adolphus III era o presidente focado em novos negócios. Nos Estados Unidos, os cargos de CEO e presidente são geralmente distintos. O CEO é superior, responsável pela visão estratégica e pelo planejamento da empresa; o presidente tem a função operacional e tática (no Brasil, os executivos costumam acumular os dois cargos).

O outro filho de August A., Gussie, era vice-presidente da companhia, comandando a divisão de cerveja. Ele parecia ser o mais ambicioso. Destoava do pai no estilo e na vontade de administrar a companhia desde a juventude. Nunca terminou os estudos e era considerado grosseiro, exibido e mulherengo. Durante a Lei Seca, comportava-se como se fosse o chefe da empresa, embora estivesse hierarquicamente abaixo do irmão e do pai.

Com o fim da Lei Seca em dezembro de 1933, a AB promoveu um grande evento, no qual foram distribuídos 3588 barris de cerveja, consumidos em uma noite. A aposta em outras frentes comerciais de August A. os ajudou a sobreviver. Das 1300 cervejarias americanas que existiam em 1914, apenas 164 restavam na década de 30.* Pouquíssimas conseguiam competir com a Anheuser-Busch. O saldo daquele período de Lei Seca acabou sendo positivo para a cervejaria, pois levou à falência muitos de seus concorrentes, aumentando sua participação no mercado. Os norte-americanos estavam ansiosos para voltar a beber. Segundo o historiador e cervejeiro Ricardo Rugai, a empresa se aproveitou da sede do povo para impor de vez seu padrão American lager ao mercado.

---

* William Knoedelseder, *Bitter Brew: The Rise and Fall of Anheuser-Busch and America's Kings of Beer*. Nova York: HarperCollins, 2012.

O estilo Busch

Gussie assumiu como presidente oficial da empresa em 1946, quando seu irmão, Adolphus III, morreu. Sua maneira de gerir o negócio se misturava aos hábitos extravagantes de alguns membros da família. Sob o argumento de que servir bem o público significava servir bem também a empresa, ele justificava gastos exorbitantes. Por exemplo, a compra e a manutenção de um iate para receber possíveis clientes, a aquisição dos Cardinals', time de beisebol de St. Louis que estava na iminência de ser vendido para outra cidade — o que lhe rendeu a fama de salvador do clube —, e até a construção de um parque ao lado de uma fábrica da empresa em Tampa, em 1957, para abrigar animas exóticos. A compra do terreno do Busch Gardens, que se tornou um dos mais famosos pontos turísticos dos Estados Unidos, foi feita sem a aprovação do conselho.

O luxo se estendia aos funcionários, que viajavam de primeira classe para visitar clientes ou fornecedores. Rick Hill, que trabalhou na Anheuser-Busch entre 1974 e 1997, conta que a decisão não se baseava apenas no conforto dos profissionais, mas também na imagem que passariam ao mercado. "August Busch dizia: 'Quero que meus funcionários se sintam muito importantes quando vão para uma reunião de negócios. Quero que sintam que são melhores do que qualquer um, afinal, trabalham muito", afirmou Hill.

Gussie foi responsável por uma transformação na empresa. Apesar dos gastos questionáveis, foi em sua gestão que a cervejaria voltou a dar lucro depois de cerca de vinte anos. Além das ações de marketing, investiu em outras frentes para aumentar as vendas de Budweiser. Foi o primeiro empresário norte-americano a construir fábricas em outros estados e promoveu uma maratona de onze festas seguidas para 11 mil convidados (mil por noite). As vendas subiram 400% depois do evento.

Em 1955, a Budweiser era a segunda cerveja mais consumida dos Estados Unidos, depois da Schlitz. Mas o consumo da bebida fabricada pelos Busch estava estagnado. Gussie encomendou uma nova campanha à agência que detinha a conta da cervejaria desde 1915, a D'Arcy MacManus & Masius. A orientação foi que o trabalho não se limitasse a comerciais momentâneos, mas lançasse um novo conceito para guiar propagandas impressas, na TV, em eventos e até em pontos de ônibus pelos anos seguintes. Seu objetivo era atingir principalmente o trabalhador médio norte-americano e tornar a cerveja um hábito de consumo. Em uma lista de doze frases sugeridas como slogan pelos publicitários, August escolheu "For all you do, this Bud's for you" [Por tudo o que você faz, esta Bud é para você]. Para ele, a mensagem era perfeita: cativante, simples e de longo prazo.

O primeiro filho homem de Gussie, August III, ingressou na empresa aos 26 anos, em 1963, como vice-presidente de marketing. Ele havia ganhado fama de playboy na cidade, como alguns outros membros da família, e protagonizou escândalos públicos. Além de fazer parte de uma das famílias mais ricas da região, era um jovem bonito — musculoso, de olhos azuis e cabelos castanho-escuros que pareciam sempre molhados. Considerado brilhante na escola, vivia faltando nas aulas no ensino médio. Adorava pilotar carros e aviões, tendo tirado a licença ainda jovem. Aos dezessete anos, perdeu o controle de um veículo que dirigia e bateu num poste, ferindo dois passageiros, inclusive um tio. No ano seguinte, envolveu-se em uma briga durante uma festa de Halloween. Com isso tudo, boa parte de seus conterrâneos de St. Louis não simpatizava com ele. Mas, ao entrar no negócio da família, August adotou uma postura mais madura e se revelou competente. Desde o início, porém, divergia das ideias do pai — e não escondia isso de ninguém.

Enquanto Gussie tinha uma postura mais conservadora e reativa ao mercado, respondendo às oportunidades com a preocupação principal de manter o negócio com bom desempenho, seu filho era um estrategista com visão de longo prazo. Queria inovar e modernizar a empresa. Contratou um time de alunos de MBA, tecnicamente mais preparado do que os funcionários de até então, e criou um departamento de planejamento — o que não fazia sentido para o pai.

A discordância entre os dois se referia a pontos cruciais do negócio. Em 1969, quando a empresa de tabaco Philip Morris comprou 53% da Miller, uma das principais concorrentes da Anheuser-Busch, August III ficou muito preocupado. Já seu pai não se importava com o movimento, como se sua liderança estivesse garantida — o que incomodava ainda mais o filho.

Convencido de que a visão do pai estava ultrapassada e de que ele, sim, sabia para onde conduzir o negócio, August III articulou sua tomada de poder, dividindo os diretores. Em 1974, ele assumiu a presidência, deixando o pai devastado. No mesmo ano, Christina, a filha mais nova de Gussie, de apenas oito anos, morreu em um acidente de carro. A tragédia piorou ainda mais o estado emocional do empresário, que chorou por semanas a fio, se afundou na bebida e não se recuperou ao longo dos quinze anos seguintes até sua morte, em 1989 — no mesmo quarto em que seu pai havia se suicidado 55 anos antes.

Como presidente da empresa, um dos primeiros desafios de August III foi em uma área que gerava discussões frequentes entre ele e seu pai: a relação com os sindicatos. Gussie, em geral, cedia às exigências. Mas o filho, conhecido pela gestão exigente e pelo jeito duro de tratar as pessoas, acreditava que era preciso estar no comando. Em 1976, ele enfrentou a então mais longa greve da história do país, promovida por caminhoneiros. Oito cervejarias foram fechadas e 8 mil operários ficaram impedidos de trabalhar. Mas August III não deixou as máquinas pararem. Continuou a produção com a mão de obra de pessoas não sindicalizadas. Era a primeira vez em oitenta anos que uma cervejaria ousava manter a fábrica ativa em meio a uma greve. Sua estratégia, no entanto, não era o embate. Segundo Dave Peacock, que já era um dos principais executivos da companhia, ele usava o discurso de dono para convencer os funcionários, uma vez que cerca de 85% deles tinham ações da empresa. "August III dizia: vocês não trabalham para mim. Vocês trabalham para vocês, que são os donos desta empresa."

August III era considerado o melhor degustador de todos — até hoje, mesmo depois de ter vendido o negócio, continua fazendo esse trabalho voluntariamente. Toda semana recebe uma remessa de todas as cervejas da Anheuser-Busch vendidas nos Estados Unidos e Canadá, além dos rótulos especiais esporádicos. Quem envia as provas e depois as debate com ele é Peter Kraemer, nascido em St. Louis e atual vice-presidente de supply chain global da companhia, filho de um antigo mestre cervejeiro que dedicou a vida à Anheuser-Busch e que aparece em fotos expostas no museu da Budweiser, em St. Louis. "August III faz isso porque é experiente, tem hoje uma perspectiva neutra de análise e se importa com a cervejaria", diz Peter. O executivo, que ingressou na companhia recém-saído da faculdade, frequentava a empresa com o pai desde criança e passou a vida vendo August III repetir o ritual. Durante sua gestão, ele costumava aparecer de surpresa nas fábricas para provar a bebida e garantir sua qualidade.

Em 1986, outro escândalo em torno dos Busch ganhou as páginas dos jornais, dessa vez, envolvendo executivos da AB que aceitavam e ofereciam propinas e presentes em troca de vantagens em negociações. As denúncias levaram a investigações sobre outros temas, como nepotismo — o que era comum entre os integrantes da família acionista, que contratava parentes como distribuidores, por exemplo. Para limpar o nome da empresa, August III sacrificou Denny Long, o número dois da companhia e seu braço direito durante sete anos. Ele o fez renunciar ao cargo, dizendo à imprensa que os executivos acusados se reportavam a Long, o que não era totalmente verdade, já que havia outros gerentes e diretores entre eles na linha hierárquica. Em 1987, a Budweiser voltou a ser a cerveja mais consumida dos Estados Unidos.

Modelo indomável

Em 1993, August III tomou uma atitude tão surpreendente quanto fundamental para o avanço da Anheuser-Busch: comprou uma participação de 17,7% na maior cervejaria do México, o Grupo Modelo, detentor da Corona. Pagou US$ 447 milhões pelo negócio, que incluía opções de compras de fatias maiores pelos anos seguintes. A decisão foi na contramão do que havia se tornado parte da cultura da empresa: prolongar desmedidamente as negociações, a ponto de não concluir a maioria delas. Porém, ir além dos Estados Unidos, onde se concentrava 90% da produção e venda da Budweiser, era um movimento vital para o futuro da cervejaria.

O Grupo Modelo foi fundado em 1925 na Cidade do México por Braulio Iriarte, mas logo passou para as mãos do imigrante espanhol Pablo Díez Fernández, que se tornou diretor-geral em 1930 e acionista majoritário em 1936. O empresário transformou a cervejaria em um negócio vertical, internalizando a produção de malte, garrafas, tampas e rolhas, a mesma estratégia que a AB havia adotado. A companhia cresceu à base de aquisições de outras empresas regionais (como a Victoria, em 1935, e Estrella e Pacífico, ambas em 1954) e um robusto investimento em publicidade. Pablo passou a gestão para seu filho, Antonio Fernández Rodríguez, em 1971. O herdeiro conduziu a companhia para conquistar 45% de participação no mercado em 1985.

Em meio aos já habituais vaivéns para fechar o negócio, August III parecia estar preocupado demais com detalhes secundários. Apesar das dezenas de encontros entre as lideranças das duas empresas, algumas informações fundamentais passaram batido no contrato. A Anheuser-Busch não teria o direito de distribuir as marcas da mexicana no mercado norte-americano, já que o Grupo Modelo tinha um acordo com a Barton Beers, importadora de Chicago que distribuía as bebidas em 24 estados, a oeste do rio Mississippi, e com a Gambrinus, que operava no Texas. Isso significava que a Budweiser enfrentaria a concorrência da Modelo em seu mercado. Do ponto de vista comercial, não fazia o menor sentido.

A atitude dos norte-americanos na negociação revelava um misto de arrogância e negligência. Em 1979, a Anheuser-Busch criou a divisão de alimentos Eagle Snacks e, em 1982, adquiriu a Campbell Taggart, uma grande indústria de salgadinhos dos Estados Unidos. Foi presumido que seria usado o sistema de distribuição para entregar os salgadinhos (e também vinho e água) nos mesmos estabelecimentos aos quais já levavam cerveja. Mas a diversidade de produtos sobrecarregou a logística e os distribuidores, que de repente tinham de gerenciar várias categorias de produtos. Jerry Ritter, então diretor financeiro da Anheuser-Busch, admitiu que a compra da Campbell foi feita às pressas e superavaliada.

Em 1989, a companhia comprou o parque temático SeaWorld, em Orlando, por US$ 1,1 bilhão, cerca de 50% a mais do que o mercado considerava adequado. Só depois de assinar o contrato, os diretores da cervejaria se deram conta de que o acordo não incluía os direitos de Shamu, a baleia que era ícone do parque. Foi preciso desembolsar mais US$ 6 milhões para uma pequena empresa da Califórnia para corrigir aquilo.

No caso da Modelo, iniciava-se ali uma relação de parceria cheia de atritos. A Anheuser-Busch tentando influenciar a mexicana, e a mexicana, que desde o início fora hábil em proteger seus interesses, resistindo o quanto podia. Quatro anos depois do acordo, em 1997, os norte-americanos aumentaram sua participação de 17,7% para 37%, anunciando que iam pagar US$ 550 milhões. A Modelo considerou o valor baixo e o negócio foi parar em uma arbitragem. Três meses depois, a AB fechou o novo acordo, pagando US$ 605 milhões, 10% a mais do que propusera inicialmente. No mês seguinte, August III decidiu comprar mais 13,25%, elevando a fatia da empresa para 50,25%, por mais US$ 550 milhões. No mesmo ano, a Modelo renovou seus contratos com as distribuidoras nos Estados Unidos por mais dez anos — o que enfureceu August III.

Em 1997, a companhia tinha 55% de mercado no México. Nos Estados Unidos, a marca Corona ultrapassara a Heineken, tornando-se a cerveja importada líder no país. Nesse ano, Carlos Fernández González, engenheiro e neto do fundador, assumiu a presidência da empresa, aos 31 anos. Ele já trabalhava ali desde os onze, quando ingressou como office boy. Em sua gestão, a companhia se tornou mais profissional, com a adoção do controle de qualidade baseado no sistema Just in Time (que determina que tudo deve ser produzido, transportado ou comprado na hora, reduzindo estoques e custos), adotado no Japão. As disputas entre as parceiras Anheuser-Busch e Modelo continuariam nos anos seguintes.

Gestão inconsequente

Nos Estados Unidos em geral e em St. Louis em especial, a Anheuser-Busch foi, por muitas décadas, "a" empresa para se trabalhar. Rick Hill nasceu em Minnesota, mas cresceu entre Filadélfia, na Pensilvânia, e Nova York. Estudou na Carolina do Norte e se mudou para St. Louis em 1974 para trabalhar na cervejaria. Quando encontrava algum conhecido na rua, orgulhava-se de dizer que era funcionário da fabricante da Budweiser. "As pessoas reagiam sempre com admiração. 'Como você conseguiu trabalhar lá? Que sorte!', diziam."

No dia a dia, às vezes parecia mais como se trabalhassem para a família Busch do que para uma companhia privada. As relações e o apoio aos Busch na liderança costumavam valer mais do que entrega de resultados, segundo ex-funcionários.

O filho de August III seria beneficiado por essa regra não escrita. August IV seguia o estilo esbanjador do avô. Na juventude suas atitudes lhe renderam o rótulo de playboy em St. Louis. Mas alguns episódios graves o fizeram ultrapassar os limites da legalidade.

Em 1983, aos dezenove anos, ele estudava engenharia na Universidade do Arizona quando sofreu um acidente de carro depois de tomar sete drinques com vodca e sair dirigindo seu Corvette preto modelo 1984. Ele estava acompanhado de uma garçonete de 22 anos, que morreu. August IV abandonou o local do crime. Foi encontrado em sua casa mais tarde sob efeito de drogas, nu, deitado de bruços sobre a cama, com sangue seco no corpo e próximo a um fuzil semiautomático AR-16. Apesar disso, não foi preso. O caso foi resolvido pela família, segundo parentes, com a ajuda dos melhores advogados da região, compra de silêncio dos pais da vítima e provas omitidas e manipuladas. O processo foi arquivado.

Depois da tragédia, August III levou o filho de volta a St. Louis, onde ele terminou a faculdade. Ele ganhou um Porsche e outras regalias, como uma vaga garantida no campus na área restrita aos professores. Mas sua fama era conhecida na empresa — e em toda a cidade.

Havia rumores na companhia de que ele assumiria o lugar do pai no dia em que sossegasse e se casasse. Em 1990, August IV começou a trabalhar na empresa. Sua primeira função foi comandar o lançamento da cerveja Bud Dry. No ano seguinte, foi promovido a diretor da marca Budweiser. As vendas caíram pela primeira vez em quinze anos.

Em 2002, August III passou o cargo de CEO para Pat Stokes, que estava a cinco anos de se aposentar. August IV assumiu a presidência, ficando responsável pela parte operacional, como um primeiro passo para se tornar CEO quando Stokes saísse da companhia.

No mesmo ano, a Miller, principal concorrente da AB nos Estados Unidos, foi adquirida pela sul-africana SAB. A notícia causou estranheza no país. Afinal, era uma empresa de um país subdesenvolvido adquirindo uma potência norte-americana. Naquele mesmo ano, August III se aposentou — tecnicamente. Manteve seu escritório na sede da companhia e continuava sendo visto como quem controlava a AB, ainda que à distância. August IV assumiu o comando da divisão de cervejas, responsável por 77% das vendas e 94% dos lucros da empresa. Inicialmente, ele se deixava guiar pelas orientações do pai. Os executivos o viam como um profissional emocionalmente fragilizado e inábil para tocar o negócio.

Toda a firmeza de August III, que controlava cada centímetro da operação, não combinava com a postura que adotava com o filho. Ele concedia mais e mais poder e responsabilidade a ele, mesmo com todas as evidências de que August IV não seria capaz de corresponder. Pessoas que conviveram com ambos destacam a relação entre pai e filho como um dos aspectos mais intrigantes da personalidade de August III.

Um oceano cinza

A consolidação do mercado de cervejas era uma tendência mundial no começo dos anos 2000. Depois da criação da SABMiller foi a vez da InBev, em 2004. Apesar de a fusão entre AmBev e Interbrew tirar o posto da AB de maior cervejaria do mundo, como se tratava de Brasil e Europa August III não pareceu acusar o golpe. Seu foco no mercado local soava como uma obsessão, e não apenas como uma estratégia de negócio. A rivalidade com a Miller era tamanha que ele não foi capaz de enxergar que as consequências da queda das fronteiras geográficas invadiriam inevitavelmente seu quintal. Logo depois, a SABMiller também ultrapassaria a norte-americana, deixando-a em terceiro lugar no ranking mundial.

Em 2005, o lucro da AB caiu 18%. As vendas estavam estagnadas e as ações tinham um desempenho medíocre. A área de marketing — que parecia ser a de maior interesse de August IV — lançou campanhas que não deram resultado. O mercado estava não só se consolidando, mas também encolhendo. De 1990 a 2006, a parcela da indústria de bebidas alcoólicas ocupada pela cerveja caiu de 60% para 55%. As cervejarias pequenas e médias haviam sido absorvidas pelos grandes grupos, mas outras empresas, embora pequenas, iriam se tornar ameaças no setor. As cervejas artesanais davam origem a microcervejarias, um movimento que havia começado nos Estados Unidos no final dos anos 1970 e agora ganhava corpo. Crescia também o interesse dos norte-americanos por rótulos estrangeiros, como a mexicana Corona. Apesar da visão enviesada, August III teve lucidez para concluir que não era mais capaz de entender o consumidor jovem (de 21 a 30 anos) — embora fosse apenas uma pequena parte do problema. Aos 68 anos, ele se aposentou. Em 29 de setembro de 2006, August IV assumiu como o CEO da companhia, no lugar de Pat Stokes. Os membros do conselho de administração não confiavam na gestão do herdeiro, e mantiveram Stokes como presidente do conselho de administração e August III como membro do conselho.

No anúncio oficial do novo CEO, August III fez um discurso em defesa da nomeação do filho. Disse: "Depois de uma cuidadosa avaliação, escolhemos August Busch IV como a pessoa mais qualificada para assumir esta função. Acreditamos que a companhia, seus funcionários e acionistas serão bem atendidos durante sua liderança" e "August IV se preparou para isso liderando, com sucesso, a cervejaria americana durante um período de grandes mudanças e desafios. Ele traz consigo a nova maneira de pensar de sua geração, mas sempre valorizando as grandes tradições e os valores da companhia".* Era um discurso politicamente correto, no qual os funcionários e os representantes do mercado financeiro resistiam em acreditar.

Àquela altura, a situação já estava fugindo do controle também em relação aos resultados. Não era mais apenas uma questão de comportamento, mas de sobrevivência no futuro breve. Todas as décadas da gestão à base de inconsequentes investimentos cobravam seu preço. A antes maior cervejaria do mundo já não ocupava o papel de potencial predador no mercado global. Estava mais para presa, pronta para ser consumida por um de seus rivais que haviam se unido e se fortalecido nos anos anteriores. Reverter esse cenário não era mais apenas uma questão de ajuste. Isso só piorava diante do que soava como uma consistente negação da realidade por parte dos comandantes da empresa. A

---

* Ibid.

Anheuser-Busch estava diante de um abismo e todo mundo, menos August III e August IV, parecia ciente do que isso significava.

O que a equipe de August IV fez diante dos claros indicadores de perda de margem e mercado foi se concentrar em um plano de redução de custos chamado Oceano Azul. O projeto começou pela divisão de cerveja da empresa, sob o comando do californiano Douglas Muhleman, então vice-presidente de operações e tecnologia. Inicialmente, a expectativa de August IV era cortar entre US$ 300 milhões e US$ 400 milhões em quatro anos. A previsão indicava sua falta de clareza sobre o que o aguardava. O mercado não daria a ele tanto tempo.

"Só por cima do meu cadáver"

Uma das primeiras medidas tomadas por August IV não agradou seu pai. Depois de várias tentativas frustradas, ele finalmente fechou um acordo com a concorrente brasileiro-belga InBev, em 2006, para distribuir com exclusividade as marcas europeias mais populares de seu portfólio, como Stella Artois, Beck's e Bass Ale. Desde 1980, a Labatt (agora parte da InBev) produzia Budweiser no Canadá por meio de um licenciamento. Naquele momento, alguns representantes da InBev passaram a ocupar um pequeno escritório no 1 Busch Place — o que lhes dava uma proximidade privilegiada para estudar a empresa por dentro e identificar possíveis lacunas na gestão.

Dave acompanhara August IV nas reuniões com Brito e Marcel que os levaram a fechar o negócio. Quando a InBev já era importadora das marcas da AB, Dave e August IV visitaram a casa de Lemann no município de Angra dos Reis, no Rio de Janeiro, a convite dele e de Marcel, no Carnaval de 2006. No início de 2007, visitaram o escritório da 3G Capital, em Nova York. Na ocasião, conheceram também Beto Sicupira.

August III ficou ainda mais bravo quando o filho baixou a guarda para outro grupo de fora. Ele convidou alguns banqueiros de Wall Street para participar de uma reunião com executivos da empresa no Ritz-Carlton Hotel, em Cancún, no México. Os financistas veriam de perto os desafios estratégicos que a AB enfrentava, o que significava que conheceriam suas maiores vulnerabilidades. August IV deixou ainda que opinassem sobre o futuro da empresa, na tentativa de mantê-la competitiva na nova economia global. Pessoas próximas relataram que August III teria gritado com o filho na frente de um grupo de executivos durante uma viagem para caçar. "O que você fez ao levar esses banqueiros para lá foi enviar um telegrama para a InBev dizendo que está pronto para ser comprado. Você está colocando uma placa de 'vende-se'. Está dando muita informação. Você fez com que todos no mundo afiassem suas facas." A imprensa financeira concordava com August III.

Analistas do setor previam 70% de chance de fusão entre a AB e a InBev. "Eles não têm escolha", sentenciou um. Nos meses seguintes, porém, sem desdobramentos evidentes, o assunto saiu das páginas dos jornais.

Um ano depois, no início de outubro de 2007, August IV voltou a se reunir com Jorge Paulo Lemann, em Nova York. Dessa vez, o encontro parece ter sido casual. Mas o brasileiro já estava decidido sobre o que faria a seguir. Havia cinco meses, desde maio daquele ano, que as equipes financeira e jurídica da InBev estudavam um modelo para a compra. Na conversa com o concorrente, Lemann não tocou no assunto. Mencionou apenas a fusão no mercado norte-americano entre as concorrentes SABMiller e Molson Coors, terceira e quarta colocadas no setor global, que estava na iminência de se concretizar (o acordo seria anunciado em 9 de outubro de 2007). Em seguida, sugeriu que August IV considerasse a possibilidade de fundir também suas companhias — primeira e segunda colocadas no ranking mundial. O CEO da AB não achou que ele falava sério, ou não considerou uma boa ideia. O fato é que não levou o assunto à diretoria.

August IV negava a venda da Anheuser-Busch. Durante uma conferência anual da companhia, em maio de 2008, diante de seiscentos distribuidores, jurou que a empresa nunca seria vendida. "Só por cima do meu cadáver." Ele não percebia que cumprir a promessa não estava mais em suas mãos.

Uma semana depois, em 13 de maio de 2008, o CEO da Anheuser-Busch protagonizou outra cena polêmica em mais um evento para distribuidores, no Hyatt de Capitol Hill, em Washington, D.C. Ele chegou atrasado e visivelmente passando mal. Leu seu texto de forma truncada, às vezes desviando a atenção. Parecia estar sob efeito de bebidas ou drogas.

Enquanto a liderança na Anheuser-Busch desmoronava, o conselho da InBev se reuniu para concluir os detalhes de uma proposta para comprar a companhia no dia 22 de maio de 2008. Haviam se passado quase vinte anos da compra da Brahma pelos sócios do Banco Garantia, em 1989. Aquele era o ponto mais alto do sonho grande de que Marcel falara em tantas reuniões.

No dia seguinte à reunião da InBev, o jornal britânico *Financial Times* publicou que a empresa preparava uma oferta em dinheiro de US$ 65 por ação, o que totalizava US$ 46 bilhões pela aquisição da dona da Budweiser. Por enquanto, era um rumor, não uma oferta oficial. A InBev não se pronunciou. August IV enviou um comunicado interno aos funcionários de sua empresa pedindo que todos se concentrassem em suas atividades normalmente. "Não podemos controlar rumores ou especulações. Mas podemos, SIM, controlar nossa estratégia de crescimento e como operamos nosso negócio. É nosso trabalho conduzir a empresa por caminhos que vão mantê-la forte, rentável e em constante crescimento",* afirmou.

---

* Ibid.

Adolphus Busch IV, irmão de August III, estava em sua fazenda em St. Peters, no Missouri, quando saíram as notícias. Como acionista, ficou irritado com o *Financial Times* naquele dia. A oferta era boa, mas o sobrinho já havia dito que não aceitaria nada do tipo em sua declaração aos distribuidores alguns meses antes. "Pensei comigo: como ele pôde dizer isso? A empresa não tem desempenhado bem nos últimos oito anos, e agora que ele depara com um comprador que vai oferecer uma grande quantia de dinheiro para todos nós, acionistas, diz isso?"

O dia 22 de maio de 2008 era uma quinta-feira, véspera da emenda de feriado do Memorial Day nos Estados Unidos. No fim de semana, Adolphus ligou várias vezes para o irmão, August III, e para o sobrinho para saber o que era real sobre as notícias recentes. Eles não atenderam inicialmente, mas August IV acabou por retornar a chamada. Explicou-lhe, então, o plano para evitar a venda da companhia: colocar em prática o Oceano Azul, o projeto de redução de custos testado na Califórnia. Adolphus achou aquilo uma besteira. Decidiu tomar um partido público naquela história e defender seus interesses ainda que fossem contra os de outro membro da família.

Na segunda-feira, feriado, ele ligou para o repórter David Kesmodel, que cobria o caso para o *Wall Street Journal*. Disse que, ao contrário do que o sobrinho falara, alguns integrantes da família Busch estavam abertos a conversas sobre uma possível fusão com a InBev.

O jornalista ligou para Dave Peacock, vice-presidente de marketing e braço direito de August IV, para saber mais detalhes sobre os bastidores daquela possível transação. Aquele dia, 26 de maio, era o aniversário de quarenta anos do executivo. Sua cabeça estava fervendo com os rumores dos dias anteriores e a pressão interna do chefe por encontrar uma saída que permitisse negar uma oferta oficial da InBev quando chegasse. Ele abriu a porta de casa tarde da noite e foi surpreendido por diversos colegas de trabalho em uma festa surpresa organizada por sua esposa.

Além do plano de redução de custos, Dave fazia parte da equipe que analisava a possibilidade de comprar o controle da Modelo, a cervejaria mexicana da qual eles já detinham quase 52% das ações. A possível fusão faria a Anheuser-Busch valer entre US$ 10 bilhões e US$ 15 bilhões a mais, o que provavelmente inviabilizaria a compra pela InBev. August IV teria a dura missão de tentar negociar um acordo com os donos da Modelo, representados pelo CEO Carlos Fernández. A proposta era pagar US$ 15 bilhões para comprar os 48,5% restantes da empresa.

O maior desafio na negociação, segundo Dave Peacock, era que o conselho da administração da AB aceitasse Carlos Fernández como CEO da nova companhia, o que deixaria os investidores mais tranquilos. A preocupação dos conselheiros era com como August IV receberia a notícia e com como seria a gestão em uma aquisição em que os comprados conduziriam a empresa. Coube a Dave ir até a casa do chefe ter a delicada conversa. "Houve momentos em que achei que August IV talvez não quisesse ser o CEO. Ele gostava do título, mas o trabalho era muito desafiador, e acho que só iria se tornar ainda mais desafiador [com a compra da Modelo]. No final, parece que ele ficou bem com isso. Carlos seria o CEO e ele teria seu papel", diz Dave. Mas o conselho não concordou com a aquisição. "Os conselheiros estavam bravos e frustrados, então viraram as costas para nós." Eles queriam ouvir o que os donos da InBev tinham de concreto a dizer. "Pensando agora, acho que foi a coisa certa a fazer", conclui Dave.

A decisão do conselho foi enviar um e-mail para Jorge Paulo Lemann pedindo esclarecimentos sobre as notícias. Não houve respostas nos dias seguintes. August IV resolveu telefonar. Quando o celular de Lemann tocou, ele estava no deserto de Gobi, que abarca a região norte da China e o sul da Mongólia, com sua esposa, Susanna, e um casal de amigos: o ex-presidente Fernando Henrique Cardoso e sua esposa, Ruth. Alguns dias depois, Lemann respondeu o e-mail, explicou que estava viajando e marcou uma reunião em Tampa, na Flórida, em 2 de junho. "Durante toda a viagem pela China ele manteve a calma. Resolvia tudo pelo celular, com muita objetividade",* lembra Fernando Henrique.

Enquanto Lemann curtia seus dias de lazer, o conselho da Anheuser-Busch preparava August IV para o encontro com os brasileiros. Foram conduzidas sessões de treinamento para que ele soubesse o que dizer e como se comportar na reunião. Mas o herdeiro da Budweiser não conseguiu o que queria: uma resposta objetiva sobre os rumores. O encontro durou dez minutos, durante os quais Lemann e Marcel não confirmaram nem negaram a oferta de aquisição. A equipe da cervejaria em St. Louis não tinha mais nada a fazer a não ser esperar. Foram nove longos dias sem notícias sobre os brasileiros.

---

* *Sonho grande*. Op. cit.

CAPÍTULO 14

Todo o dinheiro do mundo

A decisão sobre quais seriam os próximos passos da InBev havia sido tomada ao longo de catorze meses, a partir de abril de 2007, com base em muita análise e discussão no conselho da cervejaria. "A certo ponto alguém disse: 'Bom, por que não fazemos as contas e enviamos uma carta para a Anheuser-Busch dizendo que sempre conversamos informalmente sobre isso e agora gostaríamos de formalizar nossa intenção?'", conta Brito. "Se não tivéssemos feito isso, nunca poderíamos saber o resultado."

O advogado Francis Aquila, conhecido como Frank, é sócio do Sullivan & Cromwell, escritório que assessorava a InBev desde a fusão que formou a companhia. Frank lembra uma pergunta que Brito fez antes de mandar a oferta para os norte-americanos: "Se você estivesse representando a Anheuser-Busch, o que diria se não quisesse aceitar nossa proposta?". O advogado respondeu: "Claramente o foco deles será o financiamento. Vocês precisam de uma estratégia financeira à prova de balas". Como o valor oferecido era bastante agressivo, em especial para um contexto econômico adverso, seria de esperar que o conselho da AB fosse duvidar da capacidade da InBev (ou de qualquer outra empresa) de conseguir o financiamento necessário para honrar a proposta. A possível preocupação da AB acabou se revelando também uma inquietação entre investidores e outros agentes do mercado.

Todos aqueles debates e estudos visavam a construção de uma proposta de compra para uma empresa que não estava oficialmente à venda. Imaginar belgas e brasileiros comprando a maior marca de cerveja norte-americana soava como delírio. Além disso, apostar em um negócio tão improvável ia na contramão da economia que, naquele momento, dava sinais de enfraquecimento com a crise do subprime nos Estados Unidos desde julho de 2007 (impulsionada pela concessão de empréstimos hipotecários de alto risco que levou diversos bancos para uma situação insustentável). A InBev ainda não sabia, mas a conclusão do acordo com a Anheuser-Busch coincidiria com o fim de um dos símbolos de Wall Street. Se a tentativa de compra desse certo, a única certeza era de que custaria muito caro.

Uma das primeiras definições foi que a InBev faria uma oferta em dinheiro, com o máximo de garantias possível. Por isso, foi adotado um conceito mais utilizado em fusões e aquisições no Reino Unido, o de *certainty of funds*. Resumidamente, trata-se de um compromisso dos financiadores de que a dívida será paga, e serve para oferecer segurança a todos os envolvidos em uma aquisição feita à base de um endividamento muito alto. Para assinar esse compromisso, os bancos precisam analisar a empresa em detalhes para se certificar de que ela terá condições de honrar o pagamento no prazo combinado. Funciona como um selo de confiança no mercado financeiro.

Havia mais um complicador de saída, além de outros que surgiriam no decorrer dos meses seguintes. Para assumir aquela dívida, a InBev entraria pela primeira vez no mercado de bonds (títulos de dívidas) para financiar uma aquisição. Basicamente, o que a InBev estava prestes a fazer era pedir crédito aos bancos sem ter histórico no mercado (a empresa não tinha rating, nota de crédito que indica a capacidade de uma instituição pagar suas dívidas), com o objetivo de comprar uma empresa ícone dos Estados Unidos que não queria ser vendida, tudo isso em meio a um mercado em crise. As chances de o negócio ir para a frente pareciam quase nulas.

Para ter uma dimensão da dificuldade real e sondar o montante que conseguiriam financiar, antes mesmo de definir um valor ideal para a proposta, a pequena equipe de executivos da InBev começou a consultar os bancos. O grupo era liderado por Carlos Brito, Sabine Chalmers, então chief legal officer da InBev, David Almeida, head de fusões e aquisições, Felipe Dutra, CFO global, e Ricardo Rittes, então vice-presidente de tesouraria da InBev. Foram contratados o banqueiro Antonio Weiss, do Lazard (fazia parte de sua equipe Alexander Hecker, que também participara da criação da InBev), e, mais adiante no processo, o advogado Roderick McGillivray, sócio do Clifford Chance, além de Frank Aquila. Durante catorze meses, as apresentações e discussões foram intensas, constantes e emocionantes — já que havia muitas variáveis em jogo e as perspectivas podiam mudar a cada conversa. Naquele período, não existia divisão entre horário comercial e fim do expediente para os executivos da InBev (até em função da diferença de fusos entre os países). Praticamente não havia tempo livre que não fosse para dormir.

O primeiro banco consultado foi o Citigroup, parceiro histórico da AmBev. Mas os donos da Anheuser-Busch haviam se antecipado na contratação de seus serviços para tentar comprar a cervejaria mexicana Modelo como uma forma de impedir a venda da companhia (afinal, o preço ficaria alto demais para qualquer empresa pagar, mesmo com financiamento de bancos). Atendendo à outra parte, os banqueiros se declararam impedidos de trabalhar para a InBev. Mais um ponto contra a companhia. A notícia de que nem o Citi havia topado o negócio correu no mercado e deixou os outros bancos ainda mais ressabiados. Dezenas de outras instituições foram consultadas na Europa e nos Estados Unidos.

As conversas iniciais serviram para os brasileiros e belgas entenderem a dinâmica e a disposição do mercado, que estavam muito aquém de suas expectativas. Os banqueiros manifestavam surpresa e resistiam a embarcar na ideia apresentada pelos executivos. O time da InBev concluiu que, com esforço, conseguiria financiar US$ 35 bilhões, divididos entre diversos bancos. Para defender esse limite (ou, em muitos casos, um valor ainda mais baixo), os banqueiros mostravam históricos de outras transações e balanços das maiores alavancagens empresariais da história, alegando que mais seria impossível. Um argumento ainda mais forte era o de que não havia dinheiro o bastante para a transação na América do Norte e na Europa. Diante desse empecilho, a InBev incluiu os bancos asiáticos em seu roteiro. Mas os obstáculos continuaram se multiplicando.

As condições apresentadas aos executivos da InBev eram as *normais* de mercado. Como de costume, só serviriam como ponto de partida para o conselho tentar fazer algo nunca feito antes. A primeira medida foi, portanto, manter a liderança da negociação. Para conseguir algo inédito, precisariam cuidar pessoalmente de cada detalhe, e não transferir a coordenação do negócio a um banco principal, como é o padrão nesses casos.

Os executivos mostraram as conclusões de sua pesquisa de campo ao conselho da InBev. Os US$ 35 bilhões possíveis eram pouco, diziam os controladores da empresa. Precisavam de mais. Podiam até oferecer uma parte em equity se necessário (isto é, participação acionária na companhia, ofertada a investidores por meio da emissão de novas ações em troca de capital). Mas determinaram que esse valor não passaria de US$ 9,8 bilhões, uma parte dos quais os acionistas brasileiros e belgas concordaram em injetar para evitar que seu controle sobre a companhia fosse diluído. No total, queriam estar aptos a oferecer até cerca de US$ 55 bilhões aos norte-americanos. Para isso, precisavam convencer o mercado financeiro a esticar seu limite de empréstimo em mais de US$ 10 bilhões. De qualquer modo, a possibilidade do equity era o plano B, caso não fosse aceita a oferta inicial.

Os próprios executivos silenciaram ao ouvir a decisão dos acionistas da InBev. Estavam exaustos, dormindo duas ou três horas por noite havia semanas. "Se não conseguirmos US$ 45 bilhões, não tem acordo", disse Jorge Paulo Lemann. De repente, cancelar o negócio parecia o desfecho óbvio. Mas eles fariam o impossível para evitar essa alternativa. Literalmente.

Se os banqueiros levaram um susto com o plano da InBev de comprar a Anheuser-Busch, ficaram incrédulos diante do ultimato financeiro. Todas as instituições consultadas, sem exceção, responderam de início que era impossível viabilizar o negócio.

Apesar da frustração nas conversas com os banqueiros que se seguiram à decisão de Lemann, o Santander se revelou um fiel aliado. Em uma reunião que durou quinze horas, das 14h às 5h, dois executivos do banco espanhol dispensaram a apresentação em PowerPoint preparada pela equipe de Felipe Dutra. Pediram para abrir uma planilha de Excel em branco e preencheram seu modelo na hora, com indicadores do balanço da empresa e projeções para ver se o negócio ficaria de pé. No dia seguinte, concluíram que, embora não fosse fácil, a conta poderia fechar. O crédito estava aprovado. Foi a faísca de ânimo de que os executivos precisavam.

O mercado financeiro é instável por natureza e baseia grande parte de suas decisões em projeções. Quando o Santander topou, o jogo começou a mudar em favor da InBev — o que tampouco significava menos esforço dos executivos. Nos meses seguintes, foi preciso convencer outros bancos, adaptando-se à dinâmica de cada um. Em um dos casos, foram necessárias sete reuniões, algumas com trinta pessoas na sala, até chegar ao veredito positivo. O medo de correr aquele risco sem precedentes de repente parecia menor do que o de ficar de fora dele. Entre os dez bancos que disseram "sim", a maioria eram europeus, um era japonês e outro (apenas um) era norte-americano,* o último a assinar o acordo.

Além de todo o drama para conseguir garantias de que pagariam a conta, havia uma preocupação dos brasileiros e belgas com a imagem da companhia caso a aquisição fosse realizada. O consultor responsável por planejar a estratégia de comunicação da operação, Steven Lipin, então sócio sênior do Brunswick Group nos Estados Unidos, participou do negócio e lembra a angústia dos brasileiros. "Eles estavam realmente preocupados por ser compradores estrangeiros diante da joia da América e com como os americanos poderiam reagir." Mesmo assim, foram em frente. Coube a Brito assinar a carta que chegaria por fax a August IV, no dia 11 de junho de 2008.

"Caro August", começava o texto.

> Ao longo dos últimos anos, nos reunimos com você em diversas ocasiões para explorar formas de estreitar o relacionamento entre nossas duas grandes companhias. Jorge Paulo Lemann e Marcel Telles ficaram muito agradecidos pela sua disponibilidade em encontrá-los no dia 2 de junho em Tampa [...] Agora estou escrevendo para apresentar os termos propostos.**

---

* Santander, Barclays, BNP Paribas, Deutsche Bank, Fortis, ING, J.P. Morgan, Mizuho, The Bank of Tokyo-Mitsubishi UFJ, The Royal Bank of Scotland.

** "InBev's Offer for Anheuser-Busch: The Letter", *The New York Times*, 11 jun. 2008. https://nyti.ms/2WaopVA

Em seguida, ele demonstrava respeito pelo valor que a empresa tinha para a família e se comprometia a manter investimentos e pessoas importantes para a companhia. Por exemplo, prometia posicionar a Budweiser como uma marca global modelo para o novo grupo cervejeiro, manter o escritório central da América do Norte em St. Louis (onde permanece, embora o escritório global da companhia esteja em Nova York desde 2016), manter todas as fábricas existentes, manter o compromisso com a comunidade e convidar alguns dos diretores da Anheuser-Busch a permanecer no time. Notícias sobre a proposta levaram as ações da cervejaria a subir quase 7% na Bolsa de Nova York naquele dia.

Dave Peacock estava ao lado de August IV quando Lemann ligou para avisar que a carta seria enviada, com cópia para o conselho. Embora ele já esperasse por isso havia anos, sentiu o choque. "Acho que isso significa que estamos à venda", disse ao chefe.

Assim que o conteúdo da carta extrapolou o escritório, norte-americanos de diferentes setores se opuseram fortemente à oferta de compra. Mais uma vez os brasileiros enfrentariam uma resistência coletiva. Na mesma semana, os consumidores locais iniciaram uma campanha contra a aquisição da Anheuser-Busch. O site SaveBudweiser.com lançou um abaixo-assinado contra a venda do "símbolo norte-americano, provedor de milhares de empregos e que distribui milhões de dólares em obras de caridade". No dia 12 de junho, o site já contava com mais de 33 mil assinaturas. Outro site, SaveAB.com, registrava mais de 11 mil nomes. O grupo contava com o apoio de Matt Blunt, governador do Missouri. Blunt descreveu a operação como "profundamente perturbadora". "Me oponho categoricamente à venda", ele disse.

O jornal *Washington Post* publicou um artigo assinado pelo jornalista Paul Farhi questionando se o rei das cervejas (slogan da Budweiser) estaria "se curvando ao trono belga". "Eles podem comprar nossos títulos do tesouro. Eles podem reclamar a posse de nossos bancos e de nossos edifícios comerciais poderosos. Mas podem realmente tomar nossa Budweiser ou Michelob? Diz que não, Bud." O jornal lembra o valor afetivo da Bud para a população, identificando-a como a primeira cerveja experimentada por um americano, e provavelmente a última. "É a cerveja flutuando nos baldes de gelo nos churrascos do vizinho. É a que tomamos no bar, nas reuniões sindicais, nos jogos."

A revista britânica *The Economist* resumiu o episódio em uma questão: "Poderia alguma coisa simbolizar a perda da supremacia econômica dos Estados Unidos mais claramente do que sua marca de cerveja favorita cair em mãos estrangeiras?".*

---

* "Compra da Bud pela InBev fere orgulho americano, diz imprensa", *O Estado de S. Paulo*, 13 jun. 2008. http://bit.ly/2ZCal9t

Quatro dias depois, em 15 de junho, um domingo, a InBev reiterou a proposta de aquisição. No dia 17, Carlos Brito se reuniu com senadores dos Estados Unidos para discutir a proposta. A democrata Claire McCaskill, do Missouri, disse que era "veementemente contra a venda" após o encontro. "É uma má ideia. Não quero que a comprem. O povo de Missouri não quer."* No dia seguinte, Carlos Brito se encontrou com o senador Kit Bond, também do Missouri. Em comunicado, Bond já havia dito que a venda da AB era "uma má ideia, amplamente contrária ao que quer a comunidade, e vou manifestar forte oposição". No dia 12 de junho, ele enviara uma carta à Câmara Federal de Comércio (FTC) pedindo uma análise da proposta feita pela InBev à AB. O governador Matt Blunt também pediu uma revisão à FTC.

Em meio às manifestações de revolta, August IV não dizia nada.

Um Busch destoante

Adolphus IV, tio de August IV, continuava indignado. Havia alguns dias que seu advogado estabelecera contato com Brito, manifestando sua posição favorável à venda da empresa de sua família. "Eu queria que ele soubesse que eu era o único membro da família que endossava a compra", disse.

Ele conta que conversou com Brito algumas vezes, e ficou impressionado com a atitude do brasileiro. "Eu nunca tinha visto um executivo que olhava o mundo e os negócios como ele fazia. Rapidamente, ficou evidente que tinha capacidade para transformar a cultura da companhia de modo radical." No dia 20 de junho, Adolphus tornaria pública sua posição, ao divulgar uma carta direcionada ao conselho executivo da Anheuser-Busch. Ele afirmava estar satisfeito com os compromissos assumidos por Brito na carta-proposta e considerava a venda o melhor a se fazer levando em conta todos os acionistas da companhia, e não apenas sua família. Adolphus dizia não ver as promessas do brasileiro como "meras palavras", em função do crescimento da marca Budweiser no Canadá, fruto da parceria de distribuição firmada em 1997 com a Labatt, parte da InBev desde 2004.**

O conselho da AB se reuniu na quarta-feira, dia 25 de junho, duas semanas depois da oferta da InBev. Concluiu que a proposta era baixa demais e que não a aceitaria — o que foi reiterado em um telefonema entre os conselheiros no dia seguinte. Brito sabia que eles estariam reunidos e, diante do silêncio, entendeu a recusa. Mas reiterou, pela terceira vez, o interesse de compra. Disse que a

---

* "Senadores dos EUA querem barrar venda da fabricante da Budweiser à InBev", *Folha de S.Paulo*, 17 jun. 2008. http://bit.ly/2J693Oj
** "Adolphus Busch IV's letter to Busch board", Reuters, 20 jun. 2008. https://reut.rs/2ZEyZpK

InBev continuava disposta a discutir sua oferta, mas afirmava: "Tempo é crucial". O próximo passo do plano seria mais agressivo.

O dia seguinte, 26 de junho, foi agitado. A InBev entrou com um processo no tribunal de Delaware para confirmar se os acionistas da AB poderiam afastar sem justificativa os treze membros do conselho da companhia. A resposta foi positiva. Duas semanas depois, em 7 de julho, Brito enviou uma carta aos acionistas da cervejaria sugerindo a remoção de todos os conselheiros e a eleição de novos. A rigor, os Busch não eram maioria entre os acionistas, tendo apenas 4% da empresa. Ainda que os membros da família se opusessem à venda da companhia para a InBev e convencessem Warren Buffett (o maior acionista) a fazer o mesmo, teriam 9% dos votos, de modo que a decisão caberia aos 91% restantes, muitos dos quais eram novos.

Isso porque, com a oferta da InBev, vários investidores tradicionais, que mantinham suas ações na antes estável Anheuser-Busch, venderam sua participação a fundos de investimentos. Ou seja, na prática, o poder de decisão final não estava na mão da família, mas na de investidores de mercado. Fazia sentido que se enxergasse na mudança de conselho uma chance de aceitação da oferta da InBev.

A companhia brasileiro-belga argumentava que o movimento daria aos acionistas uma oportunidade de ter voz direta no processo de aquisição. Para substituir os integrantes do conselho, a InBev enviou sua própria lista de possíveis integrantes. Entre os membros, estavam Adolphus Busch IV, James Healey, ex-diretor financeiro da Nabisco Group Holding, e Henry McKinnell, ex-presidente da Pfizer. Em comunicado, Carlos Brito disse: "Nossa forte preferência permanece sendo entrar em um diálogo construtivo com a Anheuser-Busch para alcançar uma combinação amigável".

No mesmo dia, a AB entrou com uma ação judicial contra a InBev, na Corte Distrital de St. Louis, acusando-a de tentar assumir o controle da cervejaria norte-americana através de "conduta enganosa", queixando-se de que o preço de US$ 65 por ação era "uma pechincha". Segundo a ação judicial, no contexto dos mercados de crédito da época, "nenhum grupo de financiadores concordaria incondicionalmente em emprestar à InBev os US$ 40 bilhões de que ela necessitará". Parecia uma tentativa da AB de encerrar o negócio. A equipe da InBev teve de responder à autoridade. Embora não pudesse mostrar os documentos sigilosos das negociações com os bancos, os executivos mantiveram os olhos fixos nos de seus interlocutores e a fala baixa e pausada para afirmar que aquela parte estava resolvida: eles poderiam ficar tranquilos, porque o dinheiro estava garantido.

Mesmo assim, ainda em 26 de junho, a AB rejeitou a oferta por unanimidade, considerando-a "financeiramente inadequada", como comunicou por escrito. O texto de resposta da norte-americana terminava com uma menção ao que se tornara o jargão empresarial dos brasileiros: "Como vocês mesmos dizem, sonham grande. Respeitamos seu desejo de expandir sua empresa, mas isso não deve acontecer às custas de nossos acionistas".*

A recusa gerou novos debates entre os executivos, controladores e conselheiros da InBev. Para aumentar a oferta, seria preciso lançar mão de pagamento também em participação na empresa (equity). Os acionistas majoritários brasileiros e belgas assinaram o compromisso de que contribuiriam com parte desse valor. O restante seria captado com investidores minoritários em troca das novas ações emitidas no mercado.

Na quarta-feira, 9 de julho, Carlos Brito ligou para August IV. No viva-voz, anunciou a oferta. O grupo de executivos conectados à ligação mal respirava. Do lado da InBev, sabiam que era tudo ou nada. Todo o dinheiro que podiam oferecer estava na mesa. O maior projeto deles parecia ao mesmo tempo real e à beira do abismo. Do lado da AB, era tudo um pouco surreal. Brito anunciou a nova oferta: "Setenta dólares por ação", 27% a mais do que o preço recorde das ações, o que totalizava US$ 52 bilhões.** Dave Peacock estava na sala naquele momento. "Era difícil argumentar contra. A decisão estava tomada." O sonho grande dos brasileiros e belgas estava prestes a se realizar.

A Anheuser-Busch aceitou o acordo, mas impôs uma condição que tornava o risco ainda maior para a InBev. Se eles não conseguissem o financiamento não poderiam desistir do negócio. A única maneira de voltarem atrás seria por alguma ordem regulatória, por exemplo, se um órgão antitruste impedisse a aquisição. Isso significava que, se a InBev não conseguisse honrar o pagamento, o acordo iria se inverter, e a InBev seria da Anheuser-Busch. O sonho poderia derreter num instante. Mesmo assim, os brasileiros e belgas toparam.

Assim que a ligação terminou, o conselho da AB se reuniu. O grupo estava cético em relação à promessa de Brito de que não voltariam atrás. No dia seguinte, Dave e uma pequena equipe foram para Nova York encontrar o time da InBev para formalizar os termos do acordo verbal.

Durante quatro dias e quatro noites, as duas equipes trabalharam no escritório de advocacia Sullivan & Cromwell, em Manhattan. Havia dezenas de negociadores trabalhando na finalização do contrato, incluindo advogados, executivos e banqueiros. Ali estava também o time de relações públicas, liderado por Steven Lipin. No momento em que August IV ligou para dar seu "sim" final, todos comemoraram juntos. "Rimos e choramos de alegria, brindando com Budweiser", conta Steve. "Foi um momento memorável para o time. Tínhamos alcançado um objetivo incrível ao adquirir uma marca norte-americana top." A InBev cumpriria sua palavra.

---

* "Anheuser-Busch sends rejection letter to InBev", Reuters, 26 jun. 2008. https://reut.rs/2GLAVph
** Depois de fechado o negócio, considerando custos internos que não apareciam no balanço, o pagamento chegou a US$ 54,8 bilhões.

Passada a animação inicial, Brito conteve a euforia para dar os próximos passos. Fez seu discurso oficial, dizendo: "Estamos muito satisfeitos de anunciar essa transação histórica. [...] Essa combinação vai criar uma companhia global muito mais forte e competitiva, com um catálogo de produtos com grande potencial de crescer no mundo todo".

Do lado da AB, quem liderava o grupo de trabalho era Dave Peacock. No caminho até o local, ele pensava em tudo o que estava acontecendo. "Era surreal", resume. "Como se estivéssemos sonhando."

Assim que chegou ao escritório, Dave chamou Brito de canto e fez um pedido em voz baixa. "Preciso da sua ajuda. Gostaria que sua equipe fosse muito respeitosa com a nossa. O pessoal do nosso lado está realmente em choque. Para eles, é inacreditável isso estar acontecendo. Peço que isso não seja tratado como uma vitória sobre nós."

Brito respondeu que ele não precisava se preocupar. Sua euforia já estava devidamente domada, de modo a não transformar aquele momento de glória para a InBev em uma derrota para a família Busch e os funcionários. Era preciso manter a calma também para avaliar a parte burocrática com atenção. Qualquer distração ou negligência, técnica ou emocional, poderia arruinar os planos. O brasileiro começou a primeira reunião reafirmando o compromisso que assumira com Dave. "Só estamos aqui para fazer isso porque respeitamos um ao outro. Estamos trabalhando juntos nisso. Não há perdedores nem ganhadores."

"Brito realmente fez um bom trabalho, e eu gostei dele por isso", diz Dave. O objetivo era assinar o acordo até domingo, dia 13. Para tanto, bastava seguir o plano detalhadamente preparado pela equipe da InBev.

Economia líquida

August IV foi até o escritório de advocacia após a conversa por viva-voz e falou pessoalmente com Brito. Desde a primeira oferta oficial, os dois não haviam se encontrado. Passaram quatro horas juntos. Antes de August ir embora, deixando a negociação sob os cuidados de Dave, a equipe de relações públicas da InBev pediu para que ele e Brito apertassem as mãos para a clássica foto de fechamento de negócio. August IV, no entanto, se recusou.

As equipes das duas empresas trabalharam durante todo o fim de semana, inclusive nas madrugadas, para fechar o acordo. No dia 14 de julho de 2008 foi anunciada a venda. O contrato levou a InBev novamente à posição de maior cervejaria do mundo (em 2007, a empresa havia perdido a liderança do setor para a SABMiller). A Anheuser-Busch InBev tinha 120 mil empregados, faturamento anual de US$ 36,4 bilhões, produzia aproximadamente 25% da cerveja consumida no mundo e era líder nos principais mercados do planeta. Os dezessete principais executivos receberam um total de U$ 1 bilhão pelas ações. August III recebeu US$ 427,3 milhões e Pat Stokes, ex-presidente da companhia, US$ 160,90 milhões. August IV ficou com US$ 91,3 milhões, e seu tio, Adolphus IV, com US$ 17,5 milhões, o equivalente à soma de suas 250 mil ações. Logo, a Budweiser iria se tornar uma marca popular em toda a América Latina.

No mesmo dia, 15 de julho, o então candidato à presidência dos Estados Unidos Barack Obama se declarou contra a venda de uma marca tão tradicional em seu país. "Foi decepcionante saber que a Anheuser-Busch aceitou ser vendida à InBev. A Anheuser-Busch é um ícone americano e essa venda pode ameaçar milhares de empregos em Missouri", afirmou em um comunicado. "Poderíamos e deveríamos ter feito o necessário para encontrar um comprador americano e criar empregos em casa."

Tudo igual, tudo diferente

Depois da maratona jurídica no fim de semana, Dave Peacock voltou para St. Louis. Queria estar lá na segunda-feira, antes de a finalização do acordo ser anunciada pela mídia. "Era importante ver as pessoas, algumas das quais estavam em pânico, e dizer: 'Olha, está tudo bem, tudo vai ficar bem. Conhecemos algumas pessoas que virão. Mantenham o foco." No dia seguinte, terça-feira, o executivo acompanhou Brito em sua primeira visita oficial à cervejaria. O brasileiro vestia uma camiseta da Budweiser, e, embora seguisse focado no trabalho, Dave notava que sua alegria transparecia. "Acho que para ele era incrível andar pela cervejaria sabendo o que tinham conseguido. Por mais que quisesse comprar a empresa, acho que no fundo não acreditava que fosse possível."

Brito estava lá para falar da cultura de sonho da agora AB InBev, da importância das pessoas e "da busca por sempre fazer certo".* Os funcionários queriam saber se seriam feitas demissões. O brasileiro disse que provavelmente sim, já que havia sobreposição de cargos e aquela era uma cultura de eficiência. "Fui bem claro desde o primeiro dia, dizendo que a gente poderia discutir até a morte como levar nossos princípios para aquela nova realidade, mas que não abriria mão deles. Teve gente que gostou, teve gente que não gostou e saiu da empresa."** Enquanto Brito continha sua euforia, Dave fazia o mesmo quanto à incerteza sobre o rumo que tomaria sua vida.

Antes de a proposta da InBev se tornar realidade, Dave estava no caminho para ser o presidente da cervejaria nos Estados Unidos. Aquela era uma conversa que ele havia tido com August IV, que declarara a intenção de tê-lo como seu

---

*   "'Aqui a gente não quer executivos', afirma Carlos Brito", *Exame*, 3 out. 2011. http://bit.ly/2UVpbsO
** Ibid.

sucessor. Com a mudança no rumo da empresa, Dave sabia que o plano não tinha mais validade. Pouco antes do anúncio da aquisição, ligou para August IV e teve uma conversa afetiva com ele. "Ele disse que estava muito orgulhoso de mim e que realmente gostaria que eu tivesse sido presidente."

Dave havia representado os interesses da companhia norte-americana durante a negociação e agora tinha um papel crucial no início da integração. Seu compromisso era, acima de tudo, consigo mesmo. Era uma questão de cuidar das pessoas com quem trabalhara por tantos anos. No mínimo, queria fazer a ponte entre a antiga e a nova liderança. Confortar os colegas assustados com seu rosto conhecido e a convicção de que deixava a antiga equipe em boas mãos. Por dentro, convivia com emoções conflitantes. "Por um lado, eu estava chateado porque a empresa tinha sido vendida. Por outro, respeitava aqueles caras. Eles são boa gente, respeitam marcas, amam o lado de pessoas do negócio. Querem ser eficientes, mas também querem ver as pessoas crescerem. Queria só me certificar de que a equipe estava sendo cuidada e as coisas estavam indo bem. Foi um longo período em que eu não sabia o que aconteceria comigo."

A integração foi conduzida como de costume na InBev, com todas as lições aprendidas com as fusões entre Brahma, Antarctica e Interbrew. Foi formado um comitê de trabalho, liderado por Dave e David Almeida, o primeiro executivo da InBev a chegar aos Estados Unidos. Ele foi o responsável por identificar as principais oportunidades de corte de custos. Os dois trabalharam com representantes de diversas áreas das duas companhias e o apoio da consultoria estratégica Bain & Company.

Enquanto aguardavam a conclusão da operação e a aprovação de todos os órgãos antitruste envolvidos (o que só aconteceria em novembro), os executivos estudavam as melhores práticas para o momento em que fossem liberados para trabalhar como uma só empresa. Nesse período, quando Brito visitava o escritório em St. Louis, compartilhava com Dave sua sala de trabalho.

O belga Jo van Biesbroeck lembra a primeira vez que entrou no escritório da Anheuser-Busch em St. Louis e pensou: "Isso é totalmente louco! Como é possível que uma empresa tão grande, um ícone norte-americano, tenha sido comprada por nós? As pessoas estavam atônitas e meu sentimento era: como isso pôde acontecer? Era também uma grande responsabilidade".

Nesse período, Brito conduzia algumas sessões de perguntas e respostas com as equipes de diferentes áreas e regiões da Anheuser-Busch. Mais uma vez, era a aplicação do tradicional método de olhar nos olhos, conhecer as pessoas, apresentar a cultura e avaliar quem deveria permanecer na empresa depois que o negócio fosse selado. Dessa vez, porém, havia uma diferença em relação às fusões anteriores: uma preocupação maior com a compreensão e a receptividade da equipe. A resistência enfrentada em 2004 com os europeus somada ao pronunciamento público dos consumidores e de políticos norte-americanos importantes exigia empatia para entrar em um novo território, acostumado a ditar as regras econômicas no mundo. "Ajudou muito conhecer as pessoas nesses meses iniciais", diz Brito. "Foi um período muito rico para nós, porque pudemos aprender sobre nossos futuros colegas e antecipar planos que seriam colocados em prática alguns meses depois."

A primeira conversa sobre o futuro profissional de Dave só aconteceria em setembro, quando August IV foi anunciado como membro do conselho da Anheuser-Busch InBev. Na ocasião, Brito estava com pressa para chegar ao aeroporto e voar para Nova York, e a conversa foi rápida e vaga. O brasileiro comentou que gostaria que ele ficasse na empresa, mas não falou em valores nem condições de trabalho. Brito já havia dito que valorizava a maneira como ele havia defendido os interesses da Anheuser-Busch durante as negociações. Mas, em um primeiro momento, aquilo não foi suficiente. Dave chegou em casa decidido a dizer "não". Uma semana depois, teve uma surpresa.

Ele estava em Nova York, em um encontro com Brito e Marcel Telles, que explicou por que o consideravam um executivo-chave naquele novo momento da companhia. Apresentaram uma proposta de trabalho, que incluía um pacote de ações e um convite para que se tornasse CEO da Anheuser-Busch, que agora estaria sob o guarda-chuva da InBev. Os brasileiros haviam entendido a importância de ter elos entre a antiga e a nova equipe. E Dave se encaixava perfeitamente no papel: era o mais jovem do comitê executivo, tinha disposição para o trabalho, batalhava pela companhia e tinha uma afinidade profissional já provada com os novos donos. Manter um rosto conhecido e local à frente do negócio seria uma excelente maneira de acalmar os ânimos em St. Louis, dentro e fora da empresa.

Aquela foi uma conversa longa (durou cerca de quarenta minutos) e tranquila. Diante da oferta, Dave balançou. Pai de três crianças, na época com quatro, seis e oito anos, ele não tinha planos de mudar de país para assumir desafios maiores — como corria o risco de fazer se aceitasse a oferta dos brasileiros e crescesse na empresa. Por outro lado, era uma oportunidade tentadora. Acostumado a estar sempre nos bastidores na época de August IV, ele agora teria de se acostumar a ser "a cara" da AB em St. Louis. Depois de refletir, ele aceitou — e passou os quatro anos seguintes na companhia.

Uma visita inesperada

Depois da venda da empresa, as notícias divulgadas sobre August IV não foram boas. De acordo com amigos, ele entrou em depressão e foi tratado por um psiquiatra, que receitou antidepressivos — que ele tomava em excesso por conta própria. Em 19 de dezembro de 2010, sua namorada Adrienne Martin, de 27 anos, morreu em uma propriedade da família dele, em decorrência de uma overdose acidental, provocada pelo uso do analgésico oxicodona. Uma autópsia revelou ainda o uso prolongado de cocaína. Mais de um ano depois, August IV concordou em pagar US$ 1,75 milhão depois que o ex-marido de Adrienne, o dr. Kevin Martin, e os pais dela, Larry Eby e Christine Trampler, o processaram em nome de seu filho, Blake.*

Em 2017, August voltaria às manchetes ao tentar pilotar um helicóptero com quatro armas carregadas, oito cachorros e remédios controlados. Abordado pela polícia, foi preso e passou por testes toxicológicos, mas foi solto em seguida e os exames deram negativo para álcool e drogas.

Desde a venda da empresa, August IV perdeu contato com a maioria dos ex-colegas e passou a viver recluso. Ele costuma ficar em sua mansão em Key West, a uma hora da casa do tio Adolphus Busch IV, em Marathon. Por volta de oito da noite de 8 de dezembro de 2018, ele estava na sala com sua mulher quando foi abordado para uma possível entrevista para este livro. Depois de olhar pela janela, desceu a escada da porta principal e caminhou poucos metros até o portão de madeira, acompanhado por sete cachorros pequenos. Ele vestia calça de moletom cinza-escuro e se surpreendeu ao ouvir: "Vim do Brasil para conversar com você". Logo contou que já havia estado no país a convite de Jorge Paulo Lemann e Marcel Telles, durante o Carnaval, e que gostara muito da visita.

Ao ouvir sobre o teor do livro e os nomes conhecidos que haviam concedido entrevista — Carlos Brito, Peter Kraemer, Dave Peacock, entre outros —, disse que precisaria pensar e conversar com algumas pessoas antes de falar comigo. Mas, durante aproximadamente vinte minutos de conversa informal, comentou voluntariamente sobre os brasileiros donos da AB InBev. "Jorge Paulo Lemann é um cavalheiro, muito educado, já Marcel é durão, mas ótimo também. Eles são opostos, como preto e branco", falou, sorrindo. "E o Brito é uma máquina!", concluiu. Na breve interação, teve uma postura próxima, aberta e gentil. Mas a entrevista acabou não se concretizando.

Não foi só Lemann que perdeu o sono

A aposta da InBev ao comprar a Anheuser-Busch foi alta — e por isso não pôde ser recusada. Mas nem os próprios controladores da empresa imaginavam que enfrentariam um risco tão grande. Dois meses depois de fechado o acordo, a crise nos Estados Unidos se agravou com a quebra do Lehman Brothers, um

---

* "August Busch IV settles wrongful-death suit over girlfriend for $ 1.75 million", *St. Louis Post-Dispatch*, 30 out. 2012. http://bit.ly/2Vx8Lq0

tradicional banco de investimento sediado em Nova York. Em 15 de setembro de 2008, a instituição, que já vinha tendo prejuízos em função da crise dos subprimes, pediu falência. Aquele era o estopim para uma crise econômica internacional decorrente do excesso de alavancagem financeira nos anos anteriores. "O negócio entre InBev e Anheuser-Busch foi perfeito, mas o timing foi péssimo", resume Trevor Stirling, analista financeiro do Bernstein.

Apesar de a venda estar anunciada, nos bastidores a negociação estava longe do desfecho e se movia como uma montanha-russa descontrolada. Quatro meses depois do início do negócio, era hora de os controladores da InBev realizarem o investimento que lhes cabia para concluir a parte do pagamento em participação acionária. Os belgas já estavam com o crédito aprovado pelo banco Fortis. Os brasileiros, porém, não passaram pelo comitê de crédito do Credit Suisse de primeira. Na última hora, os banqueiros argumentaram que não poderiam receber como garantia a participação dos brasileiros na InBev, uma vez que eles tinham um acordo de acionistas que os mantinha na sociedade pelo menos até 2024. O negócio foi adiado. A equipe da InBev trabalhou durante três semanas para ajustar o contrato de acionistas às exigências do banco.

Diante daquele passo para trás, e sem que os investidores soubessem o porquê do atraso na injeção de capital na empresa, as ações da InBev começaram a cair. Os próprios executivos já não tinham certeza se o negócio iria se concretizar. A inversão do jogo pareceu próxima em alguns momentos. Jorge Paulo Lemann, em palestras que fez anos depois, admitiu ter perdido o sono durante aquele período. "Ninguém sabia o que aconteceria", conta Brito. "Todos os dias havia o risco de outro banco desaparecer, e aquilo era tenso. Não havia nada que pudéssemos fazer."

No dia 24 de novembro, as ações da InBev na Bolsa de Bruxelas bateram os 10,32 euros — uma queda de 71,6% em um ano. Os brasileiros finalmente conseguiram o financiamento do Credit Suisse e injetaram pouco mais de US$ 2 bilhões na empresa. Tudo parecia resolvido. Mas os belgas voltaram atrás e decidiram não investir sua parte. O risco havia crescido muito. O mercado estava incerto demais. A situação saíra completamente do controle.

Àquela altura, o banco Fortis já havia liberado os quase US$ 3 bilhões para os belgas fazerem seu investimento. Como eles não usaram o capital disponível, sua participação foi diluída. Com isso, a fatia dos brasileiros aumentou proporcionalmente, reduzindo a diferença entre a parte deles na empresa e a dos belgas.

O dinheiro disponibilizado pelo banco belga foi oferecido aos integrantes do primeiro escalão executivo que quisessem alavancar os investimentos individuais. Cerca de quinze pessoas aceitaram e aumentaram sua aposta, embora não tenham usado nem um terço do valor total. Além disso, aproximadamente quarenta executivos receberam o direito de compra de pacotes de ações — o que ficou conhecido como "incentivão". A intenção era engajar o time na virada da gestão que seria necessária para pagar a dívida.

No mesmo mês de novembro, o Departamento de Justiça dos Estados Unidos autorizou a formação da Anheuser-Busch InBev. A última etapa foi a aprovação dos órgãos reguladores da China, onde as duas companhias tinham participações em empresas. Estava concluída a maior operação em dinheiro já realizada na história.*

Sangue, suor e dólares

Depois de tantas emoções, era hora de respirar aliviado e trabalhar para justificar tamanha aposta. A integração das operações estava pronta para sair do papel. Nesse momento, Dave chamou Brito para uma conversa. Ele tinha mais um pedido a fazer: queria realizar todas as demissões iniciais antes do Natal. Em 8 de dezembro, a companhia divulgou o corte de aproximadamente 1400 pessoas, cerca de 6% da folha de pagamento nos Estados Unidos.

Reduzir custos inicialmente seria fácil. Além da experiência dos executivos da InBev, havia oportunidades evidentes de todos os tamanhos — de empresas inteiras que faziam parte do grupo à gestão da rotina na administração central. Nos primeiros meses depois da aquisição, a InBev se desfez de mais de US$ 7 bilhões em ativos, entre eles os parques temáticos Busch Gardens e SeaWorld. As doações à comunidade local e os patrocínios esportivos foram reduzidos. Outras mudanças seguiam a já tradicional cartilha de fusões e aquisições da empresa: os salários foram nivelados pela média do mercado, acabaram as viagens de primeira classe para os funcionários, e outras regalias, como o uso de celulares da empresa, tiveram seus critérios revisados. August IV se manteve membro do conselho e passou a receber US$ 120 mil por mês para prestar serviços de consultoria à empresa — o que, aparentemente, não acontecia na prática. Para aumentar a rentabilidade da companhia, fez parte da estratégia inicial aumentar o preço dos produtos no mercado norte-americano.

Em janeiro de 2009, desembarcaria em St. Louis o brasileiro Luiz Fernando Edmond para comandar as operações da companhia na América do Norte. Ele seria o presidente a quem Dave ia se reportar. Durante as quase treze horas de voo até os Estados Unidos, Luiz Fernando rascunhou seu "gabarito", isto é, os pontos que conduziria na integração a partir daquele momento nas frentes de cultura, pessoas, gestão e financeiro. O conteúdo era o mesmo de sempre, ancorado nos três pilares: liderança, sistema de gestão e remuneração e Orçamento

---

* Em 2016, a operação seria superada pela venda de outra empresa sediada em St. Louis, a Monsanto, de agricultura e biotecnologia, para a alemã Bayer, por US$ 57 bilhões em dinheiro.

Base Zero. O primeiro item de sua lista era derrubar as paredes do escritório. "A partir de agora todos teremos vista", disse ele à equipe, brincando com o fato de que o ambiente seria aberto e, portanto, todos teriam as janelas voltadas para fora em vez de inúmeras salas fechadas.

A principal diferença entre aquela aquisição e a fusão com a Interbrew, em 2004, era que ali não havia dúvidas de quem havia comprado quem. Uma vez aprovada a aquisição da AB, a InBev tinha carta branca para fazer as mudanças que considerasse necessárias. Catorze dos dezessete diretores executivos deixaram a empresa — alguns demitidos, outros por iniciativa própria. Por um lado, saíram da companhia os profissionais mais velhos, que apresentavam maior resistência às mudanças. Por outro, abria-se a oportunidade de executivos em cargos de gerência subirem na carreira e protagonizarem uma revolução interna. "A primeira camada dos dois escalões administrativos mais altos foi embora no primeiro dia", disse Brito em uma apresentação a estudantes de Stanford. "Isso foi ótimo, porque promovemos pessoas, e elas disseram: 'Essa é minha companhia agora'."

Participantes da integração na Bélgica, em 2004, e nos Estados Unidos, a partir de 2009, comparam as duas experiências. Embora tenha havido resistência em ambos os casos, os norte-americanos logo se revelaram mais alinhados ao modelo InBev. Muitas das práticas adotadas e aprimoradas pela equipe de Marcel tinham sua origem na escola norte-americana de negócios. Eram expressões do sistema capitalista operando em sua máxima capacidade. "Quando os americanos entendem que você tem boas ferramentas para compartilhar, querem mais é aprender. São competitivos e, em pouco tempo, querem estar fazendo aquilo melhor do que você, que os ensinou", diz um ex-executivo da InBev.

A informalidade típica da cultura da InBev teria sobre os norte-americanos um efeito mais positivo do que os próprios executivos previam. Um dos exemplos mais emblemáticos dessa influência aconteceu na primeira visita de Brito e Luiz Fernando a um grupo de mais de mil programadores de informática (naquele tempo, 100% da área era própria, enquanto a maioria das grandes empresas já terceirizava o serviço). Eles trabalhavam em cubículos espalhados por quatro prédios em uma área isolada de St. Louis. Os dois brasileiros esperavam ser recebidos sem sorrisos, como haviam se acostumado, mas tiveram uma surpresa ao caminhar pelos corredores do escritório.

Os funcionários começaram a subir nas mesas e a aplaudir. Os dois demoraram a entender o que estava acontecendo. Perguntaram para um gerente que os acompanhava na visita o porquê da reação. "Vocês são os primeiros de nível executivo da companhia a pisar neste prédio." Naquele momento, os brasileiros entenderam que a força de sua gestão estava na proximidade e na informalidade da relação entre as diferentes camadas hierárquicas da equipe — algo que, para eles, era trivial.

Outras regras

Entre os planos dos diretores da AB InBev estava uma melhoria no sistema de revendas, utilizando o Programa de Excelência e a experiência acumulada com a distribuição no Brasil. O objetivo era diminuir custo e aumentar o foco no mercado. Embora a inspiração inicial do conjunto de práticas adotadas pela cervejaria brasileira desde os anos 1990 fosse a própria Anheuser-Busch, o sistema havia sido exaustivamente lapidado ao longo dos anos. Ao chegar aos Estados Unidos, os executivos encontraram uma rede de distribuidores com práticas "do passado", como diz um ex-diretor. "Se passava muito tempo discutindo a distância entre as faixas que seriam pintadas no chão do galpão e pouquíssimo tempo procurando formas de aumentar a eficiência no ponto de venda", afirma. Eles pretendiam fazer a mudança por meio de consolidação das revendas, compartilhamento de melhores práticas e, onde fosse possível, distribuição própria.

Os novos diretores da AB sabiam que não era viável internalizar a distribuição em todo o país. Com o fim da Lei Seca, o presidente Franklin Roosevelt criou na década de 1930 a Federal Alcohol Control Administration (FACA) para regular o setor. As cervejarias foram proibidas de ter relações financeiras com os varejistas. Precisavam vender seus produtos por meio de distribuidores independentes, no chamado sistema de três níveis. Na época, a Anheuser-Busch montou uma rede com centenas de revendedores. Hoje, a legislação varia de acordo com o estado norte-americano. Alguns ainda proíbem a venda direta. Em outros, a distribuição pela indústria é liberada, mas, mesmo nesses casos, a atitude dos distribuidores se revelou outro obstáculo para a internalização das entregas.

O perfil dos revendedores tinha semelhanças e diferenças com o dos brasileiros. Nos dois países, muitas revendas eram negócios familiares, em que o administrador era o segundo ou terceiro na linha sucessória. Era comum que se acomodassem na gestão, sem se preocupar em aprender novas técnicas ou implantar sistemas e processos para aumentar as vendas ou o lucro. Nos Estados Unidos, porém, os distribuidores eram, em geral, mais preparados e unidos do que os brasileiros, e tinham relações estabelecidas com membros do governo e donos de bares e restaurantes, o que aumentava seu poder diante da indústria. Quando os novos diretores da AB InBev chegaram, os revendedores foram se informar sobre as mudanças que a AmBev (agora subsidiária da AB InBev) fez no sistema de distribuição do Brasil. Alguns viajaram para o país na América Latina e se reuniram com revendedores da rede. Sua intenção era entender o mecanismo da empresa — e proteger seu mercado. Não aceitaram facilmente a agenda de mudança da AB InBev.

Os executivos tiveram de dar um passo atrás. O gestor de uma corretora brasileira de longo prazo, que investe na AB InBev desde os tempos da Brahma, acompanhou esse movimento. "Quando entraram nos Estados Unidos, eles achavam que iam replicar a história de consolidação da distribuição. Mas não conseguiram", diz. "Nos Estados Unidos a situação era muito mais complexa."

Quando Luiz Fernando deixou a liderança da AmBev para se tornar presidente da Zona América do Norte, em 2009, João Castro Neves, vindo da Argentina, assumiu a operação no Brasil, onde já havia sido CFO, como CEO. Em 2014, mais uma vez, ele seria o sucessor de Luiz, ao assumir seu lugar nos Estados Unidos e Canadá, enquanto Luiz se tornou diretor global de vendas. Uma das principais marcas da gestão de João foi a construção de uma relação mais harmônica com os distribuidores. Se inicialmente eles criaram uma resistência em relação à companhia pela tentativa de instituir práticas de gestão comuns, agora teriam de ser reconquistados. "Tivemos mais brigas com os distribuidores do que o necessário. Estamos até hoje tentando mostrar que dependemos um do outro", afirmou João, em um de seus últimos dias de trabalho antes de anunciar a saída da empresa, em 2017.

Agilidade imprevisível

A AB InBev havia se comprometido com um plano de redução do endividamento, que equivalia a 5,5 vezes o Ebitda da empresa. Até 2013, tinham de diminuir esse número para 2,5 vezes. Mas em 2011, dois anos antes do previsto, atingiu a meta. Reduziu o valor da dívida para US$ 35 bilhões — 2,3 vezes o Ebitda.

Adolphus Busch IV, que apoiou a venda da empresa, disse ter se surpreendido com a velocidade das mudanças na gestão e do pagamento da dívida. "Eu sabia que demitiriam muita gente e cortariam custos para pagar a enorme quantia que deviam, mas me surpreendi com a rapidez e a eficiência com que conseguiram fazer isso." Seu último encontro com Brito foi em setembro de 2008, durante um jantar convocado pelo CEO com os executivos que haviam se prontificado a integrar um possível novo conselho da AB antes de a compra se concretizar. Ele conta que, quando vê uma Budweiser, sente nostalgia. Em seu apartamento em Marathon, três latinhas antigas de Busch Beer ficam expostas em um móvel da sala. Quando perguntado se ainda toma a cerveja, que agora pertence aos brasileiros e belgas, responde que sim. Mas só quando não tem Stella, sua preferida. "Amo Stella!" Adolphus é agora acionista de 49% da cervejaria artesanal Salmon River, na cidade de McCall, em Idaho, nos Estados Unidos. Seu irmão William, conhecido como Billy, tem sua própria marca artesanal, a Kräftig, produzida em St. Louis.

Apesar do sucesso inicial e das novas apostas, o mercado norte-americano aos poucos se revelava mais desafiador do que já era esperado. Os consumidores da região de St. Louis pareciam continuar resistindo à mudança na companhia. Em 2009, a participação de mercado da Anheuser-Busch, que já havia sido de 70% na cidade, caiu naquele ano, enquanto a Schlafly, uma cervejaria local independente, aumentou seu market share em 38%.

No entanto, a queda no consumo de cerveja não era uma exclusividade da Anheuser-Busch. Nos Estados Unidos, entre 2002 e 2009, a diminuição nas vendas foi de 9%. Em 2010, a cerveja representava 48,2% do mercado de bebidas alcoólicas dos Estados Unidos. Em 2017, caiu para 45,6% — enquanto os destilados, que em 2010 tinham 29,6% do mercado, cresceram para 31,7% em 2017. Um levantamento do *USA Today* mostrou a queda de vendas de marcas de cerveja no mercado norte-americano, incluindo algumas que passaram a fazer parte do portfólio da AB InBev em 2008. A Bud Light, por exemplo, caiu 13,4% em vendas entre 2011 e 2016. A marca Busch teve queda de 19,7% no mesmo período, e a Budweiser, de 22,2%.

O Brasil seguiu a mesma tendência. O consumo anual per capita de cerveja caiu sete litros em quatro anos — era de 67,8 litros em 2014 e chegou a 60,7 em 2017. Dados da Nielsen e da Euromonitor, empresas de pesquisa de mercado, apontam que, apesar da recuperação econômica depois de um período de crise, o brasileiro não retomou os hábitos de consumo anteriores à recessão e seguiu a tendência de beber menos — gastando mais com produtos que considera de melhor qualidade. O segmento de cervejas premium (que inclui artesanais, puro malte ou mais caras que a média) representava em 2007 cerca de 7% do volume total de cerveja no Brasil. Em 2016, esse valor subiu para 11%. O interesse pelas bebidas artesanais acompanha uma tendência de consumo mais ampla no setor de alimentos e bebidas. Orgânicos, naturais, saudáveis, artesanais se tornaram sinônimo de qualidade para o consumidor de classes média e alta.

Pessoas, custos e outros dilemas

Em agosto de 2011, às oito da noite de um dia cheio de reuniões, Dave Peacock chamou Brito para conversar. Depois de alguns meses pensando sobre o assunto, o executivo decidira deixar a empresa no ano seguinte — quatro depois da venda para a InBev. O que significava que ele não poderia vender os pacotes de ações que recebera na mudança de gestão, já que o sistema de remuneração da companhia exigia que se completassem cinco anos. "Meu maior desafio foi deixá-las na mesa, porque era muito dinheiro", diz ele. Mesmo assim, pesou mais o desejo de ter tempo para curtir os filhos pequenos.

"Estou pronto para sair", disse ao chefe, iniciando o assunto. "Não posso acreditar", respondeu Brito. "Dê um tempo, espere mais um pouco." O brasileiro falou sobre outras oportunidades que ele poderia ter, em Nova York ou outro país. Mas a decisão estava tomada.

Cinco anos depois de sua saída, Dave é presidente da Schnucks, uma rede de supermercado sediada em St. Louis. "Tenho saudades das pessoas, que eram muito boas e com quem aprendia muito. Por exemplo, o próprio Brito, com quem sempre gostei muito de trabalhar", afirma. Quanto aos pontos fracos, ele menciona o corte de custos, algumas vezes excessivo. "Eles ficam tão animados em cortar custos que às vezes passam do ponto." Como exemplo, Dave menciona as viagens mais longas para economizar no valor da passagem. "Uma pessoa às vezes gastava seis horas a mais em um avião para economizar US$ 100. Eu considero isso demais." Em alguns momentos, um dos dois elevadores do prédio era desligado para economizar eletricidade. Para Dave, esse tipo de medida é uma distorção da cultura frugal, consequência do crescimento da companhia.

No final de junho de 2012, a AB InBev anunciou a compra dos 48% restantes do Grupo Modelo, a cervejaria mexicana dona da Corona, por US$ 20,1 bilhões. A nova combinação criava um grupo com cerca de trezentas marcas de cerveja e 150 mil funcionários em 24 países. Carlos Brito passou a falar sobre a companhia como um "portfólio de marcas". A Corona Extra, que já era a cerveja importada mais popular nos Estados Unidos, iria se tornar mais uma das marcas globais da empresa, ao lado da Budweiser. O Departamento de Justiça dos Estados Unidos exigiu que a AB InBev vendesse o direito de comercialização da Corona no país. A compradora foi a Constellation Brands.

Em janeiro de 2013, o carioca Ricardo Tadeu assumiu a operação do México. Tinha sido vice-presidente de vendas da AmBev e presidente da empresa na Venezuela. O trabalho conduzido por ele no Grupo Modelo iria se tornar referência interna de sucesso.

A aprovação da compra pelos órgãos antitruste demoraria seis meses. Durante esse período, Ricardo aproveitou para se aproximar do time e planejar o orçamento com calma. Os primeiros três meses se resumiram basicamente a reuniões com grupos de oito a dez pessoas, para apresentar a cultura da empresa e responder perguntas. "Conversar com as pessoas cria uma conexão", diz ele. "Em grupos pequenos, elas podiam se apresentar, falar à vontade sobre seus medos e aflições. Isso é importante para a equipe começar a te ver como uma pessoa, e não como uma grande corporação que adquiriu o negócio." A partir daquele ano, a zona do México foi a que mais cresceu na companhia em volume de vendas e Ebitda.

Não mexa na minha cerveja

Em 2013, a AB InBev enfrentou uma crise pontual nos Estados Unidos, quando um grupo de consumidores entrou com várias ações coletivas na Califórnia, na Pensilvânia e em outros estados. Eles afirmavam terem sido enganados quanto à porcentagem de álcool descrita nos rótulos de bebidas da Anheuser-Busch, incluindo a Budweiser. Ex-funcionários da empresa disseram que havia uma suposta adição de água ao conteúdo, prejudicando o teor alcóolico. "Após a fusão, a Anheuser-Busch acelerou vigorosamente as práticas enganosas, sacrificando a qualidade dos produtos da marca com o objetivo de reduzir os custos", disse Josh Boxer, advogado da acusação.

A revista *Exame* repercutiu o caso no Brasil e publicou um depoimento da companhia por meio de comunicado: "As alegações contra a Anheuser-Busch são completamente falsas. Nossas cervejas respeitam plenamente a legislação referente à rotulagem de bebidas alcoólicas".

Segundo a AB InBev afirmou no processo, uma das pessoas por trás das acusações era James Clark, ex-diretor de operações da Anheuser-Busch, que deixara a companhia em 2012. Em paralelo à ação principal, a AB InBev o processou por ter obtido documentos confidenciais da empresa ilegalmente. Clark se defendeu, argumentando que a fabricante de cerveja havia publicado um documento com suas receitas internamente e, portanto, não cabia proteção ao segredo comercial. Ele perdeu na primeira instância, mas recorreu. Em 2019, Clark perdeu a causa.

Um ex-diretor da companhia, que trabalhava na operação norte-americana nessa época, acredita que houve boicote de ex-funcionários. Ele considera a hipótese de ter havido alguma discussão interna sobre a possibilidade de reduzir um pouco o teor alcoólico da Budweiser, já que se trata de uma companhia de metas e muito aberta a discussões. Mas, segundo ele, se houve algum brainstorming dessa natureza, a ideia não foi para a frente e aquilo não aconteceu.

A Justiça norte-americana chegou à mesma conclusão. Em junho de 2014, descartou a hipótese de fraude de cerveja e as queixas contra a Anheuser-Busch.

O principal responsável pelo assunto era Peter Kraemer, chief supply officer nascido em St. Louis e filho de um ex-mestre cervejeiro da empresa. Nessa época ele era ainda vice-presidente de suprimentos da companhia. Quando ela foi comprada pela InBev em 2008, Carlos Brito o convidou a permanecer, enfatizando a importância da manutenção da qualidade. "Em uma de suas primeiras visitas ao escritório, Brito me deu um abraço e falou: 'Seu trabalho é cuidar da cerveja. Você tem que manter o foco no que for necessário para garantir que não teremos absolutamente nenhuma mudança na Budweiser nem em nenhuma outra de nossas marcas'. Ele queria que as pessoas na companhia percebessem que, apesar das transformações na gestão, ninguém tocaria na cerveja." Para Peter, aquela era a decisão certa. "Foi o que me deu confiança para continuar na empresa."

Uma das maiores preocupações de Peter, como responsável pela qualidade de todas as cervejas da empresa globalmente, é com a consistência da bebida fabricada em cada uma das centenas de plantas espalhadas pelo mundo. "Não podemos ter variação de lote para lote", afirma. Esse, aliás, é um dos pontos que faz com que cervejarias artesanais caminhem na direção oposta às grandes indústrias. Enquanto para a AB InBev padronização é sinônimo de qualidade, para os microcervejeiros, experimentar uma bebida que jamais será reproduzida exatamente da mesma forma é parte da experiência. Apesar da diferença, Peter afirma que o que muda de uma gigante como a AB InBev para uma cervejaria caseira é apenas o tamanho. "O processo é o mesmo. Para garantir a qualidade da cerveja, precisamos ter ingredientes certos e, para isso, não podemos perder o contato com os agricultores que estão cultivando nossas matérias-primas nem com os cervejeiros espalhados pelo mundo", diz.

A companhia tem uma participação no Conselho de Pesquisa de Lúpulo e construiu ou comprou maltarias em diversas regiões do mundo, como Brasil, Paraguai, Argentina, Uruguai, China e África. "Como líderes do setor, à medida que entramos em novos países, temos a responsabilidade de investir na cadeia", diz Peter.

O cuidado com a qualidade da bebida é um dos maiores orgulhos de Peter desde antes da compra da companhia pela InBev. "Pensávamos que a gestão das nossas fábricas era perfeita", conta ele. Quando comparou os números de eficiência e perdas com as da empresa brasileiro-belga percebeu que havia uma lacuna. "Pensei: 'Uau! Há muitas coisas a serem aprendidas aqui'." Os indicadores de eficiência estão espalhados por diversas paredes da fábrica e são constantemente monitorados. O controle de qualidade também foi herdado da InBev. Trata-se de uma análise em que cada degustador precisa preencher uma tabela de aproximadamente vinte características objetivas, principalmente defeitos, da cerveja. A partir de uma análise, cada item é classificado com uma pontuação. Antes da chegada da InBev, o sistema da AB consistia basicamente em um grupo de degustadores sentando em volta de uma mesa para provar a bebida da vez e opinar sobre ela.

As salas preparadas para degustação em St. Louis são uma das versões regionais da mesma área no Global Innovation and Technology Centre (GITec), um centro de tecnologia e inovação em Leuven, na Bélgica, inaugurado pela empresa em 2013. A AB InBev se tornou referência no uso das mais modernas tecnologias do mundo, com parcerias com universidades de ponta para o desenvolvimento de novos produtos, embalagens, rótulos e materiais. O lugar reúne mais de cem pesquisadores (entre os profissionais, há bioquímicos, bioengenheiros, cervejeiros e engenheiros) que trabalham em colaboração com os centros de estudo regionais da empresa, usando técnicas como *design thinking* para melhorar produtos, embalagens e processos, além de criar novas bebidas.

Mais difícil com o tempo

Nos Estados Unidos, os desafios iam se tornar maiores com o passar dos anos. A queda nas vendas no país continua, assim como se mantêm as barreiras da distribuição. Em St. Louis, a percepção da marca não se manteve tão ruim quanto indicava a resistência inicial, mas o entusiasmo da época dos Busch não foi recuperado. Dave, que nasceu e vive na cidade, acredita que a Anheuser-Busch hoje é uma marca "indiferente" para a população. "Sinto que não importa como costumava importar." Segundo o jornalista William Knoedelseder, autor do livro *Bitter Brew*, que conta a história da Anheuser-Busch: "Os novos executivos não conhecem a psique americana como os antigos administradores".

Em novembro de 2017, Brito convidou o brasileiro Michel Doukeris para assumir o comando da operação norte-americana — depois de Luiz Fernando Edmond e João Castro Neves. Na época, o executivo estava havia um ano na posição de diretor global de vendas. Antes, havia sido o principal responsável pela transformação da companhia na Ásia, nos cargos de presidente da empresa na China, de 2010 a 2013, e para o continente entre 2013 e 2017. Quando chegou, a China era um mercado pouco rentável para o setor. Em um trabalho que havia sido iniciado pela Interbrew antes da fusão com a AmBev, foram compradas catorze empresas locais e construídas quinze fábricas. Com isso, a AB InBev mais do que triplicou seu tamanho no país e multiplicou por dez o lucro.

Em janeiro de 2018, depois de aceitar a oferta feita pelos chefes, Michel preparou a apresentação de sua estratégia para o mercado norte-americano usando como base o que considerava seu trunfo na Ásia: um plano de dez anos — e não apenas de um e três anos, como costumam fazer nas outras operações. "Como a China é muito grande e estava mudando muito rápido, toda vez que mirávamos o próximo ano ou os próximos três, errávamos muito", explica. "Uma visão para o longo prazo nos ajudou a acertar a direção e a corrigir os erros no caminho com mais facilidade." O raciocínio valia agora para os Estados Unidos, em um momento em que o mercado global de cerveja se tornava cada mais desafiador.

Os consumidores estavam mais preocupados com saúde, bem-estar e propósito das marcas, o que se traduzia em taxas menores de crescimento nas vendas de cerveja. Em seu plano de longo prazo, Michel decidiu apostar não só em aumentar o consumo de produtos já conhecidos, mas também em criar outros que pudessem competir nos novos nichos. Entre as apostas, em 2018, AB InBev inovou na tradicional Bud Light, com uma versão sabor laranja, e lançou uma novidade para um público preocupado com saúde e origem da matéria-prima: a primeira cerveja 100% orgânica do país, a Michelob Ultra Pure Gold. O primeiro ano de Michel deixou os executivos da companhia otimistas em relação a um possível avanço no mercado, mas ainda não se traduziu em resultados financeiros melhores.

Perguntas podem valer mais do que respostas

Apesar das dificuldades, com o passar dos anos a AB InBev ganhou a credibilidade de investidores e analistas financeiros internacionais. Thomas Russo, gestor de longo prazo da Gardner Russo & Gardner, que foi aluno de Warren Buffett e que tradicionalmente investia na Heineken, e Trevor Stirling, o analista da Bernstein, tiveram a mesma impressão quando conheceram Carlos Brito pessoalmente, em diferentes apresentações para o mercado financeiro, ambas em 2010.

Russo ouviu Brito, Felipe e Peter Harf, então presidente do conselho da AB InBev, falarem sobre as marcas, o mercado chinês, o consumidor americano e o quanto eles conseguiram otimizar a operação da Anheuser-Busch — tudo isso depois de superar a crise de 2008. Em seguida, fez suas perguntas da perspectiva de um acionista. "Foi um acesso extraordinário, em que pudemos questionar exatamente o que gostaríamos, de um modo que em geral não acontece na relação com as empresas", diz Russo. O investidor se impressionou com o perfil dos executivos. "Era um time bem incomum: jovem, voltado para o consumidor, alinhado aos interesses dos analistas e com uma ampla visão de transformação que o negócio pedia, o que exigia decisões importantes." Ao voltar do encontro, comprou suas primeiras ações da AB InBev, uma quantia de aproximadamente US$ 700 milhões.

Trevor os encontrou em uma conferência em Londres e gostou de como Brito não só respondia às perguntas com tranquilidade, mas também quis ouvir sua opinião. "Ele me disse: 'Na próxima vez que for a Nova York, eu que vou fazer as perguntas para você'", lembra o analista. "Respeito muito o jeito deles. Em certa medida, são orgulhosos, porque sabem que chegaram muito longe. Por outro lado, têm uma verdadeira sede por aprendizado, que ficou clara para mim naquele dia. Normalmente empresários não querem fazer perguntas para analistas financeiros, existe certa arrogância na relação. Mas, com eles, não. Eles querem ouvir." Trevor visitou o escritório de Brito em uma de suas idas a Nova York e respondeu às questões do CEO da AB InBev sobre o mercado.

A capacidade investigativa e de aprendizado de Brito chamaram bastante atenção de Frank Aquila. "Brito tinha muitas perguntas. E não porque estivesse duvidando do que eu dizia, mas porque quer sempre aprender, entender, absorver o máximo possível de informações antes de tomar sua decisão", afirmou. Segundo ele, muitos executivos em posição similar à de Brito tendem a pensar que sabem mais do que outras pessoas na hora de propor os termos da negociação. "Mas ele não é assim. Pode ser a pessoa mais inteligente da sala, mas o que faz dele tão esperto é justamente reconhecer o que não sabe."

Uma das perguntas mais relevantes que Brito fez nos últimos anos, entre tantas pessoas com tão variados papéis, talvez tenha sido em uma conversa informal com Dave Peacock, antes de ele deixar a companhia. "Qual é sua maior preocupação?", questionou o brasileiro. "É que a companhia se torne burocrática demais porque está ficando muito, muito grande." Brito sabia que havia razão para levar aquela resposta a sério. Aquele iria se tornar um de seus maiores dilemas dali em diante.

CAPÍTULO 15
Multinacional e artesanal

Um dos maiores riscos que corre uma multinacional gigante, como a que se tornou a AB InBev, é que o tamanho obscureça a visão dos donos. A quantidade de assuntos que a companhia engloba pode confundir suas prioridades. A confiança em um modelo de gestão historicamente bem-sucedido e mundialmente reconhecido pode encobrir suas fraquezas. A sucessão de vitórias pode fazer tendências passarem despercebidas. A natureza humana da liderança pode se deixar levar por perspectivas enviesadas, muitas vezes mais alinhadas ao próprio conforto do que à realidade. Às vezes, a única maneira de perceber uma mudança é quando ela já se espalhou.

Foi o que aconteceu com a companhia em relação a uma concorrência que, de irrelevante, passou a ser percebida como uma ameaça real a partir de 2010: as cervejarias artesanais, ou microcervejarias. Muitas delas funcionam junto a um bar, formando os *brew pubs*.

O movimento começou nos Estados Unidos entre os anos 1960 e 1970. Em 1984, havia dezoito microcervejarias no país. Dez anos depois, elas já eram 192. Nos anos 1990, o movimento desacelerou. Muitas das microcervejarias não sobreviveram. Segundo o norte-americano Michael Hall, juiz de competições internacionais de cerveja como World Beer Cup e Great American Beer Festival (GABF), um dos motivos foi que, como muitas vezes acontece em um mercado em crescimento, produtores oportunistas pegaram uma carona na tendência, mas não se sustentaram.

No ano 2000, esse mercado voltou a aquecer. Havia 405 microcervejarias e 1068 *brew pubs* em operação nos Estados Unidos. O número praticamente se manteve até 2008, quando a AB foi adquirida pela InBev. As marcas artesanais representavam 4% do mercado norte-americano de cervejas. Nada que soasse como uma ameaça à gigante, que detinha 48,8%.

Ao longo dos anos seguintes, o cenário mudou. Em 2013, a participação da

AB InBev no setor nos Estados Unidos se reduzira para 45,7%, seguindo em queda. Já a fatia das microcervejarias chegava a 7,8%, e seguia crescendo.

O comportamento do consumidor nos bares também se transformava. A cada dez vezes que uma pessoa sentava para beber cerveja, em duas comprava marcas menores. Em 2011, o jogo virou. Muitos já bebiam sete a dez cervejas diferentes nas mesmas dez ocasiões. As artesanais eram a opção dominante. Quase um quinto da cerveja vendida nos Estados Unidos era artesanal ou importado. Com tantos rótulos diferentes no mercado, as preferências se fragmentaram. Alguns consumidores tinham como "favorita" a experiência de provar a bebida nova, e não uma marca em especial.

A mudança no setor de cerveja acompanhava uma transformação mais ampla nos hábitos de consumo mundiais. Grandes marcas de alimentos e bebidas que por décadas fizeram parte da rotina dos jovens começaram a perder o poder de atração.

Algumas pessoas estavam mais preocupadas com a saúde, mais informadas sobre os efeitos de produtos industrializados no corpo. Outras queriam evitar os impactos ambientais de grandes indústrias ou simplesmente buscar novidades. O fato é que mais pessoas passaram a preferir alimentos e bebidas fabricados por pessoas ou grupos pequenos do que por marcas tradicionais como AB InBev, McDonald's, Coca-Cola, Unilever, Nestlé, Burger King, Kraft Heinz — as duas últimas do setor de alimentos, compradas pela 3G Capital, de Jorge Paulo Lemann, Marcel Telles e Beto Sicupira entre 2010 e 2015. Hambúrgueres, brigadeiros, iogurtes, sucos, biscoitos e cervejas foram alguns dos produtos de consumo corriqueiro que ganharam versões com mais personalidade e proliferaram nas últimas décadas. Ser, por si só, uma multinacional de consumo — que padroniza o processo de fabricação e escala seus produtos — começou a soar antiquado, principalmente para o público de elite.

O time da AB InBev acompanhava o movimento das artesanais desde o início dos anos 2000, mas sem uma estratégia clara em relação a esse nicho. Segundo Pedro Earp, que atuou na área de fusões e aquisições entre 2002 e 2005 e na de inovação entre 2006 e 2007, a questão era como poderiam entrar nesse mercado. "Como fazer algo pequeno sem perder o foco no grande? Isso sempre foi a grande incógnita para a gente."

A percepção de que era preciso olhar mais de perto para as artesanais foi se formando na equipe da AB InBev durante encontros e eventos organizados justamente para atualizar a visão dos executivos sobre o mercado. Em visitas a faculdades, eles enfim enxergaram com clareza uma tendência que já era palpável na prática.

O assunto veio à tona em uma reunião intensa entre Brito e o conselho de administração da AB InBev. Os conselheiros estavam decepcionados com o fato de a empresa ter demorado demais para se envolver no que consideravam tendências de consumo claras. "Acho que demorou um pouquinho para cair a nossa ficha", diz Roberto Thompson, membro do conselho da AB InBev nessa época. "Minha impressão é de que talvez tenhamos dado muitas desculpas internamente para o fato de as cervejarias artesanais estarem crescendo." Os empresários e executivos se convenciam de que não precisavam incluir o tema em seus planejamentos, acreditando que o movimento teria um prazo de validade natural.

Depois daquele encontro, Brito voltou para sua mesa questionando a si mesmo sobre como havia deixado passar os sinais do mercado, apesar de trabalhar na cervejaria havia tantos anos. Thompson tem uma hipótese: ele atribui a demora da empresa em reagir ao novo mercado a uma das mais reconhecidas forças do modelo da AB InBev, o foco em seus negócios. Além de fazer cerveja, a empresa é especialista em grandes aquisições. A própria Brahma havia sido comprada pelos sócios do Banco Garantia. Então se fundiu com a Antarctica, formando a AmBev, em 1999. Que se juntou aos belgas em 2004, criando a maior multinacional do setor. E fez a maior transação em dinheiro do mundo ao adquirir a dona da Budweiser em 2008. Diante de passos tão ousados, as cervejarias artesanais pareciam ser pedrinhas quase invisíveis pelo caminho. Mas a realidade era que estavam mais para a ponta do iceberg.

A equipe executiva da AB InBev acusou o golpe. Havia negligenciado a importância da concorrência. Agora, precisavam agir urgentemente e de maneira criativa para responder ao novo mercado. Nas primeiras conversas sobre o tema, uma das opções apresentadas foi posicionar alguma das marcas premium já existente no nicho artesanal. Mas elas não seriam independentes, por isso logo descartaram a possibilidade. Seria preciso encontrar um novo caminho. E ele passava por comprar uma verdadeira cervejaria artesanal.

A aposta exigiria desapegar da tentativa de padronizar tudo o que fosse possível no processo — justamente o contrário do que os executivos haviam consistente e obsessivamente feito ao longo de quase trinta anos. Se a especialidade deles era simplificar — custos, sistemas, estruturas —, teriam de aprender a se virar em um ambiente complexo e pouco controlável.

Uma cerveja de e para Chicago

A escolha da primeira marca fora dos padrões da AB InBev a ser oficialmente cortejada pelo grupo tinha de ser certeira. Um erro de avaliação poderia criar uma barreira ainda maior entre a multinacional e o complexo mercado. Considerando o enorme tamanho da companhia e a intimidade com ganhos em escala, era preciso calcular cada gesto para não transformar a transação delicada em uma trapalhada barulhenta. Se acertassem, no entanto, aquele poderia ser um ponto de virada na história da empresa.

Os critérios de seleção da microcervejaria se basearam nas lacunas da AB InBev. Em que mercados dos Estados Unidos a cervejaria ainda não tinha uma presença relevante? Quais eram as marcas de mais alta qualidade entre as artesanais, segundo os especialistas do setor? Quem eram os cervejeiros admirados pelos clientes? O time da multinacional encontrou todas essas respostas em uma fabricante de cerveja em Chicago, onde muitos consumidores preferiam as artesanais.

No dia 28 de março de 2011, a AB InBev anunciou sua mais recente aquisição, na contramão de todas as outras realizadas nas duas décadas anteriores: a pequena Goose Island, do respeitado John Hall. Além de preencher todos os requisitos, a cervejaria trazia uma vantagem comercial: suas marcas já eram distribuídas pela gigante em função da parceria com a Craft Brewers Alliance, uma empresa que reunia várias artesanais, da qual a AB InBev havia comprado 32% naquele ano.

A Goose Island foi fundada em 1988. A inspiração de John Hall surgiu quando ele ainda era vice-presidente em uma empresa fabricante de caixas de papelão ondulado. Em uma noite de quinta-feira de 1986, ele estava dentro de um avião no aeroporto de Dallas, depois de uma viagem a trabalho, sob uma tempestade que impedia a locomoção da aeronave. John pegou uma revista no bolsão do assento da frente e começou a folhear. Uma reportagem chamou sua atenção. Contava a história da Hopland Brewery, uma pequena cervejaria a 160 quilômetros de San Francisco, inaugurada em 1983 por uma dupla de amigos. Eles fabricavam a bebida para consumo próprio, então concluíram que estava boa o suficiente para vender. Aquilo fez John pensar. "Por que não podemos ter uma cervejaria em Chicago?"*

O executivo fazia viagens regulares a Londres e gostava de provar cervejas com amargor mais forte, como a pale ale inglesa. As tradicionais cervejas alemãs eram parecidas com o estilo mais leve, popular nos Estados Unidos. As belgas, por sua vez, eram complexas demais. "Por que não podemos fazer uma cerveja para pessoas que queiram uma bebida saborosa e que não seja leve?", pensava. Inicialmente, servia seis cervejas. Uma delas era uma extra special bitter (ESB), a Honker's Ale, encorpada e com notável amargor de lúpulo, além de um residual de malte adocicado. O sabor diferente do padrão americano levou um tempo para conquistar seu público. "No primeiro ano, não conseguíamos que ninguém bebesse nada além de lagers", diz John. Mesmo assim, ele seguiu lançando suas receitas baseadas no estilo europeu. No fim do ano, tinha onze cervejas. Nos três anos seguintes, chegou a cem rótulos.

De acordo com a Brewers Association, no ano da abertura da Goose Island, havia quase duzentas cervejarias nos Estados Unidos. A maioria dos varejistas e

---

* "John Hall Celebrates Goose Island's 30th with the Beer that Started it all", *October*, 11 maio 2018. http://bit.ly/2Djdcud

consumidores olhava as pequenas marcas com curiosidade. Quando conseguia vendê-las para bares, restaurantes ou mercados, John tinha que se contentar com as prateleiras menos visíveis ao público. O cervejeiro aceitava, mas não se saciava. Queria mais. Ir além do gosto de quem buscava marcas alternativas e conquistar consumidores distraídos. Queria levar sua cerveja a todo o país. Então ele recebeu um telefonema de Tony Short, vice-presidente do departamento de distribuição da AB InBev nos Estados Unidos, que trabalhava na companhia desde a gestão dos Busch.*

John e Tony já se conheciam. Em 2005, a Anheuser-Busch havia proposto uma parceria com a Goose Island, na qual a gigante teria uma fatia de menos de 42% do negócio. Mas, como aconteceu em tantas outras negociações sob a gestão dos Busch, não chegaram a um acordo. Os 42% acabaram vendidos para a Craft Brewers Alliance.** Agora Tony queria saber se John teria alguns minutos para uma conversa particular na próxima conferência de vendas e marketing da Anheuser-Busch em New Orleans. O cervejeiro concordou.

Com o dilema em mente, John já havia considerado algumas possibilidades para viabilizar o crescimento da empresa. Contratara a consultoria Livingstone Partners, especializada em fusões e aquisições. Um dos caminhos seria abrir capital na Bolsa de Valores e receber investimentos do mercado. Mas o compromisso de divulgar relatórios mensais aos ambiciosos operadores de Wall Street não o agradava. Outra possibilidade seria vender uma parte do negócio para um fundo de private equity. Também lhe soava mais como pressão do que como incentivo. Talvez suas sondagens pelo mercado tenham ido parar nos ouvidos de Tony, que, duas semanas depois, colocou na mesa sua oferta certeira: comprar os 58% restantes da Goose Island. John Hall ponderou mentalmente suas alternativas, fez algumas perguntas sobre como funcionaria o negócio e respondeu com a mesma objetividade: "Sim".

O principal objetivo da AB InBev com o investimento fora do padrão era aprender sobre o novo mercado, mas sem abrir mão da ambição intrínseca à companhia. Seria preciso encontrar um fino equilíbrio entre respeitar a essência de uma artesanal e ajudá-la a cair no gosto de pessoas espalhadas por um país de dimensões continentais em pouco tempo.

Para John, aquela se mostrou uma oportunidade de crescer sem perder o que havia construído até então. Ele entregou aos executivos da AB InBev uma lista de condições para vender a empresa. Os itens incluíam manter a autonomia da companhia em Chicago, com John na posição de CEO e seu filho Greg como mestre cervejeiro — o que acabou não acontecendo, já que Greg optou por dei-

---

* Josh Noel, *Barrel-Aged Stout and Selling Out: Goose Island, Anheuser-Busch, and How Craft Beer Became Big Business*. Chicago: Chicago Review Press, 2010.
** Formada por Redhook Ale Brewery, Widmer Brothers Brewery, Kona Brewing Company, Omission Beer e Square Mile Cider.

xar a função no momento da venda; os executivos de marketing e vendas da AB InBev responsáveis pela marca artesanal iriam se reportar diretamente a John; a compradora se comprometia a planejar a expansão da capacidade da cervejaria com foco contínuo na melhoria da sustentabilidade e na redução do impacto ambiental; e, o que mais fugia à regra da companhia, a cultura corporativa na Goose Island iria se manter independente. Todos os pontos foram aceitos.*

A Goose Island foi vendida para a AB InBev por US$ 38 milhões. Apesar do entusiasmo e de confiar que não seria engolido pela gigante global (um risco que, claro, existia), John enfrentou uma reação negativa de grande parte dos colegas cervejeiros, distribuidores e donos de bares (alguns pararam de vender sua cerveja porque tinham por princípio não contribuir com a AB InBev). Sem contar os consumidores raivosos ou decepcionados ao ver uma de suas marcas preferidas ser controlada por uma gigante global.

O assunto começou a ser comentado no Twitter dez horas depois do anúncio de venda, em tom irônico. "A venda da Goose Island não foi uma venda; não é considerado venda por menos de US$ 40 milhões. Os US$ 38 milhões não são nada." Os textos que se seguiram reforçavam o ressentimento das pessoas, como "Reformulando nossas cervejas: a demolição não marcará apenas a destruição de prédios antigos, mas sim do resto da indústria cervejeira artesanal" e "Não se preocupe, nada vai mudar. Exceto a cerveja. E o cervejeiro. E quem assina os cheques. E quem recebe o $$$".**

Um mês depois, Dave Peacock levou Marcel Telles para conhecer a pequena cervejaria do grupo. No caminho para lá, o executivo explicava ao brasileiro que aquela equipe era realmente inovadora e poderia ensinar muito à gigante da indústria. Mas Marcel estava focado no que sabia que funcionava. "Temos de ter certeza de que há eficiência no negócio."

Depois de caminhar pela fábrica e ver de perto a maneira como a microcervejaria operava, Marcel fez um comentário que surpreendeu Dave: "Tudo o que posso dizer é: não estrague tudo. Esta é uma ótima empresa". "E a eficiência?", insistiu o executivo, tentando ligar os pontos com a conversa inicial. "Não estrague tudo", repetiu Marcel.

Dores do encolhimento

No geral, a orientação de Marcel foi seguida. O time da AB InBev investiu em melhorias na fábrica da Goose Island e estendeu a produção a outras plantas. A

---

* *Barrel-Aged Stout and Selling Out: Goose Island, Anheuser-Busch, and How Craft Beer Became Big Business.*
** Ibid.

cultura corporativa e os processos de produção foram mantidos. Mas nem tudo agradava a John. Houve momentos de sofrimento e decepção com a parceria. Por exemplo, quando a equipe da Goose queria lançar uma cerveja pilsner (estilo de lager), convicta de que competiria apenas com marcas semelhantes de outras artesanais, e foi vetada pelos executivos da AB InBev. Eles argumentavam que o rótulo poderia concorrer com a Budweiser.

John e seu time também não gostaram quando a companhia informou à pequena — e estrategicamente construída — equipe de vendas da Goose Island que todos seriam demitidos. Os vendedores que quisessem poderiam ser entrevistados pelos gerentes de distribuição da multinacional. Alguns aceitaram e conseguiram uma vaga. Um dos vendedores da Goose Island se tornou gerente da divisão premium. Sua contratação era uma maneira de tentar garantir a cultura da artesanal na área de vendas. Afinal, seria ali a porta de saída de uma bebida de nicho, pouco conhecida e bastante elitizada, para um número muito maior de consumidores de todos os níveis sociais.

Outra insatisfação da turma da Goose Island surgiu quando os executivos decidiram distribuir algumas de suas cervejas (312 Urban Wheat Ale, Honker's Ale e India Pale Ale) para todo o país em seis meses — apesar de Jonh defender que seria preciso dois anos para fazer o trabalho da maneira que ele considerava correta. A questão é que as vendas de Bud e Bud Light seguiam caindo, e a AB InBev estava sedenta por uma nova fonte de receita. A Goose Island parecia ter os produtos ideais para preencher a lacuna. John gostaria de ter sido mais consultado, ouvido e respeitado durante esse e outros processos, como manifestou mais tarde.

Apesar dos atritos, o balanço da compra é positivo tanto para a AB InBev quanto para John Hall, que se aposentou em janeiro de 2017. "A partir da parceria com a Anheuser-Busch, a Goose Island pôde [...] alcançar consumidores em todo o país, mantendo a qualidade e a integridade da nossa cerveja e da nossa marca",* afirma.

A AmBev das microcervejarias

Em 2015, a participação das microcervejarias havia mais que dobrado em cinco anos, atingindo 12% do mercado norte-americano, enquanto o consumo de Budweiser continuava em queda. A tendência de produzir cervejas experimentais em menor escala se espalhava pelo mundo: Ásia, África, Europa e América Latina. No Brasil, as 418 microcervejarias existentes ainda não representavam uma

---

* "Goose Island founder shuts down the argument that craft beer is dying", *Business Insider*, 16 maio 2017. http://bit.ly/2UrSDl2

grande ameaça à AmBev. Mas seus diretores não esperariam isso acontecer para tomar uma atitude.

A primeira cervejaria artesanal comprada pela AB InBev no Brasil foi a Wäls, de Belo Horizonte, fundada pelos irmãos José Felipe e Tiago Carneiro, em 1999. O negócio começou por acaso, quando eles decidiram fabricar tudo o que vendiam na rede de fast-food da família, a Bang Burger, comandada pelo pai, Miguel, com a ajuda da esposa, Ustane, e dos dois filhos. Os restaurantes acabaram sendo vendidos para o Bob's entre 2001 e 2002, mas a família seguiu com o negócio da cerveja.

No início dos anos 2000, o movimento que começara nos Estados Unidos três décadas antes chegava devagar ao Brasil. A Eisenbahn, uma cerveja fundada em 2002, em Blumenau, no estado de Santa Catarina, ganhava fama entre os consumidores mais antenados. De 2003 a 2017, o número de cervejarias artesanais no Brasil foi de 207 para 679.

Na segunda década de 2000, a Wäls já era famosa em seu pequeno mercado. Ganhou prêmios nacionais e internacionais, como o de melhor cerveja do I Festival da Cerveja Brasileira. Quando se aproximou, a equipe da AmBev entendeu que as similaridades se estendiam à forma de gestão — um dos principais pontos analisados pela companhia. "Em termos de cultura, o Zé e o Tiago eram 100% alinhados com a gente", diz Pedro Earp, responsável por essa área na época da aquisição. "Vantagem competitiva são as pessoas querendo fazer o melhor trabalho possível, com um sonho em comum."

O consultor Ronaldo Morado, autor do livro *Larousse da cerveja* e ex-presidente da cervejaria Colorado, acredita que o principal atrativo da Wäls eram seus fundadores. José Felipe era o responsável pela produção e, por ser o mais extrovertido da dupla, assumiu "a cara" da marca. Tiago cuidava das partes administrativa e comercial do negócio. Os dois conquistavam a simpatia das pessoas não só por seus produtos de alto nível, mas pelo sorriso constante, pela espontaneidade ao revelar os ingredientes de suas receitas e por um jeito familiar que sempre os acompanhou. O pai tocava o dia a dia da cervejaria com Tiago, e a mãe ajudava em diversas frentes — desde pedir dinheiro emprestado para a irmã para investir até fazer propaganda pela vizinhança.

O encanto natural dos irmãos servia como marketing para a cervejaria. Um contato um pouco mais próximo revelava que, além de simpáticos, os dois eram cheios de ideias, convicções e ambições. Algumas aparentemente na direção oposta à da AmBev. Inspirados pelo livro *Pequenos gigantes: As armadilhas do crescimento empresarial*, de Bo Burlingham, eles diziam que o seu objetivo era seguir na direção contrária à das grandes cervejarias. "A gente tinha na cabeça que não podia competir com empresas como a AmBev. Então, se eles estavam indo para um lado, queríamos ir correndo para o outro", afirma Tiago. "Mas queríamos ser a melhor entre as pequenas. A AmBev das microcervejarias."

Os irmãos queriam participar da cena mundial de cerveja, então decidiram montar uma cervejaria em San Diego, Califórnia, em 2014. Os pais abraçaram a causa e toparam mudar para os Estados Unidos para comandar o negócio (mas hoje quem toca o negócio lá é Tiago). Enquanto finalizavam a construção da cervejaria, um amigo de Tiago o convidou para participar de uma palestra de Jorge Paulo Lemann na Fundação Getulio Vargas, em São Paulo, em maio daquele ano.

Tiago aceitou na hora. Ao final da apresentação, quando a audiência podia fazer perguntas, o cervejeiro levantou a mão. Apresentou-se, contou que estava inaugurando uma unidade nos Estados Unidos e perguntou se Lemann teria alguma dica para dar a um brasileiro nessa empreitada. "A resposta foi que ele se surpreendeu positivamente com o potencial que os brasileiros tinham para criar coisas inovadoras porque somos muito criativos, dedicados e mais eficientes do que costumamos pensar." Ao ouvir aquilo, Tiago mandou uma mensagem de texto para o irmão: "Zé, temos carta branca. O Jorge Paulo falou que a gente, brasileiro, é muito competente". "Foi um grande incentivo", conta.

Poucos meses depois, por mera coincidência, José Felipe recebeu um telefonema de Sávio, dono de um bar de Belo Horizonte e amigo de seu pai. Ele conhecia um funcionário da AmBev que queria o contato da Wäls. Sávio tinha parado de comprar cervejas da gigante e só vendia Wäls. Alguns dias depois, uma gerente da companhia ligou para agendar uma visita da equipe da AmBev.

José Felipe e seu pai receberam as oito pessoas da empresa que foram conhecer a cervejaria. Tiago estava em lua de mel nos Estados Unidos e não participou daquele primeiro encontro. Inicialmente, não ficou claro para a família Carneiro o propósito da visita. Os executivos caminhavam pela pequena fábrica observando tudo ao redor. Queriam ver os equipamentos, os processos, saber sobre a produção. Ao final do encontro, José Felipe disse: "Quando vamos poder conhecer as instalações de vocês?". Os executivos da AmBev toparam recebê-los no Centro de Desenvolvimento Tecnológico, em Guarulhos, um mês depois.

A reunião seguinte, em dezembro de 2014, contou com a presença de João Castro Neves, então CEO da AmBev. Ao final do encontro, ele perguntou o que tinha movido os irmãos até ali. "Andar na direção contrária à AmBev", respondeu José Felipe, meio rindo, meio falando sério. Antes de deixar a sala, João bateu na mesa e falou: "Vamos dar um jeito de andar na mesma direção".

Quando a proposta da AmBev veio, os irmãos Carneiro tiveram medo de perder a autonomia. José Felipe lembra um diálogo, pouco antes de fecharem o negócio, que funcionou como um teste. Em uma reunião na empresa, ele comentou que no dia seguinte iria ao mercado central comprar ingredientes para usar na cerveja. "Aqui a gente não pode comprar ingredientes não certificados", disse uma gerente. Tiago lembra: "Nessa hora, eu pensei: É o momento de ver se realmente vamos ter autonomia". E respondeu: "Se for para começar dessa forma, não vamos conseguir nada. Se tivermos que nos adaptar aos ingredientes certificados, vamos precisar mudar nossas formulações, então é melhor a gente nem fechar o negócio". A AmBev cedeu.

O acordo foi fechado em fevereiro de 2015 com uma característica diferente das demais aquisições de cervejarias artesanais pelo mundo. Tiago e José Felipe se tornaram sócios de uma das empresas do grupo, a Bohemia Imperial, que depois teria o nome alterado para Cervejaria ZX.

A Bohemia foi fundada em 1853 na cidade de Petrópolis, no Rio de Janeiro, pelo alemão Henrique Kremer, depois foi adquirida pela Antarctica em 1961. Depois da fusão com a Brahma, manteve um CNPJ separado, mas a percepção da marca como mais sofisticada não se manteve. Agora, podia ser usada como um braço, independente mas vinculado ao grupo, reavivando sua essência, que a aproximava das cervejas premium.

No dia do anúncio da aquisição da Wäls, Daniel Wakswaser, então diretor de marketing da Bohemia, afirmou, por meio de um comunicado: "Vamos unir o melhor dos dois mundos e trocar experiências para continuar surpreendendo nossos consumidores".* Na ocasião, os fundadores disseram que suas receitas eram intocáveis, mas que trabalhariam em conjunto na criação das novas fórmulas.

O transatlântico e o barco a vela

Os executivos já haviam entendido que não daria para gerir as pequenas empresas dentro da estrutura da AB InBev. As discussões entre os cervejeiros artesanais e os profissionais da grande empresa sempre existiriam — e em certa medida eram necessárias e saudáveis, resultando em aprendizados para ambos os lados. No entanto, era crucial manter a autonomia daquele novo grupo.

Os microcervejeiros não eram apenas diferentes dos profissionais da AB InBev: também eram diferentes entre si. Seus negócios por natureza estavam sempre em transformação, com a criação de novas receitas e testes de ingredientes. Movidos por paixão e criatividade, não podiam se limitar por sistemas e processos padronizados. A liderança da AB InBev reconhecia que grande parte de sua expertise não se aplicava àquele mercado. Com exceção de investimentos, dicas de gestão e acesso a tecnologia e produtos de ponta, tudo o que tinham a fazer era não atrapalhar os profissionais, como Marcel compreendeu na primeira visita à Goose Island. Eles eram como artistas que precisavam de liberdade, espaço e tempo para concretizar suas obras. Era preciso simplificar a estrutura para atender à complexidade dos novos negócios.

---

* "AmBev compra a cervejaria artesanal Wäls, de Minas", *Exame*, 10 fev. 2015. http://bit.ly/2DzHGIB

Cinco meses depois da associação com Tiago e José Felipe, em julho de 2015, a AmBev anunciou a compra de outra cervejaria artesanal premiada, a Colorado, de Ribeirão Preto, interior de São Paulo.

Na época, o assunto estava em ebulição dentro da companhia. Em uma conversa informal, Pedro Earp e outros executivos da área de cervejas especiais decidiram enumerar os cervejeiros artesanais ao redor do mundo aos quais gostariam de se associar. O papo ficou sério. Acabou em uma lista com nomes nos principais países, que eles foram visitando um a um. "Conseguimos nos associar a 90% das pessoas que listamos", diz Pedro.

Em fevereiro de 2015, os donos da AB InBev transformaram aquele grupo de pequenas cervejarias espalhadas pelo mundo em uma empresa separada. Assim, a Cervejaria ZX passou a ser uma das empresas da ZX Ventures, um braço da companhia que funciona como desenvolvedora, incubadora e fundo de participações em negócios disruptivos. Internamente, a empresa é definida como "grupo de crescimento disruptivo global". Em março de 2018, José Felipe e Tiago deixaram de ser sócios da Cervejaria ZX para se concentrar apenas na marca de cerveja da família Carneiro em San Diego, que ganhou o nome de Novo Brazil.

A decisão de criar uma nova empresa focada em inovação dentro do grupo se justificava na tentativa de criar independência para o time, com orçamento próprio e alto nível de autonomia em relação à administração central da companhia. Os acionistas consideravam importante que os executivos da AB InBev enxergassem a divisão não apenas como um departamento, mas como uma organização realmente separada.

O modelo foi inspirado por uma reunião entre a equipe da AB InBev e membros da Marinha dos Estados Unidos. Durante o encontro, Pedro Earp soube que as transportadoras navais tinham equipamentos poderosos de defesa para combater grandes ameaças vindas do ar e do mar. Mas contavam também com pequenos barcos usados em missões que exigiam agilidade e velocidade. Aquela era uma comparação quase literal: enquanto a AB InBev havia se tornado um transatlântico, as demandas correntes das novas condições de mercado exigiam decisões e atitudes tão leves quanto as de um barco a vela.

Pedro Earp foi convidado para tocar o novo negócio. Ao receber a oferta, sua primeira reação foi de ceticismo. "Esta empresa vale US$ 50 bilhões. Ainda que tenhamos sucesso nos próximos cinco anos, a diferença que vamos fazer será irrelevante", disse para Brito. Então, o chefe respondeu: "Mas você sabe que é muito difícil manobrar um navio rapidamente. Depois que obtiver alguns sucessos, você vai difundir isso para o negócio principal".*

---

* Amadeus Orleans e Robert E. Siegel, *AB Inbev: Brewing an Innovation Strategy*, Universidade de Stanford, MBA, 16 nov. 2017.

O time da zx global foi desde o início estrategicamente formado por uma mistura de veteranos da cervejaria e pessoas de fora com experiência em diferentes empresas e indústrias, como ex-funcionários do Google e da Amazon. O grupo tem 1500 pessoas no mundo, entre programadores, designers, empreendedores, especialistas em logística e outros perfis que fogem ao padrão da multinacional. Segundo Pedro Earp, a operação atrai aqueles que têm experiência em startups e empresas de tecnologia, por associar vantagens da realidade corporativa tradicional às de iniciativas inovadoras. "Por termos a empresa grande por trás, oferecemos a possibilidade de trabalhar em uma startup, sem ter que se preocupar em comprar a cadeira ou em achar um investidor. Os profissionais têm o solo fértil para ser donos e desenvolver os negócios com todo o suporte", afirma Pedro.

A zx é subdividida em cinco áreas: *specialties*, focada nas marcas de cervejas artesanais globais; *e-commerce*, responsável pelo desenvolvimento e gestão de plataformas digitais de vendas; *brand experience*, voltada para novos modelos de vendas no varejo; *home brewing*, focada em cervejarias caseiras; *explore*, que busca oportunidades de investimentos e aquisições de negócios promissores para o grupo. No Brasil, há iniciativas referentes às três primeiras áreas da zx.

As microcervejarias são o carro-chefe da unidade de inovação, com 40% de todos os funcionários da zx. Inicialmente, a equipe se concentrou em criar um portfólio de marcas artesanais que combinasse os seguintes fatores: variedade de estilos da bebida, marca forte e disponibilidade de capital tecnológico e financeiro. Desde 2017, as cervejarias artesanais adquiridas nos Estados Unidos foram integradas à operação principal da AB InBev. A partir de então, essa área da zx mudou de função globalmente. Seu objetivo principal agora é antecipar tendências e impulsionar o desenvolvimento de cervejas artesanais em outros países. No Brasil, essa área é responsável pelo marketing de marcas artesanais e importadas, como Wäls, Colorado, a norte-americana Goose Island, as belgas Hoegaarden e Leffe e a argentina Patagonia Weisse.

A equipe da zx criou diversas plataformas de venda on-line em todo o mundo, com nomes específicos para diferentes países. No Brasil, o Empório da Cerveja é um site de venda que nasceu na AmBev em 2011 e passou para a zx. Em parceria com a B2W, uma empresa de comércio eletrônico criada a partir da fusão entre Submarino, Shoptime e Americanas.com, a plataforma foi transformada em loja on-line focada em cervejas artesanais. Hoje, há duas lojas físicas em São Paulo, que também vendem marcas que não são da AB InBev.

Em paralelo, o grupo trabalha em análise de dados, marketing personalizado e otimização de mídia. Um dos investimentos do setor foi a plataforma RateBeer, que ranqueia os produtos que são tendências em cada área geográfica e projeta portfólios ideais a ser vendidos nos diferentes bairros.

A zx também monitora o desenvolvimento de consumidores que fabricam a própria cerveja, outro grupo crescente nos últimos anos. Em outubro de 2016, a companhia adquiriu a Northern Brewer Homebrew Supply, uma empresa de duas décadas com sede em Minnesota, nos Estados Unidos, que vende ingredientes e equipamentos para cervejarias domésticas.

Há ainda uma área dedicada a negócios que nada têm a ver com cerveja. O objetivo é criar ou encontrar oportunidades para investir, oferecendo apoio sem interferir na gestão. Entre os investimentos estão a PicoBrew e a Owl's Brew, que vendem máquinas e misturadores, respectivamente, para fabricação caseira de cerveja; e a Starship Technologies, que desenvolve pequenos veículos de entrega robotizada autônoma. O grupo também foi responsável pelo zxelerator, um programa de incubação de dez semanas, no qual alguns funcionários e estagiários da empresa tinham de trabalhar em soluções para grandes problemas enfrentados pela AB InBev. Um terço de todos os produtos criados no programa foi financiado pela empresa.

Em 2018, a zx gerou uma receita de aproximadamente US$ 1 bilhão.

A ordem é complicar

A rotina entre os cervejeiros artesanais adquiridos pela AB InBev e os executivos da empresa é cheia de discussões. A todo momento, os dois lados precisam escolher as brigas que querem comprar. Do lado dos cervejeiros, eles já entenderam que não adianta esperar que os profissionais da companhia entendam suas necessidades de cara. Tampouco têm a esperança de que todas as demandas sejam atendidas. Fazer valer seu ponto exige argumentação intensa, baseada em fatos e dados. Como em um casamento, as duas partes estão sempre se equilibrando em uma gangorra — ora persuadindo, ora cedendo.

Os irmãos Carneiro mencionam um debate que tiveram com a área de pessoas antes de deixar a empresa. "Eles queriam que a gente tivesse meta de criação de receita de cerveja", conta José Felipe. "Não dá para iniciar o ano pensando que vou fazer X cervejas para impactar X pessoas. Esse caminho não funciona para nós." Aos poucos, o grupo encontrou meios-termos que atendam às necessidades da empresa sem tolher seus novos integrantes no período em que trabalharam juntos.

Distribuir cerveja artesanal exigia mais do que um time bem formado e motivado — como já alertava John Hall desde a compra da Goose Island, em 2011. Não bastava incluir a nova marca nos caminhões dos vendedores que entregavam Budweiser e outras cervejas já esperadas pelos pontos de venda. Era preciso conhecer o produto no detalhe para convencer os compradores de que valia a pena pagar até dez vezes mais por aquele produto. Essa seria uma das mais importantes lições da AB InBev no novo negócio. A dinâmica é muito diferente do sistema de vendas padrão. "A mudança foi quase como passar a vender vinho na máquina da AmBev", resume Tiago. Para dar conta da novidade, a companhia montou um time de especialistas e um programa de treinamento para vendedores voltados para as marcas especiais.

Apesar de já não fazerem parte do grupo, Tiago e José Felipe expressam sua satisfação e entusiasmo com a venda da marca com fala acelerada e enérgica, e com uma sucessão de casos de final feliz. Entre os inúmeros benefícios que listam da união com a AmBev, destacam-se a tecnologia de ponta, o conhecimento a que tiveram acesso e a oportunidade de comprar os melhores ingredientes do mundo. Mencionam, por exemplo, uma visita a uma fazenda de lúpulo que os ajudou a entender o processo de produção do início ao fim. "Eram coisas até então inacessíveis para nós", diz José Felipe.

Outra compra emblemática de cervejaria artesanal pela AB InBev aconteceu em 2017. Antes de vender a Wicked Weed Brewing à multinacional, os irmãos norte-americanos Walt e Luke Dickinson e o sócio Ryan Guthys foram visitar a Goose Island. A sugestão foi de Felipe Szpigel, então diretor da divisão de marcas premium e da unidade de negócio de cervejas artesanais da AB InBev. Nada melhor do que ver o que havia acontecido com a cervejaria cinco anos após sua venda à empresa para tirarem as próprias conclusões sobre se valia a pena seguir aquele caminho. Os Dickinsons passaram um dia entre a fábrica original da Goose Island, o depósito de barris e o bar. Ficaram especialmente impressionados com o bar, que disseram parecer mais típico de uma cervejaria artesanal autêntica do que outras marcas independentes. Dois anos depois da venda, o site da Wicked Weed divulgou que os fundadores da marca "desfrutam da mesma liberdade independente e controle sobre suas receitas e desenvolvimento da marca desde a fundação em 2012".*

Em 2017, as artesanais ainda representavam 12% do mercado de cerveja dos Estados Unidos — o que alguns especialistas consideram sinal de que o nicho atingiu seu teto de crescimento. A AB InBev se tornou a maior empresa de marcas artesanais do país em vendas em dólar, com dez microcervejarias norte-americanas em seu guarda-chuva.

Ronaldo Rossi, chef de cozinha, professor de sommeliers de cerveja e consultor na área de gastronomia, acredita que a estratégia da AB InBev de entrar no mercado artesanal é garantir a presença de suas marcas entre as premium para ocupar também esse nicho nos bares e restaurantes com os quais tem contrato de exclusividade. O acordo com a cervejaria obriga os estabelecimentos a vender somente os produtos do portfólio da AB InBev nas categorias em que a empresa atua — o que inclui sucos, refrigerantes e, no caso das cervejas,

---

* "Our History", Wicked Weed Brewing. http://bit.ly/2KOOkkv

equivale a 25 marcas, entre premium e populares, vendidas no Brasil. Em contrapartida, a AmBev investe na melhoria do estabelecimento, com reformas, geladeiras, mesas, cadeiras e outros equipamentos, além de transferência de conhecimento de gestão. Segundo Ronaldo Rossi, porém, isso não significa que o consumidor encontrará, nos bares e restaurantes exclusivos da AmBev, toda a variedade de suas cervejas premium: muitas vezes elas estão no cardápio, mas não no estoque. "A importação de bebidas premium da empresa, como as belgas, não costuma ser regular, assim como a entrega de Wäls e Colorado", observa Ronaldo, que fundou há oito anos a Cervejoteca, a mais antiga loja de cervejas especiais de São Paulo.

Um ano antes de entrar no mercado de artesanais, a AB InBev deixou passar outro indício de problema. Poderia ter sido só um barulho pontual e passageiro. Mas, em paralelo ao desenvolvimento das microcervejarias, cresceu até tomar um vulto irrefreável.

CAPÍTULO 16

A revolta contra o milho

Em 27 de abril de 2009, a pequena cervejaria Stone Brewing, sediada em Escondido, na Califórnia, publicou em seu canal no YouTube o vídeo "I Am a Craft Brewer" [Sou um cervejeiro artesanal], no qual microcervejeiros afirmavam não colocar milho nem arroz em suas cervejas, o que sugeria que esses cereais seriam uma deturpação das receitas tradicionais da bebida. Eles diziam que, em compensação, as grandes corporações prometem "uma coisa e entregam nada", "só focadas em quanto estão vendendo".

Oito meses depois, em 18 de dezembro, o físico Rogério Cezar de Cerqueira Leite, professor emérito da Unicamp, colocou o assunto em debate no Brasil ao publicar um artigo na *Folha de S.Paulo* (de cujo Conselho Editorial é membro), com o título: "A cerveja: bebendo gato por lebre". "É inexplicável que sejam tão omissas as autoridades brasileiras quando se trata da bebida nacional mais popular e de maior consumo", dizia a linha fina.

"O poder da indústria cervejeira no Brasil (lobby, tráfico de influência etc.) deve ser imenso", afirmava o artigo, que também dava informações sobre a origem da produção de cerveja no mundo e cálculos (como a quantidade de cevada produzida nacionalmente e importada e o índice de conversão entre a cevada e o álcool). Sua conclusão era de que a grande indústria enganava seus consumidores ao vender um produto de baixa qualidade.

Doze dias depois, a multinacional divulgou sua defesa no mesmo jornal ("A cerveja e o orgulho de quem faz o melhor"), assinada por Silvio Luiz Reichert, vice-presidente de inovação e desenvolvimento tecnológico da AB InBev, além de químico e mestre cervejeiro pela Doemens Fachakadmie da Alemanha. Sua resposta tentava defender a reputação da empresa usando um tom corporativo ("A indústria nacional de cerveja possui tradição de mais de cem anos e tem orgulho de produzir bebidas de altíssima qualidade"), esclarecendo os pontos técnicos levantados pelo físico — cálculos difíceis de ser acompanhados pelo leitor leigo. No mês seguinte, o físico divulgaria sua tréplica, "Cerveja: o orgulho de quem fatura mais", acusando a empresa de ter dado explicações que não correspondiam às questões levantadas por ele. "Ora, ou o trombeta não sabe ler, ou é intelectualmente apoucado, ou é mal-intencionado, ou os três", afirmava.

O principal ponto que a discussão trouxe à tona do ponto de vista técnico foi sobre o uso do milho. Entrava na pauta um debate sobre seu uso ou não e em que quantidade. Segundo o físico, as cervejas da AB InBev ultrapassavam o permitido pela lei (desde 2009, a legislação brasileira exige o uso de 55% de malte de cevada na cerveja).* O milho (e outros eventuais cereais que não a cevada), diz ele, constitui quase três quartos da matéria-prima da cerveja brasileira, o que resultaria em uma bebida "vulgar" e "homogênea".

Sobre isso, a resposta de Silvio, da AB InBev, foi a de que as grandes cervejarias obedecem à legislação brasileira, que determina que a porcentagem de malte (cevada submetida a processo controlado de germinação) contido no extrato que dá origem à bebida não pode ser menor do que 55%. Em 2010, uma pesquisa conduzida por cientistas do Centro de Energia Nuclear na Agricultura, da USP de Piracicaba, e da Unicamp indicaria que algumas marcas de cerveja populares no Brasil (entre elas, Antarctica, Skol, Bohemia, Brahma Extra, Itaipava, Kaiser e Nova Schin) tinham menos de 50% de malte em sua composição. Na ocasião, a companhia se pronunciou em um comunicado oficial, dizendo que "a AmBev leva aos seus milhões de consumidores receitas seculares produzidas com os melhores insumos disponíveis em todo o mundo".

Rogério critica o uso do milho nas cervejas também do ponto de vista da tradição cervejeira, com base na Lei da Pureza, a Reinheitsgebot, que nasceu na região de Baviera (hoje um estado da Alemanha), em 1516. A lei estabelecia que a cerveja é composta única e exclusivamente por apenas três elementos, cevada, lúpulo e água. A determinação passou por ajustes e agora inclui a utilização de levedura, trigo e açúcar.

A Lei da Pureza, no entanto, tem origem e aplicações relativas, segundo especialistas de diferentes formações e países. Existem razões de diversas naturezas por trás de sua criação. As motivações vão de limitações dos ingredientes disponíveis na época a questões econômicas.

Da perspectiva econômica, por exemplo, a lei alemã era uma tentativa de controlar impostos provenientes da produção de cerveja, afirma Alexandre Bazzo, dono e mestre cervejeiro da artesanal paulista Bamberg. "A Reinheitsgebot foi o ponto culminante de uma série de outras medidas legislativas. O governo ale-

---

* Antes de 1997, não havia uma quantidade mínima de malte de cevada na composição da cerveja determinado pela legislação. A partir de 1997, a quantidade foi definida em no mínimo 50%. Em 2009, aumentou para 55%.

mão da época percebeu que, determinando quais eram os ingredientes permitidos, ficaria mais fácil fiscalizar o lucro dos produtores", diz.

Para Herbert Schumacher, diretor da cervejaria gaúcha Abadessa, influenciou a criação da lei a necessidade de conter a criatividade excessiva de alguns cervejeiros na época. "Até cinzas as pessoas chegavam a adicionar na cerveja, como forma de barateá-la ou para provocar diversos efeitos", conta. Segundo Luciano Horn, mestre cervejeiro e diretor global de desenvolvimento da AB InBev, a Lei da Pureza foi instituída para coibir o uso de trigo pelos cervejeiros (o que acontecia com frequência) no momento em que faltava cereal para a produção de pão na Europa.*

Sommeliers, microcervejeiros e consultores independentes concordam que esse não é um parâmetro rigoroso hoje. Um dos argumentos — usado inclusive pela AB InBev — é o de que a restrição a esses ingredientes limitaria a criatividade dos cervejeiros. Tanto que os próprios belgas e tchecos, pioneiros na produção de cerveja, usam milho em diversas receitas, conhecidas por terem maior complexidade.

A polêmica do milho não existe na Europa, segundo o analista financeiro inglês Trevor Stirling, especialista no setor de bebidas. "A AB InBev sempre foi completamente aberta em relação ao uso do milho em algumas cervejas europeias, especialmente a Stella", afirma. Há, inclusive, um pôster da Stella que diz: "Contém apenas quatro ingredientes: lúpulo, cevada maltada, milho e água".

No artigo da *Folha*, Rogério de Cerqueira Leite critica também a falta de transparência da AmBev ao resumir, em seus rótulos, parte dos ingredientes como "cereais malteados" ou "cereais não malteados". O Ministério da Agricultura, Pecuária e Abastecimento (Mapa) não obrigava as cervejarias a especificar seus ingredientes. Mas, em 19 de julho de 2016, o Ministério Público Federal de Goiás moveu uma ação exigindo que a indústria passasse a detalhar nos rótulos de seus produtos os elementos que os compõem. As principais cervejarias se defenderam com o argumento de que seguiam a regulamentação do Mapa. Quase dois anos depois, em 5 de outubro de 2018, foi firmado um acordo entre o Ministério Público Federal e a indústria para mudar a regra. O Mapa passaria a exigir a descrição de todos os ingredientes nas embalagens das cervejas produzidas ou comercializadas no Brasil. A nova norma foi redigida em 6 de novembro de 2018 e publicada no *Diário Oficial* dez dias depois. A partir de então, foi estabelecido o prazo de um ano para que as cervejarias se adequassem à regra — ou seja, passava a vigorar em novembro de 2019.

Tecnicamente, todos os cereais são fontes de açúcares fermentáveis e capazes de se transformar em álcool. Segundo os especialistas, o uso do milho ou

---

* Depoimentos extraídos de "Lei da Pureza da Cerveja desperta polêmica e revela prós e contras", UOL, 5 abr. 2013. http://bit.ly/2UoRGKj

do arroz é questão de gosto. Esses ingredientes atribuem leveza e refrescância à bebida, no estilo das bebidas mais populares da AB InBev nos Estados Unidos e no Brasil (Budweiser, Brahma, Skol e Stella). "É pecado usar o milho?", pergunta o consultor Ronaldo Morado. "Não. Nem um erro que se está cometendo. É uma questão de preferência."

Cervejeiros artesanais independentes entrevistados afirmam que a bebida que a AmBev produz tem alta qualidade do ponto de vista técnico. "É uma cerveja sem defeitos e honesta dentro do que ela se propõe. As mais populares são neutras e muito bem-feitas. Não são voltadas para um público de especialistas, mas para a maioria da população", resume Bruno Vegini, mestre cervejeiro e técnico em cervejaria, professor da Escola Superior de Cerveja e Malte, em Blumenau.

Sobre o assunto, o posicionamento oficial da AB InBev é: "Enquanto cervejaria, acreditamos na diversidade de ingredientes e na criatividade dos nossos mestres cervejeiros para produzir e oferecer cervejas que satisfaçam diferentes gostos e diversas ocasiões de consumo. O mais importante para uma cerveja é a qualidade dos ingredientes utilizados. Isso garante que a cerveja será exatamente como os mestres cervejeiros desejam". A companhia afirma que isso acontece com todos os ingredientes, como a cevada, o milho, o trigo, o arroz, o lúpulo e a água. "O milho, por exemplo, está presente na história da cerveja desde o começo em diferentes receitas ao redor do mundo, assim como arroz e aveia, que também são ingredientes usados para deixar a cerveja mais leve e refrescante. Somados, os três fazem parte de cerca de 70% das cervejas existentes no mundo."

O comunicado também afirma que alguns dos principais rótulos da AmBev levam milho há centenas de anos, "desde que foram concebidos e muito antes de a cervejaria atual existir. O ingrediente escolhido pelo mestre cervejeiro deve traduzir a característica que ele pensou para aquela bebida. Clara, escura, encorpada, leve, puro malte, com outros cereais, com ingredientes inusitados como mel, pimenta ou erva-mate. Nossas cervejas refletem a diversidade do Brasil e do mundo e os controles de qualidade são os mesmos para todas as receitas".

Quando questionado sobre uma possível mudança na receita das tradicionais Brahma, Antarctica, Bohemia e outras, Luciano Horn, diretor global de desenvolvimento, afirma que isso não aconteceu. No entanto, degustadores de cerveja, como o físico Rogério de Cerqueira Leite, acreditam que há uma mudança notável para pior no sabor das marcas.

Tradição ou gourmetização?

O debate sobre os ingredientes das cervejas populares se fortaleceu no Brasil ao mesmo tempo que as cervejarias artesanais se multiplicavam. A cerveja ganhou um novo status. Deixou de ser só a bebida que acompanhava os despretensiosos bate-papos de bar para se tornar, em muitos casos, o tema de conversas sérias. Entrou em cardápios de restaurantes com estrela Michelin. Além de carta de vinhos, agora havia cartas de cervejas. O público sofisticou seu paladar, ficou mais exigente, principalmente nas classes sociais mais altas, que podiam pagar pelos preços elevados das marcas premium. De repente, bebedores se tornaram "degustadores", difundiram-se cursos de sommeliers de cerveja e se passou a discutir com frequência e tom de autoridade o valor e a autenticidade da bebida.

Em uma coluna intitulada "Pelo direito de beber cerveja ordinária", o jornalista Marcos Nogueira, que escreve sobre gastronomia e bebidas desde 2008 e é sommelier de cerveja, discorre sobre a mudança e a "gourmetização" do universo da cerveja. "Aconteceu com todo tipo de alimento. Quando um brigadeiro leva granulado de chocolate belga para virar brigadeiro gourmet, ele é brega pra diabo. Já a IPA quíntupla com lúpulos cingaleses — vendida ao preço de um almoço executivo, por um barbudo com alargador de lóbulo auricular, em uma espelunca com fiação exposta — é bacana, é *trendy*. Raio gourmetizador e autoengano na cachola dos outros são refresco."*

Para ele, a moda dos produtos artesanais não é uma volta às origens nem um movimento que questiona ideologicamente as bases do capitalismo. É, sim, um desdobramento do próprio sistema, "um capitalismo cada vez mais voraz e complexo. Da busca de nichos sempre mais específicos, onde o consumidor está disposto a pagar uma bala por algo que lhe parece *custom-made*". Marcos defende que os especialistas em cerveja são necessários à sociedade moderna, mas relativiza o culto excessivo ao assunto: "Eles precisam entender que nem todo mundo dá toda essa importância à cerveja. Se eles gostam de ir ao bar para falar de cerveja e penhorar as joias da mãe para pagar a conta, o problema é deles. O resto da humanidade gosta mesmo é de dar risada e falar mal dos ausentes enquanto entorna garrafas e mais garrafas de pilsen gelada. No copo americano, é claro".

Uma imagem difícil de mudar

No Brasil, as discussões sobre os ingredientes das cervejas das grandes marcas se disseminaram por conversas de bar e redes sociais ao longo da segunda década de 2000. A imagem pública da AmBev, controversa desde seu início, ganhava mais um carimbo negativo. Em meio ao debate, a empresa aumentou algumas vezes o preço de seus produtos acima da inflação, o que soou como uma afronta

---

* "Pelo direito de beber cerveja ordinária", *Folha de S.Paulo*, 23 abr. 2018. http://bit.ly/2XMyNTO

a alguns consumidores mais atentos. Segundo analistas financeiros, os principais motivos dos aumentos foram os repasses de custos de produção (commodities em dólar), tributação (de 28,2% em 2007 para 44,9%, em 2017) e inflação interna (salários e custos de distribuição, entre outros). A empresa vinha perdendo margem operacional diante da queda do consumo nos anos anteriores.

Se a AmBev tivesse participado ativamente do debate sobre a qualidade de seu produto desde o início e comunicado ao público os motivos de seus repasses financeiros, e se tivesse declarado voluntariamente os ingredientes de suas cervejas, talvez a má imagem institucional não tivesse se acentuado no Brasil. Mas ela só entrou ativamente na discussão a partir de 2014. Desde então, na página da AmBev e de suas marcas no Facebook, as receitas e a qualidade de suas cervejas passaram a ser temas frequentemente abordados, tanto pela empresa quanto pelo público, que deixa seus comentários e perguntas. Mas a indignação diante do uso de milho e arroz continua reverberando.

No perfil da Budweiser, por exemplo, um cliente reclamou dos cereais não maltados entre os ingredientes. "A receita da Budweiser é global. Ela é feita da mesma maneira e com os mesmos ingredientes em qualquer lugar do mundo. E se foi essa receita que ganhou o mundo, não temos motivos para mudá-la", dizia a resposta da companhia. Na da Skol, outro consumidor reclamou que a cerveja era muito aguada. O retorno da AmBev foi na mesma linha: "Nossa Skol tem a mesma receita há mais de 60 anos, não mudamos nada. Ela foi pensada e criada sob medida pro brasileiro e pro nosso clima, uma cerveja leve, saborosa e refrescante. Os ingredientes que utilizamos na produção de nossa cerveja são naturais, selecionados e de muita qualidade".

No Brasil, a AmBev parece estar perdendo uma batalha de marketing no segmento de alta renda. Enquanto precisa a todo momento dar satisfações sobre suas fórmulas, a concorrente Heineken soube aproveitar o maior nível de informação do consumidor a seu favor. Em 2016, ancorou sua campanha de marketing na divulgação dos únicos três ingredientes de sua receita (água, malte e lúpulo) e no slogan "puro malte", reforçando o posicionamento premium de sua principal marca. Em 2016, porém, o assunto gerou polêmica nas redes sociais.

Em junho daquele ano, o mestre cervejeiro da marca, Willem van Waesberghe, visitou o Brasil e falou, em um evento promovido pela empresa e transmitido pela internet, que a Heineken só levava os três ingredientes havia 142 anos. Pouco tempo depois, foi postada no Facebook uma foto de uma lata da cerveja de 1992 que mostrava que a bebida ainda continha cereais não maltados, conservante e estabilizante.*

Polêmica à parte, o discurso dos únicos três ingredientes vai ao encontro do gosto do consumidor em busca de bebidas e alimentos mais "puros", "na-

---

* Lauro Jardim, "Receita nem tão imutável", *O Globo*, 21 jun. 2016. https://glo.bo/2PvTHne

turais", autênticos. Nesse contexto, a AmBev passou a investir em marcas premium, tanto já existentes em seu portfólio como no desenvolvimento de novas. Desde o segundo semestre de 2018, a alemã Beck's passou a ser a aposta para concorrer com a holandesa Heineken em bares e restaurantes. Curiosamente, as duas foram fundadas no mesmo ano, 1873.

A cervejaria holandesa desembarcou no Brasil em 2010, através da mexicana Femsa, maior engarrafadora de capital aberto da Coca-Cola em volume, por meio de uma transação de ações de US$ 7,7 bilhões, que a transformou em dona das operações de cerveja da Femsa, e em troca a Femsa passou a ter 20% da Heineken. Logo ganhou a vice-liderança do setor no México e passou a deter as marcas brasileiras Kaiser, Bavaria e Xingu. Durante anos, não incomodou a AmBev com sua baixa participação no mercado. A partir de 2016, porém, a cena mudou.

Em fevereiro daquele ano, comprou a Brasil Kirin (dona da Schincariol, Eisenbahn e Baden Baden — as duas últimas nascidas como artesanais). Com isso, dobrou de tamanho. Passou na frente da Petrópolis, dona da Itaipava, e se tornou a segunda maior fabricante de cerveja no Brasil, com 20,7% do mercado, o maior percentual de uma vice-líder desde a formação da AmBev.

Um dos pontos fortes da Brasil Kirin era o sistema de distribuição no Nordeste. A Heineken se animou com a possibilidade de entregar diretamente todos os seus produtos. Para isso, seria preciso desenvolver a logística nas demais áreas no Brasil. Em 2017, anunciou que desfaria a parceria de vendas histórica com a Coca-Cola para investir em um robusto sistema de distribuição próprio. O contrato entre as duas empresas valia até 2022, e a decisão da cervejaria de se tornar independente desencadeou uma briga judicial com a Coca-Cola que segue em câmara de arbitragem. Enquanto isso, a Heineken sai ganhando, já que tanto a Coca-Cola quanto seus distribuidores estão defendendo cada um seus interesses junto à cervejaria e, portanto, dedicando-se fortemente à distribuição dos respectivos produtos pelos quais são responsáveis.

No longo prazo, a decisão da Heineken de entregar os próprios produtos deve fortalecê-la diante de uma das maiores vantagens da cervejaria líder: o sistema logístico desenvolvido e lapidado internamente desde os anos 1990. A percepção no mercado é que as cervejas da Heineken tinham menor importância no portfólio de produtos oferecidos ao varejo pela Coca-Cola, e agora suas marcas terão mais espaço nos pontos de venda. O relacionamento direto com os bares, restaurantes e supermercados também deve ajudar a empresa a desenvolver ferramentas para o crescimento em áreas como segmentação de preços, promoções, produtos e exposição da marca.

Desde 2017, a AmBev não divulga a participação de mercado no país. A última menção ao percentual foi registrada no balanço do último trimestre de 2016: 66,3% no ano. Quando questionados pelos investidores, os executivos alegam que a metodologia de cálculo da Nielsen vem mudando e falha em refletir a realidade por usar uma amostra limitada de canais e regiões. Por causa de possíveis distorções, a companhia já havia criado outra pesquisa internamente, usada esporadicamente para verificar indicadores de mercado, inclusive market share. É um levantamento que ficou conhecido como Pesquisa Thomás (desenvolvida pelo funcionário Thomás Oliveira, que trabalhou na empresa de 1995 a 2013 e chegou ao cargo de vice-presidente global de vendas). A apuração desse método se baseava na coleta de dados por vendedores no ponto de venda, começou numa planilha de Excel, mas deu tão certo que até hoje é utilizada na companhia.

Do milho ao lúpulo

Por sua composição simples e supostamente alinhada a um paladar mais sofisticado, a Heineken é considerada por diversos cervejeiros artesanais a marca da grande indústria que funciona como alternativa na falta de suas bebidas preferidas. Tem um preço próximo ao de marcas populares da AmBev, concorrendo também com consumidores menos exigentes. Com a popularização de seus ingredientes, as discussões sobre as receitas de cerveja passaram a abordar também um item fundamental em sua composição: o lúpulo, planta nativa de Europa, Ásia ocidental e América do Norte, responsável por atribuir amargor à cerveja.

O físico Rogério de Cerqueira Leite, que levantou a discussão sobre o milho na *Folha*, havia mencionado o lúpulo em seu texto de 2009. Naquela época, porém, os debates tomaram outro rumo. O lúpulo era um dos elementos que, segundo o cientista, explicava o que considerava a "má qualidade" das cervejas da AmBev. Isso porque relacionava uma suposta inclusão de "aditivos químicos para a conservação" na cerveja ao uso de um lúpulo de má qualidade. "O mal não está só nessa condição [de usar os aditivos], mas na sua necessidade", escreveu o físico. Seu raciocínio se baseava no fato de o lúpulo ser um bacteriostático (que inibe a proliferação de bactérias). Resumindo sua conclusão: se o lúpulo fosse bom, dispensaria o uso de aditivos para a conservação. A resposta de Silvio, da AB InBev, na ocasião se limitou a explicar que o termo usado pelo físico estava errado. As cervejarias brasileiras não usam *conservantes*. O que aparece nos rótulos da AmBev são "estabilizantes" (responsáveis por manter a aparência e a integridade das proteínas, enquanto conservantes têm uma ação química de evitar, diminuir ou retardar o desenvolvimento de microrganismos).

Segundo Bruno Vegini, o mestre cervejeiro e técnico em cervejaria da Escola Superior de Cerveja e Malte, a associação entre o uso de estabilizante e o uso de lúpulo de má qualidade não se aplica à AmBev por dois motivos. O primeiro é a natureza do estilo American lager, que demanda baixa quantidade de lúpulo.

"Portanto basta que o ingrediente cumpra a sua função. Qualquer fabricante desse tipo de bebida, mesmo um microcervejeiro, provavelmente preferiria gastar menos por um produto minimamente qualificado a gastar muito pelo melhor lúpulo do mercado." O segundo motivo é logístico. Em um país do tamanho do Brasil e com clima tropical, mesmo com as 32 fábricas da AmBev espalhadas pelo território nacional, não é indicado usar o lúpulo como estabilizante. Durante a distribuição, ele sofre impacto do clima e do tempo, em função das longas distâncias, e pode perder suas propriedades. Só para dar uma ideia, o Brasil é aproximadamente 280 vezes maior do que a Bélgica.

Embora continue crítico em relação às cervejas da AmBev, Rogério de Cerqueira Leite afirma que sua afinidade com o tema não é o de um especialista no setor. "Apenas gosto, conheço e bebo cerveja há muito tempo." Em sua casa, ele tem uma geladeira dedicada apenas à bebida. Entre marcas australianas, europeias e brasileiras — algumas que recebe de cervejeiros artesanais —, não há nenhuma da AmBev.

Em resposta à nova demanda do mercado, em junho de 2018, a AmBev lançou a Skol Hops (*hops* é "lúpulo" em inglês), uma cerveja puro malte. A comunicação oficial do lançamento apresentou a cerveja como uma versão "puro malte com lúpulos aromáticos e refrescantes", em uma marca tradicionalmente identificada como American light lager e com variações com receitas mistas, como a série Beats. Dentro da companhia, a Skol é considerada a marca inovadora, e esse é o mote da campanha publicitária: "Lançou a primeira cerveja em lata no Brasil em 1971 e, logo depois, trouxe a primeira lata de alumínio. Saiu na frente também com a primeira long neck. Nos últimos anos, por exemplo, criou a família Skol Beats e, mais recentemente, levou aos consumidores a Skol Gela Fácil e a long neck abre fácil".

O novo rótulo, porém, não é percebido como um concorrente direto da marca holandesa por cervejeiros artesanais e apreciadores de Heineken, que criticam o fato de o lúpulo estar "diluído demais" em uma cerveja "aguada". Segundo Bernardo Paiva, não eram prioritariamente esses consumidores que a AmBev pretendia atingir com a bebida. Ele diz que o objetivo principal com a novidade era começar a difundir o gosto da cerveja com o sabor do lúpulo mais marcante para a grande massa, já que o assunto tem ganhado relevância no país. Por ser mais amargo do que o estilo tradicional American lager, o sabor diluído do lúpulo foi intencional. "Estamos disseminando e democratizando conhecimento cervejeiro e oferecendo mais opções a uma cerveja de alto consumo", afirma Bernardo. Nesse contexto, reconhece o papel e o valor dos concorrentes artesanais.

Cinco meses depois do lançamento da Skol Hops, a cervejaria lançou a Bohemia Puro Malte, em novembro de 2018. Além dos novos rótulos, outro movimento que indica a tentativa de ser vista como disseminadora de conhecimento no setor foi a mudança do nome institucional para Cervejaria AmBev, em 2017.

Uma questão de tamanho e propósito

As diferenças entre as cervejarias artesanais e as gigantes inevitavelmente esbarram na clássica divergência entre as minorias e as grandes corporações — com sua proporcional capacidade de influenciar consumidores, agentes da economia e da política. A clássica narrativa de Davi e Golias. Os pequenos geralmente acusam os grandes de usar sua força para inundar o mercado com produtos que são feitos com foco único em lucro e eficiência, sem considerar a riqueza de sabores e versões que uma cerveja pode ter. No caso da AB InBev, "uma bebida desenvolvida pelo departamento de marketing e centro de custo", como afirmaram cervejeiros artesanais durante a premiação no evento de cervejarias independentes em Brasília, em 2018.

Eles se orgulham de ser os guardiões da diversidade de sabores, da possibilidade de criar com complexidade e da proximidade com seus clientes. Os grandes, por sua vez, se vangloriam da capacidade de fabricar e distribuir um produto complexo, como os próprios artesanais reconhecem que é uma cerveja pilsen, com a mesma qualidade de norte a sul do Brasil. Defendem que têm também variedade no portfólio — incluindo produtos premium e regionais. Debate similar poderia ser adaptado a diversos outros mercados. Em todos os casos, os grandes argumentam que estão atendendo ao gosto, à necessidade e à condição socioeconômica da maioria da população. Os pequenos, por sua vez, culpam os grandes de ter inculcado o gosto questionável às massas, sacrificando a qualidade em troca de interesses gananciosos.

Esse é um debate difícil de ganhar, talvez porque não se trate de modelos comparáveis. Há uma divergência no propósito. Enquanto muitos cervejeiros artesanais começam a produzir sua bebida pelo prazer de degustar e oferecer aos amigos, pela alquimia que envolve a experiência de cada receita, para os grandes sempre se tratou de um negócio, que, por natureza, visa lucro e crescimento. Isso não significa que os executivos da AB InBev não possam ter uma preocupação constante com a qualidade e que não amem a experiência de beber cerveja, ou que os pequenos não possam ter prazer em uma boa administração de seus negócios.

Uma das vantagens dos grandes que mais incomodam os pequenos no setor cervejeiro são os acordos de exclusividade. Quando a fusão entre Brahma e Antarctica foi aprovada pelo Cade, em 2000, ficou decidido que a companhia poderia fazer esse tipo de parceria com os pontos de venda desde que comprovado o investimento no bar ou restaurante. A relatora do caso, a advogada Hebe Romano, defendeu na época que o fato de a AmBev ter de investir financeiramente no estabelecimento comercial seria, por si só, uma barreira para a expansão desse modelo de parceria. A AmBev não podia pressionar os estabelecimentos a vender apenas seus produtos sem oferecer nada em contrapartida. Mas as reclamações sobre a prática surgiram no início daquela mesma década. A base das queixas era o documento preparado pela economista Lucia Helena Salgado para a Schincariol na época da fusão da AmBev com a Interbrew, em 2004. Na ocasião, o material não foi suficiente para travar a criação da InBev. Mas acabou dando origem a outro caso no Cade.

O programa Tô Contigo foi criado na AmBev em 2002, inspirado nos sistemas de milhagens de companhias aéreas e com o propósito de fidelizar os estabelecimentos que, sem nenhum incentivo da empresa, já vendiam só os produtos da cervejaria. Segundo executivos que participaram de sua formulação, foi um dos raros projetos da cervejaria cuja meta principal não era o aumento de rentabilidade, mas reforçar o engajamento dos parceiros mais leais. Além de patrocinar melhorias no bar ou restaurante, a AmBev oferecia cursos de gestão para formar e especializar o responsável pelo ponto de venda. O programa fez sucesso na rede e se provou lucrativo. Com isso, se estendeu a outro perfil de estabelecimento: os que vendiam mais produtos da AmBev do que os da concorrência (com entre 70% e 90% de participação no estoque). Em 2003, a Schincariol se sentiu lesada pela prática da concorrente e prestou queixa no Cade, alegando que a AmBev adotava práticas abusivas de concorrência em função de sua dominância de mercado — que se manteve entre 60% e 70% desde a formação da empresa.

A investigação durou seis anos e se baseou em depoimentos de representantes de pontos de venda, pesquisa do Ibope e visitas a bares aleatoriamente escolhidos pela SDE. A conclusão do caso, em 2009, condenou a AmBev a pagar a maior multa da história do órgão até aquele momento: R$ 352,7 milhões (o equivalente a 2% do faturamento bruto da empresa em 2003). O relatório afirmava que a AmBev propunha acordos com os pontos de venda que incluíam prêmios e descontos nas bebidas em troca de exclusividade total ou parcial (participação no estoque superior a 90%). Segundo o relatório, as regras não eram claras, e muitas vezes nem eram documentadas. "Simplesmente a ausência de proibição de comercialização de marcas rivais não era esclarecida aos PDVs [pontos de venda], em um primeiro momento, e esses se viam obrigados a buscar informações por outros meios, caso tivessem interesse ou necessidade de fazê-lo (por exemplo, tentar a central telefônica do Tô Contigo)."

Ruy Santacruz, economista e ex-conselheiro do Cade que votou contra a fusão entre Brahma e Antarctica, foi contratado por um escritório de advocacia que trabalhava para a empresa para assessorar a equipe interna durante a análise do caso. Ele considera aquela uma "multa mal aplicada". "Pelo simples fato de que o Cade tem que analisar o impacto das ações para o consumidor e aquele programa não afetava o consumidor. Para mim, os conselheiros quiseram punir a AmBev porque acharam errada a conduta do ponto de vista moral."

Há cerca de quatro anos, o Cade colocou um limite para a AmBev fazer contratos de exclusividade com bares e restaurantes. A empresa pode ocupar no máximo 10% do volume e 8% dos pontos de venda em seus mercados de atuação.

O argumento dos cervejeiros artesanais independentes contra parcerias com exclusividade é que o consumidor deveria ser livre para escolher o que beber quando vai a um bar.

A AB InBev usou essencialmente a mesma premissa — deixar o consumidor escolher a marca, não importando a que grupo pertence — quando os pequenos produtores passaram a usar um logotipo com a palavra "independente" em garrafas, latas, cartazes ou adesivos, em junho de 2017. Três dias depois do anúncio do selo nos Estados Unidos (que logo seria usado pelos pequenos cervejeiros brasileiros), o departamento de cervejas especiais da AB InBev respondeu com um vídeo apresentando cinco fundadores de cervejarias artesanais compradas pela companhia dizendo que "os consumidores não necessariamente se importam com independência [...] O problema é que a BA [Brewers Association, associação de cervejeiros dos Estados Unidos] continua se recusando a deixar o consumidor fazer sua escolha, e tenta fazer isso por ele",* como afirma Garrett Wales, cofundador da 10 Barrel, que se tornou vice-presidente de *brewpubs* da divisão High End.

Colombina contra Colorado

Em novembro de 2018, a AmBev patrocinou o 32º Encontro Nacional da Associação Brasileira de Bares e Restaurantes (Abrasel), em Goiânia. Diversas microcervejarias expuseram suas marcas em estandes. A Colombina, uma marca local independente, foi impedida de participar do evento porque "um grande grupo havia vetado". A Associação Brasileira de Cerveja Artesanal (Abracerva) saiu em sua defesa, porque, apesar do patrocínio da AmBev, não era um evento privado. Tratava-se de um encontro apoiado pelo Serviço Brasileiro de Apoio às Micro e Pequenas Empresas (Sebrae). Alberto Nascimento, diretor comercial da Colombina e diretor institucional da Abracerva, escreveu uma carta ao Sebrae e à Abrasel manifestando sua "insatisfação com o veto seletivo imposto por um grande grupo à participação de um dos nossos associados".

Recebeu, então, uma resposta do órgão que o deixou ainda mais indignado: "Devido ao patrocínio da AmBev, a organização decidiu que apenas microcervejarias poderiam participar. A organização do evento nos informou que o volume de produção da Colombina é suficiente para descaracterizá-la como microcervejaria, não sendo possível assim a sua participação".

---

* Barrel-Aged Stout and Selling Out: Goose Island, Anheuser-Busch, and How Craft Beer Became Big Business, p. 340.

As empresas que produzem até 416 mil litros por mês (ou 5 milhões de litros por ano) se encaixam na classificação de microcervejaria. A Colombina produz cerca de 35 mil litros por mês, ou seja, poderia ser caracterizada como micro, ao contrário da resposta enviada. Mas o problema maior é que foram aceitos pelo menos dois participantes com produção superior (Klaro e Originale). A proibição aconteceu no mesmo momento em que a Colombina vinha se destacando na região. Na pesquisa POP List 2018, que indica a primeira marca que vem à cabeça das pessoas quando mencionado um produto, a cervejaria independente tinha ficado em primeiro lugar, enquanto a Colorado, da AmBev, tinha ficado em terceiro. "Esse tipo de prática é que incomoda", diz Alberto. "Na minha opinião, uma empresa desse tamanho deveria estar preocupada com o desenvolvimento do mercado, e não em esmagar concorrentes tão pequenininhos quanto nós."

A AmBev afirma que não existiu — "tampouco existe" — uma orientação por parte da cervejaria no sentido de interferir na participação de cervejeiros artesanais em eventos do setor. "Dividimos espaço com eles em diversos eventos, como em recentes festas de Oktoberfest realizadas em São Paulo e Rio de Janeiro, entre outros momentos", afirma a companhia, por meio de comunicado.

Cada um com seus dilemas

A relação da AmBev com o governo é outro ponto polêmico. Durante treze anos, o diretor institucional da AmBev foi Milton Seligman, que em 2018 lançou o livro *Lobby desvendado*. Com o uso da palavra "lobby", ele trouxe à tona a discussão sobre os nebulosos limites entre o que as companhias privadas podem e o que não podem fazer no trato com políticos. "Ninguém gosta do termo 'lobby', sobretudo quem atua na área [...] Mas, a meu ver, a melhor forma de enfrentar o problema é chamá-lo pelo nome. O que é lobby? É um interesse privado tentando interferir em políticas públicas, o que é legítimo. Há belíssimos exemplos de lobby que melhoraram a sociedade a partir desses interesses", afirma Milton. Segundo ele, cabe praticar o lobby quando se beneficiam dele três lados: a empresa ou o segmento que solicita uma mudança na legislação, a sociedade e a autoridade que se mostra capaz de gerir o interesse público. "Se uma indústria quer uma modificação num benefício fiscal em nome de seus interesses, ela tem de mostrar o que a sociedade ganha ao abrir mão de uma arrecadação na qual, em tese, o governo está interessado." Ele afirma nunca ter sido abordado por nenhum político com propostas ilegais.*

Na relação com os governos, a AmBev historicamente se beneficiou de incentivos fiscais (federais, estaduais ou municipais) oferecidos a indústrias

---

* "A sombra e a luz", *Veja*, 2 mar. 2018. http://bit.ly/2GDCVOX

com a finalidade de atrair investimentos de produção. De modo geral, o argumento em favor da política é que a construção de uma nova fábrica gera milhares de empregos, diretos e indiretos, e movimenta a economia da região. Mas a preocupação é um exagero nas concessões a indústrias de diversos setores. Ele seria motivado por diferentes fatores, como estratégias de crescimento inconsistentes e até uma guerra fiscal entre cidades ou estados que disputam para ser a sede de uma nova planta. Do ponto de vista político-econômico, existe uma discussão no Brasil sobre até que ponto vale a pena e é justa a concessão de incentivos fiscais para grandes empresas. É difícil colocar a discussão na ponta do lápis, porque, além de perdas e ganhos tangíveis, o debate carrega em si visões ideológicas e perspectivas enviesadas. "É fácil encontrar motivos para criticar a AmBev", afirma Ronaldo Rossi, da Cervejoteca. "Mas a verdade é que todo mundo queria estar no padrão AmBev de faturamento. Todo mundo queria ter uma planta tecnológica e um projeto de distribuição como os dela. O que eles fazem é incrível e muito complexo, [o próprio estilo pilsen] é superdifícil de acertar o ponto, mas eles conseguem dentro de sua proposta", conclui.

A Abracerva, que representa os cervejeiros artesanais independentes, foi criada em 2013 e vem se fortalecendo desde então. O grupo tem estreitado relações com os agentes do governo para aumentar seu poder de influência sobre a legislação do setor. Uma das conquistas desse trabalho de relações institucionais dos microcervejeiros se deu em outubro de 2016, quando o presidente Michel Temer assinou a lei que amplia o limite de faturamento das microcervejarias de R$ 3,6 milhões para R$ 4,8 milhões e cria as Empresas Simples de Crédito para facilitar o acesso ao crédito para as micro e pequenas empresas. A estimativa é de que o novo limite reduza cerca de 32% da carga tributária do setor de bebidas alcoólicas. Segundo a Abracerva, a medida não deve diminuir o preço das cervejas para o consumidor final a curto prazo, mas favorece o aquecimento do mercado.

Um mundo para as cervejas

Apesar das críticas e ressentimentos, diversos cervejeiros artesanais reconhecem o valor da gigante. Afirmam que sem a AB InBev não haveria mercado para eles. Reconhecem que a companhia é a principal impulsionadora da indústria, apoiada pelos maiores especialistas e melhores tecnologias existentes, responsável pela popularização da bebida, formação e recrutamento dos melhores cervejeiros do mundo. Discussões filosóficas, conceituais, gastronômicas ou econômicas à parte, o fato é que, no fim das contas, os dois grupos têm o mesmo objetivo: que os consumidores escolham suas marcas.

O que mais importa para os cervejeiros industriais ou artesanais é que as pessoas brindem com sua cerveja — seja para se refrescar depois de um dia intenso de trabalho, seja para saborear uma bebida única como quem aprecia uma obra de arte. E, nessa hora, não é raro que as concorrentes convivam à mesa.

De modo geral, a ascensão das cervejas artesanais deu à AB InBev um fôlego inesperado. A companhia voltou a olhar o mercado para fazer uma nova grande aquisição, conquistando o único continente que faltava para completar sua volta ao mundo.

CAPÍTULO 17

O mundo é nosso

Em 2014, a segunda maior cervejaria do mundo era a SABMiller. Embora distante geograficamente da AB InBev, a empresa fundada na África do Sul acumulou ao longo de sua história algumas semelhanças fundamentais com a companhia nascida no Brasil. A mais óbvia era a origem das duas em continentes subdesenvolvidos. E a mais relevante era a gana de seus dirigentes.

Graham Mackay, principal executivo da SAB de 1997 a 2013 (ano de sua morte), tinha um sonho grande. "Não precisamos ter um complexo de inferioridade por sermos sul-africanos... Estou dizendo para vocês que podemos conquistar o mundo",* resumiu certa vez, para sua equipe.

Inicialmente chamada de Castle Brewery, a cervejaria foi fundada em 1888 pelo inglês Charles Glass. Em apenas nove anos de existência, em 1897, a companhia se tornou a primeira empresa a ser negociada na Bolsa de Valores de Johannesburgo, a maior cidade e principal centro urbano, industrial, comercial e cultural da África do Sul. A companhia, que tinha seu controle diluído entre acionistas principalmente do Reino Unido, cresceu à base de aquisições a partir de 1956. As primeiras a serem compradas pela sul-africana foram a Ohlsson's Brewery e a Chandler's Union Breweries, o que levou à mudança de nome para South African Breweries (SAB). O novo grupo passou a concentrar 98% do mercado de cervejas da África do Sul. Entre 1978 e 1982, a empresa se expandiu por Botsuana, Lesoto e Suazilândia, por meio de participações em outras cervejarias.**Em 1978, aos 29 anos, Graham ingressou na SAB como gerente na área de tecnologia da informação.

---

* Ina Verstl e Ernst Faltermeier, *The Beer Monopoly: How brewers bought and built for world domination*. Nuremberg: Brauwelt, 2016.

** Em Botsuana, a cervejaria comprou uma participação a pedido do governo local na Kgalagadi Breweries, antes controlada por um grupo cervejeiro alemão. Em Lesoto, comprou participação na Lesotho Brewing Company e na Maluti Mountain Brewery.

A partir de 1993, a SAB iniciou uma expansão agressiva para fora do país, com a compra de 80% da húngara Dreher Breweries, por US$ 50 milhões. Foi o primeiro de uma série de movimentos pelos mercados emergentes da Europa Central. Em 1994, foi uma das primeiras cervejarias a entrar na China, por meio de uma parceria local. A CR Beer era uma joint venture entre a companhia sul-africana, com 49%, e a China Resources Entreprise, responsável pela fabricação da cerveja Snow, uma marca regional que passaria a ser vendida para todo o país. Entre 1996 e 1999, a companhia comprou o controle de duas grandes cervejarias da Polônia, a Lech Brewery e a Tyskie Brewery, além de três na Romênia e uma na Eslováquia.

Ao assumir a presidência da SAB, Graham Mackay seguiu com a estratégia de expansão. Ele avançou por países africanos como Zâmbia, Tanzânia, Moçambique, Gana, Quênia, Etiópia, Zimbábue e Uganda. Em 1999, fez um movimento arrojado ao transferir a sede da SAB para Londres, listando-a na Bolsa de Valores inglesa. A intenção era atrair investidores ocidentais que não estavam dispostos a correr os riscos de colocar seu dinheiro no mercado de um país subdesenvolvido. No mesmo ano, Graham liderou a compra da cervejaria tcheca líder no mercado local, a Pilsner Urquell, que pertencia ao banco japonês Nomura (adquirida da Interbrew nos anos 1990). Com 45% do mercado na República Tcheca, país com maior consumo de cerveja per capita do mundo, o rótulo tinha potencial de crescimento internacional.

Graham também tinha em comum com os empresários da Brahma o orgulho de seu método "copie o que deu certo", aprendendo com as práticas bem-sucedidas de cervejarias líderes e empresas de outros setores. Ele e seus colegas viajavam para diversos países a fim de se aprofundar em áreas específicas do negócio em empresas mais experientes. "Mesmo em meio ao apartheid, quando o país estava isolado, ainda viajávamos o mundo comparando nossas práticas com as que encontrávamos no exterior. Estudávamos como os americanos administravam seus sistemas de distribuição, como os alemães geriam o controle de qualidade. Havia análises comparativas sendo feitas todo o tempo."*

Em 2001, um ano depois da criação da AmBev, a SAB foi a primeira cervejaria estrangeira a ingressar na América Central, com a aquisição da Cervecería Hondureña. Também formou uma joint venture com a fabricante e distribuidora El Salvador Beverages Business. Enquanto isso, as norte-americanas Anheuser-Busch e Miller estavam concentradas em disputar o maior mercado de consumo do mundo como se não houvesse oportunidades nem ameaças além de suas fronteiras.

---

* *The Beer Monopoly: How brewers bought and built for world domination.* Op. cit.

Dividir para multiplicar

Em 2002, a SAB ganhou a atenção de pessoas do mundo todo (e foi alvo da indignação dos americanos) ao adquirir a segunda maior cervejaria dos Estados Unidos, a Miller Brewing Company, por US$ 5,6 bilhões. A Philip Morris (que no ano seguinte passaria a se chamar grupo Altria), controladora da Miller, manteve 36% das ações e três cadeiras no conselho de administração da nova companhia. Com a aquisição, a sul-africana passou a se chamar SABMiller e se tornou a segunda maior produtora de cerveja do mundo, atrás apenas da Anheuser-Busch — que, seis anos mais tarde, seria comprada pela InBev.

Uma peculiaridade recorrente nos contratos de fusões e aquisições tanto da SABMiller quanto da AB InBev demonstrava um alinhamento de visão entre seus donos, que as diferenciava de outras grandes empresas no mundo. Tratava-se de um paradoxo: uma disposição em flexibilizar o próprio ganho que acaba por tornar os controladores das cervejarias ainda mais poderosos. Ao comprar concorrentes líderes em seus mercados, ambos os grupos tentavam estabelecer relações comerciais além da mera cordialidade com quem estava do outro lado da mesa. Em momentos-chave, tornaram-se sócios dos donos das empresas adquiridas. Com isso, o grupo de controladores estava sempre crescendo, diluindo-se as participações de cada um, mas aumentando o montante total de capital. Se, por um lado, aquela era uma ameaça ao poder individual dos acionistas, por outro era a aplicação da crença de que juntos se ia mais longe, somando forças, experiências, inteligência e planos no longo prazo.

No Brasil, a Brahma começou com os três sócios principais reunidos na holding Braco. No momento da fusão com a Antarctica, Victorio de Marchi, então presidente da cervejaria paulista, liderou o bloco de acionistas da Fundação Zerrenner e continuou a participar ativamente do negócio (até hoje, ele vai todos os dias ao escritório da AmBev, em São Paulo). Em 2004, com a criação da InBev, a Braco se juntou às três famílias belgas — De Spoelberch, De Mévius e Van Damme — no controle da nova multinacional. Os seis grupos de empresários, reunidos na holding holandesa Stichting AK, já haviam tentado, muitos anos antes, se associar aos norte-americanos donos da Anheuser-Busch, mas, diante da resistência deles, acabaram por adquirir a empresa em 2008, mantendo como conselheiro August Busch IV, acionista e até então CEO da companhia.

Em 2002, quando comprou a Miller, a SAB herdou a sociedade com a Philip Morris, o que faria com que a empresa de tabaco se tornasse a maior acionista da cervejaria sul-africana. Três anos depois, ganhou uma disputa com a holandesa Heineken e conquistou 71,8% da segunda maior cervejaria da América do Sul (atrás apenas da AmBev), o Grupo Empresarial Bavaria, da Colômbia, por US$ 7,8 bilhões. A família Santo Domingo, uma das mais poderosas do país, permaneceu no negócio, com uma fatia de 15,1% na cervejaria sul-africana, segunda maior fatia, atrás do Grupo Altria. De acordo com rumores, foi justamente a disposição da SAB em manter os antigos donos no negócio que fez com que ela levasse a Bavaria por uma proposta financeira menor que a dos holandeses. Juntos, Altria e Santo Domingo detinham aproximadamente 41% da SABMiller.

Os Santo Domingo, representados pela holding Bevco, também controlavam as principais cervejarias dos países vizinhos, como Equador, Panamá e Peru — o que fortalecia a presença da companhia sul-africana na região. Além disso, participavam de 120 empresas de diversos setores e tinham controle sobre algumas, como Caracol Televisión, o jornal *El Espectador* e a empresa de transporte terrestre Ditransa. Eram negócios bem administrados e rentáveis em um mercado de consumo com potencial de crescimento.

Dois anos depois, em 2007, a SAB aumentou sua presença nas Américas do Norte e Central ao formar uma joint venture com a Molson Coors Brewing Company. A nova empresa combinava as operações norte-americana e de Porto Rico de suas subsidiárias Miller e Coors. Em 2015, a empresa nascida na África do Sul era global, com 70 mil funcionários em mais de oitenta países.

Caminhos diferentes, mesmo destino

AB InBev e SABMiller protagonizaram a consolidação da indústria global de cerveja, principalmente entre os anos de 2002 e 2007. Nesse período, as vinte maiores cervejarias do mundo se envolveram em mais de 280 negócios, com um valor total de transação de mais de US$ 80 bilhões. A maior parte dos investimentos se concentrou nos mercados emergentes. As quatro principais cervejarias do mundo (AB InBev, SABMiller, Heineken e Carlsberg) respondiam, juntas, por 45% do volume e 48% da receita do setor. A AB InBev representava 18% do volume global de cerveja, enquanto a SABMiller era responsável por 12% e foi a cervejaria internacional com maior exposição a mercados emergentes de rápido crescimento, o que lhe rendeu um poder de precificação maior e margens de lucro superiores às das concorrentes.

Na segunda década de 2000, SABMiller e AB InBev eram empresas complementares. A companhia brasileiro-belga tinha maior presença na América Latina em geral e na América do Norte, mas não estava na África, onde a SAB ainda era líder. O continente tinha aproximadamente 1,2 bilhão de pessoas, com perspectivas de dobrar nas três décadas seguintes.

A SAB também era relevante na Ásia, especialmente na China e na Índia. Na Austrália, um mercado comparável ao do Canadá pelo alto volume de consumo, era dona da Carlton & United Breweries (CUB) desde 2011. A empresa fundada em 1907 na cidade de Melbourne detinha algumas das mais famosas marcas do país, como Foster's Lager, Victoria Bitter, Carlton Draft, Carlton Dry, Cascata, Crown Lager, Melbourne Bitter, Pure Blonde, assim como sidras, incluindo Strongbow, Mercury e Bulmers. A cervejaria sul-africana estava ainda em países da Europa Oriental com grande tradição no setor — aos quais a AB InBev não chegava —, como Polônia e República Tcheca. Mesmo na América Latina, a SAB era forte em alguns países que haviam se revelado especialmente complicados à empresa brasileiro-belga: Equador, Peru, Colômbia e Panamá. Unir as duas fazia todo o sentido.

Negócio proibido

Em 2008, a SABMiller era o plano B da InBev antes de fazer uma oferta à Anheuser-Busch. Naquele momento, unir-se à cervejaria originária de um país subdesenvolvido poderia não soar como um movimento seguro diante dos investidores. Seis anos depois, em 2014, já dona da Budweiser, líder do setor nos Estados Unidos e com seu modelo de gestão bem-sucedido na América do Norte e na Europa, a capacidade dos donos e executivos da maior cervejaria do mundo estava provada. Comprar a vice-líder era mais questão de estratégia do que de força.

O jornal britânico *The Guardian* foi o primeiro a noticiar rumores de que a AB InBev estava conversando com bancos para conseguir um financiamento de 75 bilhões de libras esterlinas para comprar a SABMiller. O boato levou as ações da sul-africana a subir mais de 12%. Mas a especulação não se confirmou naquele momento.

Com a notícia, no entanto, a AB InBev foi procurada pelo órgão regulador do Reino Unido para prestar esclarecimentos, como é comum no país diante de boatos noticiados pela imprensa. Ao declarar que não havia uma negociação em andamento, a cervejaria brasileiro-belga ficou impedida de fazer uma oferta à concorrente por alguns meses.

Segundo Roberto Thompson, sócio da 3G Capital, primeiro os brasileiros e belgas discutiram entre si a possibilidade de comprar a empresa sul-africana. "Perguntávamos uns para os outros o que seria preciso para uma parceria funcionar e até onde estávamos dispostos a negociar", afirma Thompson. "Com base nisso, começamos a desenhar um modelo." A conclusão das seis famílias foi a de que as duas companhias, AB InBev e SAB, tinham histórias parecidas e muito a agregar uma à outra. Em uma folha de papel, o grupo listou os itens dos quais não estava disposto a abrir mão. Entre eles, três se destacavam: participação no conselho, preservação do controle da companhia e sistema de remuneração.

A rica experiência de fusões e aquisições — Brahma e Antarctica; AmBev e Interbrew; a compra da AB — havia refinado o conhecimento dos investidores em relação às possibilidades e aos limites do mercado global. Já nos primeiros rascunhos, eles sabiam que, se decidissem conquistar a SAB, seriam obrigados pelos órgãos antitruste a se desfazer de, no mínimo, dois negócios: a Miller, segunda maior cervejaria dos Estados Unidos, e a Snow, líder na China — onde a AB InBev tinha parceria com diversas cervejarias menores.

Roberto Thompson, que não estava no conselho da AB InBev na época, se reuniu com Juan Carlos García, representante da família Santo Domingo. Ele e os sócios já haviam conversado com Juan em outras ocasiões desde os anos 1990. "Foi uma conversa totalmente filosófica", conta o brasileiro. "Perguntei o que ele achava de, talvez, no futuro, colocar as empresas juntas." Em seguida, conversou com Martin Barrington e William Gifford, respectivamente CEO e CFO do Grupo Altria naquele momento. Dos encontros seguintes, participou também Alexandre Behring, sócio da 3G.

Naquelas primeiras conversas, um termo do possível acordo ficou claro: os principais donos da SAB não queriam ser pagos em dinheiro — e mesmo que quisessem, seria impossível para os sócios da AB InBev levantar os cerca de US$ 100 bilhões estimados para a operação. Investidores de longo prazo, o Grupo Altria e a família Santo Domingo tinham planos de continuar no negócio de cerveja. Não eram, portanto, vendedores. Mais uma vez, eram potenciais sócios para os brasileiros e belgas. Por isso, a AB InBev desenharia uma oferta com 40% da conta paga em participação da empresa.

Acordo complexo

Depois de um mês de conversas, o eclético grupo chegou a um acordo. O prazo estipulado pelo órgão antitruste britânico já havia expirado, era hora de incluir os conselheiros e principais executivos das duas companhias, assim como os banqueiros do Lazard.

Em 16 de setembro de 2015, diversos jornais do mundo anunciaram a negociação entre a AB InBev e a SABMiller. No mesmo dia, a sul-africana informou que havia sido abordada pela cervejaria brasileiro-belga, que tinha a intenção de oferecer uma proposta de aquisição. Com a notícia, as ações da SAB na Bolsa de Londres subiram 21% naquele dia, enquanto as da AB InBev tiveram 6% de crescimento em Bruxelas. A união criaria uma empresa com presença em todos os continentes e um terço do mercado mundial de cerveja.

Na Inglaterra, o jornal *The Independent* encarou com receio a formação de um possível monopólio na indústria de cerveja. O veículo chamava a atenção ao fato de os rótulos tradicionais nos Estados Unidos já não pertencerem mais a empresas locais. A Budweiser se tornara uma mistura de belga e brasileira, a Coors, canadense, e a Miller, sul-africana e britânica. O texto dizia ainda que ninguém além de investidores e acionistas iria se beneficiar com o acordo.

Apesar das conversas iniciais para alinhar interesses dos principais envolvidos, aquela seria a negociação mais complexa já realizada pela AB InBev. O principal complicador era o tamanho das duas empresas. Para fechar o negócio, seria preciso ter a aprovação de órgãos reguladores de cerca de trinta jurisdições — cada um com suas peculiaridades legais e exigências de adequação ao mercado.

Nos primeiros dias de outubro, a AB InBev fez uma oferta por escrito de 38 libras por ação — rejeitada pelo conselho da SAB. Então aumentou sua proposta para quarenta libras. Diante da recusa, subiu a oferta: 42,15 libras por ação, totalizando US$ 104 bilhões e um bônus de 44% sobre o preço de fechamento das ações no dia 14 de setembro.

Às 5h20 da manhã do dia 7 de outubro, Carlos Brito, porta-voz da AB InBev, explicava a oferta aos investidores em uma teleconferência. Enquanto isso, a SABMiller confirmou que não aceitava. Segundo o conselho, o preço "subvaloriza substancialmente a companhia".

O "sim" da SAB chegou quase uma semana depois, em 13 de outubro, quando a oferta da AB InBev atingiu 44 libras por ação, o que totalizava US$ 106 bilhões — aproximadamente o dobro do valor pago pela compra da Anheuser-Busch seis anos antes. Com o anúncio, as ações da sul-africana subiram 9%. Mas a equipe da AB InBev ainda passaria por momentos emocionantes antes de concluir a aquisição.

A partir de 15 de janeiro de 2016, a AB InBev passou a ser listada na bolsa de valores de Johannesburgo. Segundo a colunista Ann Crotty, do jornal local *Business Day*, a medida, meses antes de a aquisição estar concluída, tinha o objetivo de passar a impressão de que a cervejaria resultante da operação continuaria sendo uma empresa regional, o que poderia ajudar a convencer os 10% de acionistas locais.

Ao longo de quase um ano entre a proposta e a conclusão do negócio, as exigências dos órgãos antitruste ao redor do mundo foram mais rigorosas do que os acionistas da AB InBev esperavam. Em junho de 2016, a aquisição foi aprovada na África do Sul. Entre as condições, estava a venda da participação na Distell Group, outra multinacional do setor, para a Public Investment Corporation, concluída em dezembro daquele ano.

Além das já previstas vendas das operações na China e nos Estados Unidos, foi preciso se desfazer de marcas na Europa, como Peroni, da Itália, Grolsch, da Holanda, e Meantime, da Inglaterra, vendidas à japonesa Asahi por US$ 2,87 bilhões. Embora a união com a cervejaria brasileiro-belga ainda não estivesse selada, foi o time da AB InBev, do qual fazia parte David Almeida, diretor de integração da companhia, quem conduziu as conversas com os japoneses. "Tivemos de convencer o pessoal da SAB a trabalhar com a gente e vender um negócio que não era pequeno antes de fechar a aquisição", lembra ele.

O que menos fez sentido para os donos da AB InBev foi vender rótulos em países da Europa Central e do Leste: Tyskie e Lech, da Polônia, Pilsner Urquell, da República Tcheca, Dreher, da Hungria, e Ursus, da Romênia. Isso porque a companhia brasileiro-belga não estava presente nessas regiões e, portanto, não aumentaria a participação de mercado com a união com a sul-africana.

Entre os termos do contrato que precisavam ser refinados para atender a todas as exigências, a disposição em assumir alguns compromissos de responsabilidade social seria fundamental para que os planos da AB InBev não encontrassem mais barreiras pela frente.

Problemas externos e soluções internas

O histórico da companhia de cortar cargos e custos em suas aquisições não assustava apenas os funcionários da cervejaria comprada: era também uma das principais preocupações do órgão antitruste e do governo sul-africano com aquela venda. O que aconteceria com os empregos dos 5732 colaboradores da empresa ícone do país? Mais ainda: como ficariam os fornecedores locais, como agricultores que dependiam da prestação de serviço à cervejaria?

Apesar do fim do apartheid mais de duas décadas antes, a África do Sul ainda era e é uma sociedade economicamente dividida. A libertação política não significara igualdade de condições materiais para os negros, cerca de três quartos dos 55 milhões de habitantes do país. Parte da situação se explica pelo fato de a elite, de maioria branca, ter ficado com terras e bens quando o regime racista acabou. Essa foi uma decisão do governo para não espantar possíveis investidores internacionais com movimentos fundiários bruscos. Em 2017, 10% das terras da África do Sul pertenciam ao governo, enquanto os outros 90% estavam nas mãos de indivíduos, companhias e trustes. Dessa parcela, 72% pertenciam a cidadãos brancos.

Uma das consequências é que os grupos desfavorecidos durante o regime de segregação racial, agora com igualdade de direitos (ao menos em termos legais), não têm os mesmos recursos para desenvolver sua carreira e seu patrimônio. Menos da metade da população negra em idade economicamente ativa tem emprego regular. O governo construiu habitações para essa parte da população, mas as manteve nas *townships* (áreas pobres, onde os negros eram obrigados a viver, na periferia das grandes cidades), reforçando as divisões geográficas do país. Grande parte dos negros continua em condições miseráveis, ocupando terrenos sem permissão legal.

As inquietações em relação à união de SAB e AB InBev emergiam enquanto o país enfrentava uma retração econômica, que levaria o desemprego a atingir quase 28% em 2017. O então presidente Jacob Zuma havia nomeado dois ministros das Finanças em quatro dias no mês de dezembro de 2015, o que abalara o mercado. No entanto, naquele momento, o presidente tentava restaurar boas relações com o setor privado, o que poderia favorecer a negociação com a cervejaria brasileiro-belga.

A SABMiller tinha um papel fundamental no país. Alimentava a cadeia de fornecedores com iniciativas em diversas frentes. Parte de sua matéria-prima vinha de agricultores locais — um grupo vital para a reconstrução da economia do país, principalmente depois que a crise financeira global de 2008 havia acabado com a demanda por minérios (a mineração é a principal atividade econômica da África do Sul). Entender as fragilidades históricas e correntes do país era um ponto essencial para que a AB InBev fosse bem-vinda.

A decisão sobre o desfecho do acordo entre as duas maiores cervejarias do mundo teve seu prazo adiado algumas vezes entre dezembro de 2015 e agosto de 2016 pela Comissão de Concorrência do país. Enquanto a fusão era investigada pelos órgãos responsáveis, a AB InBev fazia sua parte: assumia compromissos públicos com funcionários e governo.

Entre os principais termos assumidos pela cervejeira com o governo sul-africano, estavam o de não realizar nenhuma demissão involuntária como resultado da fusão e investir 1 bilhão de rands em fazendas e outros fornecedores da empresa. Desse montante, 610 milhões de rands (aproximadamente US$ 43,8 milhões) seriam usados para apoiar o desenvolvimento de oitocentos novos fazendeiros e vinte fazendeiros comerciais para produzir mais lúpulo, milho, cevada e malte. O ministro do Desenvolvimento Econômico, Ebrahim Patel, elogiou a AB InBev por conseguir um acordo com o governo em aspectos-chave, removendo obstáculos que poderiam atrasar o exame da comissão sobre a fusão. Ele disse que a abordagem da cervejeira quanto a interesses públicos poderia guiar outras empresas que procuravam negócios na África do Sul.

Aquela era uma oportunidade de encontrar um ponto ótimo entre as necessidades do país e da empresa. Segundo David Almeida, qualquer ação relacionada à responsabilidade social da companhia precisa partir de um interesse genuíno dos empresários e, portanto, de alguma vantagem para o negócio. "Esses compromissos funcionam porque são bons para a gente e para o mundo", diz. No caso da África, a preocupação do governo em desenvolver fornecedores locais ia ao encontro da estratégia da cervejaria. "Nada melhor para nós do que um fornecimento próximo, com custo baixo e, ao mesmo tempo, oportunidade para aplicar nosso conhecimento, nossa inteligência e nossas tecnologias na agricultura para produção de cerveja", afirma David.

Enquanto tentavam encontrar o equilíbrio entre um bom negócio e a satisfação dos anseios dos controladores, acionistas minoritários, governo, funcionários e trabalhadores indiretos beneficiados pela SABMiller, a equipe da AB InBev passou por picos de tensão durante o primeiro semestre de 2016.

O último pound

A oferta da brasileiro-belga havia sido feita em libras esterlinas. Mas, entre março e junho de 2016, a moeda sofreu uma desvalorização de 4,9% em decorrência de uma ameaça político-econômica: a possível saída do Reino Unido do bloco da União Europeia, depois de 43 anos de integração.

O temor se concretizou em 23 de junho de 2016, data do referendo do que ficou conhecido como Brexit. A decisão do Reino Unido de deixar a União Europeia teve impacto imediato nos mercados da Europa, dos Estados Unidos e da Ásia. A libra esterlina despencou em relação ao dólar, atingindo o menor valor em 31 anos. Em meio a essa turbulência econômica, os donos da SAB passaram a reconsiderar a oferta da AB InBev, agora com valor em dólar 15% mais baixo — e que continuaria se desvalorizando pelos meses seguintes. Como a grande maioria dos ativos da cervejaria sul-africana estava fora da Inglaterra ou precificada em outras moedas, o baque para a companhia foi grande.

Assim como havia acontecido durante as negociações com a Anheuser-Busch, em alguns momentos a equipe da AB InBev teve dúvidas se conseguiria fechar o negócio que, poucos meses antes, parecia certo. Era o momento de arriscar tudo.

Em 26 de julho, os acionistas da AB InBev fizeram o que ficou conhecido como a oferta do "último pound", já que somava exatamente esse valor ao preço pago por cada ação da SABMiller. A brasileiro-belga estava disposta a subir de 44 para 45 libras sua oferta, 53% a mais do que o valor da ação na véspera do anúncio da intenção de compra. A nova proposta foi entregue com o compromisso da AB InBev de que era o melhor e último valor a ser oferecido (conhecido no mercado como *best and final*). Nesse tipo de oferta, a lei inglesa não aceita blefe. Uma vez que afirma que não haverá um aumento, a empresa compradora não pode voltar atrás. Se o valor oferecido for rejeitado, ela fica proibida de tentar a aquisição por um ano. "Foi como uma jogada de pôquer. Poderíamos perder tudo", diz David. "Depois de todo aquele tempo investido, de todo o estresse que passamos, imagina como seria ruim ver o negócio morrer."

A equipe da AB InBev acordou no dia seguinte com uma notícia que aumentaria ainda mais o nível de estresse. Um grupo de acionistas, entre eles o fundo Elliott Capital Advisors e o Children's Investment Fund, estavam pressionando a SAB a tentar um valor ainda maior — e o presidente do conselho da companhia sul-africana, Jan du Plessis, havia deixado claro ao mercado que ouviria os acionistas antes de tomar sua decisão.

O jornal *The Guardian* publicara que Plessis havia tido uma conversa com o conselheiro independente da AB InBev Olivier Goudet, sua contraparte na negociação, na sexta-feira anterior, dia 22 de julho. Os dois haviam discutido os termos acordados em outubro de 2015, agora levando em conta a queda no valor da libra. Plessis e Goudet não falaram, porém, de uma nova oferta, que só seria anunciada quatro dias depois.

Depois de 72 horas de tensão, veio a notícia. Os acionistas da SABMiller aceitaram o valor de 45 libras por ação no dia 28 de setembro de 2016, dizendo aos compradores que o valor estava no limite mínimo aceitável. Isso significava que a empresa havia sido avaliada em US$ 104 bilhões.

Uma nova imagem

A aproximação entre as duas empresas começou antes de o negócio estar totalmente concluído. Sem trocar informações estratégicas e confidenciais, a liderança da AB InBev percorreu as principais regiões em que atuava a SABMiller: Londres, América Latina, África e Austrália. Como em fusões e aquisições anteriores, o objetivo era conhecer as pessoas e identificar as que mais se destacavam.

O time da AB InBev era formado por Carlos Brito, David Almeida, Claudio Garcia e Patrícia Capel, os dois últimos responsáveis pela área de pessoas. Eles passavam entre três e quatro dias em cada lugar, com grupos de duzentos a trezentos funcionários. A maioria deles já havia ouvido falar sobre a AB InBev, lido livros que explicavam a cultura de corte de custos e reportagens que ressaltavam a agressividade do modelo de gestão, por isso tinha expectativas ruins. Esperava executivos desumanos, preocupados apenas em eliminar as pessoas para aumentar as margens de lucro. Carlos Brito, sempre o primeiro do grupo a falar, tentava desfazer essa imagem apresentando a cultura da companhia baseada na ideia de sonho, com seus dez princípios. Em seguida, abria para duas horas de perguntas. Depois, os quatro executivos se dividiam para conversar individualmente com cem a 150 pessoas em cada lugar.

O grupo estava determinado a manter o máximo possível o quadro de funcionários local e só trocar 10% da liderança. A decisão tinha basicamente duas motivações. A primeira era que, sob o aspecto de gestão, aquele era um negócio diferente de todos os que haviam feito no passado. A SAB não era uma empresa que os investidores consideravam mal administrada. "Eles tinham tido um histórico incrível de sucesso", afirma David Almeida. "Obviamente foram os profissionais que causaram esse histórico. Portanto, a gente tinha interesse em manter e desenvolver as pessoas certas." A segunda motivação era uma tentativa de levar a companhia para um estágio mais alto de maturidade. Depois de algumas levas de expatriados comandando as integrações e ocupando os principais cargos nas novas operações, os donos e executivos entendiam que era preciso fazer diferente. Dar a oportunidade para funcionários locais aprenderem com os veteranos — ainda que o aculturamento fosse mais trabalhoso. A bagagem de integrações os deixava seguros sobre a base construída. Também tentavam se dissociar do que se tornara um estigma: os brasileiros tinham mais oportunidades que profissionais de outras partes do mundo, o que não fazia sentido em um momento em que o controle da companhia estava dividido com famílias de outras nacionalidades. Isso não significava que abririam mão do sistema que os levara até ali. A ideia era contar com as equipes locais, mas aplicar os pilares da gestão da AB InBev também nas operações africanas. A SAB, por sua vez, não era um poço de ineficiências, como empresas adquiridas no passado. Além de profissionais qualificados, sua maior contribuição à cervejaria global que se criava foi um sistema complementar à estratégia da AB InBev.

A grande força identificada pelos brasileiros e belgas na companhia sul-africana foi um modelo de análise de mercado com base no estágio de desenvolvimento de cada região e país. Enquanto a AB InBev crescia principalmente por meio de ganho de participação em mercados já existentes, a sul-africana se dedicava a encontrar oportunidades de criar ou aumentar o consumo de cerveja. O modelo seria adotado pela companhia globalmente.

Ricardo Tadeu foi o escolhido para tocar a Zona África, que abarcava doze países. Com 21 anos de empresa, ingressara ainda na Brahma, havia ocupado a vice-presidência de vendas da AmBev e participara da operação no México, onde, por quatro anos, liderara o Grupo Modelo. A operação mexicana tinha desde então o melhor Ebitda do grupo e grande engajamento da equipe local.

Antes de assumir o cargo, Ricardo encontrou Jorge Paulo Lemann, que disse a ele: "Gostaria que você construísse uma empresa-modelo, que seja inspiradora para outras do mercado não só pelos resultados que gera, mas também pelo impacto positivo que causa no mundo".

Depois de construir um modelo de gestão consagrado — e copiado — globalmente, os donos da empresa tinham novas preocupações. O mundo havia mudado, e ter responsabilidade social já não era apenas uma opção para grandes empresas: era condição para ganhar a confiança dos clientes. Além do produto em si, os consumidores se importavam, cada vez mais, com a maneira de produzi-lo e comercializá-lo. Cobravam transparência, ações humanitárias, cuidados com o meio ambiente. Uma boa gestão agora incluía tratar as pessoas com cordialidade, respeitar sua vida pessoal e outros fatores que muitas vezes não eram levados em conta no ambiente empresarial do século passado.

A nova diretriz estava alinhada às próprias crenças de Ricardo. "Tudo faz parte da mesma coisa. O nosso sucesso como negócio é que nos permite fazer os investimentos nos países e gerar oportunidade para as pessoas da empresa. Essas ações só são possíveis porque somos rigorosos, disciplinados e focados no trabalho", afirma Ricardo. No dia 11 de outubro de 2016, um dia antes de chegar ao país, ele publicou um vídeo no canal da SABMiller no YouTube em que reafirmava o compromisso publicamente: "Sonho em fazer uma diferença positiva no mundo [...] Acredito, com todo o coração, que tudo o que fizemos até aqui teve como objetivo nos trazer a este exato momento. É o momento da criação de uma empresa tão poderosa e fascinante que tem não apenas a oportunidade, mas também a responsabilidade de liderar o caminho para se tornar um grande modelo de empresa para todo o mundo".*

A chegada à África do Sul era uma oportunidade para a AB InBev ressignificar toda a sua história, alinhando o passado à maturidade da empresa no presente. Seu modelo começara a ser construído, testado e ajustado na Brahma, nos anos 1990. Depois de ganhar o mundo, adaptando-se às novas realidades, aprendendo com cada um dos sócios conquistados ao longo do percurso, chegara o momento de reconstruir a SAB — uma empresa ícone em um país cheio de adversidades, assim como o Brasil — com o que de melhor sobrevivera e se fortalecera até ali.

---

* "Ricardo Tadeu, Africa Zone President at AB InBev", SA Breweries, YouTube, 11 out. 2016. http://bit.ly/2Ur8sIZ

CAPÍTULO 18

A maior cervejaria do planeta

Quando chegou ao escritório da SABMiller em Johannesburgo, Ricardo Tadeu encontrou a equipe ainda assustada com o que estava por vir. Durante alguns dias, os funcionários o olhavam com curiosidade, tentando encontrar em suas atitudes respostas para suas aflições. "O maior desafio era mostrar para a equipe que eu era uma pessoa — e não uma corporação. Só assim conseguiria construir relações de confiança", diz Ricardo. Para isso, reproduziu o que havia funcionado no México: passou os primeiros três meses se reunindo com grupos de oito a dez pessoas, durante aproximadamente duas horas cada. Ele explicava a cultura da empresa, falava de metas e sistema de gestão, e abria espaços para cada um se apresentar, sugerindo que compartilhassem informações pessoais, como o filme favorito. Todos eram incentivados a fazer perguntas sobre a nova administração.

Logo nos primeiros dias, a imagem que a equipe criou de Ricardo já não correspondia às ideias fatalistas que tinha na cabeça — especialmente dos que haviam lido *Destronando o rei*, que conta a história da aquisição da Anheuser-Busch pela InBev. Poucos dias depois da chegada do brasileiro, a executiva Shobna Persadh, que havia comprado dezenas de exemplares e distribuído o livro aos colegas, tinha uma impressão bem diferente do novo chefe e, consequentemente, da empresa: "O Ricardo é ao mesmo tempo, humano e humilde. Eu e minha equipe fomos inspiradas pela ideia de sonho que ele compartilhou conosco — uma palavra que antes não associávamos ao ambiente de trabalho".

Esse tipo de elogio, pouco usual em outras operações, foi recorrente em entrevistas com os funcionários da SABMiller. Educado, paciente, focado, justo, "alguém que coloca o coração e as mãos no trabalho", "que conversa com as pessoas com interesse genuíno pelo que têm a dizer" foram algumas das declarações sobre ele de gerentes, diretores e prestadores de serviço terceirizados.

Ricardo não faz o estilo simpático (sorri pouco e comedidamente), mas é considerado por pessoas próximas alguém capaz de ganhar a confiança e a admiração de seu time, por se colocar "no mesmo barco, e não apenas como um cobrador", diz um executivo da empresa. Como exemplo disso, um gerente relatou o envolvimento pessoal e a empolgação de Ricardo na escolha de um imóvel para abrigar o novo escritório — cuja decoração segue o estilo dos de Nova York, com mesas coletivas, grafite nas paredes e um painel composto por garrafas vazias. Enquanto caminha pelos corredores, Ricardo aponta instalações como essa para explicar que a cultura de corte de custos nada tem a ver com um ambiente sem graça ou simplório. "Não temos aqui objetos necessariamente chiques. São coisas simples, algumas vieram do escritório anterior. Quando pensam sobre a empresa, muitas pessoas confundem austeridade com ser barato. Mas para nós, são conceitos bem diferentes. Cuidar das coisas é importante", afirma.

O teor dos elogios da equipe da África do Sul são uma novidade não só para a cultura da empresa, mas também para Ricardo. Em geral, colegas que o conheceram ao longo de sua carreira usam uma palavra diferente para falar sobre ele: inteligente.

Aos dez anos, Ricardo apareceu em um programa no SBT porque fazia contas mais rápido do que a calculadora. Aos doze, ingressou em uma faculdade particular do Rio de Janeiro, no curso de direito. Aos dezoito, foi o mais jovem mestre em direito em Harvard.

Na cervejaria, Ricardo foi um dos principais responsáveis pela idealização do sistema de precificação da companhia e por diversas ações que partiam de análises minuciosas dos números. Essa habilidade matemática não tinha muita serventia nos relacionamentos interpessoais. Embora seja considerado gentil pelos colegas, ele tinha dificuldades de interação e causava uma impressão oposta à que viria a adquirir no time da África. Sempre quieto e reservado, no começo da carreira era visto como impaciente, segundo um ex-diretor da AmBev que trabalhou com ele no início dos anos 2000. "Era até difícil sentar à mesa com ele, porque não conseguíamos acompanhar seu raciocínio lógico, sempre muito à frente." Depois de ouvir declarações como essas de alguns colegas, principalmente nas avaliações de desempenho, Ricardo foi moderando sua atitude e investindo mais na construção de laços com os times.

Em janeiro de 2017, três meses depois das conversas de apresentação do modelo de gestão na África, foi lançado o programa de demissão voluntária, com um atraente pacote de remuneração para quem escolhesse sair da SAB até o mês seguinte. O objetivo era que ficassem apenas os que se identificassem com a nova cultura e estivessem realmente comprometidos com o projeto global da AB InBev. Ricardo acompanhava diariamente os nomes de quem havia deixado a empresa. Levando em conta o excesso de pessoas em função de sobreposições de cargos ou adequação à estrutura-padrão da companhia, sua expectativa era de que entre duzentos e 250 profissionais saíssem. Mas o número foi maior: 380. Foi preciso recrutar funcionários — o que Ricardo fez localmente. Uma das nomeações de destaque foi a da inglesa Annabelle Degroot (funcionária da SABMiller desde 2008) como presidente da unidade da Nigéria em setembro de 2017.

Por um lado, o fato de a empresa ter um histórico de sucesso deixava a liderança da AB InBev tranquila quanto a esse tipo de decisão. Por outro lado, era um desafio. Até então, a companhia se especializara em replicar seu modelo por meio da expatriação de executivos que já conhecessem a cultura a fundo. Agora, teriam de desenvolver grande parte das equipes localmente, o que fazia parte do compromisso assumido com as autoridades locais. Ricardo conta que as pessoas passaram alguns meses esperando os veteranos chegar para explicar a cultura. "São vocês que vão explicar", dizia ele. "Vocês são os novos representantes da empresa." Em 2017, do total de 5732 funcionários, apenas 78 eram estrangeiros, e apenas cinco brasileiros.

Para isso funcionar na prática, Ricardo dedicou boa parte de seu tempo ao que muitas vezes se aproximava de um processo de coaching, com conversas mais sobre comportamento do que sobre resultados. Outro sinal positivo foi dado aos africanos em março de 2017, quando a Cidade do Cabo sediou a convenção anual de líderes da AB InBev, que reúne os trezentos executivos mais graduados da companhia, responsáveis por diferentes áreas ao redor do mundo.

Um milhão de dólares para já

Nos vinte dias iniciais em Johannesburgo, em outubro de 2016, Ricardo conciliou o trabalho qualitativo de conversar com os funcionários com cálculos exatos que o levariam a definir o orçamento para o ano seguinte. Por melhor que fosse com números, sabia que corria riscos imprevisíveis, com tão pouco tempo para conhecer a fundo uma operação tão grande e padronizar indicadores até então organizados de acordo com métodos diferentes do sistema da AB InBev. Se a visão do cenário não era nítida para ele, era ainda menos para Brito e Felipe Dutra, CFO da companhia. Mesmo assim, Ricardo conseguiu US$ 200 milhões para investir na capacidade produtiva das fábricas da África do Sul e da Nigéria. Os resultados viriam tão rapidamente quanto a verba. Em julho de 2018, a nova unidade industrial da Nigéria já estava em operação, e o país tem registrado altas taxas de crescimento.

A velocidade com que o valor proposto por Ricardo foi aprovado pelos principais diretores da empresa — duas semanas — surpreendeu a equipe na África. Apesar da reconhecida boa gestão que a SABMiller tivera ao longo das décadas anteriores à aquisição, os funcionários estavam acostumados a esperar às vezes um ano para um investimento ser liberado (quando era). Havia burocracia e necessidade de pedir permissão a diversos níveis executivos, o que truncava o ritmo do trabalho.

A agilidade foi um dos aspectos positivos destacados por Shobna, um ano depois da mudança de gestão. Ela participou de um trabalho em conjunto com o governo da Cidade do Cabo, que tinha como propósito reduzir os danos decorrentes do uso abusivo de álcool — um sério problema na África. Foram seis meses de discussões, lideradas pessoalmente por Ricardo, até chegar a um acordo de parceria. Para isso, a AB InBev teve de se comprometer a contribuir com US$ 1 milhão. "Eu estava um pouco cética, porque era muito dinheiro", diz Shobna. Mesmo assim, preparou um consistente discurso para convencer o chefe, mas não precisou ir até o fim. Ele logo deu seu o.k.. "O.k.?", repetiu ela. "O.k.", ele confirmou. O acordo estava selado. A partir desse e de outros investimentos, criou-se um diálogo contínuo entre a indústria e o governo para discutir como combater os efeitos negativos do abuso das bebidas alcoólicas.

Shobna foi promovida a diretora de relações institucionais em dezembro de 2016, dois meses depois da chegada de Ricardo. O título era mais do que o reconhecimento de seu trabalho recente: era a realização de um sonho que, até alguns anos antes, parecia impossível.

Em 2006, Shobna ingressou na SAB favorecida pelo sistema de cotas nas empresas estabelecido pelo governo. Ela correspondia às características de "mulher de cor", um dos perfis que os contratantes eram obrigados a preencher. Depois de onze anos na empresa, sentia-se, pela primeira vez, reconhecida unicamente pelo que era e pelo que fazia. "Eles [os executivos da AB InBev] só querem pessoas dispostas a trabalhar duro, que amem a empresa e sua cultura. Acho que o Ricardo e seus colegas não sabem o impacto disso em um país como a África do Sul. É uma coisa enorme para nós."

O investimento em agricultores locais inclui a fabricação de cervejas com ingredientes regionais, como o sorgo e a mandioca. Em 2017, a AB InBev lançou um pacote com oito rótulos de cervejas ícones da SAB, de diferentes países da África, para exportar para mercados globais como Estados Unidos e China. A ação fez parte da parceria com a Stop Hunger Now Southern Africa (SHNSA), uma ONG internacional que embala e distribui refeições nutritivas e saudáveis no continente para estudantes. A equipe da SAB tem trabalhado no desenvolvimento de novidades além da tradicional cerveja — do lançamento da bebida sem álcool, até então inexistente no país, a alimentos à base de grãos, como o Jump Start.

Uma das iniciativas mais férteis encontradas na SAB — e intensificadas pela AB InBev — foi o programa Be The Mentor. Baseava-se no engajamento de jovens das periferias do país que se voluntariavam a trabalhar com menores de idade que já haviam experimentado bebida alcoólica. A missão deles era evitar que voltassem a consumi-la. Para isso, os jovens recebiam mentoria desses voluntários com diferentes formações, de assistentes sociais a psiquiatras, que passavam por um treinamento. A AB InBev ampliou o programa de cem para quatrocentos mentores e pretende continuar expandindo-o.

Os mentores se orgulham do trabalho que fazem nas comunidades em que vivem. "Tudo o que se espera de uma empresa como a SAB é que vá te empurrar bebidas", afirma uma mentora, em uma conversa com um grupo de colaboradores em um bar dentro de uma *township* de Durban. "Mas o que estamos fazendo aqui é ajudar a mudar o jeito de pensar e de se comportar das pessoas para evitar os impactos negativos do consumo de álcool."

Uma iniciativa da AB InBev foi o programa Smart Drinking Squad (SDS), um acordo com pontos de venda de periferia, liderado por funcionários da SAB. De um lado, a empresa oferece melhorias nos estabelecimentos que vão de itens básicos, como a construção de um banheiro (às vezes inexistente nos arredores) para atender toda a vizinhança, instalação de câmeras nas ruas e doação de mesas, cadeiras e geladeiras. Do outro, os donos e gerentes dos lugares se comprometem com oito pontos da campanha, descritos em pôsteres pendurados nas paredes dos bares. Por exemplo, não vender álcool a mulheres grávidas, menores de idade ou pessoas já alcoolizadas. A equipe da cervejaria visita regularmente os bares para checar se estão cumprindo sua parte. A companhia se comprometeu a investir US$ 1 bilhão em todo o mundo até 2025 para promover o SDS por meio de programas sociais e campanhas inovadoras de marketing social.

A frente de empreendedorismo inspirou uma meta ousada para a AB InBev: gerar 10 mil empregos na África do Sul até 2021. O número-alvo era um cálculo aproximado do dobro dos mais de 5 mil funcionários que a cervejaria se comprometeu a manter por cinco anos.

O meio para atingir a meta está em programas que beneficiam de empresários rurais a grandes companhias; empreendedores e inovadores sociais, com ênfase em mulheres, jovens, pessoas que vivem em áreas rurais e pessoas com deficiência; além de apoio ao desenvolvimento de fornecedores da indústria. Com a chegada da AB InBev, a abordagem dos programas se tornou mais estratégica, com transferência de conhecimento em gestão para os participantes.

Sem desculpas na África

Como no Brasil, a violência contra a mulher é um problema recorrente principalmente nas áreas mais pobres da África, e foi tema de uma campanha, #NoExcuse, lançada pela SAB em 24 de novembro de 2017, Dia Internacional para Eliminação da Violência contra as Mulheres. Ela daria início à campanha de dezesseis dias de ativismo contra a violência de gênero ao redor do mundo. "Na África do Sul, o apartheid e o colonialismo deixaram muitas marcas", afirma Andrea Quaye, vice-presidente de marketing da empresa. "Há muitas razões para explicar que nossa sociedade seja disfuncional. Mas essa campanha é para dizer que nada é desculpa para comportamentos como esses."

A marca escolhida para ser associada à campanha foi a Carling Black Label, uma das mais vendidas da empresa. Andrea disse que a campanha convidava os homens a tomar partido em relação ao tema do comportamento abusivo. "Acreditamos que, se falarmos com os homens, eles vão nos ouvir."*

O primeiro ano da AB InBev na África foi considerado um sucesso por grande parte dos executivos da cervejaria, dos investidores e dos funcionários da SAB que decidiram participar da nova etapa da companhia. Antes da transação, 80% dos resultados da maior cervejaria do mundo se concentravam em quatro países: Estados Unidos, Brasil, México e China. Com a aquisição da sul-africana, a participação de cada região se diluiu.

No primeiro programa de trainee no continente, ainda restrito a quatro países (África do Sul, Nigéria, Tanzânia e Gana), mais de 30 mil jovens se inscreveram. A maior parte das pessoas que se orgulhava de trabalhar na SAB antes da aquisição terminou o ano de 2017 aliviada porque as trágicas expectativas tinham sido frustradas com a chegada de Ricardo Tadeu — e com as visitas de Carlos Brito, David Almeida e outros estrangeiros da AB InBev. Os objetivos da nova companhia pareciam alinhados à ambição dos que haviam escolhido a SABMiller para construir sua carreira.

Para os executivos da AB InBev, por sua vez, o retorno positivo da equipe local era o melhor indicador que poderiam ter de que aproveitaram não só aquela oportunidade, mas muitos aprendizados no decorrer do caminho para amadurecer o modelo criado à base da mistura de improviso e planejamento.

Nos corredores do escritório em Johannesburgo, algumas pessoas não sabem responder quem é Jorge Paulo Lemann, Beto Sicupira ou Marcel Telles. Sinal de que a AB InBev conseguiu ir além da imagem dos criadores do modelo de gestão que chegara até ali. Os funcionários africanos em geral não ouviram falar das práticas exageradamente agressivas que, nos primeiros anos de AmBev, deixaram cicatrizes profundas no Brasil. Para eles, a maior cervejaria do mundo é o que estão vendo no dia a dia: um modelo sólido, globalizado, focado em resultado, mas que respeita as pessoas e suas diferenças.

A nova postura, porém, não apagaria as marcas acumuladas ao longo de três décadas. Muitas delas ganhariam força na segunda década de 2000, trazendo à tona questionamentos e dilemas com os quais os diretores da companhia não estavam certos nem alinhados sobre como lidar. Entre os principais problemas que permeavam a companhia globalmente, um efeito colateral da cultura

---

* "SAB launches #NoExcuse campaign to raise awareness against gender based violence", 702, 24 nov. 2017. http://bit.ly/2GxHKKX

se destacava. Dos dezoito diretores que se reportavam diretamente a Brito em 2019, todos eram homens brancos na faixa dos quarenta a cinquenta anos, dez deles brasileiros. Não havia mulher no grupo desde 2017, quando Sabine Chalmers, responsável pela área jurídica, deixou a AB InBev.

Em março daquele ano, Brito abordou o tema durante a convenção da liderança realizada na Cidade do Cabo, na África do Sul. Em meio a cerca de trezentos diretores da companhia, fez uma provocação: "Olhem ao seu redor nesta sala. Vejam quem vocês são. Quantos são homens, brancos, brasileiros? O mundo não é isso. Não está refletido aqui. Precisamos mudar, ter uma diversidade maior de pessoas para continuarmos progredindo".

Sem desculpas na AmBev

No Brasil, o tema havia ganhado uma polêmica repercussão em 2015. Às vésperas do Carnaval daquele ano, a equipe da Skol lançou a campanha "Viva Redondo" na cidade de São Paulo, com cartazes que diziam: "Topo antes de saber a pergunta", "Tô na sua, mesmo sem saber qual é a sua" e "Esqueci o 'não' em casa". A campanha foi compreendida como apologia ao estupro, e em uma época em que o assédio às mulheres é ainda mais frequente: no Carnaval.

Indignadas com a campanha, Pri Ferrari, publicitária, e Mila Alves, jornalista, fizeram uma intervenção em uma publicidade em um ponto de ônibus no bairro do Paraíso, em São Paulo. Elas continuaram a frase "Esqueci o 'não' em casa" com "E trouxe o 'nunca'". Escreveram ainda: "A 'maravilhosa' Skol decidiu fazer uma campanha de Carnaval espalhando frases que induzem a perda do controle. [...] Uma campanha totalmente irresponsável, principalmente durante o Carnaval que a gente sabe que o índice de estupro sobe pra caramba. Amigos publicitários, vocês precisam ter mais noção e respeito. #feminismo #respeito #estuproNAO". A foto foi publicada no Facebook e amplamente curtida e compartilhada.

Diante da repercussão negativa, a AmBev recuou no mesmo dia. Em comunicado, afirmou que tinha como mote "aceitar os convites da vida e aproveitar os bons momentos". Também informou que tiraria a campanha de circulação. O comunicado ainda dizia: "Por respeito à diversidade de opiniões, substituiremos as frases atuais por mensagens mais claras e positivas, que transmitam o mesmo conceito. Repudiamos todo e qualquer ato de violência, seja física ou emocional, e reiteramos o nosso compromisso com o consumo responsável. Agradecemos a todos os comentários".

Alexandre Loures, então diretor de comunicação da AmBev, entrou em contato diretamente com Pri Ferrari, avisando que faria uma força-tarefa durante a noite para tirar a campanha das ruas e colocar uma nova no lugar com um conceito de "diga sim para as coisas boas". "Falei que ele tinha que pensar mil vezes antes de colocar no ar uma coisa daquele tipo, que tem responsabilidade como patrocinador e como marca",* diz Pri. "Desliguei, abracei a Mila e choramos. Ganhamos essa! E a AmBev com certeza vai pensar duas vezes antes de fazer uma campanha que ofenda alguém."

Os cartazes foram substituídos por novos slogans da campanha, que incluíam "Não deu jogo? Tire o time de campo", "Quando um não quer, o outro vai dançar" e "Tomou bota? Vai atrás do trio". O slogan era "Neste Carnaval, respeite". No mesmo dia, o Conar abriu uma representação contra a campanha depois de receber trinta denúncias de consumidores, mas em abril o caso foi arquivado.

Pedro Earp, então diretor de marketing, foi substituído por Paula Lindenberg em 13 de fevereiro de 2015, dois dias depois do início da confusão. Ele seria mandado para Nova York para assumir o cargo global de chief disruptive growth officer na zx Ventures, o braço de inovação da AB InBev. A troca de executivos estava determinada havia meses, mas ficou a impressão de que havia sido convocada às pressas. Paula ainda é uma exceção na liderança da companhia, mas é referência para executivas mais jovens.

Outra discussão relativa à mulher se refere ao seu papel como consumidora. O investidor norte-americano Thomas Russo, da Gardner Russo & Gardner, considera a atração de mulheres como consumidoras de cerveja um dos principais desafios atuais da indústria. "O grupo de consumo mais importante que a indústria de cerveja precisa recrutar é o das mulheres, maciçamente sub-representadas", afirma.

Durante décadas, não só a AmBev, mas todas as principais cervejarias no Brasil usavam a imagem do corpo feminino em suas campanhas de marketing. Mulheres de biquíni ou quase sem roupa eram tratadas como parte do pacote para vender cerveja. Apareciam nos comerciais associadas ao desejo de consumo, e não no papel de consumidoras. Desde o início da segunda década de 2000, no entanto, isso vem mudando. Em algumas propagandas, as mulheres passaram a aparecer vestidas, como parte do grupo que bebe a cerveja. Com uma crescente discussão de gênero, o tema ganhou força nos debates da indústria com o apoio do Conar, e o teor dos antigos comerciais passou a soar cada vez mais inapropriado nos tempos de hoje.

Dois anos depois da campanha de marketing desastrosa da Skol, em março de 2017, a AmBev aproveitou o gancho do Dia da Mulher para levar a bandeira de uma mudança de posicionamento de marketing. No Facebook da marca, uma frase apresentava a nova campanha, que ganhou o nome de Repôster: "Já faz alguns anos que algumas imagens do passado não nos representam mais". Seis

---

* "Acusada de apologia ao estupro, Skol vai retirar campanha de circulação após protesto feminista", *Folha de S.Paulo*, 11 fev. 2015. http://bit.ly/2V5FBON

ilustradoras ligadas à causa feminista foram convidadas pela agência F/Nazca para redesenhar antigos cartazes da marca, nos quais a mulher era objetificada. "Acreditamos que esse era o momento ideal para fazer essa análise e mostrar ao público que erramos, sim, mas que esse pensamento já faz parte do passado", afirma Theo Rocha, ex-diretor de criação da F/Nazca. Maria Fernanda Albuquerque, diretora de marketing da Skol, disse na época que toda vez que deparavam com peças antigas da cervejaria, que mostram posicionamentos distantes do que a companhia adotou com o passar dos anos, surgia uma vontade de redesenhá-las e reescrevê-las. "Queremos cada vez mais dar voz a quem defende o respeito",* afirmou.

Tentar de novo. Falhar de novo. Falhar melhor

Uma das artistas que participou do projeto foi Eva Uviedo, que antes do convite não se identificava com a comunicação da Skol, embora fosse consumidora. "Pelos anúncios, me parecia que eles acreditavam que seu produto era consumido por homens solteiros. E tolos." A experiência de redesenhar a campanha mudou sua visão sobre a AmBev. "Acredito em mudar para limpar, atualizar, rever os erros do passado. Amei que a marca convidou as mulheres a dizer como a comunicação poderia ser feita de maneira diferente, mais inclusiva. Especialmente por ter feito uma autocrítica e proposto, em público, uma renovação." Um dos desenhos de Eva trazia uma mulher com uma camiseta estampada com a frase do escritor irlandês e prêmio Nobel de literatura Samuel Beckett: *"Try again. Fail again. Fail better"*.

Outro grande problema em relação às mulheres no mercado de trabalho no mundo contemporâneo é a já comprovada desigualdade de remuneração para mesmo cargo. Nesse quesito, a AB InBev está em dia.

Carlos Brito, CEO da companhia, confirma que o tema das mulheres está entre suas principais preocupações. Hoje, em geral, 40% dos aprovados no programa de trainee da companhia no mundo são mulheres. Mas, à medida que os profissionais são promovidos, o número de mulheres cai para até 20%. Nos escritórios globais, há cerca de 30% de mulheres. De acordo com Brito, os motivos que levam à diminuição do número de mulheres ao longo da carreira estão sendo investigados em uma pesquisa interna, baseada em entrevistas com funcionárias e com aquelas que pedem demissão. "Estamos comprometidos em trabalhar sobre os porquês", diz Brito. Entre as hipóteses que justificariam a saída das mulheres está a necessidade de mudar de cidade ou país. "Se a mo-

---

* "Skol assume passado machista e ressalta a importância de evoluir", *Meio & Mensagem*, 9 mar. 2017. http://bit.ly/2PmynAp

bilidade for de fato um problema para algumas, será que podemos fazer um plano de carreira diferente? Questões como essa ainda precisam ser respondidas", afirma o CEO.

A pesquisa interna faz parte de uma ação global da empresa para aumentar a diversidade e a inclusão nas equipes — que pretende atrair também funcionários de outras minorias, como pessoas não brancas e LGBT.

Bernardo Paiva afirma que o tema é encarado como uma atualização da postura da empresa aos dias de hoje, mantendo a essência do início da Brahma, onde ele ingressou 27 anos atrás, em uma das primeiras turmas de trainee. "Para ser de fato meritocrático, é preciso dar as mesmas oportunidades para todos. Não estamos fazendo nada diferente do que está em nosso DNA."

Para garantir a aplicação da meritocracia, não pode haver privilégios implícitos em todas as etapas da carreira de alguém. Essa é uma exigência mais difícil de cumprir, já que há vieses cognitivos. É comum as pessoas considerarem melhores aquelas com as quais se identificam ou simpatizam. O tema é estudado em áreas como psicologia e economia comportamental. Há três anos, na operação da AB InBev no Brasil, Bernardo se baseou em alguns desses estudos para adotar duas medidas simples com o objetivo de garantir as mesmas oportunidades para todos nas contratações e promoções. A primeira ação foi incluir checkpoints durante a seleção ou promoção de funcionários. São paradas para ponderar antes de escolher o candidato. No recrutamento, é preciso sempre considerar três nomes. A intenção é focar em fatos, e não em opiniões pessoais. "Quando você sai do piloto automático e pensa com mais calma, pode checar indicadores objetivos, e é isso o que queremos." Sua segunda medida foi eliminar a antes recorrente "decisão de corredor." Não são mais válidas as decisões tomadas por Bernardo enquanto ele caminha pelo escritório e é abordado de supetão.

De 2014 a 2017, o número de mulheres diretoras da empresa no Brasil dobrou: foi de 7% para 14%.

O melhor de cada mundo

Embora o resultado ainda seja tímido, o discurso da companhia de fato mudou na segunda década de 2000. Os executivos estão mais abertos à imprensa, preferindo participar de reportagens (como as da campanha da Skol "Viva Redondo") a silenciar, como faziam recorrentemente.

Muitas vezes, a própria companhia procura a imprensa para divulgar ações positivas que antes se restringiriam ao ambiente interno. Essas ações em geral estão relacionadas aos seis pilares ligados à responsabilidade social que norteiam a empresa globalmente: água, embalagem circular, agricultura sustentável, ações climáticas, empreendedorismo e consumo inteligente. Em cada região do mundo, essas iniciativas se desdobram em medidas pontuais, de acordo com as possibilidades e necessidades do lugar.

A AB InBev estabeleceu quatro objetivos ambiciosos para 2025, na tentativa não apenas de diminuir o impacto negativo da companhia, mas de criar efeitos positivos. A primeira meta era investir em agricultura inteligente, com 100% dos agricultores diretos qualificados, conectados e financeiramente capazes de sustentar seus negócios. A segunda era a gestão da água, com aumento mensurável da qualidade e disponibilidade nas comunidades mais necessitadas em que a cervejaria atua. A terceira era que todos os produtos da empresa teriam embalagens retornáveis ou feitas a partir de material majoritariamente reciclado. Por último, 100% da eletricidade utilizada pela companhia seria proveniente de fontes renováveis e haveria uma redução de 25% nas emissões de gás carbônico em toda a sua cadeia de valor.

A operação do Brasil se tornou uma referência mundial no setor em eficiência hídrica. Ao longo de quinze anos, a AmBev reduziu em 45% seu consumo de água. A companhia desenvolveu o Sistema de Autoavaliação de Eficiência Hídrica (SAVEh), uma plataforma on-line, lançada em 2017, pela qual oferece gratuitamente seu sistema de gestão hídrica a outras empresas.* Em um ano, cerca de 120 organizações se cadastraram no site. Segundo os próprios usuários, houve uma redução total média de 20% no consumo de água nesse período.

No mesmo ano, a AmBev lançou a AMA, uma água mineral desenvolvida em parceria com a Yunus Negócios Sociais, uma ONG fundada pelo ganhador do prêmio Nobel da paz Muhammad Yunus. O lucro sobre a venda é 100% revertido para viabilizar projetos de acesso à água potável no semiárido brasileiro.

Na seção de sustentabilidade do site da AmBev, uma mensagem resume a maneira como a equipe gostaria de ser vista pelos consumidores: "Somos uma empresa de donos. E donos cuidam. Cuidam de tudo aquilo que afeta o negócio e contribui para a sua perenidade. Mas cuidam de maneira pragmática, como tudo o que a gente faz. Sustentabilidade para a gente não é teoria. É realização. É jeito de fazer as coisas certas, tendo como inspiração um sonho grande".

Se a mudança de postura não foi suficiente para conquistar a parcela dos consumidores de cerveja do país que se tornou militante contra a AmBev, principalmente das classes A e B, pode ter fortalecido a imagem positiva que a empresa tem entre os universitários de áreas ligadas a negócios. Em 2018, a AmBev foi eleita a terceira empresa dos sonhos de estudantes e recém-formados, na pesquisa da Cia de Talentos, especialista em seleção, desenvolvimento e educação para a carreira, atrás de Google e Nestlé. Na avaliação feita por profissionais em nível gerencial, a empresa aparece em oitavo lugar e, pelos de alta liderança, em quinto.

---

* "Grandes empresas impulsionam pequenas", *Estadão*, 31 dez 2017. http://bit.ly/2UItv9M

A AB InBev também se destaca em outros países da América Latina. Segundo a pesquisa da Cia de Talentos, em 2017, a cervejaria ocupou o 3º lugar no Paraguai, 5º no Peru, 9º no México, 9º na Colômbia e o 17º no ranking da Argentina.

Nos Estados Unidos, a empresa ainda não está entre as melhores para se trabalhar na lista da *Fortune* ou em levantamentos das organizações mais desejadas pelos jovens. Em 2017, ficou em 43º lugar na lista de empregadores mais atrativos no mundo, segundo a Universum, especializada em conectar universitários às maiores companhias do mundo. De acordo com pesquisa da consultoria, em 2018, a cervejaria ocupava a 60ª posição entre as empresas mais atrativas para estudantes de negócios nos Estados Unidos (no ano anterior, ficara em 68ª), e o 49º lugar entre os estudantes de engenharia (contra 58º em 2017). Na Bélgica, onde ficam a fábrica da Stella Artois, o centro de inovação global e a antiga sede da InBev, a companhia já tem uma força relevante. Foi considerada a sétima empregadora mais atraente do país por estudantes universitários da área de negócios em 2018.

Em 2017, um total de 145 mil pessoas se inscreveu nos programas de trainee da companhia ao redor do mundo. Entre eles, 219 foram aceitos. No Brasil, o programa de trainee é um dos mais concorridos, com até 70 mil inscritos por ano. Os números indicam que atrair jovens talentos não é um problema para a companhia. Estudos recentes sobre o comportamento dos milennials, nascidos entre 1981 e 1996, e os integrantes da geração Z, nascidos de 1997 a 2012, indicam que eles têm interesses divergentes aos de gerações anteriores, tendendo a valorizar mais o propósito do trabalho do que a remuneração financeira, o rápido crescimento do que a estabilidade na carreira, a liberdade de criar do que a repetição de padrões.

Para quem vê de fora, a AB InBev é uma indústria tradicional do setor de bens de consumo. Não só por fazer algo tão antigo como fabricar cerveja, mas pelo sistema de trabalho. Linhas de produção, grande escala, métodos estruturados, metas financeiras. A companhia ganhou o mundo com seu modelo de gestão simples no conceito e rigoroso na execução. Processos, padrões, rotinas — palavras que aparentemente não combinam com outras que ditam as tendências de negócios mundialmente: inovação disruptiva, criatividade e inspiração. Para quem está próximo, no entanto, fica claro que os dois universos sempre andaram juntos na cervejaria. Não à toa Jorge Paulo Lemann ocupa a terceira posição na lista da Cia de Talentos, no Brasil, dos Líderes que Representam a Liderança do Futuro de 2018, empatado com Mark Zuckerberg, fundador do Facebook, e depois de Elon Musk e Barack Obama.

Aos poucos, essa percepção se espalha por outras operações do mundo, com a ajuda dos principais executivos da companhia, que visitam as universidades de ponta para atrair jovens talentos, como faziam Marcel Telles e Magim Rodriguez na época da Brahma. O esforço agora globalizado tem rendido à empresa a contratação de profissionais com experiência robusta em diversos setores e regiões do mundo.

A economista belga Diane Wauters é um exemplo de jovem com forte senso de propósito ligado ao trabalho. Ela passou seis anos na China, trabalhando com tratamento de água em indústrias. Foi a perspectiva do "impacto que se pode ter no mundo trabalhando na companhia" que a levou a ingressar na AB InBev em 2015, pelo GMBA, o programa de MBA interno da organização. "É uma empresa que sonha grande e que me faz sonhar", afirma ela, que hoje é diretora comercial na área de sustentabilidade e desenvolvimento de agricultura na Ásia. "Por ser uma empresa gigante posso trabalhar diretamente não apenas com dez agricultores, mas com 8 mil em algumas regiões."

Naveen Mehra é filha de um indiano e de uma alemã e entrou como trainee na AB InBev em 2014, na operação do Reino Unido, depois de atuar no terceiro setor e em uma consultoria estratégica. "Percebi que queria trabalhar em um lugar com cultura forte." Foi o que encontrou na companhia. Hoje, ela é parte da ZX Ventures, responsável pelas cervejarias artesanais na França, na Itália e na Espanha. Sua principal motivação atual é a possibilidade de aprender e crescer rápido, expandindo constantemente os próprios limites.

O que está claro para Diane, Naveen e outros jovens bem formados e com rica experiência em diversas partes do mundo é que, em muitos aspectos, a AB InBev é como uma empresa de tecnologia. Hoje, os escritórios com grafites nas paredes, mesas coletivas e cervejarias artesanais refletem isso. Assim como a área de pesquisa e desenvolvimento de novos produtos, embalagens, rótulos, com recursos e parcerias de ponta. Mas o espírito inovador existe desde a origem.

Quando jovens de vinte e poucos anos desbravavam novos países para montar do zero operações da Brahma, o plano de trabalho alcançava apenas parte do que eles encontrariam. A outra parte seria aprendida na base de tentativa e erro, tal qual fazem as empresas do Vale do Silício. Os processos da companhia começaram em planilhas básicas de Excel, foram se aprimorando com a prática até se tornarem sofisticados sistemas de gestão global e referência para algumas das maiores empresas do mundo. O Orçamento Base Zero — pilar fundamental do modelo AB InBev — é utilizado por indústrias de bens de consumo como Unilever, Coca-Cola, Kellogg's e Mondelēz e replicado pelas principais consultorias estratégicas internacionais, como McKinsey, Bain & Company e Deloitte.

Ousar, errar, inventar, ajustar, mudar sempre foram verbos não só aceitos, mas estimulados dentro da companhia. Esse clima torna a rotina dos funcionários dinâmica, intensa, viva. O segredo da AB InBev talvez sempre tenha estado na primazia em reconhecer, aplicar e equilibrar as forças peculiares de mundos aparentemente opostos: o tradicional e o vanguardista.

Mas aquele era só o primeiro ano da gigante global que se formara. Os resultados positivos não seriam estáticos, tampouco estavam garantidos no futuro.

Se a alma jovem e o histórico de sucesso seriam suficientes para enfrentar o novo mundo, ninguém saberia responder.

Alguns investidores consideraram que o preço pago pela AB InBev pela SAB foi caro demais — e cobrariam as provas de que estavam errados. Para onde a empresa cresceria dali em diante? Com aproximadamente 30% do mercado global de cerveja, comprar uma concorrente não parecia mais uma opção óbvia. Enquanto isso, o mundo continuava a mudar, assim como o gosto dos consumidores.

Quanto mais perto do topo chegavam os 155 mil funcionários da AB InBev, maiores também eram as sombras que os acompanhavam. Os obstáculos e as responsabilidades cresciam com seu sucesso. E mais profundos se tornavam os dilemas.

PARTE 3

O futuro

CAPÍTULO 19
O que vem depois de tudo?

Os resultados da AB InBev entre 2016 e o início de 2018 não foram tão vistosos quanto os anteriores, em meio a continuadas dificuldades nos Estados Unidos e no Brasil, em decorrência do aumento da concorrência e de mudanças no gosto do consumidor, além de uma conjuntura internacional desafiadora — especialmente para uma empresa com um nível tão alto de endividamento. O Brasil enfrentou nesse período a maior crise econômica de sua história. À situação externa se somariam os desafios internos da empresa, que carregava agora as vantagens, mas também as dores de ter se tornado a maior cervejaria do mundo.

Alguns fatores levavam a companhia, na marra, a repensar aspectos de seu modelo tão bem-sucedido até então. Da queda no consumo de cerveja em diversas regiões do mundo a desvalorizações de moedas emergentes, havia uma confluência de elementos adversos na trajetória da AB InBev. A urgência só ficaria clara quando começasse a afetar os resultados financeiros. E esse momento chegaria.

Para alguns investidores, a maré começou a virar com o primeiro "sim" da SABMiller à AB InBev, em 13 de outubro de 2015. Naquela data, a agência Moody's, responsável por classificar o risco de empresas de variados setores, decidiu revisar a avaliação da AB InBev, por causa do alto nível de endividamento da brasileiro-belga.

Alguns analistas financeiros concordavam com a ressalva da Moody's. Julgavam o preço pago pela sul-africana, US$ 104 bilhões, alto demais. A discussão podia ser estendida além da perspectiva puramente financeira. Um executivo do mercado financeiro próximo à empresa tem dúvidas se houve na negociação da compra da SAB a mesma gana que a equipe demonstrou em 2008 para adquirir a Anheuser-Busch. A impressão dele é de que a cervejaria pode ter afrouxado a exigência interna, levada pela autoconfiança excessiva.

Chamou a atenção de alguns financistas o fato de a AB InBev ter mantido o pagamento dos dividendos aos acionistas logo depois do fechamento do negócio, como costumava fazer. Um ano depois de comprar a Anheuser-Busch, em 2008, a companhia anunciou a redução nos dividendos. Era uma atitude disciplinada e austera típica dos profissionais da cervejaria. Mas o mesmo não aconteceu depois da compra da SAB. Por que a equipe da AB InBev alterara sua atitude-padrão? Um analista brasileiro considera a hipótese de ter sido uma condição defendida pelos novos sócios, o grupo Altria ou a família Santo Domingo.

Mas essas críticas sobre a compra da SAB não ganharam grande repercussão no momento da compra. Valores à parte, o negócio era claramente complementar e um passo inevitável para a AB InBev se tornar global. O problema foi que, junto com a alta dívida e a decisão de não reduzir dividendos, o cenário econômico global mais uma vez começou a dar sinais de colapso.

A partir do ano da compra, 2016, as moedas emergentes, nas quais é gerada parte relevante da receita da AB InBev, começaram a se desvalorizar em relação ao dólar e ao euro, principalmente o real e o peso argentino. As dívidas da companhia, no entanto, são majoritariamente em dólar. O fato de a empresa estar em diversos mercados — entre eles, Estados Unidos e Europa, cujas moedas são fortes — é uma forma de reduzir seu risco com a variação indesejada de preços. A presença global da cervejaria visa, entre outros objetivos, equilibrar estabilidade e crescimento — influenciando-se o mínimo possível pela conjuntura. Mas dessa vez as condições de mercado superaram a capacidade financeira de a empresa se proteger.

A disparidade entre o que entrava e o que saía exigiria um esforço maior para conseguir o mesmo resultado. Outros ventos contrários, como a queda do consumo de cerveja, tornaram a situação ainda pior. "Ser o líder incontestável de uma categoria em declínio não é um grande benefício", resumiram os analistas Fernando Ferreira e Saranja Sivachelvam, do Bank of America Merrill Lynch, em um relatório publicado em abril de 2018. Na ocasião, a dupla se referiu ao desempenho da companhia como "abaixo do esperado" e defendeu o corte de dividendos. Seis meses depois, a opinião deles iria se tornar consenso no mercado, pressionando a AB InBev.

Dois anos depois da compra da SABMiller, a companhia anunciou o corte de dividendos, em outubro de 2018, junto com a divulgação de resultados considerados fracos pelos investidores. A redução foi de 50%, acima da expectativa de bancos como o Citi, que estimava 40%. O anúncio levou as ações a caírem cerca de 10% naquele dia na Bolsa de Bruxelas. A meta da companhia era diminuir a relação da dívida com o Ebitda de 4,9 vezes para duas vezes nos anos seguintes. Dois meses depois, mais uma notícia ruim sobre a cervejaria abalaria a confiança do mercado, acostumado a anos de bonança.

Em dezembro de 2018, a agência Moody's cortou a nota de crédito da companhia de A3 para Baa1, o que significava que ainda estava dentro do grau de investimento, mas com qualidade *intermediária*. Aquele era o pior período para as ações da companhia nos últimos cinco anos. Na Bolsa de Nova York, o valor do papel bateu os US$ 133,44 em 2016. Ao longo dos dois anos seguintes, caiu entre 45% e 50%, atingindo a casa dos US$ 60 no fim de 2018. Na Europa, a desvalorização foi menor, mas ainda grande: 42%, do pico de 118,60 euros, em 2016, para os 68 euros em dezembro de 2018. Naquele ano, a AmBev foi a companhia que mais se desvalorizou na Bolsa do Brasil. O valor de mercado da subsidiária da AB InBev chegou a R$ 241 bilhões, uma queda de R$ 92 bilhões e 25,59%.

O cenário era sombrio e não se podia contar com uma nova grande aquisição no curto prazo — a principal arma da cervejaria ao longo de seu crescimento. Comprar um concorrente seria praticamente impossível para a AB InBev em função do alto nível de endividamento. Mesmo que pudesse, as opções não eram mais óbvias como havia sido com a SAB.

As maiores concorrentes que haviam restado no setor de cerveja eram Heineken e Carlsberg. Nenhuma das duas era considerada uma hipótese de compra para a AB InBev, segundo especialistas da indústria. O motivo era a alta participação de mercado de uma suposta nova empresa. Ampliando o leque para bebidas em geral, a Coca-Cola, rival em refrigerantes, foi vista por anos como o grande sonho que faltava realizar. Agora, porém, soava como uma possibilidade remota, principalmente pelo bom trabalho de gestão da rival. Outra hipótese já levantada pelo mercado em momentos melhores da empresa era a inglesa Diageo, maior fabricante de destilados do mundo e dona da marca de cerveja Guinness, fabricada em cinquenta países e vendida em 150. Mas com a alta dívida da AB InBev e os questionamentos em relação ao seu modelo, não era mais um tema sobre o qual se ouvia falar no mercado.

O caminho mais claro para a maior cervejaria do mundo continuar aumentando sua rentabilidade seria crescer organicamente, ampliando seu mercado de consumo e encontrando novas oportunidades entre os consumidores já existentes. Os executivos sabiam disso e estavam trabalhando nessa direção, embora aquele nunca tenha sido o principal talento de uma companhia que sempre crescera com uma estratégia baseada em simplicidade e repetição.

"Dinossauro apavorado"

Alguns dos problemas que passaram a desafiar os profissionais no dia a dia na AB InBev eram desafios comuns a grandes organizações. Com o crescimento, a cervejaria acumulou funcionários, escritórios pelo mundo, processos padronizados e ingredientes homologados. Assim, não conseguia evitar *excessos* e *burocracias* — palavras que definiam tão bem as companhias ultrapassadas e ineficientes que Lemann, Marcel e Beto revolucionaram com seu método nos anos 1990 e início de 2000. Quase trinta anos depois da compra da Brahma, a AB InBev já não era exatamente a jovem cervejaria, ágil, moderna e cheia de energia. Tivera alguns prejuízos decorrentes da maturidade. Um analista financeiro que tem contato com funcionários da empresa afirma ter ouvido reclamações de que, nos últimos anos, havia "muito gato gordo" nos escritórios, um jeito de se referir a profissionais acomodados e pouco produtivos.

Uma das tentativas de desburocratizar foi a diminuição de nove para seis o número de divisões geográficas da empresa (zonas). A partir de janeiro de 2019, as antigas operações de América Latina Sul e Brasil passaram a se concentrar na América do Sul, com sede em São Paulo, comandada por Bernardo Paiva, antes presidente da subsidiária AmBev. A Zona América Latina Central, que abarcava também o México, além de Honduras, El Salvador, República Dominicana, Panamá, Costa Rica, Guatemala e Caribe, passara a incluir Colômbia, Peru e Equador, que antes formavam a região Copec. A sede ficou na Cidade do México, com o brasileiro Carlos Lisboa, antes responsável pela América Latina Sul, como presidente. A região Ásia Pacífico (Apac), que antes se dividia em Norte e Sul, foi unificada na sede em Shangai, e Jan Craps (que antes comandava a região Sul) assumiu como o presidente. O restante continuou igual: América do Norte (excluindo México) e Emea, que combina Europa e África.

Outros desafios partiam de fora — e eram incontroláveis. Jorge Paulo Lemann falou sobre o momento da cervejaria em um evento de inovação realizado em maio de 2018 em Los Angeles. Segundo ele, durante muitos anos a empresa viveu em um mundo aconchegante de marcas antigas e volumes grandes, em que nada mudava drasticamente e no qual se podia focar em ser mais eficiente que tudo ficava bem. De repente, ele e seus sócios se viram "disruptados" de todas as formas. Centenas de novas marcas de cerveja, das quais nunca tinham ouvido falar, os assombravam nas prateleiras dos supermercados. O cliente já não queria mais sair de casa: preferia que os produtos fossem até ele. O mundo havia mudado, e a AB InBev precisava de novas ferramentas para acompanhá-lo. Quais? Ninguém tinha essa resposta. "Eu sou um dinossauro apavorado",* disse Lemann.

Embora já não fizesse parte do conselho de administração da AB InBev desde 2014 (tendo sido substituído pelo filho Paulo Alberto Lemann), o empresário estava ciente dos desafios da companhia que ajudou a criar. Segundo ele, as empresas estavam correndo para se ajustar, já que por muito tempo haviam ficado presas às mesmas formas de fazer as coisas. "Compramos marcas e acha-

---

* "Lemann diz que é um 'dinossauro apavorado', mas que luta para se reinventar", *Época Negócios*, 2 maio 2018. https://glo.bo/2XMQvGK

mos que elas durariam para sempre. Tomamos muito dinheiro emprestado porque era barato. Isso funcionou muito bem. A gente só administrava aquilo de forma um pouco mais eficiente, mas agora que temos que nos ajustar totalmente às novas demandas dos clientes, que são mais volúveis [...] realmente temos que nos adaptar."

Uma das principais mudanças que afetava a AB InBev era a mudança nos hábitos do consumidor, mencionadas por Lemann. Elas se estendiam a toda a indústria mundial de alimentação e bebidas. A preferência, principalmente das classes com maior poder aquisitivo, migrava para produtos mais saudáveis, fabricados por empresas com *propósitos* e *missões* — palavras que ganharam notável relevância no vocabulário corporativo. Muitas pessoas preferem agora companhias que fazem bem para o meio ambiente, para a humanidade, para o mundo. Esse movimento começou como uma tendência no sentido do bem-estar, defendida por alguns grupos, mas rapidamente se fortaleceu.

Grandes indústrias, que tiveram seus territórios seguros por décadas, ganharam inúmeros competidores, como startups que produziam alimentos dentro da nova demanda. Estratégias tradicionais de crescimento, como investir em escala e publicidade massiva, que no passado iam ao encontro do aumento da população e da renda, perderam força no mundo contemporâneo.

A transformação nos hábitos atingiu também as redes de supermercados, como os gigantes Walmart e Costco, que agora concorriam com comércios on-line e descontos com os quais não conseguiam competir. Como consequência, passaram a pressionar grandes fabricantes a reduzir seus preços, criando margens de lucro cada vez menores em todos os setores.

O modelo em xeque

Outra companhia controlada pelos donos brasileiros da AB InBev tem sentido fortemente os impactos das mudanças do mercado: a fabricante de alimentos Kraft Heinz. Dona de marcas populares nos Estados Unidos como de ketchup, mostarda, a sobremesa em pó Jell-O e o suco instantâneo Kool-Aid, a empresa é resultado da junção entre Kraft e Heinz, adquiridas em 2010 (Heinz) e 2015 (Kraft). Essa foi uma aposta da 3G Capital, fundo de Lemann, Marcel e Beto, em parceria com Warren Buffett, o megainvestidor dono da gestora Berkshire Hathaway. A tese deles era basicamente replicar o modelo construído e lapidado da AB InBev em uma indústria de alimento. Grandes empresas, marcas consagradas, oportunidade de cortar custos, aumentar a produtividade, investir em inovações, fazer outras aquisições. A receita parecia simples. Mas na prática não foi assim.

Aquela não foi a primeira vez que o trio de banqueiros brasileiro partiu de um caso empresarial bem-sucedido para criar um fundo de investimento com o propósito de replicar a conquista — e multiplicar os ganhos financeiros. A própria transformação que promoveram na Brahma, adquirida por eles em 1989, impulsionou a criação da GP Investiments em 1993. Entraram em setores como ferroviário (ao adquirir a ALL — América Latina Logística), construção (com a Gafisa) e telefonia (fizeram parte do grupo que arrematou a Tele Norte Leste, que depois se tornaria Telemar e Oi). Em 2004, porém, sem conseguir reproduzir o sucesso da cervejaria, deixaram o controle do fundo e começaram de novo, criando a 3G Capital.

Em 2010, mesmo ano da compra da Heinz, a 3G adquiriu a segunda maior rede de fast-food dos Estados Unidos, o Burger King, por US$ 4 bilhões, incluindo a dívida da empresa. O desempenho de cada negócio seguiu caminhos distintos. Enquanto o Burger King tem deixado os investidores satisfeitos com seu crescimento, a Kraft Heinz decepcionou o mercado nos últimos anos.

Em 2017, seus controladores tentaram arquitetar uma fusão com a gigante anglo-holandesa Unilever, que não foi adiante. Caso tivesse dado certo, o negócio seria um dos maiores da história, estimado em US$ 143 bilhões. Além de a fusão não ter se concretizado, as vendas da Kraft Heinz foram mais fracas do que o esperado e o alto endividamento (cerca de US$ 30 bilhões) preocupava os analistas. A situação da empresa se agravou ainda mais em fevereiro de 2019.

Naquele mês, a companhia divulgou três notícias ruins ao mesmo tempo. A primeira foi a receita de US$ 6,89 bilhões, abaixo da expectativa de analistas. A segunda foi que a empresa teve de reservar US$ 15,4 bilhões para compensar perdas com aquisições "mal calculadas"* das marcas Kraft e Oscar Mayer. Com essa despesa fora dos planos, registrou prejuízo de US$ 12,6 bilhões no quarto trimestre de 2018, o que frustrou o mercado.

A terceira má notícia preocupou ainda mais alguns investidores: a empresa estava sob investigação da SEC (Securities and Exchange Commission), órgão regulador do mercado de capitais nos Estados Unidos, por questões relacionadas à sua contabilidade. A companhia informou o fiscalizador de que fez uma investigação interna na área de compras e contabilizou no quarto trimestre de 2018 US$ 25 milhões em custos de 25 produtos vendidos, que não haviam sido registrados antes. Diante dos fatos, em 22 de fevereiro, as ações da companhia tiveram queda de 27,5% (para US$ 34,95) na Bolsa de Nova York. Dias depois, foi noticiado mais um desdobramento do caso.

A Kraft Heinz defendeu a própria estratégia. David Knopf, o CFO da empresa, disse que terá um "crescimento consistente de lucro" em 2020. Mas em 2019, ele afirma que esperam dar um passo para trás.**

---

* "Ação da Kraft Heinz cai 27% após perda de US$ 15 bilhões", *O Estado de S. Paulo*, 23 fev. 2019. http://bit.ly/2GtfrMB

** "Kraft Heinz divulga investigação da SEC e prejuízo trimestral", *Época Negócios*, 22 fev. 2019. https://glo.bo/2DnZFBC

A combinação de problemas levou analistas a rebaixarem as projeções para a empresa. A multinacional de banco de investimento e serviços financeiros Piper Jaffray cortou para neutra sua avaliação. Em relatório, Michael Lavery afirmou que a empresa acredita ter sido "excessivamente otimista" com a expectativa de crescimento da Kraft Heinz. Ele diz não estar confiante de que a companhia possa construir ou manter uma marca que consiga competir no atual contexto de consumo de maneira sustentável e atrativa.

O próprio Warren Buffett, acionista da companhia, afirmou que sua empresa, a Berkshire Hathaway, e a 3G Capital pagaram caro demais em 2015, ao contribuir com a compra da Kraft pela Heinz, formando o conglomerado. "O interessante sobre a Kraft Heinz é que continua sendo um excelente negócio", mas "não faz mais dinheiro porque você paga mais por ele." O investidor defendeu a empresa de acusações sobre ter investido pouco em suas marcas e afirmou ter visto "muita inovação" durante o tempo em que foi conselheiro da companhia, até abril de 2018. Mas, segundo ele, é difícil para novos produtos ganharem mercado, e o erro da Kraft Heinz foi superestimar seu poder de barganha com os varejistas.

A queda nas ações da companhia parece não ter abalado a relação entre os sócios. "Eu certamente fico feliz por ser parceiro (do cofundador da 3G, Jorge Paulo Lemann). Ele é um ser humano incrível e muito esperto nos negócios."*

Ao contrário de Buffett, muitos investidores minoritários se revelaram inseguros não só pelas notícias sobre a empresa, mas pelo que elas podem trazer nas entrelinhas. Os fatos isoladamente não sinalizam necessariamente problemas graves. Mas, juntos, podem abalar a confiança de quem sempre apostou na consistência da administração da 3G — principalmente por causa dos ajustes contábeis. Se a SEC os está investigando desde 2018, por que só anunciaram em 2019? Será que mais prejuízos virão à tona? Será que essa é a ponta do iceberg de alguma surpresa maior? São algumas das perguntas ouvidas no mercado.

Os fatos colocaram a 3G e seus outros negócios nos noticiários do Brasil e dos Estados Unidos nos primeiros meses de 2019, associando os desafios da Kraft Heinz ao modelo de gestão desenvolvido pelos brasileiros — e aplicado, primeiro, na cervejaria que culminou na formação da AB InBev. O Orçamento Base Zero, popularizado pelos brasileiros e um dos mais importantes pilares do modelo de gestão da 3G Capital, foi resumido por parte do noticiário como um "corte de custos" excessivo — e nocivo. Passou-se a questionar a eficácia do sistema no mundo contemporâneo e seu possível prazo de validade.

Robert E. Siegel, professor da matéria Os Dilemas dos Industriais (The Industrialist's Dilemma), na Universidade de Stanford, e o então aluno de MBA

---

* "Warren Buffett diz que pagou caro demais pela Kraft Heinz", Terra, 25 fev. 2019. http://bit.ly/2UXaUvL

Amadeus Orleans estudaram o caso da cervejaria em 2017. Acompanhando a repercussão do episódio envolvendo a Kraft Heinz no início de 2019, Robert ficou indignado com as conclusões publicadas na imprensa. "Distorceram o que é o Orçamento Base Zero (OBZ) e como isso funciona", afirma. "Todos disseram que o problema deles era o OBZ, mas o objetivo dele é priorizar as coisas — e não cortar custos, como estão dizendo. A imprensa parece ter confundido um processo de priorização orçamentária com um processo de corte orçamentário."

As comparações entre a gestão das duas companhias — AB InBev e Kraft Heinz —, seus dilemas de mercado e desafios no mundo contemporâneo se refletiram numa baixa das ações da cervejaria logo depois dos anúncios dos problemas da empresa de alimentos. A partir da semana seguinte, porém, com a divulgação dos resultados da empresa acima da expectativa dos investidores, incluindo aumento no lucro, o papel começou a subir de novo. Brito também sinalizou a intenção de voltar a investir, embora fiscalmente prudente. Em seus resultados, a AB InBev adicionou uma linha indicando que, em vez de simplesmente cortar as despesas gerais e aumentar os preços para impulsionar o lucro, planeja ampliar os gastos de marketing na tentativa de vender mais cerveja. Em resposta às questões do mercado sobre o modelo de gestão, disse: "Se você pensar em eficiência, a decisão mais efetiva seria fechar a companhia. Daí os custos iriam para zero. Mas não é por isso exatamente que estamos aqui [...] Aqui, eficiência nunca foi um fim em si. Sempre foi um meio para se chegar a um fim". *

Em 1º de março, a Evercore, consultoria de bancos de investimento independentes, publicou um relatório no qual contava sobre os impactos positivos de um café da manhã entre os analistas Robert Ottenstein e Eric Serotta e os executivos Carlos Brito e Felipe Dutra, CFO da AB InBev, em Londres. Ao chegar ao encontro, os analistas estavam céticos e preocupados com a concorrência da Heineken. Mas encontraram Brito e Dutra otimistas. A dupla falou do grande potencial que tem a explorar com marcas de cerveja premium, como Corona e Stella Artois, já que os consumidores estão dispostos a pagar mais por elas e é possível trabalhar com o conceito de serem aspiracionais — o que é mais difícil de aplicar a rótulos alimentares da Kraft Heinz. Os executivos mencionaram ainda o uso da tecnologia para substituir e aprimorar antigas formas de fazer negócios, como os aplicativos que permitem que a empresa faça ofertas personalizadas com base nos dados dos clientes.

---

* "If you think about efficiency, the most efficient decision is to close down the company. Then costs go to zero. But that's not really why we're here [...] Here, efficiency was never an end in itself. It was a means to an end." "Beer giant's strategy: Sell more beer", *Goerie.com*, 3 mar. 2019. http://bit.ly/2IGqp41

A conversa restaurou a confiança dos financistas na empresa e os levou a "talvez uma maior valorização das diferenças importantes entre as empresas relacionadas ao 3G". Eles resumiram essas diferenças em cinco pontos-chave, favoráveis à cervejaria: confiança na sustentabilidade das margens, valores reais das marcas compatíveis com a expectativa, concorrência gerenciável, boa sensação sobre a posição da empresa no Brasil, com a recuperação da economia, e muito entusiasmo com a oportunidade de vender marcas do grupo na rede de cafeterias mexicana Oxxo (que encerrou um acordo de exclusividade com a Heineken).

Uma avaliação mais precisa mostra uma relevante diferença entre os negócios da AB InBev e da Kraft Heinz: sua equipe. Enquanto na cervejaria os principais diretores cresceram junto com a organização, construindo à base de erros, acertos e ajustes de rota o modelo que hoje se espalhou pelas operações ao redor do mundo — e inspira companhias globalmente —, o grupo da empresa de alimentos tem menos de uma década de trabalho em conjunto (muitos vieram, inclusive, da cervejaria). Sua missão é principalmente replicar o que foi desenvolvido pelos outros, sem, portanto, carregarem na bagagem toda a curva de aprendizado dos colegas de AB InBev.

Os dois principais diretores da cervejaria, em especial, responsáveis pelas decisões mais importantes da companhia, têm mais de 50 anos e uma carreira de décadas na mesma organização. Construíram suas vidas profissionais na indústria de cerveja. Na Kraft Heinz, por sua vez, eles têm menos de 50 anos (o CFO, David Knopf, tem 29) e passagens por diferentes setores — de ferrovia ao varejo de alimentação. Alguns investidores atribuem os problemas recentes à falta de experiência e intimidade dos executivos com o setor, somada a uma possível autoconfiança excessiva herdada das conquistas passadas do 3G.

Quanto a possíveis semelhanças entre as duas companhias, investidores destacam a dificuldade de construir e valorizar as marcas no longo prazo. No caso da AB InBev, os próprios executivos mencionam o aprendizado que tiveram nesse aspecto com uma das principais vantagens da fusão com a belga Interbrew, em 2004 — esta, uma empresa reconhecida por fortalecer a imagem de suas marcas com o passar dos anos. Com a aquisição da SABMiller, em 2015, havia uma expectativa entre os investidores de aprendizado com o marketing da companhia sul-africana, uma de suas principais forças. Mas, quatro anos depois da compra, com as novas demandas urgentes, vindas de dentro e fora da empresa, essa perspectiva não se confirmou.

Comparações efêmeras à parte, os desafios da AB InBev continuam valendo — e se multiplicando.

Um sonho grande repaginado

Uma das mudanças no mercado que mais afeta a cervejaria refere-se à maneira de comprar produtos no mundo atual. Hoje, há uma demanda imperativa para que as marcas estejam presentes, simultaneamente, em canais on-line e off-line, no que se chama de *omnichannel*. Os consumidores estão mais instruídos, informados e cada vez mais experientes em relação à tecnologia. Querem a liberdade de pesquisar, comparar itens com produtos similares, ler avaliações detalhadas e isentas sobre o que pretendem comprar. Para se adequar a esse contexto, empresas como AB InBev precisam estar dispostas a repensar suas estratégias e seus modelos de negócio.

A digitalização também aumentou a concorrência. Startups, criadas e geridas por pessoas nativas do ambiente digital, passaram a competir de maneira inteligente com grandes companhias. O marketing de massa, aos poucos, tem sido substituído por marketing individualizado, capaz de coletar dados detalhados sobre os consumidores e acessá-los nas diferentes plataformas on-line.

O ajuste necessário para a AB InBev se adaptar a essa realidade é tão drástico quanto urgente. Michel Doukeris, presidente da companhia para os Estados Unidos, afirmou em 2017, quando era diretor global de vendas: "Embora nos consideremos uma empresa de baixa tecnologia quando comparada à Amazon ou ao Google, nossos consumidores estão cada vez mais tecnológicos. Portanto, precisamos ser digitais se quisermos interagir com nossos consumidores — não é mais uma questão de escolha".*

As respostas da AB InBev às mudanças do mundo e do consumidor atingiram diferentes áreas da companhia. Uma delas foi a equipe de vendas. Considerado o coração do negócio, a área passa por uma intensa transformação. Com os varejistas e os consumidores do outro lado da tela do computador ou do celular na hora de comprar os produtos, as equipes de venda estão, aos poucos, sendo reorganizadas. A prática tradicional, baseada em visitas às lojas físicas e interação com donos ou gerentes de bares e restaurantes, está se tornando obsoleta. Tirar pedido pessoal e manualmente não fará mais sentido no futuro próximo. Por isso, a companhia vem preparando sua força de vendas para, gradualmente, se concentrar em atividades de alto valor agregado, como desenvolvimento de negócios e inteligência de produto. Os representantes de venda que hoje tiram pedidos precisarão aprender sobre novas ferramentas para permanecer na companhia. Seu trabalho será focado em compreender as necessidades dos compradores e propor novos negócios com base em bancos de dados digitais. "É realmente sobre como conseguir dados, como transformar informações,

---

* *AB InBev: Brewing an Innovation Strategy*. Op. cit.

como filtrá-las a partir de insights e, rapidamente, reorganizá-las — o tempo do simples representante de vendas acabou",* diz Doukeris.

No Brasil, os centros de distribuição já começaram a usar os dados digitais para atender os clientes. Até hoje, uma sala de vendas do centro de distribuição da Mooca tem uma prateleira com a etiqueta "Tudão" — uma maneira interna e informal de se referir aos pôsteres promocionais das principais marcas, que devem ser entregues aos pontos de venda. Mas em 2019 a prateleira ficou vazia. Baseadas em um algoritmo, a equipe da cervejaria faz combinações de materiais específicos para atender cada estabelecimento. Por exemplo, variando as promoções ou as marcas em destaque.

A criação da zx Ventures em 2015 é a mais emblemática tentativa de gerar inovações contínuas na companhia. É uma empresa que tem regras à parte, mas está sediada dentro do escritório central da AB InBev, e gerou um atrito velado entre alguns executivos. Inicialmente, houve uma percepção geral de que o novo braço tinha sido favorecido em detrimento de outras unidades de negócio. Possuía mais autonomia, dava liberdade para os funcionários trabalharem em projetos de longo prazo e tinha remunerações calculadas com base em critérios diferentes do restante da companhia. David Almeida, diretor global de pessoas, resume o clima que se instaurou nos corredores da cervejaria: "'Vamos tirar de você pedaços da sua empresa e criar uma organização que vai administrar o negócio no seu território. E vamos fazer isso separadamente, com um grupo de pessoas que vai seguir um esquema de incentivos diferentes, ter diferentes prioridades e um foco diferente, ok?' Então, esse foi um movimento controverso. Muitas pessoas ouviram isso e pensaram: 'Por que esses caras são tratados de forma diferente? Eles são os escolhidos? Eles são especiais?'".**

A falta de integração inicial criou esforços isolados para conduzir as mudanças necessárias na empresa. A zx, por meio de sua equipe de e-commerce, desenvolvia análises de dados para as plataformas de cervejas artesanais. Em paralelo, grupos comerciais contrataram cientistas de dados para ajudar na análise de informações com foco em tarefas estratégicas, como o planejamento comercial. Diversos departamentos tiveram acesso a um grande volume de dados sobre os clientes, mas não conseguiram transformá-los em novas iniciativas. Segundo Doukeris, os primeiros passos da zx foram tão difíceis como era de esperar em uma empresa de indústria tradicional e baixa tecnologia como a AB InBev.

O contexto, no entanto, atraiu pessoas de companhias como Amazon e Google para a cervejaria. "Temos um cara aqui que antes trabalhava na Amazon

---

* Ibid.
** Ibid.

e falou: 'Cara, tem mil pessoas como eu na Amazon, eu sou só mais um, mas quando entrei na AB InBev percebi o poder que poderia impulsionar por meio dos dados e da digitalização'",* conta Doukeris.

À medida que os executivos perceberam a importância dos dados para o negócio, as pessoas foram se unindo na tentativa de coordenar a abordagem e otimizar os processos. A capacidade de melhorar a previsão de vendas e acessar novas tendências em tempo real, por exemplo, foi fundamental para gerenciar a cadeia de suprimentos e o desenvolvimento de produtos, respectivamente.

Alex Nelson, ex-gerente de produtos do Google, está na zx desde 2015 e é atualmente presidente da Northern Brewer, fornecedora de equipamentos e insumos para cervejeiros caseiros. Ela afirma que, a partir de 2017, ainda havia uma longa jornada para a equipe da cervejaria, mas ao menos o "sonho grande" havia sido identificado: "O objetivo de longo prazo com os dados é transformar a AB InBev em uma empresa com integração vertical e dados. Se tivéssemos informações em tempo real, informações de demanda superlocalizadas, sobre o que as pessoas querem, o que estão bebendo e onde, isso poderia transformar completamente todo o nosso negócio, toda a nossa cadeia de distribuição. Este é, definitivamente, o sonho".**

Inovar continuamente é parte fundamental do plano para o futuro, segundo Pedro Earp, responsável pela zx. "A sustentabilidade do negócio é ter o consumidor totalmente satisfeito", diz. Para isso, a inovação terá, cada vez mais, que ser parte da rotina de qualquer área — e não restrita a projetos ou momentos específicos. O desafio da AB InBev é não deixar de fazer o que sempre fez tão bem — ganhar escala replicando modelos bem-sucedidos — e, ao mesmo tempo, criar constantemente produtos e serviços que não só satisfaçam, mas criem e surpreendam consumidores dos mais variados territórios, o que inclui novos mercados. Mesmo que estejam em outros planetas.

No início de 2017, a Budweiser anunciou que seria a primeira cerveja em Marte. Para cumprir a promessa, a AB InBev realiza experimentos na Estação Espacial Internacional e pesquisa como os ingredientes da bebida, entre eles a cevada, reagem no espaço. A companhia vai experimentar também o mercado da maconha, liberada no Canadá. Em dezembro de 2018, a Labatt, subsidiária da AB InBev no país, em parceria com a High Park Company, operação da farmacêutica canadense Tilray, começou a pesquisar bebidas não alcoólicas que contivessem tetra-hidrocanabinol (THC) e canabidiol (CBD), a partir de um investimento de US$ 50 milhões de cada companhia. Nesse nicho, porém, a cervejaria não entrou sozinha. A concorrente Molson Coors formou uma joint venture com a Hexo Corp com o mesmo objetivo, e a Constellation Brands com-

---

* Ibid.
** Ibid.

prou mais de 50% da Canopy Growth Corp, outra empresa canadense fundada em 2013. Outras empresas da indústria de alimentos e bebidas devem lançar seus produtos à base de maconha a partir de 2019.

O passado e o futuro

Em um momento carregado de incertezas em uma grande companhia, problemas e soluções são diretamente associados a seus representantes. Ao longo dos anos de sucesso da AB InBev, Carlos Brito se tornou um líder reconhecido mundialmente. Funcionários e investidores atribuem à sua alta competência e às decisões acertadas as hábeis negociações e o aumento da eficiência da companhia sob seu comando desde 2005. Chamado de "máquina" por pessoas do mercado, ele continua rodando o mundo para visitar não só escritórios, mas fábricas e pontos de venda, e se envolve em detalhes das operações. A principal explicação para sua manutenção no cargo por mais de uma década é o fato de a organização ter multiplicado seu tamanho algumas vezes.

As peculiaridades do momento atual, no entanto, levam naturalmente a uma discussão sobre quem seria a melhor liderança da AB InBev no futuro — um tema que gera mais perguntas que respostas em investidores e outras pessoas próximas à companhia. A combinação de vendas em queda, desaceleração do crescimento, margens reduzidas e aumento da concorrência inevitavelmente cria pressão dos acionistas e pedidos para mudança na direção de qualquer empresa. De acordo com um artigo publicado na *Fortune*, entre janeiro de 2016 e setembro de 2017, dezessete CEOs de grandes indústrias e varejistas de alimentação se retiraram de seus cargos ou anunciaram sua intenção de se retirar.

Brito não tem planos de deixar o posto. Quando perguntado sobre essa possibilidade, responde: "Estou saudável, graças a Deus, amo o que faço e os meus colegas. Gostaria de ficar aqui por muitos anos". Se mudasse de ideia e quisesse sair da empresa, não está claro quem entraria em seu lugar.

Até 2016, havia duas hipóteses óbvias: Luiz Fernando Edmond, que deixou a empresa naquele ano, e João Castro Neves, que saiu um ano depois (e se tornou sócio de Jorge Paulo Lemann, Marcel Telles e Beto Sicupira na 3G Capital).

Pessoas próximas acreditam que, além de motivos pessoais alegados pelos executivos, a saída de ambos tem a ver com uma insatisfação de mão dupla. Por um lado, os resultados no mercado dos Estados Unidos — operação da qual ambos eram presidentes quando deixaram a empresa — não avançavam como o esperado, o que levava Brito a aumentar a pressão sobre seu desempenho. Por outro lado, nem Luiz Fernando nem João viam perspectiva de ser promovidos no curto prazo, apesar de terem mais de vinte anos de empresa e, respectivamente, 53 e 52 anos de idade.

O sucessor de Brito deve ser alguém que entenda os mercados tradicional e novo, que seja capaz de adaptar o portfólio para atender às diferentes demandas ao redor do mundo e que invista em tornar a companhia cada vez mais tecnológica. Os executivos com mais tempo de casa e experiência são Michel Doukeris, brasileiro que foi presidente da empresa na China de 2010 a 2013 e que assumiu a dos Estados Unidos em 2018, e Ricardo Tadeu, que em 2019 deixou a operação da África para assumir a área global de vendas.

Michel tem 45 anos e colegas consideram que tem um perfil mais parecido com o de Brito — rigoroso, cobrador, pragmático —, mas com uma abordagem de marketing que pode ajudar a reposicionar a empresa no novo contexto. Ricardo, por sua vez, tem 42 e é conhecido por um conjunto de habilidades também cruciais: as perspicazes análises sobre números e mercados que o levaram a conquistar os melhores resultados nas áreas em que atuou e uma postura como gestor capaz de engajar equipes.

Analistas financeiros e ex-executivos acreditam que cinco anos é um prazo factível para uma possível mudança de gestão. Nesse período, alguns consideram a possibilidade de novos nomes emergirem de áreas da companhia focadas em inovação. Pedro Earp, responsável pela zx Ventures, é o profissional com esse perfil com maior exposição internamente, mas ainda não é tratado pelo mercado como um candidato pronto para o cargo.

O que o passado pode ensinar

Essa não é a primeira vez que uma empresa global precisa se reinventar. Diante das interrogações no presente, olhar para o passado de outras companhias pode inspirar o futuro. O próprio modelo da AB InBev foi construído a partir do aprendizado com erros e acertos de outros, muitas vezes em setores diferentes.

Dois exemplos de magnitude mundial foram as crises enfrentadas por Starbucks e General Electric (GE). A primeira foi fundada em 1971 e se tornou a maior rede de cafés do mundo sob gestão de Howard Schultz, que a adquiriu em 1987. Foi ele quem criou a noção de um "terceiro lugar" entre a casa e o trabalho, onde os consumidores iam para relaxar. A proposta era oferecer uma experiência ao mesmo tempo rara e acessível em qualquer lugar do mundo. A companhia norte-americana, porém, enfrentou sérios problemas a partir de 2007.

Schultz estava fora da operação havia sete anos, mas como presidente do conselho constatou que a expansão resultara na perda de valores essenciais da empresa, como a sensação de conforto, conexão e respeito pelo produto e pelas comunidades em que a Starbucks estava inserida. O resultado se via nas unidades em decadência. A solução encontrada por Schultz foi reassumir a gestão da companhia, em 2008. A transformação conduzida por ele unia as forças do passado às necessidades correntes. Ele fechou milhares de lojas, reestruturou outras, investiu em novos produtos e canais de comunicação e em novas maneiras de fazer negócios. A estratégia deu certo. A companhia tem hoje quase 30 mil lojas espalhadas pelo mundo e 238 mil funcionários. Em 2017, aos 64 anos, Schultz deixou novamente o cargo de CEO para voltar ao de presidente do conselho.

A história da multinacional GE ao longo das últimas duas décadas não teve o mesmo desfecho bem-sucedido — ao menos ainda. Fundada em 1878 pelo norte-americano Thomas Edison, inventor da lâmpada elétrica, a empresa se tornou referência mundial em gestão, inovação e formação de líderes, principalmente sob o comando do lendário Jack Welch, entre 1981 e 2001. Com um portfólio diversificado — aviação, softwares, assistência médica, petróleo, gás, energia renovável e transporte, entre outros —, a principal fonte de estabilidade da companhia era a divisão de serviços financeiros, a GE Capital, que a tornava comparável a um banco. Assim Welch a entregou ao seu sucessor Jeff Immelt ao se aposentar. Mas o cenário mudaria completamente quatro dias depois de o novo CEO assumir.

O declínio da empresa começou com o atentado terrorista de 11 de setembro de 2001, que teve impacto sobre a indústria de aviação. Immelt iniciou uma renovação no portfólio, por meio de empréstimos da GE Capital, que naquele ano seria afetada pela maior crise financeira mundial (a mesma que tornara dramática a compra da Anheuser-Busch pela InBev). As ações da empresa começaram a cair e nunca retornaram ao que eram na época de Welch.

Na tentativa de estancar a crise interna, o conselho da GE decidiu contratar pela primeira vez um executivo do mercado para assumir o comando. Em 2018, Larry Culp, ex-presidente da Danaher Corporation, que fabrica e vende produtos na área de saúde e diagnóstico, assumiu a multinacional, com o árduo desafio de finalmente adequá-la ao mundo de hoje.

A crise pela qual passa a AB InBev está muitos passos atrás das que acometeram Starbucks e GE, mas já ficou claro que não deve ser ignorada. A maior cervejaria do mundo é hoje um transatlântico que tenta navegar com a leveza de um barco a vela. Mesmo que troque o motor, a tripulação e reduza o estoque ao estritamente necessário, o sucesso da jornada dependerá ainda das condições do mar e do clima. "É preciso entender como jogar o jogo no novo mundo para continuar relevante", diz Roberto Thompson, da 3G Capital. "A gente tem todas as respostas? Não, ninguém tem. Mas não adianta pensar que as mudanças não vão nos afetar. Todos já estamos sendo afetados."

As decisões que serão tomadas pela liderança da cervejaria nos próximos anos podem seguir os passos da cafeteria, retornando aos princípios de simplicidade que estão em sua origem. Ou pode ir na direção escolhida pelo conglomerado da GE, questionando a validade de seu modelo no mundo contemporâneo.

Mas uma das principais inspirações vem do passado de um de seus fundadores e da própria história da empresa. "Eu tive várias carreiras na minha vida", diz Lemann. "Fui jogador de tênis, um cara de finanças, eu tenho sempre me adaptado. Tenho 78 anos, mas estou pronto e eu estou lutando. Eu não vou deitar e fingir de morto."* A habilidade de Lemann se uniu à de seus sócios e se multiplicou pelas gerações de executivos até se tornar uma das principais forças da companhia.

Ao longo da história da AB InBev, foi preciso transformar um sonho improvável em realidade algumas vezes. Foi assim quando os banqueiros assumiram uma cervejaria sem entender nada do negócio. Foi assim quando decidiram distribuir os próprios produtos, aventurando-se no complicado universo da logística brasileira. Foi assim quando entraram em países com dinâmicas desconhecidas e ganharam mercado de marcas consolidadas. Foi assim quando uniram as duas maiores empresas do setor no Brasil, contra tantos argumentos técnicos. Foi assim quando se fundiram com a belga Interbrew em condições iguais apesar de terem menos da metade do capital da nova empresa. Foi assim quando compraram um dos maiores ícones norte-americanos, em meio a uma crise financeira sem precedentes. Foi assim quando se fundiram com a segunda maior cervejaria do mundo e não puderam demitir ninguém. O mais valioso recurso da companhia para enfrentar os desafios do presente e do futuro é justamente o que lhes permitira inovar no passado: as pessoas — e sua disposição para perguntar exaustivamente.

Um perigo seria acreditar menos na capacidade de fazer perguntas do que nas boas respostas já construídas no passado. Se há uma certeza é a de que o caminho bem-sucedido não servirá de garantia para o futuro. Será preciso encontrar novas questões para avançar diante de desafios inéditos. "A maior força e a maior fraqueza da AB InBev são a mesma coisa", diz Robert E. Siegel. "São o sucesso e os ativos da empresa que têm a ver com os produtos, as pessoas e a cultura. Os profissionais da AB InBev são brilhantes e descobriram como administrar uma empresa em escala, o que é muito difícil de se fazer. Mas será que continuarão a apoiar a inovação em tempos difíceis? Continuarão pacientes? Se a resposta for sim, não posso garantir que serão bem-sucedidos. Mas isso dará a eles uma chance."

Talvez a AB InBev tenha chegado ao ápice de um capitalismo que dá sinais de esgotamento e agora comece o declínio de uma história — e de um modelo — de sucesso. Talvez consiga atravessar a fronteira e ser pioneira na construção de um novo capitalismo. Ninguém pode dizer, porque ainda não está decidido.

---

*   "Lemann diz que é um 'dinossauro apavorado', mas que luta para se reinventar". Op. cit.

AGRADECIMENTOS

Este livro só existe porque eu tive o apoio e a confiança de centenas de pessoas, a quem sou sinceramente grata.

Agradeço, primeiro e imensamente, a cada um dos que me concederam entrevista — os que aceitaram ter seu nome mencionado e os que preferiram ficar anônimos. Reverencio aqueles que gentilmente aceitaram compartilhar seu tempo, suas histórias e suas reflexões comigo. Sem essa generosidade, não haveria este livro.

Agradeço à Marcela Bourroul Gonsalves, minha amiga e sócia. Ao longo de três anos, ela ouviu com paciência meus desabafos sobre os desafios da apuração e da escrita diariamente, me ajudou em pequenas e grandes decisões, leu a primeira versão de cada capítulo e, muitas vezes, assumiu o comando da nossa empresa, Atelier de Conteúdo, enquanto eu investia em um novo sonho. Transformou um projeto que era meu em nosso.

À Julia Lopes Fregonese, repórter do Atelier que se dedicou a uma pesquisa profunda e que em muitos momentos parecia inesgotável. Ela emprestou a esta missão suas manhãs, tardes, noites, madrugadas e seus fins de semana. As respostas que bravamente encontrou para perguntas das mais diversas naturezas e níveis de complexidade ajudaram a trazer clareza e consistência à história contada neste livro.

Ao jornalista, crítico literário e amigo Manuel da Costa Pinto, que leu cada capítulo ainda em construção, contribuindo com sugestões que enriqueceram a pesquisa e elevaram a qualidade da narrativa. Seus comentários aumentaram minha exigência com a escolha de cada palavra tanto quanto minha confiança no produto final.

À Barbara Bigarelli, uma das mais talentosas jornalistas de sua geração, que mergulhou comigo em partes da pesquisa (sobre a Bélgica e a fusão com a Interbrew; sobre a concorrente Heineken), me fez companhia virtual durante as viagens ao exterior e celebrou comigo pequenas vitórias com a cumplicidade dos repórteres que sujam os sapatos.

Ao editor Bruno Porto, que começou toda esta história no dia 11 de novembro de 2014, quando me mandou uma mensagem pelo Facebook pedindo meu e-mail. Seu convite para que eu escrevesse um livro para o Grupo Companhia das Letras foi a abertura de um sonhado caminho. Agradeço por todo o apoio e confiança. Pelas infindáveis conversas, ideias, conselhos, que começaram neste livro e foram além.

Ao Otavio Marques Costa, meu querido editor, que me deu suporte do primeiro ao último dia de trabalho. Carinhosamente, ele me desafiava um pouco mais a cada momento na busca pela excelência. Juntos, fomos muito mais longe do que o plano inicial.

À minha amiga e jornalista Raquel Salgado, por ter sido a primeira a ver o que não era óbvio na minha trajetória profissional — e que indiretamente me levaria a escrever este livro. Ao sugerir que eu trabalhasse em uma revista de negócios quando minha experiência era como repórter de comportamento, ela me abriu um universo de possibilidades. E ao jornalista David Cohen, então diretor de redação da *Época Negócios*, por ter aceitado a sugestão da Raquel. Com ousadia, fez o improvável ao me contratar para a revista em 2012. Agradeço especialmente por ter compartilhado conhecimentos, ferramentas e lições, sempre respeitando meu tempo de aprendizado e nunca podando os exageros que fazem parte da minha natureza.

Agradeço ao Paulo Lima, ao Fernando Luna e à Renata Leão, minhas primeiras e eternas referências no jornalismo, que me deram espaço, oportunidades e palco enquanto eu ainda descobria meu jeito de trabalhar. Agradeço por terem alimentado meus sonhos mais autênticos, me ajudado a desenvolver meu talento e a cuidar das lacunas, com ensinamentos valiosos quando tudo ainda era semente.

A toda a equipe do Atelier de Conteúdo, que participou desta história pelos bastidores e ajudou em pesquisas pontuais ao longo destes três anos.

À equipe de transcrição do Grupo Steno, em especial ao Sandrigo Moritz, pela prontidão em colocar no papel centenas de horas de áudio, com competência e entusiasmo.

À minha amiga Eliete Cotrim, que me apoiou e ensinou sobre o mundo editorial quando este projeto ainda estava em gestação. Por ter me falado "aceita tudo que vai dar tudo certo!" quando propostas de clientes da empresa chegavam ao mesmo tempo que eu fechava com a editora o contrato para este livro. Que bom que acreditei nela.

À Fátima Zorzato e ao Claudio Garcia, a quem considero mentores profissionais, pela indicação de entrevistados e conselhos preciosos.

Aos amigos Luis Felipe Costa e Rodrigo Hiltz por terem me aberto portas no início da apuração que se revelaram fundamentais para as conquistas que vieram a seguir.

À Marina Jarouche, tradutora do inglês e professora que embarcou comigo na história, me ajudando na pesquisa em fontes internacionais e na compreensão precisa de entrevistas com estrangeiros.

A todos da equipe da AB InBev — em especial à Marianne Amssoms e ao Pedro Mariani —, que me receberam com real disponibilidade nas diversas operações da empresa que visitei ao redor do mundo.

Aos meus pais, Eliana Sampaio Abdallah e José Eduardo Abdallah, por nunca terem me dito que algo era impossível. Pelo acolhimento de uma vida — e especialmente no último ano, quando passei tantos dias escrevendo (e comendo!) em sua casa no alto da montanha. E por ouvirem atentamente a leitura dos capítulos recém-escritos até eu perder a voz.

Ao meu irmão, Leonardo Sampaio Abdallah, que, do outro lado do mundo, foi comigo para todos os cantos a que este livro me levou. Agradeço por me fazer companhia nos valores mais essenciais e por sempre saber exatamente do que estou falando.

Ao meu avô Guaracy de Souza Sampaio, pela inspiração e pelo incentivo na escrita. Por me ensinar a cuidar de cada detalhe com a maestria de quem cria sonetos como hobby. Pela emoção incontida diante dos meus textos e das minhas conquistas.

Ao meu orientador de vida, Joaquim Cristovão Oliveira, por me ajudar a reconhecer e a preservar os princípios que me são mais caros e que me levam ao jornalismo responsável, cuidadoso e construtivo a que me dedico. Agradeço por ser tão humano e ajudar a despertar o melhor de mim.

Ao Heitor Mauricio Cotrim, pelo apoio incondicional e pela intensidade compartilhada. Por ter sido meu porto seguro, meu parceiro, e por ter alimentado diariamente minha autoconfiança, me impulsionando a voar cada vez mais alto.

FONTES

Para escrever este livro entrevistei aproximadamente 170 pessoas — algumas das quais preferiram se manter anônimas. As entrevistas foram realizadas, em sua maioria, pessoalmente. Algumas se dividiram em mais de um encontro. As conversas aconteceram entre Brasil (São Paulo, Campinas, Rio de Janeiro, Belo Horizonte e Brasília), Estados Unidos (Nova York, St. Louis, Marathon e Key West), Bélgica (Leuven e Bruxelas), Inglaterra (Londres) e África do Sul (Johannesburgo e Durban).

Entre os entrevistados estão empresários, executivos, trainees e ex-empregados da AB InBev, executivos de outras empresas, funcionários de outras companhias relacionadas aos controladores da cervejaria, donos ou gerentes de bares, consultores, analistas financeiros, banqueiros, advogados, concorrentes, prestadores de serviço, publicitários, estudantes, conselheiros de órgãos reguladores do mercado e economistas.

Todos aqui listados permitiram que eu os mencionasse ao fim do livro. Nem todos, porém, foram citados ao longo dos capítulos.

Paralelamente, foi realizada uma pesquisa em fontes nacionais e internacionais: imprensa, livros, estudos de caso, relatórios financeiros, documentos oficiais das empresas e jurídicos, além de materiais disponibilizados por órgãos ligados aos governos, instituições reguladoras e fiscalizadoras do mercado.

ENTREVISTADOS (EM ORDEM ALFABÉTICA)

Adalberto Viviani
Adolphus Busch IV
Alan Alanis
Alastair Hewitt
Alberto Nascimento

Alexander Hecker
Annabelle de Groot
Andrea Quaye
Anna Karla Ribeiro
Anthea Jefthas

Arthur Barrionuevo
Bernardo Paiva
Bruno Vegini
Carlos Brito
Carlos Diz
Carlos Mousinho
Carolyn Taylor
César Mattos
Clarence Sibiya
Claudia Elisa Soares
Claudio Braz Ferro
Claudio Garcia
Clement Malemole
Colin Butterfield
Daniel Dorigatti
Darshana Myronidis
David Almeida
David Grant
David Hauxwell
David Peacock
Diana de Albuquerque Nascimento
Diane Wauters
Diego Borges
Dorin Kosi
Equipe do Centro Global de Tecnologia e Inovação da AB InBev (GITec)
Equipe da fábrica da Stella Artois
Equipe de trainees
Eva Uviedo
Fabio Levalessi
Fátima Zorzato
Felipe Zogbi
Fernando Furlan
Francis Aquila
Francisco Madia
Frank Abenante
Frederico Boabaid
Frieda Dehrmann
Gavin Steer
Gerard Rijk
Grant Pereira
Greg Uys
Gustavo Pimenta
Hamilton Picolotti
Hebe Romano
Igor Puorro
Inga Vanga
Jan Craps
Jarrel Mathebula
João Bosco Fonseca
João Castro Neves
Johan van Biesbroeck
John Rogers
José Adilson Miguel
José Felipe Carneiro
José Inácio Franceschini
José Victor Oliva
Josué Bressane
Judy Naidoo
Julio Cesar Gomes Pedro
Karin van Roy
Kyle Day
Lee Dawson
Leonardo Sewald
Louise Moura Cruz
Lucia Helena Salgado
Lucia Swartz
Luciano Horn
Luis Yamanishi
Luiz Alexandre Franciss
Luiz Fernando Edmond
Magim Rodriguez
Marcelo Amarante
Marcia Tembe
Marcos Morita
Marianne Amssoms
Marko Trninic
Martin van der Merwe
Maurício Zipf
Michel Doukeris
Milton Seligman
Naveen Mehra
Neo Sethokga
Nirishi Trikamjee
Nomthandazo Jane Makanye
Paul King
Paula Lindenberg
Paulo Cesar do Carmo
Pedro Dutra
Pedro Earp
Pedro Leduc
Pedro Maciel
Percy Tau
Peter Kraemer
Phumzile Chifunyise
Renato Nahas
Ricardo Guimarães
Ricardo Rugai
Ricardo Tadeu
Richard Chauke
Rick Hill
Robert E. Siegel
Roberto Thompson
Robyn Chalmers

Rogério Cezar de Cerqueira Leite
Rogério Gardiano
Ronaldo Morado
Ronaldo Rossi
Ruy Santacruz
Samantha Martins
Sanele Gaqa
Sanjay Premraj
Sarah Anderson
Shobna Persadh
Steven Lipin
Stuart MacFarlane
Sunshine Shibambo
Thaís Muntada Cavinatto
Tiago Carneiro
Thomas Russo
Thulile Mthethwa
Thumeka Mangcipu
Trevor Stirling
Túlio Egito Coelho
Ustane Carneiro
Valerio Trabanco
Vaughan Croeser
Victorio de Marchi
Vladmir Silvano Jr
Walter C. "Buddy" Reisinger Jr.
Zoleka Lisa

PRÓLOGO: O NOSSO MUNDO [pp. 9-19]

NOTÍCIAS

"AB InBev Buys SABMiller for $107 Billion as U.S. Deal Agreed", Bloomberg, 11 nov. 2015. https://bloom.bg/2VL7tVc
"AB InBev's hard-nosed kings of beer", *Financial Times*, 15 jun. 2015. https://on.ft.com/2IkaTv0
"A cerveja no Brasil", Ministério da Agricultura, da Pecuária e do Abastecimento, 4 jan. 2018. http://bit.ly/2UyVIVm
"Ambev é condenada a pagar R$ 50 mil a ex-funcionário", *O Estado de S. Paulo*, 5 set. 2012. http://bit.ly/2vpyzG8
"Brasil ou exterior?", *Folha de S.Paulo*, 26 nov. 2010. http://bit.ly/2GdKpYK
"Beer sales slide as global alcohol consumption falls", *Financial Times*, 3 jun. 2017. https://on.ft.com/2UEVWub
"Beers Americans No Longer Drink", *USA Today*, 27 dez. 2017. http://bit.ly/2IvBXXH
"Big brewers take a hit to the gut as americans move away from beer", *Fortune*, 10 maio 2018. http://bit.ly/2GmoH65
"Boni, ex-diretor da Globo, diz que emissora foi sensacionalista ao noticiar caso de assédio de José Mayer", *Folha de S.Paulo*, 6 abr. 2017. http://bit.ly/2UVEDVe
"Brazilian Takeover Bid Imperils Bud Brand", AdAge, 2 jun. 2008. http://bit.ly/2GK0OWz
"Consumo de cerveja deve recuar pelo 3º ano seguido em 2017, mas faturamento do setor cresce", G1, 3 dez. 2017. https://glo.bo/2ZdAOty
"Cresce a produção de cerveja artesanal", *Estadão PME*, 20 dez. 2017.
"Dá para ser bom em tudo?", *Exame*, 6 nov. 1996. http://bit.ly/2IsHdeJ
"Deal for Miller Brewing May Be First in a Series", *The New York Times*, 31 maio 2002. https://nyti.ms/2Pc0ylr
"InBev to buy Anheuser-Busch for $52 billion", *The New York Times*, 14 jul. 2008. https://nyti.ms/2IjnQ8A
"Antarctica e Brahma se unem para criar a Companhia de Bebidas das Américas — AmBev — Nasce uma multinacional verde e amarela", *O Estado de S. Paulo*, 2 jul. 1999. http://bit.ly/2DaVhG8
"No Limite", *Exame*, 13 dez. 2000.
"Número de cervejarias no Brasil quase dobra em 3 anos e setor volta a criar empregos", G1, 30 mar. 2018. https://glo.bo/2GdKJGW
"Número de cervejarias artesanais no Brasil cresce 37,7% em 2017", Abracerva, 16 fev. 2018. http://bit.ly/2V2HfQW
"O legado de Lemann", *Época Negócios*. https://glo.bo/2De27Lf

"Perfil Roberto Marinho — Presidente das Organizações Globo até 6 de agosto de 2013", Memória Globo. https://glo.bo/2GlWWum
"Produção de cerveja cai quase 2% em 2015", *Estadão*, 4 jan. 2016. http://bit.ly/2GmFzJS
"The great beer abandonment. America's young drinkers are drinking wine and hard alcohol instead", *The Washington Post*, 3 dez. 2004. https://wapo.st/2Pc1pCF
"The state of the US beer market", Nielsen, 15 maio 2017. http://bit.ly/2P8IUzb
"Trio de empresários começou ascensão na década de 80", *Folha de S.Paulo*, 4 mar. 2004. http://bit.ly/2Gq3pot

ARTIGOS ACADÊMICOS

Fernando Luiz E. Viana, "Indústria de bebidas alcoólicas", Banco do Nordeste, 2017. http://bit.ly/2Ik9JzR
Fernando Muramoto, Frederico de S.Q. Pascowitch e Roberto S. Pasqualoni, "Banco de Investimentos Garantia", Insper, 2007
Maria Helena de Oliveira, "Cerveja: um mercado em expansão". BNDES, 1996. http://bit.ly/2IkZQlk

RELATÓRIOS FINANCEIROS/DOCUMENTOS OFICIAIS

Divulgação de resultados da AmBev, 2002. http://bit.ly/2VJrpb5
Relatório SABMiller "Tax and Development", 2014. http://bit.ly/2Zb3R13

LIVROS

Cristiane Correa, *Sonho grande: Como Jorge Paulo Lemann, Marcel Telles e Beto Sicupira revolucionaram o capitalismo brasileiro e conquistaram o mundo*. Rio de Janeiro: Sextante, 2013.
Alzira Alves de Abreu e Christiane Jalles de Paula, *Dicionário histórico-biográfico da propaganda no Brasil*. Rio de Janeiro: FGV, 2007.

PÁGINAS CONSULTADAS

"AB InBev's Brito: 'Hire the right people'", YouTube, 11 nov. 2010. http://bit.ly/2Uj3Rse
"Essência", Embraer. http://bit.ly/2vd7kyx
"História", Odebrecht. http://bit.ly/2IzwgrF
"Number of Breweries", Brewers Association. http://bit.ly/2GgvU6m
"Taxa de câmbio comercial para venda: real (R$)/ dólar americano (US$) — média", Ipea. http://bit.ly/2UzZNJa

PARTE 1: O BRASIL

1. UMA MÁQUINA ENFERRUJADA [pp. 23-8]

NOTÍCIAS

"Antarctica retoma liderança em cerveja", *Folha de S.Paulo*, 21 fev. 1995. http://bit.ly/2GlHNcy
"Brahma e Garantia contam suas ações", *O Estado de S. Paulo*, 28 out. 1989. http://bit.ly/2X6FGig
"Brahma é líder dentro e fora das bolsas", *Folha de S.Paulo*, 20 jan. 1997. http://bit.ly/2V2IkIu

"Brahma nega venda e saída de executivo", *Folha de S.Paulo*, 11 jun. 1996. http://bit.ly/2VIP1g1
"Cerveja, 5500 anos de história", SEESP. http://bit.ly/2ItJlCQ
"Cerveja Caracu faz 100 anos e Rio Claro prepara festa", *Folha de Londrina*, 18 maio 1999. http://bit.ly/2UPRqZl
"E nasce a Interbev", *IstoÉ*, 10 mar. 2004. http://bit.ly/2Xa5nP9
"Entenda os estilos de cerveja, de IPA a Pilsner e muitos outros", Huffpost Brasil, 24 ago. 2017. http://bit.ly/2KCiYgP
"Explode a procura por bebidas", *Folha de S.Paulo*, 27 fev. 1995. http://bit.ly/2ItVkAe
"Fábricas de cerveja", *Jornal do Brasil*, 19 maio 1896. http://bit.ly/2X8sxFv
"Febre amarela é registrada no Brasil desde o século XVII; fotos mostram luta contra a doença no passado", G1, 20 jan. 2018. https://glo.bo/2VLV9nN
"Febre amarela quase tirou Campinas do mapa na reta final do século xix", G1, 22 jan. 2017. https://glo.bo/2UBKz6d
"From Harvard slacker to Wimbledon to Buffett's professor and partner: meet Lemann, Brazil's richest", *Forbes*, 15 mar. 2013. http://bit.ly/2KCvA7q
"Garantia assume controle de 57,7% do capital da Companhia Brahma", *Folha de S.Paulo*, 28 out. 1989. http://bit.ly/2X8m3GI
"Lager made with the 133-year-old yeast that forever changed beer is surprisingly tasty", *Business Insider*, 18 jan. 2017. http://bit.ly/2Zcn4zi
"Molson Coors vende participação na Kaiser à Femsa e sai do Brasil", Uol Economia, 1 mar. 2007. http://bit.ly/2PhVhct
"Movimento do porto", *Jornal do Brasil*, 20 abr. 1891. http://bit.ly/2UBiKv3
"Muda controle da Brahma", *O Estado de S. Paulo*, 27 out. 1989. http://bit.ly/2Ucv1AU
"Para Jorge Paulo Lemann, grupo dono do Burger King e da InBev cresceu porque correu riscos", *O Globo*, 3 set. 2014. https://glo.bo/2UWxS5f
"R$ 6 bi na mesa", *IstoÉ Dinheiro*, 25 maio 01. http://bit.ly/2PbzO4L
"Sintoma de 'atraso tropical' no século xx, febre amarela volta por desatenção com lições da História", BBC, 22 mar. 2017. https://bbc.in/2VIPXkx

ARTIGOS ACADÊMICOS

Aleidys Hernández Tasco, "O surto de febre amarela no Rio de Janeiro (1928-1929) (Pontos controversos)", 13º Seminário Nacional de História da Ciência e da Tecnologia. http://bit.ly/2VL2PXi
Aristoteles Guilliod de Miranda, "A epidemiologia das doenças infecciosas no início do século xx e a criação da Faculdade de Medicina e Cirurgia do Pará", Universidade Federal do Pará, 2013. http://bit.ly/2IhL1jz
Eduardo Medeiros Rodrigues, "Desafios para a longevidade saudável: os casos Lojas Americanas e Mesbla", Instituto Coppead de Administração Universidade Federal do Rio de Janeiro, 2005. http://bit.ly/2DbUUv6
Hildete Pereira de Melo, João Lizardo de Araújo e Teresa Cristina de Novaes Marques, "Raça e nacionalidade no mercado de trabalho carioca na Primeira República: o caso da cervejaria Brahma", *Revista Brasileira de Economia*, 2003. http://bit.ly/2Dd9ylD
Jaime Larry Benchimol, "História da febre amarela no Brasil", Casa de Oswaldo Cruz, 1994. http://bit.ly/2IvIlhG
Jéssica Francieli Mega, Etney Neves e Cristiano José de Andrade, "A produção da cerveja no Brasil", *Revista Citino*, 2011. http://bit.ly/2V4cMCp
Odair Franco, "História da Febre-Amarela no Brasil", Ministério da Saúde, Departamento Nacional de Endemias Rurais, 1969. http://bit.ly/2v62u61
Sandro Luiz Costa Roma, "Desafios do sucesso no longo prazo em estratégias de reestruturação: o caso da AmBev", 2011. http://bit.ly/2UD9572
Sergio Eduardo Silveira da Rosa, José Paulo Cosenza e Luciana Teixeira de Souza Leão, "Panorama do setor de bebidas no Brasil", Biblioteca Digital BNDES, 2006. http://bit.ly/2Go46OU

Silvia Cristina Limberger, "O setor cervejeiro no Brasil: Gênese e evolução". *CaderNAU*, 2013. http://bit.ly/2UBjjFb

Teresa Cristina de Novaes Marques, "Contratos e conflitos: A Brahma e a comunidade de negócios do capital alemão no Brasil, 1888/1917", Associação Brasileira de Pesquisadores em História Econômica, 2003. http://bit.ly/2v6X8rg

Zenilda Ferreira Brasil, "A destruição da primeira fábrica da cervejaria Brahma do Rio de Janeiro", VI Colóquio Latino Americano sobre Recuperação e Preservação do Patrimônio Industrial, 2012. http://bit.ly/2VH7BFb

RELATÓRIOS FINANCEIROS/DOCUMENTOS OFICIAIS

Tradução livre do Relatório 20F arquivado originalmente em inglês junto à SEC no dia 30 de junho de 2003. http://bit.ly/2VJhsuv

LIVROS

Arno Müller, *Cerveja!* Canoas: Ulbra, 2002.

Cristiane Correa, *Sonho grande: Como Jorge Paulo Lemann, Marcel Telles e Beto Sicupira revolucionaram o capitalismo brasileiro e conquistaram o mundo*. Rio de Janeiro: Sextante, 2013.

Instituto Empreendedor Endeavor, *Como fazer uma empresa dar certo num país incerto: Conselhos e lições de 51 dos empreendedores mais bem-sucedidos do Brasil*. Rio de Janeiro: Elsevier; Campus, 2005.

Jô Soares, *O xangô de Baker Street*. São Paulo: Companhia das Letras, 1995.

José Ramos Tinhorão, *Os sons que vêm da rua*. São Paulo: Editora 34, 2005.

Sergio de Paula Santos, *Os primórdios da cerveja no Brasil*. Cotia: Ateliê, 2003.

PÁGINAS CONSULTADAS

"A cerveja no Brasil de 1851 a 1900 (Século XVII a XIX)", Cervesia. http://bit.ly/2GoEamf

"A cerveja no Brasil de 1976 a 2000 (século XX)", Cervesia. http://bit.ly/2DfkO0P

"Aula magna com Jorge Paulo Lemann — Curso de Graduação em Administração da FGV Ebape", ECM Capital Investment Bank, 25 set. 2014. http://bit.ly/2PcvPFc

"Bruno Henry Gregg", *Geni*. http://bit.ly/2UCEYMU

"Jorge Paulo Lemann — O que aprendi em Harvard", Fundação Estudar, 8 fev. 2012. http://bit.ly/2Xcyem0

2. NÃO É SÓ SOBRE DINHEIRO [pp. 29-43]

NOTÍCIAS

"Acordo une Americanas e Walmart", *Folha de S.Paulo*, 3 jun. 1994. http://bit.ly/2In9Drc

"A guerra das marcas na Copa", *IstoÉ Dinheiro*, 23 maio 2014. http://bit.ly/2UYxrHM

"AmBev anuncia futuras mudanças em sua diretoria", RI AmBev, 1 jul. 2003. http://bit.ly/2UdtWc9

"AmBev: muitas perdas sociais à vista", *Folha de S.Paulo*, 10 nov. 1999. http://bit.ly/2v2aUv7

"AmBev, raposas e leões", *Folha de S.Paulo*, 15 fev. 2000. http://bit.ly/2P7daua

"Americanas giram US$ 1 bi", *Folha de S.Paulo*, 7 ago. 1994. http://bit.ly/2KFdFx1

"Americanas pode ter lucro", *Folha de S.Paulo*, 5 maio 1997. http://bit.ly/2PbAyXB

"Andersen brasileira se funde com Deloitte", BBC Brasil, 8 abr. 2002. https://bbc.in/2VJj0oj

"Andrade Vieira diz que vai processar BC", *Folha de S.Paulo*, 29 dez. 1997. http://bit.ly/2X8vAgV

"Arthur Andersen é condenada por obstrução no caso Eron", *O Estado de S. Paulo*, 15 jun. 2002. http://bit.ly/2UyMIQe
"A três dias da decisão, resultado está indefinido; Collor tem 46% e Lula 45%", *Folha de S.Paulo*, 14 dez. 1989. http://bit.ly/2GaDSy4
"Avança negociação para venda do Garantia", *Folha de S.Paulo*, 5 maio 1998. http://bit.ly/2IlvZct
"Bate-papo com Fersen Lambranho", Na Prática, 12 dez. 2014. http://bit.ly/2KEh931
"Bradesco leva HSBC, que havia comprado Bamerindus em 1997 para ser número 1 do país", *O Globo*, 9 jun. 2015. https://glo.bo/2GlJFSC
"Brahma e Garantia contam suas ações", *O Estado de S. Paulo*, 28 out. 1989. http://bit.ly/2X6FGig
"Collor lidera com 10 pontos de vantagem", *Folha de S.Paulo*, 3 de dezembro de 1989. http://bit.ly/2DeWFYp
"Collor salta à frente em Minas; Lula cresce no Rio", *Folha de S.Paulo*, 8 dez. 1989. http://bit.ly/2Xa5tGn
"Collor tem 47% e Lula 44% na última pesquisa DataFolha, realizada ontem", *Folha de S.Paulo*, 17 dez. 1989. http://bit.ly/2XdyXmH
"Compra do Bamerindus pelo HSBC marca entrada de bancos no exterior", *Folha de S.Paulo*, 28 set. 1997. http://bit.ly/2v3pYsr
"Conheça Carlos Brito: CEO da maior cervejaria do mundo", Na Prática, 30 set. 2017. http://bit.ly/2P9JaOt
"Credit Suisse Buying Brazil Investment Bank", *The New York Times*, 11 jun. 1998. https://nyti.ms/2Dp9qjl
"Crédit Suisse fecha compra do Garantia", *Folha de S.Paulo*, 10 jun. 1998. http://bit.ly/2PbARBJ
"Cresce a presença de bancos estrangeiros", *Folha de S.Paulo*, 6 jan. 1998. http://bit.ly/2Uj9kz8
"Crise asiática acelerou venda do Garantia", *Folha de S.Paulo*, 11 jun. 1998. http://bit.ly/2UYyasu
"Dívida de R$ 564 suspende ações de empresa", *Folha de S.Paulo*, 21 dez. 1995. http://bit.ly/2IlLNfh
"Dólar agora visa bancos de investimento", *Folha de S.Paulo*, 22 mar. 1998. http://bit.ly/2XarftK
"Eleitores não esperam acordos de 2º turno; 'tucanos' estão divididos entre Collor e Lula", 25 nov. 1989. http://bit.ly/2Uf8uDr
"Eles querem fazer a Fischer voltar a ser desejada", *O Estado de S. Paulo*, 18 nov. 2013. http://bit.ly/2IvJ6r2
"E nasce a Interbev", *IstoÉ*, 10 mar. 2004. http://bit.ly/2Xa5nP9
"Entenda a crise russa de 1998", *Folha de S.Paulo*, 8 jul. 2004. http://bit.ly/2GcgHn9
"Falso nacionalismo", *Folha de S.Paulo*, 27 fev. 2000.
"Fato relevante", *Folha de S.Paulo*, 27 out. 1989.
"First Boston negocia compra do Garantia", *Folha de S.Paulo*, 12 maio 1998. http://bit.ly/2DemDuS
"Ganhos atingem outras áreas", *Folha de S.Paulo*, 21 jul. 1994. http://bit.ly/2IxvATz
"Garantia assume controle de 57,7% do capital da Companhia Brahma", *Folha de S.Paulo*, 28 out. 1989. http://bit.ly/2X8m3GI
"Arthur Andersen returns 12 years after Enron scandal", *The Telegraph*, 2 set. 2014. http://bit.ly/2ZdpayP
"Jorge Paulo Lemann: nosso negócio não é cerveja, nem hambúrguer ou ketchup, é gente", *Revista PEGN*, 8 jan. 2018. https://glo.bo/2GkXlNG
"Lemann comanda operação e mira o mercado chinês", *Folha de S.Paulo*, 15 jul. 2008. http://bit.ly/2Xa6IFx
"Lemann responde 8 dúvidas dos empreendedores brasileiros", *Exame*, 28 jun. 2017. http://bit.ly/2v2IKjt
"Lojas Americanas quer ter 200 lojas até 2000", *Folha de S.Paulo*, 30 nov. 1995. http://bit.ly/2VIuE2E
"Lula cresce em todas as regiões e se aproxima de Collor; o resultado final é imprevisível", *Folha de S.Paulo*, 11 dez. 1989. http://bit.ly/2Pa40gL
"'Marine Midland' no more", Buffalo Business First, 7 dez. 1998. http://bit.ly/2DbneOg
"Marketing de guerrilha é criatividade sem limites — principalmente para verbas limitadas", Endeavor Brasil, 24 jun. 2015. http://bit.ly/2KD9fqB
"Muda controle da Brahma", *O Estado de S. Paulo*, 27 out. 1989. http://bit.ly/2Ucv1AU
"New energy for a New York Bank", *The New York Times*, 11 maio 1999. https://nyti.ms/2VLgSwe
"Not guilty after all", *The Economist*, 2 jun. 2005. https://econ.st/2IyLixJ
"O legado de Lemann", *Época Negócios*, 20 jan. 2009. https://glo.bo/2De27Lf

"O novo paradigma da economia — 3", *Folha de S.Paulo*, 6 out. 1995. http://bit.ly/2DeoXlA
"O pesadelo de Lemann", *IstoÉ Dinheiro*, 28 set. 2001. http://bit.ly/2UDbxKM
"O que foi o Proer, caso dos anos 90 agora desarquivado pelo Supremo", *Nexo Jornal*, 29 mar. 2016. http://bit.ly/2UzWL7z
"O que Lemann, Telles e Sicupira aprenderam com a GP", *Exame*, 9 abr. 2013. http://bit.ly/2Xht2NP
"Os novos donos do GP", *IstoÉ Dinheiro*, 9 jul. 2003. http://bit.ly/2IzAm31
"Presidente da Fiesp de 1986 a 1992, Mario Amato morre aos 97 anos", *Valor Econômico*, 1 jun. 2016. http://bit.ly/2IhNudP
"Publicitário muda métodos durante a Copa", *Folha de S.Paulo*, 27 jun. 1994. http://bit.ly/2PeoB3u
"Rússia ainda vive problemas da transição", BBC Brasil, 11 dez. 2001. https://bbc.in/2XbnDb2
"Trio de brasileiros donos da 3G Capital tem longo histórico de negócios bilionários", *O Globo*, 25 mar. 2015. https://glo.bo/2Gn4zkk
"'Universidade do futuro' desafia alunos a impactar vida de 1 bilhão de pessoas", *Estadão*, 16 mar. 2012. http://bit.ly/2KEiXsP
"U.S. ends prosecution of Arthur Endersen", *The Washington Post*, 23 nov. 2005. https://wapo.st/2IxBxzY
"Veja 8 vídeos de Jorge Paulo Lemann para inspirar seu lado empreendedor", Na Prática, 25 nov. 2016. http://bit.ly/2Is4xcu
"Veja seis lições inspiradoras de Jorge Paulo Lemann", *Folha de S.Paulo*, 17 fev. 2016. http://bit.ly/2DaXtNS
"Velha guarda abençoou opção da jovem guarda na venda", *Folha de S.Paulo*, 11 jun. 1998. http://bit.ly/2ZaCQe5
"Why reviving the Arthur Andersen brand isn't as crazy as it sounds", *Quartz*, 3 set. 2014. http://bit.ly/2IjZSdu
"World Business Briefing: Europe; profit gain at HSBC", *The New York Times*, 3 ago. 1999. https://nyti.ms/2DpaiED

ARTIGOS ACADÊMICOS

Antonio Barros de Castro, "A reestruturação industrial brasileira nos anos 90. Uma interpretação", *Revista de Economia Política*, 2001. http://bit.ly/2DbWInS
Érika Lacerda Bueno, "Publicidade e consumo responsável: estratégias discursivas da Skol num contexto de regulamentação", Pontifícia Universidade Católica de Minas Gerais, 2011. http://bit.ly/2IhN0o5
Fabio Giambiagi e Maurício Mesquita Moreira (Orgs.), "A economia brasileira nos anos 90", Biblioteca Digital BNDES, 1999. http://bit.ly/2KDPYoR
Fernando Muramoto, Frederico de S. Q. Pascowitch e Roberto S. Pasqualoni, "Banco de Investimentos Garantia", Insper, set. 2007.
Kleber Chagas Cerqueira, "As propostas de política econômica do PT entre 1989 e 2006: um exame sob o referencial teórico das coalizões de defesa", Universidade de Brasília, 2010. http://bit.ly/2Uj46Ub
Monica Piccolo Almeida, "A trajetória de Fernando Collor rumo à Presidência: Estratégias eleitorais televisivas", XXVII Simpósio Nacional de História, 2013. http://bit.ly/2VJmabF
Nelson Siffert Filho e Carla Souza e Silva, "As grandes empresas nos anos 90: respostas estratégicas a um cenário de mudanças", BNDES. http://bit.ly/2Xfm7Vl
Sandro Luiz Costa Roma, "Desafios do sucesso no longo prazo em estratégias de reestruturação: o caso da AmBev", 2011. http://bit.ly/2UD9572

RELATÓRIOS FINANCEIROS/DOCUMENTOS OFICIAIS

"Ata de Reunião do Conselho de Administração da Companhia de Bebidas das Américas — AmBev ("Companhia"), realizada no dia 20 de janeiro de 2006, lavrada em forma de sumário", Relações com Investidores AmBev. http://bit.ly/2Pd1eaj

"Ata de Reunião do Conselho de Administração da Companhia de Bebidas das Américas — AmBev ("Companhia"), realizada no dia 12 de abril de 2005, lavrada em forma de sumário", Relações com Investidores AmBev. http://bit.ly/2Pav8vK

"Ata da Reunião do Conselho de Administração realizada em 17 de março de 2017, lavrada em forma de sumário", Relação com Investidores AmBev. http://bit.ly/2VH9Kkd

Relatório Anual de 2004, Relações com Investidores AmBev. http://bit.ly/2VLbadw

LIVROS

Adriano Codato, Fernando Leite e Pedro Leonardo Medeiros, *Ciências Políticas I*. Curitiba: Iesde Brasil, 2012.

Alzira Alves de Abreu e Christiane Jalles de Paula (Coords.), *Dicionário histórico-biográfico da propaganda no Brasil*. Rio de Janeiro: FGV; ABP, 2007.

Cristiane Correa, *Sonho grande: Como Jorge Paulo Lemann, Marcel Telles e Beto Sicupira revolucionaram o capitalismo brasileiro e conquistaram o mundo*. Rio de Janeiro: Sextante, 2013.

Instituto Empreendedor Endeavor, *Como fazer uma empresa dar certo num país incerto: Conselhos e lições de 51 dos empreendedores mais bem-sucedidos do Brasil*. Rio de Janeiro: Elsevier; Campus, 2005.

Raquel Rolnik, *Guerra dos lugares: A colonização da terra e da moradia na era das finanças*. São Paulo: Boitempo, 2015.

PÁGINAS CONSULTADAS

"Aula magna com Jorge Paulo Lemann — Curso de Graduação em Administração da FGV EBAPE", ECM Capital Investment Bank, 25 set. 2014. http://bit.ly/2PcvPFc

"Conselheiros do Instituto Tênis — Jorge Paulo Lemann", Instituto Tênis, 5 dez. 2017. http://bit.ly/2UW3JmD

"Eleições presidenciais — 1989", Memória Globo. https://glo.bo/2Ik2fNq

"History", Andersen Tax. http://bit.ly/2GeNJCX

"Institution History for HSBC USA", National Association, National Information Center. http://bit.ly/2ZdEEms

"Quem é quem? Carlos Brito", RI AmBev. http://bit.ly/2IxD4WK

Relações com Investidores Lojas Americanas. https://ri.lasa.com.br/

Relatórios Anuais Trimestrais, RI Lojas Americanas. http://bit.ly/2Gq6c0V

"Se Lula ganhar as eleições, aqui o número de empresários que fugiriam...", *O Globo*. https://glo.bo/2Uf9Pdr

"Veja 8 vídeos de Jorge Paulo Lemann para inspirar seu lado empreendedor", Na Prática, 25 nov. 2016. http://bit.ly/2Is4xcu

3. UMA EMPRESA DE MUITOS DONOS [pp. 44-67]

NOTÍCIAS

"A história dos desfiles das escolas de samba", MultiRio, 3 fev. 2016. http://bit.ly/2UizF06

"AmBev anuncia futuras mudanças em sua diretoria", Relações com Investidores AmBev, 1 jul. 2003. http://bit.ly/2UdtWc9

"AmBev separa refrigerantes de cervejas", *Folha de S.Paulo*, 26 abr. 2000. http://bit.ly/2VIU1kN

"Após 24 anos, camarote da Brahma sai da Sapucaí e dá lugar a Antarctica", G1, 15 dez. 2014. https://glo.bo/2ZbolqA

"As lições de Lemann, Telles e Sicupira para empreendedores", *Exame*, 16 jun. 2013. http://bit.ly/2X58Aj0

"Balancê; Compressa; Coentro", *Folha de S.Paulo*, 15 fev. 1994. http://bit.ly/2KGs1xc
"Brahma: A número 1", *Meio e Mensagem*. http://bit.ly/2VMobns
"Brasileiros ganham espaço na InBev", *Folha de S.Paulo*, 21 set. 2005. http://bit.ly/2GhxsgH
"Belgian Brewer Acquires a Taste for Brazilian Frugality", *The New York Times*, 27 set. 2005. https://nyti.ms/2VNBljW
"Camarote chega à maioridade", *O Estado de S. Paulo*, 5 mar. 2011. http://bit.ly/2IndlB8
"Chef Jacquin briga com esposa e reclama da comida na Sapucaí", *Veja Rio*, 15 fev. 2018. http://bit.ly/2UF2nxl
Coluna de Mônica Bergamo, *Folha de S.Paulo*, 21 fev. 2007. http://bit.ly/2UeeJYp
"Conheça a trajetória do camarote número 1 da Sapucaí", Uol Carnaval, 15 fev. 2012. http://bit.ly/2KB8bTX
"CVM vê informação privilegiada na AmBev", *Folha de S.Paulo*, 21fev.2001. http://bit.ly/2Uyz93j
"De camarote", *Folha de S.Paulo*, 25 fev. 1998. http://bit.ly/2V0Q91t
"Diretores substituem Magim Rodriguez no comando da AmBev", *Exame*, 14 out. 2010. http://bit.ly/2v6cT1w
"Eduardo Fischer", *IstoÉ Gente*, 18 dez. 2006. http://bit.ly/2XfmwHl
"História das Escolas — Especial Carnaval 97", *Folha de S.Paulo*. http://bit.ly/2DhuYy5
"Jorge Paulo Lemann é o empreendedor do ano em 2015", *IstoÉ Dinheiro*, 18 dez. 2015. http://bit.ly/2P9xuLp
"Kaiser não quer fusão, diz AmBev", *Folha de S.Paulo*, 9 fev. 2000. http://bit.ly/2v1OI4n
"Marcel Telles renuncia ao conselho da AmBev", *Época Negócios*, 22 jan. 2018. https://glo.bo/2ZaDDf3
"Marcel Telles segue acompanhando desempenho da AmBev como conselheiro da AB InBev", *IstoÉ Dinheiro*, 22 fev. 2018. http://bit.ly/2Il6Hey
"O guru do Brasil", *Exame*, 18 fev. 2011. http://bit.ly/2GmeXc6
"Ovelha desgarrada", *Época Negócios*, 5 maio 2009. https://glo.bo/2VOzmvW
"Para Jorge Paulo Lemann, grupo dono do Burger King e da InBev cresceu porque correu riscos", *O Globo*, 3 set. 2014. https://glo.bo/2UWxS5f
"Schwarzenegger é barrado no camarote da Brahma na Sapucaí", *Folha de S.Paulo*, 27 fev. 2001. http://bit.ly/2VEY0il

ARTIGOS ACADÊMICOS

Donald N. Sull e Martin Escobari, "Brahma versus Antarctica: Reversal of Fortune in Brazil's Beer Market", London Business School, 2005.
Maria Helena de Oliveira, "Cerveja: um mercado em expansão", BNDES. 1996. http://bit.ly/2IkZQlk
Sandro Luiz Costa Roma, "Desafios do sucesso no longo prazo em estratégias de reestruturação: o caso da AmBev", 2011. http://bit.ly/2Uh90B9

LIVROS

Alzira Alves de Abreu e Christiane Jalles de Paula, *Dicionário histórico-biográfico da propaganda no Brasil*. Rio de Janeiro: FGV, 2007.
Claudio Aquato e Luis Augusto Schmidt Totti, *Xeretando a linguagem em latim*. Barueri: Disal, 2013.
Cristiane Correa, *Sonho grande: Como Jorge Paulo Lemann, Marcel Telles e Beto Sicupira revolucionaram o capitalismo brasileiro e conquistaram o mundo*. Rio de Janeiro: Sextante, 2013.
Victorio de Marchi, *De duas, uma: A fusão na mesa*. São Paulo: Bella, 2018.

PÁGINAS CONSULTADAS

"Discurso del santo Padre Juan Pablo II a los laicos colaboradores em el ministerio eclesial", Santa Sé, 18 nov. 1980. http://bit.ly/2KB9zpA
O que Marcel Telles pensa sobre Transparência?, Na Prática. http://bit.ly/2v6enIY

4. UMA ENORME STARTUP [pp. 68-88]

NOTÍCIAS

"5 medidas para melhorar a eficiência da sua empresa", *Revista PEGN*, 15 ago. 2014. https://glo.bo/2GbNMj4
"AB InBev's hard-nosed kings of beer", *The Financial Times*, 15 jun. 2015. https://on.ft.com/2IkaTv0
"AmBev já nasce a número 1 em faturamento", *Folha de S.Paulo*, 3 jul. 1999. http://bit.ly/2P9tsTo
"AmBev na prática: o trabalho na área de Recursos Humanos", Na Prática, 15 out. 2014. http://bit.ly/2UF4K3d
"All about beer; Behind all the Bonhomie, the brewing industry gets tough", *The New York Times*, 21 jul. 1991. https://nyti.ms/2GcjpJl
"Anheuser-Busch investe US$ 105 mi no país", *Folha de S.Paulo*, 23 fev. 1995. http://bit.ly/2X6Lk3W
"Antarctica fecha acordo com Budweiser", *Folha de S.Paulo*, 14 dez. 1994. http://bit.ly/2XaaVsX
"Antarctica se associa à americana Budweiser", *O Estado de S. Paulo*, 23 fev. 1995. http://bit.ly/2XauxgA
"Associação torna ultrapassada disputa histórica", *O Estado de S. Paulo*, 2 jul. 1999. http://bit.ly/2Inf2yu
"Brahma inaugura maior fábrica de cerveja da AL", *O Estado de S. Paulo*, 11 jan. 1996. http://bit.ly/2Zedv38
"Budweiser tenta acordo com Antarctica", *Folha de S.Paulo*, 14 mar. 1994. http://bit.ly/2GmFRRd
"Cerveja Miller sofre boicotes nos EUA", *Folha de S.Paulo*, 15 mar. 1996. http://bit.ly/2GaUDsW
"Como o Seis Sigma pode ajudar sua empresa a alcançar a excelência", Endeavor Brasil, 11 jun. 2015. http://bit.ly/2Gjyoku
"Entenda a ferramenta Seis Sigma para eficiência de projetos", Na Prática, 12 jun. 2015. http://bit.ly/2ZdrYMn
"O negócio é bater recorde", *Época*. https://glo.bo/2G6OGgs

ARTIGOS ACADÊMICOS

"Aplicação da Metodologia 5S, visando melhoria do processo organizacional em uma Fundação de Direito Privado — Um estudo de caso", Mário Sérgio Trainotti, 2007. http://bit.ly/2GmKfzq
Donald N. Sull e Martin Escobari, "Brahma versus Antarctica: Reversal of Fortune in Brazil's Beer Market", London Business School, 2005.
Jonathan Felipe Matheus, Tatiane Veridico Rodrigues e Yann Barros de Toledo Ferrari, "Green Belt: projeto para melhoria do desempenho da qualidade e performance de produção", Universidade São Francisco, 2013. http://bit.ly/2Ijq4VA
Keli Prezzotto e Vanderleia Loff Lavall, "AmBev — Análise da fusão e os efeitos sobre o mercado. http://bit.ly/2X8ZqBZ
Reginalda Stein, "A utilização do Orçamento Base Zero como ferramenta de controle de custos e despesas — Estudo de caso: AmBev", Universidade Federal de Santa Catarina, 2004. http://bit.ly/2Xa9gn5
Sandro Luiz Costa Roma, "Desafios do sucesso no longo prazo em estratégias de reestruturação: o caso da AmBev", 2011. http://bit.ly/2Uh90B9

RELATÓRIOS FINANCEIROS/DOCUMENTOS OFICIAIS

"Relatório Anual 2009", Relação com Investidores AmBev. http://bit.ly/2Z7IOMV

LIVROS

César Mattos, Afonso A. de Mello Franco Neto (Orgs.), *A revolução do antitruste no Brasil — A teoria econômica aplicada a casos concretos*. São Paulo: Singular, 2004.
Cristiane Correa, *Vicente Falconi: O que importa é o resultado*. Rio de Janeiro: Primeira Pessoa, 2017.
Pedro Dutra, *Conversando com o Cade*. São Paulo: Singular, 2009.
Sergio de Paula Santos, *Os primórdios da cerveja no Brasil*. Cotia: Ateliê, 2003.
Vicente Falconi, *O verdadeiro poder — práticas de gestão que conduzem a resultados revolucionários*. e-book Amazon, 2009.

PÁGINAS CONSULTADAS

"5S nas empresas: dicas para aplicar a metodologia no seu negócio", Blog Sebrae, 31 ago. 2017. http://bit.ly/2G6QdmI
"5S: seu ambiente de trabalho mais organizado em cinco etapas", Endeavor, 11 jun. 2015. http://bit.ly/2ZcmIJ6
"Princípio de Pareto: 80% dos seus resultados só dependem de 20% do seu esforço", Na Prática, 30 abr. 2018. http://bit.ly/2Il1lAb

5. ANTARCTICA: A BRAHMA DE ONTEM [pp. 89-107]

NOTÍCIAS

"Acabou a novela", *IstoÉ*, 5 abr. 2000. http://bit.ly/2UCdl6H
"Acusação de xenofobia divide o Cade", *Folha de S.Paulo*, 20 jun. 1997. http://bit.ly/2UiD0MG
"Agência Salles terá conta institucional da AmBev", *O Globo*, 2 jul. 1999.
"A maior fusão da história do país", *O Globo*, 2 jul. 1999
"AmBev afirma que não quer demitir", *Folha de S.Paulo*, 15 jul. 1999. http://bit.ly/2IyPSfp
"AmBev e Pepsi fecham acordo para distribuir Gatorade no Brasil", *Folha de S.Paulo*, 20 dez. 2001. http://bit.ly/2DbpYLy
"Anheuser-Busch investe US$ 105 mi no país", *Folha de S.Paulo*, 23 fev. 1995. http://bit.ly/2X6Lk3W
"Anheuser-Busch venderá seus 5% de volta à Antarctica", *Folha de Londrina*, 2 jul. 1999. http://bit.ly/2XhyxMt
"Antarctica e Brahma se unem para criar a Companhia de Bebidas das Américas — AmBev — Nasce uma multinacional verde e amarela", *O Estado de S. Paulo*, 2 jul. 1999. http://bit.ly/2DaVhG8
"Antarctica fecha acordo com Budweiser", *Folha de S.Paulo*, 14 dez. 1994. http://bit.ly/2V1lLnu
"Antarctica mudará termos para manter pacto com a Anheuser", *O Estado de S. Paulo*, 25 jul. 1997. http://bit.ly/2Pb4qDj
"Antarctica poderá ter aporte de capital", *Folha de S.Paulo*, 10 out. 1997. http://bit.ly/2IvIeCJ
"Antarctica retoma liderança em cerveja", *Folha de S.Paulo*, 21 fev. 1995. http://bit.ly/2GlHNcy
"Antarctica se associa à americana Budweiser", *O Estado de S. Paulo*, 23 fev. 1995. http://bit.ly/2IhPpiB
"Antarctica vai ao conselho", *Folha de S.Paulo*, 16 jun. 1997. http://bit.ly/2v72KBQ
"Antes do brinde", *Folha de S.Paulo*, 10 nov. 1995. http://bit.ly/2XcFfmQ
Anúncio "Nova fábrica Brahma a maior alegria do ano", *O Estado de S. Paulo*, 11 jan. 1996. http://bit.ly/2v2zWdH

"Aprovada união de cervejarias", *Folha de S.Paulo*, 11 dez. 1997. http://bit.ly/2VM3Iir
Ata da Assembleia Geral Extraordinária realizada em 1º de julho de 1999, *O Estado de S. Paulo*, 9 jul. 1999. http://bit.ly/2XaNwHQ
"Aumentam fusões no setor químico", *Folha de S.Paulo*, 27 abr. 1998. http://bit.ly/2UQ0Jsf
"Baesa anuncia prejuízo total de US$ 452,4 mi na AL em 1996", *Folha de S.Paulo*, 11 dez. 1996. http://bit.ly/2Xdch62
"Baesa logró postergar el pago de 520 millones", *El Clarín*, 19 out. 1996.
"Brahma abre nova fábrica no Rio de Janeiro", *Folha de S.Paulo*, 11 jan. 1996. http://bit.ly/2VLipSO
"Brahma anuncia que não distribuirá marca Pepsi", *O Estado de S. Paulo*, 19 dez. 1993. http://bit.ly/2Go6Vzu
"Brahma deixa de produzir a Pepsi", *Folha de S.Paulo*, 1 dez. 1994. http://bit.ly/2UhbVd5
"Brahma e Antarctica fazem megafusão", *Folha de S.Paulo*, 2 jul. 1999. http://bit.ly/2KCatSU
"Brahma e Antarctica unem-se na número 1", *O Estado de S. Paulo*, 2 jul. 1999. http://bit.ly/2KFljaH
"Brahma e Budweiser, o início de um namoro", *O Globo*, 23 mar. 1993.
"Brahma e Budweiser podem ser parceiros", *O Estado de S. Paulo*, 24 mar. 1993. http://bit.ly/2DedtPg
"Brahma é líder dentro e fora das Bolsas", *Folha de S.Paulo*, 20 jan. 1997. http://bit.ly/2V2IkIu
"Brahma e Miller fazem associação continental", *O Estado de S. Paulo*, 29 set. 1995. http://bit.ly/2KEmGGP
"Brahma faz parceria com a Miller americana", *Folha de S.Paulo*, 29 set. 1995. http://bit.ly/2GcvvSF
"Brahma nega venda à Miller", *Folha de S.Paulo*, 10 nov. 1995. http://bit.ly/2IgNevP
"Brahma nega venda e saída de presidente; Feira de alimentação começa no Anhembi", *Folha de S.Paulo*, 11 jun. 1996. http://bit.ly/2GeLBv6
"Brahma terá dobro do controle da empresa", *Folha de S.Paulo*, 3 jul. 1999. http://bit.ly/2GosUqa
"Brahma terá peso maior dentro da AmBev", *O Globo*, 3 jul. 1999. http://bit.ly/2DdYDZc
"Brahma vai distribuir produtos da Pepsi no país", *Folha de S.Paulo*, 24 out. 1997.
"Brahma vai fabricar a Pepsi-Cola", *O Estado de S. Paulo*, 22 set. 1984. http://bit.ly/2G6RsSU
"Brasileira nos EUA; Aos goles", *Folha de S.Paulo*, 12 out. 1996. http://bit.ly/2v5b84I
"Brasileiro consome mais carnes e cerveja", *Folha de S.Paulo*, 4 dez. 1998. http://bit.ly/2XiqoaD
"Budweiser e Miller vão ficar no Brasil", *Folha de S.Paulo*, 4 jul. 1999. http://bit.ly/2VOCSGE
"Budweiser pode ser fabricada ao Brasil", *O Estado de S. Paulo*, 10 jun. 1994. http://bit.ly/2UybvUq
"Budweiser tenta acordo com Antarctica", *Folha de S.Paulo*, 14 mar. 1994. http://bit.ly/2GmFRRd
"Cade adia pela quinta vez julgamento de cervejarias", *Folha de S.Paulo*, 10 jul. 1997. http://bit.ly/2IwJWDS
"Cade aprova associação da Antarctica com a produtora da Budweiser", *O Estado de S. Paulo*, 11 dez. 1997. http://bit.ly/2v2eDsB
"Cade aprova associação entre Antarctica e Budweiser", *Folha de S.Paulo*, 10 dez. 1997. http://bit.ly/2X6O1m4
"Cade aprova associação entre Brahma e Miller", *O Estado de S. Paulo*, 14 maio 1998. http://bit.ly/2DeeRkW
"Cade começa a estudar acordo OPP/Petrobrás", *O Estado de S. Paulo*, 10 out. 1997. http://bit.ly/2Gg56Dj
"Cade define hoje caso Brahma-Miller", *Folha de S.Paulo*, 21 jul. 1999. http://bit.ly/2VJ0gFf
"Cade deve condenar hoje associação da Antarctica", *Folha de S.Paulo*, 23 jul. 1997. http://bit.ly/2v-6gaOc
"Cade deve proibir associação da Antarctica", *O Estado de S. Paulo*, 20 jun. 1997. http://bit.ly/2v6zNFT
"Cade impõe mudança em contrato firmado entre AmBev, Pepsi e Probiótica", *Folha de S.Paulo*, 21 nov. 2012. http://bit.ly/2GmhPWq
"Cade julga união entre cervejarias", *Folha de S.Paulo*, 9 jul. 1997. http://bit.ly/2IsNtTL
"Cade manda Brahma e Miller se separarem", *Folha de S.Paulo*, 12 jun. 1997. http://bit.ly/2VLkazo
"Cade mantém no país marca Budweiser", *Folha de S.Paulo*, 6 ago. 1999. http://bit.ly/2DdZ0TA
"Capital não se assusta com o Cade, afirma conselheira", *Folha de S.Paulo*, 23 jun. 1997. http://bit.ly/2v5fLvu

"Cervejarias afiam armas para o 2º semestre", *O Estado de S. Paulo*, 11 jul. 2004. http://bit.ly/2KyhGDo
"Cervejarias devem faturar R$ 10 bi", *Folha de S.Paulo*, 2 fev.1997. http://bit.ly/2GcwYs9
"Compra da Gatorade pela AmBev é aprovada", *O Estado de S. Paulo*, 15 jul. 2004. http://bit.ly/2VLakNW
"Compra da Pepsi pela Brahma é oficializada", *Folha de S.Paulo*, 2 out. 1997. http://bit.ly/2IkmFFI
Comunicado oficial da Brahma, *O Estado de S. Paulo*, 21 set. 1993. http://bit.ly/2KMqLse
Comunicado oficial da Brahma, *O Estado de S. Paulo*, 18 dez. 1993. http://bit.ly/2IludbE
"Concentração", *Folha de S.Paulo*, 2 jul. 1999. http://bit.ly/2UBqgWN
"Concorrência? TSSS", *IstoÉ*, 7 jul. 1999. http://bit.ly/2IpNqZN
"Consumidor dá preferência às novidades", *Folha de S.Paulo*, 2 mar. 1997. http://bit.ly/2P8TmXr
"Controle será compartilhado por dez anos", *Folha de S.Paulo*, 2 jul. 1999. http://bit.ly/2UVMnXc
"Críticas provocam divisão no Cade", *Folha de S.Paulo*, 20 jun. 1997. http://bit.ly/2VLkVZg
"Desafio do novo grupo será unir a administração das duas empresas", *O Globo*, 2 jul. 1999. https://glo.bo/2IxHtJk
"Distribuição é própria", *Folha de S.Paulo*, 2 dez. 1994. http://bit.ly/2UV5osR
"Donos da Brahma devem comandar a AmBev", *O Estado de S. Paulo*, 3 jul. 1999. http://bit.ly/2UYEP63
"El largo camino de Baesa", *El Clarín*, 16 dez. 1996.
"Erramos", *Folha de S.Paulo*, 7 mar. 1997. http://bit.ly/2IEa5Rp
"Essa desceu quadrado", *IstoÉ*, 17 nov. 1999. http://bit.ly/2v5aFQ8
"Explode a procura por bebidas", *Folha de S.Paulo*, 27 fev. 1995. http://bit.ly/2ItVkAe
"Fato relevante", *O Estado de S. Paulo*, 17 fev. 1996. http://bit.ly/2KCFuWE
"Fato relevante (Grupo Antarctica)", *O Estado de S. Paulo*, 23 fev. 1995. http://bit.ly/2IkMvcZ
"Femsa adquire o controle acionário da cervejaria brasileira Kaiser", Femsa, 17 jan. 2006. http://bit.ly/2UYGtVc
"Fernando Tigre deixa o comando da Kaiser", *O Estado de S. Paulo*, 8 mar. 2006. http://bit.ly/2DfU6VQ
"Fusão Brahma/Antarctica provocará demissão de oito mil, afirma presidente da Kaiser", *Folha de Londrina*, 20 set. 1999. http://bit.ly/2Dc0n56
"Fusões e compras, questão de força", *O Estado de S. Paulo*, 9 set. 1999. http://bit.ly/2Go8Ns0
"Fruto da floresta quer ganhar o mundo", *Folha de S.Paulo*, 4 dez. 2001. http://bit.ly/2Go8Ow4
"Gigantes da cerveja disputam mercado de US$ 7,5 bilhões", *O Estado de S. Paulo*, 8 jan. 1996. http://bit.ly/2GnbpX2
"Heineken compra Femsa, dona da Kaiser", *Folha de S.Paulo*, 12 jan. 2010. http://bit.ly/2KRaqTx
"IBGE mapeia a infraestrutura dos transportes no Brasil", Governo do Brasil, 25 nov. 2014. http://bit.ly/2vab3wp
"Kaiser perde ainda mais terreno no mercado", *O Estado de S. Paulo*, 15 de julho de 2004. http://bit.ly/2PcnCk2
"Maior consumo de cerveja anima produtor de cevada", *Folha de S.Paulo*, 11 abr. 2000. http://bit.ly/2P9wEOS
"Miller vai ampliar atuação no Brasil", *O Estado de S. Paulo*, 17 jun. 1996. http://bit.ly/2IhSIX3
Nota de falecimento de Helena Zerrenner, *O Estado de S. Paulo*, 17 maio 1936. http://bit.ly/2PacYdV
"Novas marcas de cerveja desembarcam no país", *O Estado de S. Paulo*, 23 set. 1990. http://bit.ly/2IxBJPD
"Novas marcas disputam mercado de cerveja do país", *O Estado de S. Paulo*, 10 set. 1994. http://bit.ly/2PcnHUS
"Nova tentativa; Em andamento", *Folha de S.Paulo*, 16 set. 1997. http://bit.ly/2Dg9Fgg
"O Cade e as associações entre as cervejarias", *Folha de S.Paulo*, 10 nov. 1997. http://bit.ly/2KDMMth
"O poderoso Cade sob suspeita", *IstoÉ*, 9 fev. 2000. http://bit.ly/2IsOkDX
"O que é a 'cola' dos refrigerantes do tipo cola?", *Mundo Estranho*, 2 ago. 2018. http://bit.ly/2UhQvfL
"Os critérios subjetivos do Cade", *O Estado de S. Paulo*, 11 ago. 1997. http://bit.ly/2GmzSvK
"Pepsi quer deter 25% do mercado em 95", *Folha de S.Paulo*, 12 set. 1994. http://bit.ly/2ZdvmXB
"Pepsi se une à Baesa no Cone Sul", *O Estado de S. Paulo*, 21 set. 1993. http://bit.ly/2Dh3YyS
"Presidente do Cade vê sinais de xenofobia em pareceres", *Folha de S.Paulo*, 19 jun. 1997. http://bit.ly/2XaQSuq

"Por que a Pepsi não é Pepsi no Brasil", *Exame*, 18 fev. 2011. http://bit.ly/2v5bDMg
"Produção local", *Folha de S.Paulo*, 23 fev. 1996. http://bit.ly/2KLsGO6
"Quarenta dias tentando manter segredo", *O Globo*, 3 jul. 1999.
"Rodovias predominam no transporte de cargas, diz pesquisa do IBGE", G1, 25 nov. 2014. https://glo.bo/2KENIxy
"Segredo guardado", *Folha de S.Paulo*, 27 set. 1995. http://bit.ly/2GmNsis
"Suspeita de vazamento antecipa anúncio", *Folha de S.Paulo*, 2 jul. 1999. http://bit.ly/2VM7HLV
"This non-Bud's for us: Anheuser-Busch uncorks Miami-only beer", South Florida Business Journal, 26 maio 1997. http://bit.ly/2v6hZLc
"Truque do guaraná", *IstoÉ*, 27 out. 1999. http://bit.ly/2IjgBNQ
"Valor de mercado da AmBev é de R$ 7,4 bilhões", *O Estado de S. Paulo*, 2 jul. 1999. http://bit.ly/2ZczV4I
"Verão traz cerveja em garrafa transparente", *Folha de S.Paulo*, 1 jan. 1996. http://bit.ly/2DfJiHl
"What's News", *O Estado de S. Paulo*, 12 maio 1997. http://bit.ly/2GlWV9T

ARTIGOS ACADÊMICOS

Alice A da Matta Chasin e Irene Videira de Lima, "Alguns aspectos históricos do uso da coca e da cocaína", *Revista Intertox de Toxicologia, Risco Ambiental e Sociedade*, 2008. http://bit.ly/2GhCYjp
Donald N. Sull e Martin Escobari, "Brahma versus Antarctica: Reversal of Fortune in Brazil's Beer Market", London Business School, 2005.
Fernando Fiates, "Análise da forma de concorrência e competitividade na indústria de bebidas. O caso da Brahma no Brasil", Universidade Federal de Santa Catarina, 1999. http://bit.ly/2v76djQ
Guilherme Zim Zaniol, "Análise da concentração na indústria cervejeira brasileira no período entre 1989 e 2011", Universidade Federal do Rio Grande do Sul, 2011. http://bit.ly/2KEP1ws
"Relações Exteriores do Brasil 1939-1950, Mudanças na natureza das relações Brasil-Estados Unidos durante e após a Segunda Guerra Mundial", Ministério das Relações Exteriores e Fundação Alexandre de Gusmão. http://bit.ly/2UQ5mCD
Vágner Camilo Alves, "Ilusão desfeita: a 'aliança especial' Brasil-Estados Unidos e o poder naval brasileiro durante e após a Segunda Guerra Mundial", 2005. http://bit.ly/2VQmXaR

RELATÓRIOS FINANCEIROS/DOCUMENTOS OFICIAIS

Acordo de Acionistas, RI AmBev, 1 jul. 1999. http://bit.ly/2UX6kgb

LIVROS

César Mattos (Org.), *A revolução do antitruste no Brasil — A teoria econômica aplicada a casos concretos*. São Paulo: Singular, 2004.
Cristiane Correa, *Sonho grande: Como Jorge Paulo Lemann, Marcel Telles e Beto Sicupira revolucionaram o capitalismo brasileiro e conquistaram o mundo*. Rio de Janeiro: Sextante, 2013.
Cristiane Correa, *Vicente Falconi*. Rio de Janeiro: Primeira Pessoa, 2017.
Geraldo Guimarães, Marcos Rechtman e Roberto Lima Netto, *Nova estrutura — Reinventando sua empresa*. Rio de Janeiro: FGV, 2004.
Pedro Dutra, *Conversando com o Cade*. São Paulo: Singular, 2009.
Silvério da Costa Oliveira, *Conversando sobre as drogas*. Rio de Janeiro: 2013TV.
Victorio de Marchi, *De duas, uma*. São Paulo: Bella, 2018.

PÁGINAS CONSULTADAS

"Anos de incerteza (1930-1937) — Relações Internacionais", FGV CPDoc. http://bit.ly/2IwZdEz
"Cocaína", Departamento de Psicobiologia Unifesp. http://bit.ly/2GjCdWS
"Cola", *Encyclopaedia Britannica*. http://bit.ly/2Gbl7dU
"IBGE — Cidades e Estados", IBGE. http://bit.ly/2VG3fye
Consulta ao Processo Administrativo da fusão da AmBev no Cade (Número: 08012.005846/1999-12). http://bit.ly/2IiXLXl
"Linha do tempo: conheça a história da Coca-Cola Brasil", Coca-Cola Brasil, 24 maio 2016. http://bit.ly/2XbWKn4
"Trabalhar na Antarctica: um desafio diário", Entrevista de Victorio de Marchi ao Museu da Pessoa, 20 set. 2004. http://bit.ly/2InkrFM

6. QUE TAL ENGOLIR A CONCORRÊNCIA? [pp. 108-21]

NOTÍCIAS

"A maior fusão da história do país", *O Globo*, 2 jul. 1999.
"Acabou a novela", *IstoÉ*, 5 abr. 2000. http://bit.ly/2UCdl6H
"Agência Salles terá conta institucional da AmBev", *O Globo*, 2 jul. 1999.
"AmBev afirma que não quer demitir", *Folha de S.Paulo*, 15 jul. 1999. http://bit.ly/2IyPSfp
"Antarctica e Brahma se unem para criar a Companhia de Bebidas das Américas — AmBev — Nasce uma multinacional verde e amarela", *O Estado de S. Paulo*, 2 jul. 1999. http://bit.ly/2DaVhG8
Ata da Assembleia Geral Extraordinária realizada em 1º de julho de 1999, *O Estado de S. Paulo*, 9 jul. 1999. http://bit.ly/2XaNwHQ
"Brahma e Antarctica fazem megafusão", *Folha de S.Paulo*, 2 jul. 1999. http://bit.ly/2KCatSU
"Brahma e Antarctica unem-se na número 1", *O Estado de S. Paulo*, 2 jul. 1999. http://bit.ly/2KFljaH
"Brahma terá peso maior dentro da AmBev", *O Globo*, 3 jul. 1999.
"Cade define solução para grupo Gerdau e Kolynos", *Folha de S.Paulo*, 19 dez. 1996. http://bit.ly/2Z9gUA2
"Cade recebe parecer sobre venda da Kolynos", *Folha de S.Paulo*, 3 mar. 1995. http://bit.ly/2PdegF2
"Citicorp and Travelers in $ 155bn merger", *The Independent*, 7 abr. 1998. https://ind.pn/2IxHcWO
"Citicorp and Travelers plan to merge in record $ 70 billion deal: a new no. 1: Financial Giants Unite", *The New York Times*, 7 abr. 1998. https://nyti.ms/2GoLVIT
"Colgate compra a Kolynos da Akanol", *Folha de S.Paulo*, 10 jan. 1995. http://bit.ly/2VKxq7x
"Colgate manterá a verba da Kolynos", *Folha de S.Paulo*, 11 jan. 1995. http://bit.ly/2IkR9HX
"Concentração", *Folha de S.Paulo*, 2 jul. 1999. http://bit.ly/2UBqgWN
"Concorrência já prepara o contra-ataque", *Folha de S.Paulo*, 3 jul. 1999. http://bit.ly/2KCJIO0
"Concorrência? Tsss", *IstoÉ*, 7 jul. 1999. http://bit.ly/2IpNqZN
"Controle será compartilhado por dez anos", *Folha de S.Paulo*, 2 jul. 1999. http://bit.ly/2UVMnXc
"Desafio do novo grupo será unir a administração das duas empresas", *O Globo*, 2 jul. 1999. https://glo.bo/2IxHtJk
"Donos da Brahma devem comandar a AmBev", *O Estado de S. Paulo*, 3 jul. 1999. http://bit.ly/2UYEP63
"Essa desceu quadrado", *IstoÉ*, 17 nov. 1999. http://bit.ly/2v5aFQ8
"EUA têm mais 2 megafusões de bancos", *Folha de S.Paulo*, 14 abr. 1998. http://bit.ly/2Il7Xyv
"Fusão acaba com disputa publicitária", *Folha de S.Paulo*, 2 jul. 1999. http://bit.ly/2Ufe88B
"Fusão Brahma/Antarctica provocará demissão de oito mil, afirma presidente da Kaiser", *Folha de Londrina*, 20 set. 1999. http://bit.ly/2Dc0n56
"Governo pode facilitar compra da Kolynos", *Folha de S.Paulo*, 27 fev.1996. http://bit.ly/2ZctGxK
"Marca Kolynos fica fora do mercado", *Folha de S.Paulo*, 20 jan. 1997. http://bit.ly/2UBvh1z

"Mudanças no conselho da AmBev", *Estadão*, 29 dez. 2008. http://bit.ly/2XizUdR
"Nasce a InBev, controlada pelos belgas", *O Estado de S. Paulo*, 28 ago. 2004. http://bit.ly/2DbJQOq
"O poderoso Cade sob suspeita", *IstoÉ*, 9 fev. 2000. http://bit.ly/2IsOkDX
"Quarenta dias tentando manter segredo", *O Globo*, 3 jul. 1999.
"Suspeita de vazamento antecipa anúncio", *Folha de S.Paulo*, 2 jul. 1999. http://bit.ly/2VM7HLV
"Trabalhar na Antarctica: um desafio diário", Entrevista de Victorio de Marchi ao Museu da Pessoa, 20 set. 2004. http://bit.ly/2InkrFM
"Truque do guaraná", *IstoÉ*, 27 out. 1999. http://bit.ly/2IjgBNQ
"Valor de mercado da AmBev é de R$ 7,4 milhões", *O Estado de S. Paulo*, 2 jul. 1999. http://bit.ly/2ZczV4I

LIVROS

César Mattos (Org.), *A revolução do antitruste no Brasil — A teoria econômica aplicada a casos concretos*. São Paulo: Singular, 2004.
Pedro Dutra, *Conversando com o Cade*. São Paulo: Singular, 2009.

ARTIGOS ACADÊMICOS

Marcos Antônio de Camargos e Francisco Vidal Barbosa, "AmBev: Fusão Antarctica/Brahma, uma necessidade estratégica e seus impactos". xxv Encontro Nacional da Associação Nacional dos Programas de Pós-graduação em Administração, 2001. http://bit.ly/2v48wns
Donald N. Sull e Martin Escobari, "Brahma versus Antarctica: Reversal of Fortune in Brazil's Beer Market", London Business School, 2005.

RELATÓRIOS FINANCEIROS/DOCUMENTOS OFICIAIS

Acordo de Acionistas, RI AmBev, 1 jul. 1999. http://bit.ly/2UX6kgb
Consulta ao Processo Administrativo da fusão da AmBev no Cade (Número: 08012.005846/1999-12). http://bit.ly/2IiXLXl

PÁGINAS CONSULTADAS

Diretoria e Conselho de Administração, RI AmBev. http://bit.ly/2v2mC93
"Larguei o futebol para ficar na Brahma", Entrevista de José Adilson Miguel ao Museu da Pessoa, 13 set. 2004. http://bit.ly/2P6Vzm4
Sócios estratégicos, Amrop 2get. http://bit.ly/2Iy0N9e
"Trabalhar na Antarctica: um desafio diário", Entrevista de Victorio de Marchi ao Museu da Pessoa, 20 set. 2004. http://bit.ly/2InkrFM
"União da Brahma e Antarctica, YouTube", Canal Rosenberg Luis da Silva, 12 jan. 2010. http://bit.ly/2Df6Ig5

7. O FATO QUE FOI CONTRA OS ARGUMENTOS [pp. 122-42]

NOTÍCIAS

"2ª Conferência de Liderança Feminina: Isabel Vaz", Executiva, 20 nov. 2017. http://bit.ly/2Uiph8P
"Advogado é acusado apenas de falso testemunho no caso AmBev", *Folha de S.Paulo*, 27 ago. 2000. http://bit.ly/2Uz5KWF

"Advogado Sergio Bermudes defende as empresas mais poderosas do país", *Veja Rio*, 2 jun. 2017. http://bit.ly/2KD1j8M

"A economia da ditadura", *IstoÉ Dinheiro*, 28 mar. 2014. http://bit.ly/2Z8JKQZ

"AmBev anuncia venda da Bavaria para canadense Molson", *Folha de S.Paulo*, 7 nov. 2000. http://bit.ly/2IsT2S9

"AmBev condena estratégia da Kaiser", *Diário do Grande ABC*, 29 mar. 2000. http://bit.ly/2ZbRqC3

"AmBev devolve mais de R$ 8 bilhões ao Estado após descoberta de fraude pelo MP", Instituto dos Auditores Fiscais do Estado da Bahia (JusBrasil). http://bit.ly/2Ix54d1

"AmBev: Governo recomenda venda da Skol", *O Globo*, 12 nov. 1999.

"AmBev: mais um voto no Cade", *Gazeta Mercantil*, 20 jan. 2000.

"AmBev quer provar que a fusão deve reduzir custos", *Folha de S.Paulo*, 16 fev. 2000. http://bit.ly/2IEUHnP

"AmBev só existirá se a Skol for vendida", *Folha de S.Paulo*, 12 nov. 1999. http://bit.ly/2X8qotA

"AmBev venderá a Bavaria em novembro", *Folha de S.Paulo*, 7 set. 2000. http://bit.ly/2KG4VXC

"Andrea Calabri presidirá o Banco do Brasil", *Folha de S.Paulo*, 31 dez. 1998. http://bit.ly/2GnieI1

"Antarctica e Brahma se unem para criar a Companhia de Bebidas das Américas — AmBev", *O Estado de S. Paulo*, 2 jul. 1999. http://bit.ly/2UjRVX1

"Após 9 anos e R$ 1,6 trilhão, legado de Coutinho no BNDES é controverso", *Folha de S.Paulo*, 1 jun. 2016. http://bit.ly/2UgCsHm

"A War is Brewing in Brazil Over Merger of Beverage Giants", *The Wall Street Journal*, 6 mar. 2000. https://on.wsj.com/2v3wz68

Balanço Patrimonial AmBev, *O Estado de S. Paulo*, 8 mar. 2000. http://bit.ly/2IyLEVo

"Beer Makers's Merger Ends 100-year Battle", *Sun Sentinel*, 3 jul. 1999. http://bit.ly/2UE4gdN

"BNDES decide abandonar a política de criação de 'campeãs nacionais'", *Estadão*, 22 abr. 2013. http://bit.ly/2Ukapqt

"Brahma e Antarctica fazem megafusão", *Folha de S.Paulo*, 2 jul. 1999. http://bit.ly/2KCatSU

"Brahma sale a la conquista de América", *El Clarín*, 23 abr. 2000.

"Brazil Brews a Winner", *Forbes*, 21 out. 2001. http://bit.ly/2KUemmv

"Brazil Clears Brewing giant", BBC News, 30 mar. 2000. https://bbc.in/2V7yENf

"Brazilian Beer Giants Merge", BBC News, 30 mar. 2000. https://bbc.in/2KUfwhR

"Brazilian Brewers to Merge in Stock Swap", *LA Times*, 3 jul. 1999. https://lat.ms/2UWCtoj

"Brazilian Regulators Approve the Merger of 2 Big Brewers", *The New York Times*, 31 mar. 2000. https://nyti.ms/2KGQF0N

"Cade ainda pode desfazer a AmBev", *Folha de S.Paulo*, 31 mar. 2000. http://bit.ly/2IuYlAx

"Cade atrasa fusão das cervejas", *O Globo*, 15 jul. 1999.

"Cade confirma que advogado informou possível suborno", *Folha de S.Paulo*, 2 fev. 2000. http://bit.ly/2Zn2cpk

"Cade decide manter Hebe Romano como relatora do processo da AmBev", *O Globo*, 9 mar. 2000.

"Cade define solução para grupo Gerdau e Kolynos", *Folha de S.Paulo*, 19 dez. 1996. http://bit.ly/2Z9gUA2

"Cade deve vetar a fusão da Pains-Gerdau", *Folha de S.Paulo*. http://bit.ly/2DfQR0O

"Cade ganha poder contra abuso econômico", *O Estado de S. Paulo*, 9 jun. 1994. http://bit.ly/2v4Ju7Q

"Cade ignora Justiça e julga caso AmBev", *Folha de S.Paulo*, 30 mar. 2000. http://bit.ly/2v6ANtV

"Cade julga hoje fusão de Brahma e Antarctica", *O Globo*, 29 mar. de 2000.

"Cade mantém análise do caso AmBev", *Folha de S.Paulo*, 10 fev. 2000. http://bit.ly/2Ijp3g0

"Cade não deve parar processo da AmBev", *Folha de S.Paulo*, 8 fev. 2000. http://bit.ly/2XcfXFh

"Cade recebe hoje os documentos para julgar fusão MCI/Sprint", *O Estado de S. Paulo*, 26 out. 1999. http://bit.ly/2XdSLXi

"Cade suspende fusão Brahma-Antarctica", *Folha de S.Paulo*, 15 jul. 1999. http://bit.ly/2KCrjRp

"Cade terá atuação maior, afirma Oliveira", *Folha de S.Paulo*, 15 maio 2000. http://bit.ly/2XdoF67

"Cade vai debater fusão de grandes empresas", Senado Notícias, 13 set. 1999. http://bit.ly/2UBqcGg

"Cade vai investigar guerra publicitária", *Folha de S.Paulo*, 22 jul. 1999. http://bit.ly/2UDF07z

"Câmara aprova projeto que cria Supercade", *Estadão*, 06 out. 2011. http://bit.ly/2InDL5R

"Cervejaria pede que relatora deixe caso", *Folha de S.Paulo*, 29 fev. 2000. http://bit.ly/2V7zYQd
"Cervejarias reduzem investimento no carnaval", *O Estado de S. Paulo*, 15 fev. 2000. http://bit.ly/2IntxlY
"Chances para o novo concorrente", *Correio Braziliense*, 31 mar. 2000.
"Coca-Cola Andina compra Bebidas Ipiranga por R$ 1,2 bi", *Estadão*, 11 jul. 2013. http://bit.ly/2V-1GOGL
"Colgate compra a Kolynos da Anakol", *Folha de S.Paulo*, 10 jan. 1995. http://bit.ly/2VKxq7x
"Com a Molson, Bavaria pode crescer sobre a Kaiser", *O Estado de S. Paulo*, 10 nov. 2000. http://bit.ly/2UJBSak
"Como funciona o Cade, órgão do governo que defende a livre concorrência", Nexo Jornal, 10 maio 2017. http://bit.ly/2IB4RG2
"Compra de ações será analisada pelo Cade", *O Estado de S. Paulo*, 30 maio 2012. http://bit.ly/2V0aLHa
"Conar mantém comercial da empresa", *Folha de S.Paulo*, 17 jul. 1999. http://bit.ly/2IyeZ21
"Concorrência? Tsss", *IstoÉ*, 7 jul. 1999. http://bit.ly/2IpNqZN
"Conselheira do Cade favoreceu amigos, diz PF", *Folha de S.Paulo*, 22 jul. 2000. http://bit.ly/2UlmlZ0
"Conselho decide manter análise sobre a AmBev", *O Estado de S. Paulo*, 10 fev. 2000. http://bit.ly/2IzVwxY
"Decisão do Cade busca mais concorrência", *O Estado de S. Paulo*, 31 mar. 2000. http://bit.ly/2IvXE9U
"Decreto divide secretaria de acompanhamento da Fazenda", *Folha de S.Paulo*, 16 jan. 2018. http://bit.ly/2IAc1tZ
"Depoimentos à PF têm contradições", *Folha de S.Paulo*, 27 fev. 2000. http://bit.ly/2XiO0f7
"Distribuição da Coca-Cola leva Kaiser à liderança", *Folha de S.Paulo*, 26 fev. 1996. http://bit.ly/2UF4SzU
"Documentos relativos ao negócio serão entregues hoje ao Cade para avaliação", *O Estado de S. Paulo*, 2 jul. 1999. http://bit.ly/2GeySIJ
"Elizabeth Farina assume chefia do departamento de economia da FEAUSP", FEAUSP, 9 dez. 2011. http://bit.ly/2UCnzUU
"Empresa do Canadá compra cerveja Bavaria", *O Estado de S. Paulo*, 14 dez. 2000. http://bit.ly/2XdS93V
"Empresa entregou ontem processo de união ao Cade", *O Globo*, 3 jul. 1999.
"Falso nacionalismo", Humberto Pandolpho, *Folha de S.Paulo*, 27 fev. 2000. http://bit.ly/2VIrzQ0
Fato relevante, *O Estado de S. Paulo*, 16 jul. 1999. http://bit.ly/2ImTl1x
"Fernando Tigre deixa o comando da Kaiser", *O Estado de S. Paulo*, 8 mar. 2006. http://bit.ly/2DfU6VQ
"FHC diz que não vai interferir na decisão sobre futuro da AmBev", *Folha de Londrina*, 29 out. 1999. http://bit.ly/2IlSiyO
"Fita dá 'novo rumo', diz procuradora", *Folha de S.Paulo*, 23 mar. 2000. http://bit.ly/2GhlOCn
"Fita revela espionagem no caso AmBev", *Folha de S.Paulo*, 22 mar. 2000. http://bit.ly/2GsCpn5
"Flag of Convenience", *The Economist*, 5 ago. 1999. https://econ.st/2V4i40v
"Fusão acaba com disputa publicitária", *Folha de S.Paulo*, 2 jul. 1999. http://bit.ly/2Ufe88B
"Fusão da cerveja gera intriga no Planalto", *Folha de S.Paulo*, 6 fev. 2000. http://bit.ly/2GgGQRs
"Fusão de Sadia e Perdigão cria gigante do setor de alimentos", *Exame*, 13 jul. 2011. http://bit.ly/2UCObos
"Fusão torna ultrapassada uma disputa histórica", *O Estado de S. Paulo*, 2 jul. 1999. http://bit.ly/2v786gq
"Gerdau fica com a Pains; Cade aprova", *Folha de S.Paulo*, 19 mar. 1998. http://bit.ly/2IzJN2r
"Gesner mantém Hebe no caso AmBev", *Folha de S.Paulo*, 9 mar. 2000. http://bit.ly/2UGoyU9
"Gesner vê manobras contra o Cade", *Folha de S.Paulo*, 1 fev. 2000. http://bit.ly/2VJ5hxz
"Guardia foi secretário de Alckmin", *Valor Econômico*, 9 abr. 2018. http://bit.ly/2XaLg3e
"Guerra de cervejas e liminares", *O Globo*, 30 mar. 2000.
"Guerra de liminares marca julgamento de fusão", *O Estado de S. Paulo*, 30 mar. 2000. http://bit.ly/2Z8FReR
"Heineken anuncia compra da dona da Kaiser", G1, 11 jan. 2010. https://glo.bo/2ZcroyE
"Heineken compra a Femsa, dona da Kaiser, por US$ 7,6 bilhões", *Estadão*, 12 jan. 2010. http://bit.ly/2IxWqeA

"Heineken compra a Kirin e se torna a segunda maior do Brasil", *Época Negócios*, 13 fev. 2017. https://glo.bo/2v4YZg1

"Heineken pode ser saída para Kaiser", *O Estado de S. Paulo*, 12 jan. 2010. http://bit.ly/2X9kWGT

"Heineken sai da Quilmes e facilita negócio com a AmBev", *O Estado de S. Paulo*, 25 jan. 2006. http://bit.ly/2GndjqP

"Houve tentativa de suborno no caso da AmBev, conclui PF", *Folha de S.Paulo*, 18 jul. 2000. http://bit.ly/2VIDkpC

"International Business; Brazil Beer-Merger Partners Charge Obstruction by Coke", *The New York Times*, 11 fev. 2000. https://nyti.ms/2KRfXth

"International Business: Brazilian regulators approve the merger of 2 big brewes", *The New York Times*, 31 mar. 2000. https://nyti.ms/2KRfXth

"Juiz de Bauru dá liminar contra julgamento da AmBev pelo Cade", *O Estado de S. Paulo*, 29 mar. 2000. http://bit.ly/2GmBpC0

"Juiz manda Cade suspender caso AmBev", *Folha de S.Paulo*, 29 mar. 2000. http://bit.ly/2VJzZXx

"Kaiser aceita intervenção de Tápias para negociar acordo com AmBev", *O Estado de S. Paulo*, 29 fev. 2000. http://bit.ly/2Pb3BdQ

"Kaiser colocar no ar anúncios de R$ 5 milhões contra a fusão", *Folha de S.Paulo*, 16 jul. 1999. http://bit.ly/2VOIMYk

"Kaiser contrata ex-marido de conselheira do Cade", *O Estado de S. Paulo*, 17 jul. 1999. http://bit.ly/2Z9i3HQ

"Kaiser foi citada, afirma relatora na PF", *Folha de S.Paulo*, 25 fev. 2000. http://bit.ly/2v2UouH

"Kaiser pode ir à Justiça contra decisão do Cade", *O Estado de S. Paulo*, 31 mar. 2000. http://bit.ly/2UAb7Fa

"Kaiser quer afastar conselheira do Cade", *Folha de S.Paulo*, 27 fev. 2000. http://bit.ly/2VSrRDS

"Kaiser quer ampliar rede de distribuição", *O Estado de S. Paulo*, 18 maio 2000. http://bit.ly/2KGFG7s

"Liminares ameaçam julgamento da AmBev", *O Estado de S. Paulo*, 29 de março de 2000. http://bit.ly/2XaE1sc

"Livro analisa proximidade entre construtoras e regime militar", *O Globo*, 23 nov. 2014. https://glo.bo/2Xc2iOp

"Marca Kolynos fica fora do mercado", *Folha de S.Paulo*, 20 jan. 1997. http://bit.ly/2UBvh1z

"Medidas já tomadas pela AmBev serão mantidas", *O Estado de S. Paulo*, 16 jul. 1999. http://bit.ly/2UTLEWz

"Mexicana Femsa compra a Kaiser por US$ 68 milhões", *O Estado de S. Paulo*, 17 jan. 2006. http://bit.ly/2DeaBSB

"Molson paga US$ 98 milhões à AmBev", *O Estado de S. Paulo*, 8 nov. 2000. http://bit.ly/2IjxckO

"Mulher vai relatar caso AmBev no Cade", *Folha de S.Paulo*, 9 jul. 1999. http://bit.ly/2UlVSdM

"Mulheres mais influentes de Portugal: Isabel Vaz", Executiva, 16 out. 2017. http://bit.ly/2Zhhewu

"Na cola da AmBev", *IstoÉ*, 28 jul. 1999. http://bit.ly/2XbWzZ2

"Nasce a InBev, controlada pelos belgas", *O Estado de S. Paulo*, 28 ago. 2004. http://bit.ly/2DbJQOq

"Nestlé confirma compra da Chocolates Garoto", *O Estado de S. Paulo*, 1 mar. 2002. http://bit.ly/2Dd6ciM

"OAB/DF condecora ex-presidentes da entidade", OAB-DF, 25 maio 2010. http://bit.ly/2UDJFWX

"Obras da ditadura: do Brasil grande ao Brasil do ganho de eficiência", *O Globo*, 23 mar. 2014. https://glo.bo/2KPUKj0

"O Cade sob suspeita", *IstoÉ Gente*, 28 fev. 2000. http://bit.ly/2DhzufU

"O poderoso Cade sob suspeita", *IstoÉ*, 9 fev. 2000. http://bit.ly/2IsOkDX

"O mercado sabe escolher o melhor para o Brasil?", *Folha de S.Paulo*, 8 fev. 2001. http://bit.ly/2UhTCnX

"O que queremos ser", *Folha de S.Paulo*, 27 fev. 2000. http://bit.ly/2VLQXEr

"Os 15 anos de vaivém entre Cade, Garoto e Nestlé", *Exame*, 20 set. 2017. http://bit.ly/2Z9iRfQ

"Os mexicanos vão resgatar a Kaiser?", *IstoÉ Dinheiro*, 25 jan. 2006. http://bit.ly/2GgMlzG

"'Ouvi boato sobre AmBev', diz advogado", *Folha de S.Paulo*, 2 fev. 2000. http://bit.ly/2Iy2UtC

"Para AmBev, SDE tenta atrair capital externo", *O Estado de S. Paulo*, 2 fev. 2000. http://bit.ly/2Ujd83w

"Parecer da fissão de cervejarias exige venda da Skol", *O Estado de S. Paulo*, 12 nov. 1999. http://bit.ly/2KCMO4A

"Parecer vai ser revisto, diz AmBev", *Folha de S.Paulo*, 12 nov. 1999. http://bit.ly/2VQq7eJ

"Parte da história do DF desaparece sob o mato da Academia de Tênis", *Correio Braziliense*, 6 ago. 2014. http://bit.ly/2V30nhI

"PF aponta tentativa de suborno no Cade", *Folha de S.Paulo*, 18 jul. 2000. http://bit.ly/2Kyqg54

"PF confirma tentativa de suborno no caso AmBev", *Diário do Grande ABC*, 18 jul. 2000. http://bit.ly/2X5ohXs

"PF critica relatora no caso AmBev", *O Estado de S. Paulo*, 20 jul. 2000. http://bit.ly/2XajnZ5

"PF faz acareação sobre suborno", *Folha de S.Paulo*, 18 fev. 2000. http://bit.ly/2UVceyx

"PF indicia Ney Suassuna na máfia das ambulâncias", *Estadão*, 26 jan. 2007. http://bit.ly/2GbVd9Y

"PF indicia três no caso AmBev", *Folha de S.Paulo*, 4 abr. 2000. http://bit.ly/2v5kehK

"PF investiga advogados de São Paulo", *Folha de S.Paulo*, 6 fev. 2000. http://bit.ly/2XaFCOI

"PF ouve a relatora do caso AmBev", *Folha de S.Paulo*, 31 jan. 2000. http://bit.ly/2ZaPbip

"PF ouvirá advogados em suposto suborno", *Folha de S.Paulo*, 9 fev. 2000. http://bit.ly/2ZejgOi

"PF pede a suspensão do processo da AmBev ao Cade", *O Estado de S. Paulo*, 4 fev. 2000. http://bit.ly/2GoWTyd

"PF quer suspender fusão Brahma-Antarctica", *O Estado de S. Paulo*, 3 fev. 2000. http://bit.ly/2v1a7L0

"Polícia Federal pede à *Folha* as fitas do caso AmBev", *Folha de S.Paulo*, 24 mar. 2000. http://bit.ly/2KECyJp

"Polícia Federal sugere que Cade suspenda a análise da fusão", *Folha de S.Paulo*, 3 fev. 2000. http://bit.ly/2v6v5bc

"Polícia indicia 4 em investigação de tentativa de suborno pela AmBev", *O Estado de S. Paulo*, 19 jul. 2000. http://bit.ly/2v1amFU

"Processo da AmBev continua enquanto PF apura denúncia de suborno", *Folha de Londrina*, 1 fev. 2000. http://bit.ly/2UhUyIP

"Procurador do Cade aprova AmBev, com restrições", *Folha de S.Paulo*, 24 mar. 2000. http://bit.ly/2XhKrWF

"Parecer pró-AmBev provoca brigas", *Correio Braziliense*, 25 mar. 2000

"Perdigão e Sadia anunciam fusão", *O Estado de S. Paulo*, 24 maio 2009. http://bit.ly/2GcCxqx

"Procuradores do Cade divergem sobre AmBev", *O Estado de S. Paulo*, 24 mar. 2000. http://bit.ly/2IkVI53

"Relatora propõe que a AmBev venda marcas Bavaria e Polar", *O Estado de S. Paulo*, 30 mar. 2000. http://bit.ly/2Gm0HA5

"Relatório condena o negócio", *Correio Braziliense*, 25 mar. 2000.

"Relatório deverá aprovar a AmBev", *Folha de S.Paulo*, 25 mar. 2000. http://bit.ly/2Gm12ml

Reportagem do *Jornal Nacional* sobre a fusão, 1 jul. 1999.

"Sai hoje parecer do Cade sobre AmBev", *O Estado de S. Paulo*, 23 mar. 2000. http://bit.ly/2KDXzDN

"Saída de executivo prenuncia venda da Kaiser", *O Estado de S. Paulo*, 3 out. 2000. http://bit.ly/2IjnQp0

"SDE indefere nova fusão entre Brasilit e Eternit", *O Globo*, 21 jul. 1994.

"SDE veta projeto de fusão entre Brasilit e Eternit", *O Estado de S. Paulo*, 22 jul. 1994. http://bit.ly/2UDokgg

"Soares deixa de representar Antarctica", *Folha de S.Paulo*, 26 fev. 2000. http://bit.ly/2VKzV9V

"Soares nega ter falado em suborno", *Folha de S.Paulo*, 16 fev. 2000. http://bit.ly/2IktVBs

"Sob investigação, Cade julga criação da AmBev", *O Estado de S. Paulo*, 1 fev. 2000. http://bit.ly/2VIUCmJ

"Super Cade muda concorrência no País", *Estadão*, 12 out. 2011. http://bit.ly/2X8JbVv

"Suspeita de vazamento antecipa anúncio", *Folha de S.Paulo*, 2 jul. 1999. http://bit.ly/2IlBkkm

"Temos de enfrentar a concorrência", *Jornal do Brasil*, 4 jul. 1999. http://bit.ly/2v50GKp

"Trabalhador da AmBev pede garantia de emprego", *O Globo*, 16 fev. 2000.
"Um escândalo esquecido", *Folha de S.Paulo*, 24 jul. 2000. http://bit.ly/2DfLU87
"Veja o que o procurador-geral do Cade tentou esconder do Brasil", 28 mar. 2000. http://bit.ly/2IwLIF5
"Visão estranha", *O Globo*, 06 jul. 1999.
"World Business Briefing: Americas; Brewery Deal On Hold", *The New York Times*, 16 jul. 1999. https://nyti.ms/2X5pDS2

ARTIGOS ACADÊMICOS

"Comportamento social e trabalhista — Mapa de Empresa — AmBev", Observatório Social, nov. 2002. http://bit.ly/2DhEEbT
Denise Bittencourt Freidrich, Giovani da Silva Corralo, Rogério Gesta Leal "Direito Administrativo e Gestão Pública II — XXIV Congresso Nacional do CONPEDI — UFMG/FUMEC/Dom Helder Câmara". http://bit.ly/2GaPpgQ
Donald N. Sull e Martin Escobari, "Brahma versus Antarctica: Reversal of Fortune in Brazil's Beer Market", London Business School, 2005.
Élisson Telles Moreira, André Ricardo Stramar, Fernando Valentim Pardo Eisele, Hélio Roberto Mathias Damiani, "Concentração industrial e competitividade: uma análise do setor de cervejas do Brasil — 1997-2012", VI Encontro de Estudos em Estratégia, 2013. http://bit.ly/2Z9jDcK
Keli Prezzotto e Vanderleia Loff Lavall, "AmBev — Análise da fusão e os efeitos sobre o mercado", V Encontro de Economia Catarinense, 2011. http://bit.ly/2X8ZqBZ
Michelle R. Higuthi, "AmBev — Antecedentes da fusão", ESPM/EXAME, 2002.

RELATÓRIOS FINANCEIROS/DOCUMENTOS OFICIAIS

Balanço Patrimonial AmBev, *O Estado de S. Paulo*, 8 mar. 2000. http://bit.ly/2IyLEVo
Consulta ao Processo Administrativo da fusão da AmBev no Cade (Número: 08012.005846/1999-12). http://bit.ly/2IiXLXl

LIVROS

Cade, "Defesa da concorrência no Brasil, 50 anos". http://bit.ly/2ve7Cou
César Mattos (Org.), *A revolução do antitruste no Brasil — A teoria econômica aplicada a casos concretos*. São Paulo: Singular, 2004.
Fernando Henrique Cardoso, *Diários da presidência v. 3: 1990-2000*. São Paulo: Companhia das Letras, 2017.
L. Hassenclever e D.J. Kupfer, *Economia industrial: Fundamentos teóricos e práticas no Brasil*. Rio de Janeiro: Elsevier, 2015.
Pedro Dutra, *Conversando com o Cade*. São Paulo: Singular, 2009.

PÁGINAS CONSULTADAS

"Biografia", José Serra. http://bit.ly/2VNUu59
Calixto Salomão Filho, Fapesp. http://bit.ly/2v5vrir
Calixto Salomão, História oral do campo jurídico em São Paulo, FGV CPDoc. http://bit.ly/2IxG19T
Cláudio R. Frischtak, colunistas, *Valor Econômico*. http://bit.ly/2Ijrsr2
Consulta processual, Portal da Transparência Ministério Público Federal, 0008404-83.2016.4.03.6103. http://bit.ly/2ZeTFok

"Elizabeth Farina assume chefia do departamento de economia da FEAUSP", FEAUSP, 9 dez. 2011. http://bit.ly/2UCnzUU

"Estrutura organizacional da Secretaria de Promoção da Produtividade e Advocacia da Concorrência — Seprac", Ministério da Economia. http://bit.ly/2UYb4SV

"Histórico do Cade", Cade, 24 fev. 2016. http://bit.ly/2DeRjw9

"Histórico de autoridades do Cade 1963-2017", Ministério da Justiça e Segurança Pública, Cade. http://bit.ly/2Zdi5hV

"Impedimento e suspeição de conselheiro do Cade no processo administrativo da concorrência", Nelson Nery Junior, *Revista de Processo*, 2000. http://bit.ly/2UjIXsI

João Eduardo de Morais Pinto Furtado, PRO POLI USP. http://bit.ly/2KGXcsl

Linha do tempo da Coca-Cola Andina. http://bit.ly/2Pbeg8q

Manoel Gonçalves Ferreira Filho, Galeria de Diretores, Direito USP. http://bit.ly/2D9GXhd

"Mulheres mais influentes de Portugal: Isabel Vaz", Executiva, 16 out. 2017. http://bit.ly/2Zhhewu

Regimento Interno do Cade de 1998, Cade. http://bit.ly/2UkpYOX

Regimento Interno do Cade de 2017, Cade. http://bit.ly/2VOu57A

"Relação de Ministros de Estado da Justiça", Ministério da Justiça e Segurança Pública. http://bit.ly/2UCMvf1

Relatório Anual 1998/99, Cade. http://bit.ly/2UZbjwP

Renato de Castro Garcia, Fapesp. http://bit.ly/2ZfLzLW

Renato de Castro Garcia, IEA-USP. http://bit.ly/2UgCwqF

Resolução número 12, 31 mar. 1998, Lex Magister. http://bit.ly/2Z9XgnD

Secretaria de Direito Econômico-SDE, Ministério da Justiça e Segurança Pública. http://bit.ly/2DqPNaD

Site institucional da Bebidas Ipiranga, a partir do dia 1 dez. 2013. http://bit.ly/2PdkZhX

8. APOSTA DOBRADA [pp. 143-58]

NOTÍCIAS

"Ação de distribuidores contra AmBev chega à OEA", *Valor Econômico*, 1 jul. 2016. http://bit.ly/2Iloxyj

"AmBev demite 127 empregados em SP", *O Estado de S. Paulo*, 28 jun. 2000. http://bit.ly/2Pdl70V

"AmBev formaliza venda da Bavaria à Molson", *Folha de S.Paulo*, 21 dez. 2000. http://bit.ly/2ZdDGHa

"AmBev inaugura fábrica de cerveja no Peru", *Folha de S.Paulo*, 28 out. 2005. http://bit.ly/2DdL7Vm

"AmBev inaugura fábrica de embalagem de vidro", *Estadão*, 16 abr. 2008. http://bit.ly/2Pewhm2

"AmBev inaugura fábrica no Maranhão", *Estadão*, 16 jul. 2012. http://bit.ly/2Xi9mcB

"AmBev já nasce a nº 1 em faturamento", *Folha de S.Paulo*, 3 jul. 1999. http://bit.ly/2P9tsTo

"AmBev não deve indenizar distribuidora de bebidas", Conjur, 31 ago. 2010. http://bit.ly/2UHtIyX

"AmBev terá de indenizar distribuidora por uso de cláusulas draconianas", Consultor Jurídico, 2 fev. 2016: http://bit.ly/2UCpWHi

"Associação torna ultrapassada disputa histórica", *O Estado de S. Paulo*, 2 jul. 1999. 1999. http://bit.ly/2Inf2yu

"Lula abre fábrica no Uruguai", *Folha de S.Paulo*, 3 mar. 2005. http://bit.ly/2V36Hpz

"Nova empresa vai fechar fábricas antigas", *Folha de S.Paulo*, 3 jul. 1999. http://bit.ly/2Dg3rNk

"O voto dos conselheiros", *Correio Braziliense*, 31 mar. 2000.

"Regras do Cade ficaram mais flexíveis", *O Estado de S. Paulo*, 4 abr. 2000. http://bit.ly/2IpVSrM

"Venda da unidade encerra um ciclo histórico", *Folha de S.Paulo*, 19 jun. 2001. http://bit.ly/2KGt8x0

ARTIGOS ACADÊMICOS

"Comportamento Social e Trabalhista — Mapa de Empresa — AmBev", Observatório Social, nov. 2002. http://bit.ly/2DhEEbT

Ivone Salgado e Diógenes Sousa, "A Companhia Antarctica Paulista em São Paulo: memória e patrimônio edificado", 2017.
Sandro Luiz Costa Roma, "Desafios do sucesso no longo prazo em estratégias de reestruturação: o caso da AmBev", 2011. http://bit.ly/2UD9572

RELATÓRIOS FINANCEIROS/DOCUMENTOS OFICIAIS

"20-F AmBev — 2001", RI AmBev. http://bit.ly/2Gkztsf
"20-F AmBev — 2002", RI AmBev. http://bit.ly/2v4eiWl
Formulário 20-F/A — Relatório Anual conforme seção 13 OU 15(D) da Lei de Mercado de Capitais de 1934 para o exercício findo em 31 de dezembro de 2002, RI AmBev. http://bit.ly/2v4eiWl
"Mensagem aos acionistas", *O Estado de S. Paulo*, 8 mar. 2001. http://bit.ly/2v5w5wn
Relatório Anual 2006, RI AmBev. http://bit.ly/2IoetnX
Relatório Anual 2004, RI AmBev. http://bit.ly/2VLbadw
Relatório Anual AmBev — 2005, RI AmBev. http://bit.ly/2VQBPWI
Relatório Anual AmBev — 2006, RI AmBev. http://bit.ly/2UE78ap
Relatório Anual AmBev — 2007, RI AmBev. http://bit.ly/2UE7s97
Relatório Anual AmBev — 2008, RI AmBev. http://bit.ly/2XcE5rt

PÁGINAS CONSULTADAS

"Denúncia contra as autoridades judiciárias e administrativas brasileiras", Conjur. http://bit.ly/2XlhKIp
Distribuidora Brasibel (Brasileiro Bebidas Ltda), processo 2013/0370766-0 (STJ).
J. Cruz Indústria e Comércio Ltda, processo 2005/0114738-6 (STJ).
Processo, Recurso Especial, Superior Tribunal de Justiça. http://bit.ly/2Gp8QDR
Processo 1112796, Superior Tribunal de Justiça. http://bit.ly/2GnpaVM
Processo na Justiça Federal número 2005.61.00.025506-2.
Revendedora da Bebidas Entre Rios Ltda, processo 2003/0001468-3 (STJ).
Revista Confenar, jul.-ago. 2013. http://bit.ly/2InIGnl
Revista Confenar, set.-out. 2013. http://bit.ly/2PbSq4E

9. A SOMBRA DO GIGANTE [pp. 159-74]

NOTÍCIAS

"AmBev afirma que sistema é 'avançado'", *O Estado de S. Paulo*, 29 nov. 2004. http://bit.ly/2Vf6Vdm
"AmBev aposta em mini retornáveis e garante economia para o consumidor", No Minuto, 29 ago. 2016. http://bit.ly/2KEONFD
"AmBev deve pagar R$ 1 milhão por assédio moral coletivo", Consultor Jurídico, 23 ago. 2006. http://bit.ly/2UkiBqE
"AmBev é condenada a pagar R$ 1 mi por assédio moral", *Estadão*, 2006. http://bit.ly/2UTgBdx
"AmBev entrega veículos como indenização por assédio moral no RN", *Folha de S.Paulo*, 9 jul. 2008. http://bit.ly/2PdW0v5
"AmBev faz ajustes para vender mais retornáveis", *Valor Econômico*, 16 set. 2016. http://bit.ly/2UeLJj6
"AmBev inaugura ampliação de filial no município de Piraí", Imprensa Governo do RJ, 18 out. 2011.
"AmBev inaugura fábrica de vidro", *O Estado de S. Paulo*, 16 abr. 2008. http://bit.ly/2Go9rpB
"AmBev inaugura fábricas de vidro no Rio", *Extra*, 16 abr. 2008. https://glo.bo/2Gm4pZw
"AmBev inaugura linhas de produção da Budweiser no Rio", *Época Negócios*, 21 mar. 2014. https://glo.bo/2DdLP4Y

"AmBev instala medidor de vazão em fábrica de cerveja em Camaçari", *Diário do Comércio, Indústria & Serviços*, 6 out. 2004. http://bit.ly/2V4TOv6

"AmBev recorrerá de multa por assédio moral", *Folha de S.Paulo*, 24 ago. 2006. http://bit.ly/2DfVyHY

"AmBev reduz emissão de gases de efeito estufa", *Valor Econômico*, 23 ago. 2016. http://bit.ly/2Uk08dJ

"Apartamento tem todo o piso revestido com pastilhas azuis", *Revista Casa*, 11 abr. 2014. http://bit.ly/2Z5X34G

"Como a AmBev faz garrafas de vidro — e as reúsa até 20 vezes", *Exame*, 26 set. 2016. http://bit.ly/2KI2dkr

"Concorrentes vão à SDE contra garrafa da AmBev", *Folha de S.Paulo*, 4 abr. 2008). http://bit.ly/2Pbavja

"Condenada, AmBev faz anúncio antiassédio moral", Folha de S.*Paulo*, 6 ago. 2008. http://bit.ly/2GeBx5b

Coluna de Mônica Bergamo, *Folha de S.Paulo*, 18 maio 2002. http://bit.ly/2VH6O7n

"CVM absolve acionista da AmBev em processo sobre uso de informação privilegiada", *Folha de S.Paulo*, 26 out. 2010. http://bit.ly/2IAf715

Direito, *Folha de S.Paulo*, 25 mar. 2012. http://bit.ly/2GseB3X

"Garrafas de vidro voltam à mesa do consumidor", *Jornal de Brasília*, 31 ago. 2016. http://bit.ly/2DfDVIq

"Indústria de bebidas terá produção controlada pela Receita Federal", *O Globo*, 24 fev. 2003.

"Juízes trabalhistas punem advogados que agem de má-fé", *Folha de S.Paulo*, 9 out. 2016. http://bit.ly/2PdXk11

"Justiça manda AmBev indenizar funcionário com R$ 70 mil por humilhação", *Folha de S.Paulo*, 2006. http://bit.ly/2Pb33Vj

"Na guerra da cerveja, denúncias de sonegação", *O Estado de S. Paulo*, 12 dez. 2003. http://bit.ly/2UlYmc6

"O Leão fiscaliza a cerveja", *O Globo*, 22 jul. 2004.

"Ovelha desgarrada", *Época Negócios*. https://glo.bo/2VOzmvW

"Pequenos pedem à SDE que investigue AmBev e Coca", *Estadão*, 23 abr. 2007. http://bit.ly/2IobsnY

"Previ vai à CVM contra a AmBev", *O Estado de S. Paulo*, 13 abr. 2004. http://bit.ly/2V4Uela

"Receita eleva IPI de bebidas e cigarros a partir do dia 1º", *O Globo*, 28 nov. 2002

"Receita fecha porta da sonegação da cerveja", *O Estado de S. Paulo*, 31 jan. 2004. http://bit.ly/2XdXAzS

"Trio da AmBev fecha acordo com a CVM", *Folha de S.Paulo*, 25 dez. 2009. http://bit.ly/2Ukrtg3

"Trio da AmBev paga R$18,6 mi à CVM para pôr fim a processos", *Estadão*, 24 dez. 2009. http://bit.ly/2KI2x2D

ARTIGOS ACADÊMICOS

Folheto da Organização Mundial da Saúde, Fundación Iberoamericana de Seguridad y Salud Ocupacional (Fiso), Colômbia, 2004. http://bit.ly/2KGcHR2

Gilberto Kerber, "Dano moral e sua reparação — Direito comparado: Argentina e Brasil".

Ilse Marcelina Bernardi Lora "Assédio moral no trabalho e a dificuldade da prova".

Liliana Adolpho Magalhães Guimarães e Eveli Freire Vasconcelos, "Mobbing (Assédio psicológico-moral) no ambiente de trabalho: uma visão crítica contemporânea".

Marcia Kazenoh Bruginski, "Assédio moral no trabalho — Conceito, espécies e requisitos caracterizadores". http://bit.ly/2D9IYdh

Márcio Silva Borges e Silvestre Prado de Souza Neto, "Meio ambiente x indústria de cerveja: um estudo de caso sobre práticas ambientais responsáveis", V Congresso Nacional de Excelência em Gestão, jul. 2009. http://bit.ly/2GeCgDr

Messias Carvalho, "Assédio moral/mobbing". http://bit.ly/2UjZahF

Sandro Luiz Costa Roma, "Desafios do sucesso no longo prazo em estratégias de reestruturação: o caso da AmBev", 2011. http://bit.ly/2UD9572

Valmir Ricardo Fassbinder "Dano moral e assédio moral nas relações de trabalho". http://bit.ly/2GgdtyN

Vanessa Chaves de Figueiredo, "Absenteísmo em sistema VPO de gestão: a experiência da cervejaria AmBev — Uberlândia — MG", 2016.

PÁGINAS CONSULTADAS

"AmBev inaugura fábrica de embalagens de vidro no Rio de Janeiro", Guia da Embalagem, 18 abr. 2008. http://bit.ly/2KCzRYv

"Assédio Moral — Não seja mais uma vítima", Ouvidoria Ipea. http://bit.ly/2IpXotY

Decreto Número 8950, 29 dez. 2016. http://bit.ly/2UkfvTD

"Psychological Terrorization — The Problem of Terminology", Leymann. http://bit.ly/2Pcnrpd

"Ranking das Partes", Tribunal Superior do Trabalho, 31 jan. 2019. http://bit.ly/2Df8ZYC

"Sobre o professor Heinz Leymann", Leymann. http://bit.ly/2IzYNxa

Tabela de incidência do Imposto sobre Produtos Industrializados (TIPI), 2017, Planalto. http://bit.ly/2GdWBbV

PARTE 2: O MUNDO

10. A CERVEJARIA DOS HERMANOS [pp. 177-94]

NOTÍCIAS

"¿Cómo lo logró?", Semana, 24 jul. 2005. http://bit.ly/2PeSfp9

"¿Quién es quién en la familia Santo Domingo?", Hola.com, 2 maio 2016. http://bit.ly/2UDADtc

"A conquista da América engarrafada", Exame, 18 fev. 2011. http://bit.ly/2GpvFaH

"A conquista da América", Época Negócios, 18 jul. 2008. https://glo.bo/2GneGFK

"A estratégia de internacionalização da AmBev", Exame, 14 out. 2010. http://bit.ly/2ZdG7cM

"A Guerra da Brahma — ops, Brahva — na Guatemala", Pública, 28 nov. 2014. http://bit.ly/2ZbAADo

"AB InBev Battles Guatemalan Brewing Dynasty", St. Louis Business Journal, 9 maio 2014. http://bit.ly/2DiI7XQl

"AB Inbev Buys Out Corona Maker Modelo for $ 20 billion", Reuters, 29 jun. 2012. https://reut.rs/2Isg8t1

"AB InBev fecha compra do restante do Grupo Modelo por US$ 20 bi", Valor Econômico, 29 jun. 2012. http://bit.ly/2v8ylTr

"AmBev adquire 15% da venezuelana Cerveceria Regional", Exame, 10 out. 2010. http://bit.ly/2XfErgN

"AmBev and Cerveceria Regional to Combine Their Businesses in Venezuela", RI AmBev, 20 ago. 2010. http://bit.ly/2IyJmWc

"AmBev compra a Salus, do Uruguai", Folha de S.Paulo, 20 set. 2000. http://bit.ly/2Di0QTr

"AmBev compra empresa e entra no mercado do Caribe", Folha de S.Paulo, 12 fev. 2004. http://bit.ly/2VNP9uF

"AmBev compra peruana Rivera e cresce na AL", O Estado de S. Paulo, 15 out. 2003. http://bit.ly/2KLgrRr

"AmBev deve fundir operações na República Dominicana com CND", Valor Econômico, 15 abr. 2012. http://bit.ly/2v6JgNw

"AmBev disputa mercado do Peru com a Backus", UOL Notícias, 29 jan. 2004. http://bit.ly/2ZioZ5p

"AmBev fica na Venezuela associada à Cervecería Regional", Exame, 22 mar. 2013. http://bit.ly/2PmvPCF

"AmBev lança cerveja Brahma no Paraguai", Diário do Grande ABC, 6 dez. 2001. http://bit.ly/2UL6Izn

"AmBev to Buy Control of Dominican Brewer CND", Reuters, 16 abr. 2012. https://reut.rs/2GpDH36

"AmBev une operações com venezuelana", *O Estado de S. Paulo*, 21 ago. 2010. http://bit.ly/2KYicuT
"AmBev vai investir mais no Peru", *O Estado de S. Paulo*, 26 dez. 2003. http://bit.ly/2GgbdHU
"América do Sul: recuperação e perspectivas", *O Estado de S. Paulo*, 6 jul. 1993. http://bit.ly/2ZcFz6Z
"Anheuser-Busch Inbev Creates Largest Drinks Company in Caribbean with Cerveceria Nacional Dominicana Deal", *The Telegraph*, 16 abr. 2012. http://bit.ly/2GgBXIb
"Anheuser Merger May Cause Problems for John Mccain", *The Guardian*, 30 jul. 2008. http://bit.ly/2IqhOD0
"Antarctica quer crescer exportação em 50%", *O Estado de S. Paulo*, 12 jan. 1994. http://bit.ly/2VOAgbH
"Aruba's Wild Side", *The Guardian*, 7 maio 2016. http://bit.ly/2UHI4iY
"As lições de Lemann, Telles e Sicupira para empreendedores", *Exame*, 16 jun. 2013. http://bit.ly/2X58Aj0
"Bavaria. De Kopp a Santo Domingo", *Dinero*, 17 set. 2004. http://bit.ly/2PdAq9Y
"Best of Aruba: Insider Tips From Hot Hotels to the Best Dining And Spas", *Forbes*, 7 jan. 2018. http://bit.ly/2Df241K
"Biografía de Julio Mario Santo Domingo Pumarejo", *El Heraldo*, 7 out. 2011. http://bit.ly/2UovX5c
"Brahma chega à Venezuela", *Jornal do Brasil*, 18 jan. 1994. http://bit.ly/2DjHbCi
"Brahma compra empresa na Venezuela", *Folha de S.Paulo*, 18 jan. 1994. http://bit.ly/2UDC2jk
"Brahma compra fábrica de cerveja venezuelana", *O Globo*, 18 jan. 1994.
"Brahma eleva em 50% a produção na Argentina", *O Estado de S. Paulo*, 1 jul. 1998. http://bit.ly/2UYrEC8
"Brahma encerra produção na Venezuela", *Valor Econômico*, 20 mar. 2013. http://bit.ly/2VWUPT6
"Brahma quer ampliar sua participação na Argentina", *O Estado de S. Paulo*, 23 abr. 1998. http://bit.ly/2IDDdbs
"Brewing Up a Fortune: The Rise of Santo Domingo Family", *The Financial Times*, 21 jan. 2017. https://on.ft.com/2IC7fMs
"Buffett Steps Into Battle for Anheuser", *The Guardian*, 15 jun. 2008. http://bit.ly/2Zg89Ew
"Cervejaria da Guatemala processa AmBev", *Folha de S.Paulo*, 17 out. 2003. http://bit.ly/2v9asvi
"Chopp no vizinho", *Folha de S.Paulo*, 31 mar. 1994. http://bit.ly/2v6yTJL
"Coca exige e Brahma retira comercial do ar", *O Estado de S. Paulo*, 18 jan. 1994. http://bit.ly/2GqsDmp
"Company Overviwe of Quilmes Industrial (Quinsa) S.A.", Bloomberg. https://bloom.bg/2Xc0THQ
"Correa inaugura reunião da Comunidade Andina de Nações no Equador", *Jornal do Brasil*, 14 out. 2008. http://bit.ly/2V2HxaM
"Diferencias por la venta de la cervecera Quilmes", *La Nación*, 15 abr. 2006. http://bit.ly/2Uka86N
"Disputa familiar en la venta de Quilmes", *El Clarín*, 15 abr. 2006. http://bit.ly/2Zkbdzx
"El centenario de la Cerveza Águila, uma marca sin igual", *El Tiempo*, 12 maio 2013. http://bit.ly/2VQMiBh
"El color de dinero: Los Bemberg y un club para muy pocos", *El Clarín*, 21 set. 2003. http://bit.ly/2KMPRY7
"El enemigo de Chávez", *Dinero*, 13 dez. 2010. http://bit.ly/2UliaN0
"El glamuroso clan Santo Domingo entra en el IBEX 35", *Vanity Fair España*, 9 jun. 2017. http://bit.ly/2ZipoVq
"El meganegocio de los Santo Domingo", *Semana*, 17 out. 2015. http://bit.ly/2KL4Vpj
"Fallece el empresario Eduardo León Asensio", *Hoy*, 28 ago. 2006. http://bit.ly/2UI16FO
"Família mais rica de Colômbia lucra US$ 2 bi com negócio de cervejas", Uol, 17 set. 2015. http://bit.ly/2GqCWqv
"Heineken sofre derrota na Justiça em caso AmBev-Quinsa", *Folha de S.Paulo*, 25 jun. 2002. http://bit.ly/2IEakvx
"Heineken tenta impedir fusão de Quilmes e AmBev na Justiça", *Folha de S.Paulo*, 10 jun. 2002. http://bit.ly/2Zk4bue
"Historia de la cerveza em Colombia", Historia de la Cocina y la Gastronomía, 16 maio 2012. http://bit.ly/2V5pu3F
"Historia de una fría", *Diario Libre*, 12 ago. 2016. http://bit.ly/2vgWozX

"Historia de un imperio", *Semana*, 19 jul. 1982. http://bit.ly/2v9chbC
"Inbev Bids to Oust Anheuser-Busch Board", *The Guardian*, 7 jul. 2008. http://bit.ly/2XlZ7nz
"InBev pode ganhar US$ 1,4 bilhão em sinergias com a Anheuser-Busch, estima Lehman Brothers", *Exame*, 10 out. 2010. http://bit.ly/2ZfbBiq
"InBev Targets Takeover of Anheuser-Busch", *The Financial Times*, 23 maio 2008.
"Juan Lorenzo Mendoza Quintero (1927-1962)", *El Nacional*, 3 ago. 2015. http://bit.ly/2ZfbCD0
"La familia Bemberg deja atrás la cerveza y coloca su apellido en los vinos de alta gama", *El Clarín*, 18 jul. 2018. http://bit.ly/2ZisgSf
"La historia de Alejandro Santo Domingo y la familia Santo Domingo", Mega Ricos, 11 jun. 2018. http://bit.ly/2Zit6OT
"Lorenzo Alejandro Mendoza Fleury (1897-1969)", *El Nacional*, 3 ago. 2015. http://bit.ly/2GhOXgR
"Lorenzo Mendonza & family", *Forbes*, 1 mar. 2016. http://bit.ly/2XhERTW
"Los Bemberg: después de Quilmes, Patagonia Gold y otros negocios", Mining Press, 30 mar. 2008. http://bit.ly/2PgwjtD
"Los próximos millonarios de República Dominicana", *Forbes México*, 26 jun. 2014. http://bit.ly/2ZdTV6U
"Maduro Cuts Off Venezuela's Air and Sea Traffic with 3 Island Neighbors", *The New York Times*, 6 jan. 2018. https://nyti.ms/2XbJ0c2
"Más de un siglo en expansión", *La Nacion*, 14 abr. 2006. http://bit.ly/2vgWHuB
"Mercado Comum do Sul foi criado em 1991", Senado Notícias, 27 abr. 2007. http://bit.ly/2KL3kzT
"O guru do Brasil", *Exame*, 18 fev. 2011. http://bit.ly/2GmeXc6
"O instável mercado de refrigerantes", *O Estado de S. Paulo*, 24 out. 1982. http://bit.ly/2ZipXi0
"O legado de Lemann", *Época Negócios*, 20 jan. 2009. https://glo.bo/2PgJlay
"Os bastidores das negociações", *Exame*, 14 out. 2010. http://bit.ly/2Xg9vgD
"Pacto Andino completa 25 anos sem unir região", *O Estado de S. Paulo*, 29 maio 1994. http://bit.ly/2VNka20
"Pepsi Finds Bottler in Venezuela After Old Firm Defected to Coke", *The Wall Street Journal*, 14 nove. 1996. https://on.wsj.com/2KICeJr
"Quilmes da Argentina compra o controle da engarrafadora Baesa", *O Estado de S. Paulo*, 8 set. 1999. http://bit.ly/2GqDD35
"SABMiller: Conoce el rol de los Santo Domingo, la familia más rica de Colombia", Gestión, 16 out. 2015. http://bit.ly/2KHqC9H
"Santo Domingo, la dinastia cervecera colombiana en el centro del 'mayor negocio del año' en el mundo", BBC, 13 out. 2015. https://bbc.in/2PeX0yQ
"Sol nascente", *Folha de S.Paulo*, 19 jun. 1997. http://bit.ly/2V9FtNY
"The Beer Baron", *Forbes*, 5 jul. 1999. http://bit.ly/2VNkrly
"The Inbev Strategy", *The Financial Times*, 23 maio 2008. https://on.ft.com/2KHP2Qk
"These Are the 224 Beer Brands that Will Soon be Owned By Just One Company", Quartz, 13 out. 2015. http://bit.ly/2V9IM7Q
"Una ronda de 'gallo' para todos", *El País*, 27 nov. 2015. http://bit.ly/2UmSGP6
"Venezolanos se toman últimas latas de emblemática cerveza Polar", *El Comercio*, 1 maio 2016. http://bit.ly/2veqEep
"Venezuela: ¿quién es Lorenzo Mendoza?", *Deutch Welle*, 23 out. 2015. http://bit.ly/2Xm1dDX
"Venta de Bavaria, el mayor negocio de Santo Domingo", *El Heraldo*, 9 out. 2011. http://bit.ly/2UmX0xV
"What Next for Belgium's Budweiser?", *The Guardian*, 17 jul. 2008. https://on.ft.com/2veqMdT
"Tratado de Assunção é o marco histórico da criação do Mercosul", Agência Brasil, 31 mar. 2005. http://bit.ly/2Xk6wUa
"Who's Who in Venezuela", *Latin American Herald Tribune*. http://bit.ly/2IniB7P

ARTIGOS ACADÊMICOS

Aurélia Adriana de Melo, "A influência do contexto no processo de difusão das normas ISO Série 9000 no Brasil", XXIV Encontro Nacional da Associação Nacional dos Programas de Pós-graduação em Administração, 2000. http://bit.ly/2Df4YUc

Clara Lins, Antonio Fernando Azevedo e Marcelo Geyer Ehlers, "A família Bemberg". http://bit.ly/2ZiqsZq

Claudio Belini, "Monopolios, poder y politica: Perón contra el Grupo Bemberg, 1948-1959", *Secuencia: Revista de Historia y Ciencias Sociales*, n. 70, jan.-abr. 2008. http://bit.ly/2v6Nc0K

"Comportamento social e trabalhista — Mapa de Empresa — AmBev", Observatório Social, nov 2002. http://bit.ly/2DhEEbT

Gizeli dos Santos Gregorini, "Estratégia competitiva no mercado de bebidas: estudo de caso na Companhia de Bebidas das Américas — AmBev", 2006. http://bit.ly/2UogH8u

Maria Helena de Oliveira, "Cerveja: um mercado em expansão", BNDES, 2006 1996. http://bit.ly/2IkZQlk

Rubén Darío Jiménez Candia "Internacionalização de empresas brasileiras no Mercosul: O caso Brahma", XXVII Encontro Nacional da Associação Nacional dos Programas de Pós-graduação em Administração, 2003. http://bit.ly/2Vajnv6

PÁGINAS CONSULTADAS

"Comisión Administradora de Bienes — Ley 14122 — Grupo Bemberg", Censo-Guía de Archivos de España e Iberoamérica. http://bit.ly/2ICyUwO

Guía del Departamento Archivo Intermedio, Memoria Abierta. http://bit.ly/2UDI0ke

"Historia", E. León Jimenes. http://bit.ly/2IosBO8

"Jorge Paulo Lemann: 'Nosso negócio não é cerveja, nem hambúrguer ou ketchup, é gente'", Endeavor Brasil. http://bit.ly/2ZiTJ6C

"Mercosul e a Comunidade Andina — Lula assina acordo e prevê aproximação econômica com Peru", Vestibular. http://bit.ly/2Dh681k

"Mercosul", Ministério das Relações Exteriores. http://bit.ly/2VQQiSj

"Socios estratégicos, AmBev", The Central America Bottling Corporation. http://bit.ly/2IHmOTn

"The World Factbook — Dominican Republic", CIA. http://bit.ly/2GpOSJg

Site da Comunidade Andina. http://bit.ly/2UpyIn7

Site Valorem. http://bit.ly/2UDYfO4

11. QUEM COMPROU QUEM? [pp. 195-217]

NOTÍCIAS

"A cerveja no Brasil", Ministério da Agricultura, da Pecuária e do Abastecimento, 4 jan. 2018. http://bit.ly/2UyVIVm

"Ação da AmBev sobe 3% com volta do rumor sobre Interbrew", *Folha de S.Paulo*, 27fev.2004. http://bit.ly/2GiHPkr

"Acionistas aprovam acordo e criam InBev", *Folha de S.Paulo*, 28 ago. 2004. http://bit.ly/2v7Mb8G

"Acionistas rejeitam oferta da AmBev por ações da Quilmes", *Folha de S.Paulo*, 23 abr. 2007. http://bit.ly/2Uo9uFl

"Ações da AmBev caem 31,75% em 13 dias", *O Estado de S. Paulo*, 16 mar. 2004. http://bit.ly/2vaeWl6

"Ações da empresa brasileira têm ligeira alta com recompra", *O Estado de S. Paulo*, 24 mar. 2004. http://bit.ly/2XdO0wW

"Ações da Interbrew caem com rumor de fusão com AmBev", BBC Brasil, 2 mar. 2004. https://bbc.in/2UkUg4d

"Ações da Interbrew caem por causa do negócio com AmBev", BBC Brasil, 3 mar. 2004. https://bbc.in/2KLFwLW

"Acordo AmBev/Interbrew fica mais próximo", *Folha de S.Paulo*, 25 maio 2004. http://bit.ly/2V-7Ce9U

"Acordo com o Cade não impede venda da AmBev", *Folha de S.Paulo*, 4 mar. 2004. http://bit.ly/2GuhAZE

"Acordo deixa Interbrew mais perto da AmBev", *O Globo*, 25 maio 2004.

"Acordo entre cervejarias vazou, diz CVM", *Folha de S.Paulo*, 6 maio 2004. http://bit.ly/2V9M4YT

"Agora é W/Brasil que processa AmBev", *O Estado de S. Paulo*, 23 março 2004.

"Aliança AmBev-Interbrew tem novo sinal verde", *O Globo*, 30 jun. 2004. http://bit.ly/2UrGOv7

"AmBev admite vazamento de informações", *O Globo*, 3 mar. 2004. https://glo.bo/2KLagwM

"AmBev afirma que ainda é companhia 'verde-amarela'", *Folha de S.Paulo*, 4 mar. 2004. http://bit.ly/2UIGhdw

"AmBev anuncia hoje fusão com a Interbrew", *O Estado de S. Paulo*, 3 mar. 2004. http://bit.ly/2v906v4

"AmBev anuncia megafusão com cervejaria belga Interbrew", *Folha de S.Paulo*, 3 mar. 2004. http://bit.ly/2vah9Nq

"AmBev anuncia que João Castro Neves sucede Augustín García Mansilla como CEO da Quinsa, a partir de 31 de dezembro de 2006", RI AmBev, 15 set. 2006. http://bit.ly/2UFSQ9j

"AmBev anuncia recompra de até R$ 500 mi em ações preferenciais", *Folha de S.Paulo*, 23 mar. 2004. http://bit.ly/2XhowP9

"AmBev confirma megafusão com cervejaria belga Interbrew", *Folha de S.Paulo*, 2 mar. 2004. http://bit.ly/2ZhI9bJ

"AmBev e Schin: Guerra com novos lances jurídicos", *O Estado de S. Paulo*, 1 abr. 2004. http://bit.ly/2VRV1mD

"AmBev explica acordo a minoritários", *Folha de S.Paulo*, 17 mar. 2004. http://bit.ly/2UN3ATC

"AmBev fala em ganho de sinergia para minimizar perda dos preferencialistas", *Folha de S.Paulo*, 16 mar. 2004. http://bit.ly/2Gr3hVq

"AmBev incorpora cervejaria canadense apesar de resistência da Previ", *Folha de S.Paulo* 27 ago. 2004. http://bit.ly/2vbFYsh

"AmBev negocia megafusão com a Interbrew", *Folha de S.Paulo*, 2 mar. 2004. http://bit.ly/2DmpZMB

"AmBev negociou com a Anheuser antes da fusão", *O Estado de S. Paulo*, 6 mar. 2004. http://bit.ly/2PfpkkU

"AmBev pode fechar parceria com belga Interbrew, diz corretora", *Folha de S.Paulo*, 23 jan. 2004. http://bit.ly/2IEsz3W

"AmBev pode perder crédito", *Correio Braziliense*, 30 mar. 2004. http://bit.ly/2UEwjK9

"AmBev poderá, em breve, recomprar ações", *O Estado de S. Paulo*, 17 mar. 2004. http://bit.ly/2DkbHMn

"AmBev relata à CVM vazamento de dados", *Folha de S.Paulo*, 3 mar. 2004. http://bit.ly/2XnmBZr

"AmBev responde a acusações da Previ e mantém fusão com Interbrew", *O Globo*, 5 maio 2004.

"AmBev tem mais a ganhar com a aliança, dizem analistas", BBC Brasil, 3 mar. 2004. https://bbc.in/2XiIedl

"AmBev vai explicar fusão aos acionistas", *O Estado de S. Paulo*, 13 mar. 2004. http://bit.ly/2GnXajo

AmBev vai explicar fusão ao governo", *Jornal do Brasil*, 9 mar. 2004. http://bit.ly/2IFwv4u

Anúncio da fusão InBev, *Correio Braziliense*, 4 mar. 2004. http://bit.ly/2ZkAXeL

Anúncio publicitário, *O Estado de S. Paulo*, 4 abr. 2004. http://bit.ly/2PfjnV8

Anúncio publicitário, *Folha de S.Paulo*, 4 mar. 2004. http://bit.ly/2UFcPoG

"Aposta de US$ 50 milhões renderá US$ 3 bilhões", *O Estado de S. Paulo*, 5 mar. 2004. http://bit.ly/2ZieBL9

"Aprovada fusão da AmBev", *Correio Braziliense*, 16 jun. 2005. http://bit.ly/2V8mLGA

"Around the world, beer consumption is falling", *The Economist*, 13 jun. 2017. https://econ.st/2L-0G6pB

"Artois Brouwerij", Bier Net. http://bit.ly/2v8Y7XR

"Associação de investidores critica AmBev e fala em crime do colarinho branco", *Folha de S.Paulo*, 2 mar. 2004. http://bit.ly/2VXfJlr

"Beer Sales Slide as Global Alcohol Consumption Falls", *The Financial Times*, 3 jun. 2017. https://on.ft.com/2UEVWub

"Beers Americans No Longer Drink", *USA Today*, 27 dez. 2017. http://bit.ly/2IvBXXH

"Belgas comprarão mais 15% da AmBev", *Correio Braziliense*, 31 ago. 2004. http://bit.ly/2Dj41df

"Belgas no comando", *Correio Braziliense*, 4 mar. 2004. http://bit.ly/2vaeGm9

"Belgas propõem pagar minoritários da AmBev com ações em leilão", *Folha de S.Paulo*, 12 out. 2004. http://bit.ly/2v7Gjwd

"Belgas terão maior parte na AmBev, mas gestão compartilhada", *Folha de S.Paulo*, 3 mar. 2004. http://bit.ly/2KHIHnY

"Belgian Families Behind AB Inbev Are Fourth on the List of Richest Families in the World", *Brussels Times*, 28 jun. 2018. http://bit.ly/2XpikEV

"Belgian Lager Mentality", *The Guardian*, 4 ago. 2002. http://bit.ly/2V6C6HF

"Bierbrouwerij Brasserie Piedboeuf", Bier Net. http://bit.ly/2KVpjnQ.

"Big Brewers Take A Hit To the Gut as Americans Move Away from Beer", *Fortune*, 10 maio 2018. http://bit.ly/2KMXIVM

"BNDES considera AmBev 'estrangeira' e revê política de financiamento", *Folha de S.Paulo*, 29 mar. 2004. http://bit.ly/2PoiTMB

"BNDES pode suspender financiamento à AmBev", *O Globo*, 27 de março de 2004. http://bit.ly/2XgM6eM

"BNDES suspende empréstimo à AmBev", *O Estado de S. Paulo*, 27 mar. 2004.

"Born Rich: The World's 25 Wealthiest Families Who Control $1.1 Trillion in Inherited Money — and 11 American Clans Made the List", *Daily Mail*, 27 jun. 2018. https://dailym.ai/2GxfRSb

"Bovespa sobe 3,4% e anula perdas no ano; ação da AmBev dispara 16%", *Folha de S.Paulo*, 1 mar. 2004. http://bit.ly/2UFlQOx

"Brahma 'rouba' Zeca Pagodinho da Nova Schin", *O Estado de S. Paulo*, 14 mar. 2004. http://bit.ly/2DigZrL

"Business; Anonymous Interbrew Takes on the Kings of Beer", *The New York Times*, 12 ago. 2001. https://nyti.ms/2IDlZL3

"Bye-bye Brasil", *Correio Braziliense*, 16 abr. 2004. http://bit.ly/2PeWIbr

"Cade adia julgamento da fusão AmBev/Interbrew e aguarda parecer do MP", *Folha de S.Paulo*, 27 abr. 2005. http://bit.ly/2UoBokz

"Cade aprova, por unanimidade, criação da InBev", *Estadão*, 15 jun. 2005. http://bit.ly/2Zk3Acj

"Cade diz sim à união de AmBev e Interbrew", *O Globo*, 16 jun. 2005.

"Cade e SDE sinalizam para aprovação de acordo AmBev/Interbrew", *Folha de S.Paulo*, 6 maio 2004. http://bit.ly/2GlLZb5

"Cade terá que aprovar acordo, diz economista", *Folha de S.Paulo*, 2 mar. 2004. http://bit.ly/2KMsDS2

"Câmara faz audiência para analisar fusão entre Interbrew e AmBev", *Folha de S.Paulo*, 6 maio 2004. http://bit.ly/2UZGiZZ

"Cartada de mestres", *Correio Braziliense*, 8 mar. 2004. http://bit.ly/2GsR4jd

"Caso AmBev esquenta discussão sobre conflito de interesses dos minoritários", *O Estado de S. Paulo*, 10 maio 2004. http://bit.ly/2ZhlSuu

"Cervejaria belga faz oferta para comprar restante das ações da AmBev", *Folha de S.Paulo*, 14 fev. 2005. http://bit.ly/2IsosZE

"Cervejaria belga Interbrew confirma negociações com a AmBev", *Folha de S.Paulo*, 1 mar. 2004. http://bit.ly/2VS3I0g

"Clannish Owners of Labatt, Rolling Rock Try to Go Global", *The Wall Street Journal*, 26 nov. 1996. https://on.wsj.com/2v8ZSEr

"Como não cumpriram o combinado, traíra são eles", *O Estado de S. Paulo*, 20 mar. 2004. http://bit.ly/2v90eef

"Conar deixa Brahma sem Zeca Pagodinho", *O Estado de S. Paulo*, 9 abr. 2004. http://bit.ly/2IFvB8b
"Conselho aprova fusão de empresa e belga Interbrew", *Folha de S.Paulo*, 16 jun. 2005. http://bit.ly/2GhSI5W
"Consumo de cerveja deve recuar pelo 3º ano seguido em 2017, mas faturamento do setor cresce", G1, 3 dez. 2017. https://glo.bo/2ZdAOty
Convite para reunião, *O Globo*, 12 mar. 2004.
"Co-presidente da AmBev admite vazamento de informação sobre fusão com Interbrew", *Folha de S.Paulo*, 2 mar. 2004. http://bit.ly/2IF36Ye
Country Living Magazine, jul. 1996, pp. 128-9.
"Cresce a produção de cerveja artesanal", *Estadão PME*, 20 dez. 2017. http://bit.ly/2IsHdeJ
"Criação da InterbrewAmBev ameaça minoritários e confunde o mercado", *O Estado de S. Paulo*, 4 mar. 2004. http://bit.ly/2GsvsDJ
"CVM confirma vazamento", *Correio Braziliense*, 7 maio 2004. http://bit.ly/2UNzoYw
"CVM descarta queixa da Previ contra união da AmBev e belgas", *Folha de S.Paulo*, 18 ago. 2004. http://bit.ly/2PcQdWsl
"CVM descobre vazamento no caso AmBev", *O Estado de S. Paulo*, 7 maio 2004. http://bit.ly/2Dhv9JS
"CVM investiga fusão da AmBev", *O Estado de S. Paulo*, 5 maio 2004. http://bit.ly/2GhUEve
"CVM investiga negociação AmBev-Interbrew", *O Globo*, 2 mar. 2004.
"CVM vê dificuldade em provar ganho com ação", *Folha de S.Paulo*, 5 maio 2004. http://bit.ly/2v6ycQC
"CVM: houve especulação no negócio da AmBev", *O Globo*, 7 maio 2004.
"Disputa familiar en la venta de Quilmes", *El Clarín*, 15 abr. 2006. http://bit.ly/2Zkbdzx
"Empresa decide responder à Previ", *O Estado de S. Paulo*, 5 maio 2004.
"Empresa foi alvo de operação há sete anos", *Folha de S.Paulo*, 17 maio 2012. http://bit.ly/2ZieVJN
"Executivo descartou venda em 2000", *Folha de S.Paulo*, 4 mar. 2004. http://bit.ly/2Gl0coG
"Família Schincariol começa a ser interrogada na Justiça", *Folha de S.Paulo*, 13 set. 2006. http://bit.ly/2Ge6tSY
"Famílias Inbev mais belgas", Evmi, 25 jun. 2008. http://bit.ly/2KQq9lA
"Femsa contesta nos EUA acordo da AmBev", *Folha de S.Paulo*, 13 mar. 2004. http://bit.ly/2XgOMck
"Femsa sai da Interbrew e facilita fusão com AmBev", *O Estado de S. Paulo*, 25 maio 2004. http://bit.ly/2DuA6iH
"Fiscais da Bolsa dão aval à união AmBev-Interbrew", *O Estado de S. Paulo*, 19 ago. 2004. http://bit.ly/2IGZmp5
"Fisco ainda avalia montanha de dados da Operação Cevada", *O Estado de S. Paulo*, 16 out. 2005. http://bit.ly/2ULtWVN
"Fusão criará a segunda maior empresa do setor", *Correio Braziliense*, 3 mar. 2004. http://bit.ly/2IwODyv
"Fusão da AmBev com belga sai nesta quarta, diz agência", BBC Brasil, 2 mar. 2004. https://bbc.in/2GwmvcB
"Fusão da AmBev é sacramentada", "Secretaria recomenda união", *Correio Braziliense*, 28 ago. 2004. http://bit.ly/2VXktYh
"Fusão entre AmBev e Interbrew ganha luz verde", *O Globo*, 28 maio 2004.
"Hans Merloo verlaat Interbrew", De Tijd. http://bit.ly/2XgOYIA
"Hopping", *The Economist*, 25 mar. 2004. https://econ.st/2DhXJdS
"InBev faz sua oferta aos minoritários da AmBev", *O Estado de S. Paulo*, 3 set. 2004. http://bit.ly/2XofLDc
"Incorporação da Labatt nos EUA e Femsa ainda é incerta, diz AmBev", *Folha de S.Paulo*, 16 mar. 2004. http://bit.ly/2KJbBnD
"Interbrew and AmBev Merge to Create Biggest Brewer", *The Telegraph*, 2 mar. 2004. http://bit.ly/2GrHAop
"Interbrew confirma negociação com a AmBev", BBC Brasil, 1 mar. 2004. https://bbc.in/2ZePGYV
"Interbrew e AmBev criam a maior cervejaria do mundo", BBC Brasil, 3 mar. 2004. https://bbc.in/2V5DcmX
"Interbrew fait monter la pression. Les petites soeurs de Stella et Jupiler? N.A!!", *Le Soir*, 7 set. 1990. http://bit.ly/2VPlqS9

"Interbrew op naar nr. 1", *Het Nieuwsblad*, 3 mar. 2004. http://bit.ly/2Uq5QLo

"Interbrew Refuses to Rule out Future Bid for SAB", *The Independent*, 29 nov. 2001. https://ind.pn/2V8rdVO

"Interbrew Said to Be Near Deal for Brazil Brewer", *The New York Times*, 2 mar. 2004. https://nyti.ms/2IGvbP4

"Interbrew terá controle acionário da AmBev", *Folha de S.Paulo*, 4 mar. 2004. http://bit.ly/2VQo4Hj

"Interbrew to Buy Bass Operations, Creating the World's no. 2 Brewer", *The Wall Street Journal*, 15 jun. 2000. https://on.wsj.com/2KNlkJX

"Interbrew, AmBev Discuss Tapping 'Significant' Deal", *The Wall Street Journal*, 2 mar. 2004. https://on.wsj.com/2DkvKuh

"InterbrewAmBev afeta pouco a concorrência", *Folha de S.Paulo*, 6 mar. 2004. http://bit.ly/2Uoba1J

"Juiz nega pedido do cantor", *O Estado de S. Paulo*, 19 mar. 2004. http://bit.ly/2PguM7d

"Justiça aceita denúncia contra 78 da Schincariol", *O Estado de S. Paulo*, 22 mar. 2006. http://bit.ly/2Xjx34f

"Justiça recebe denúncia contra irmãos Schincariol", *Folha de S.Paulo*, 21 jul. 2016. http://bit.ly/2KVzl8u

"Koning Spreekt Met Interbrew-top", *Gazet Van Antwerpen*, 6 out. 2004. http://bit.ly/2ZfffZX

"Labatt Hops Up Canadian Bew Leadership Race", Adage, 13 nov. 1995. http://bit.ly/2ZffunP

"Land Reform in South Africa is Crucial for Inclusive Growth", *The Financial Times*, 23 ago 2018. https://on.ft.com/2GrwkIC

"Le Belge Interbrew poursuit sa percee a l'est le credo belge d'hans H.Meerloo", *Le Soir*, 18 jun. 1994. http://bit.ly/2UGc5jh

"Le Belge le plus riche déménage en Suisse: qui est Alexandre van Damme?", Tendances Trends, 25 out. 2016. http://bit.ly/2DjwGz4

"Les Nobles concentrent 56% de la fortune des 500 Belges les plus riches", L'Echo, 9 mar. 2017. http://bit.ly/2GsBcwW

"Ministério Público dá sinal verde para aprovação da fusão AmBev-Interbrew", *Folha de S.Paulo*, 2 jun. 2005. http://bit.ly/2V9mSBU

"Ministério recomenda aprovação da fusão AmBev/Interbrew", *Estadão*, 27 maio 2004. http://bit.ly/2DkKx87

"Minoritários temem perdas com fusão da AmBev", "Surge a maior do mundo em volume", "Campanha ufanista faz o anúnio", *O Estado de S. Paulo*, 4 mar. 2004. http://bit.ly/2XnvZMO

"MP denuncia 78 no caso Schincariol", *O Estado de S. Paulo*, 17 mar. 2006. http://bit.ly/2Up8DUY

"Muita ação, pouca condenação", *O Globo*, 20 jul. 2008.

"Não soubemos explicar aliança, diz AmBev", *Folha de S.Paulo*, 5 mar. 2004. http://bit.ly/2KMge0w

"Nasce a InBev, controlada pelos belgas", *O Estado de S. Paulo*, 28 ago. 2004. http://bit.ly/2DbJQOq

"Negócio com a AmBev pode custar caro e render pouco para Interbrew", *O Estado de S. Paulo*, 3 mar. 2004. http://bit.ly/2UlDYbi

"Nestlé perde mais uma no Cade", *Correio Braziliense*, 28 maio 2004. http://bit.ly/2KMgBbq

"Nizan ganha conta da Brahma e AmBev prepara novo lançamento", *Folha de S.Paulo*, 16 jan. 2004. http://bit.ly/2ZhQAUu

"Nouvelle multinationale au pays de la biere? Valse de patrons comment Interbrew reglera la facture qui gouverne Interbrew??", *Le Soir*, 23 jun. 1995. http://bit.ly/2DmGGaS

"'Nova Schin' chega para desafiar a AmBev", *O Estado de S. Paulo*, 29 ago. 2003. http://bit.ly/2DgNiaA

"Número de cervejarias artesanais no Brasil cresce 37,7% em 2017", Abracerva, 16 fev. 2018. http://bit.ly/2V2HfQW

"Número de cervejarias no Brasil quase dobra em 3 anos e setor volta a criar empregos", G1, 30 mar. 2018. https://glo.bo/2GdKJGW

"O vinho no mundo: Itália, o que mais produz, Espanha, o que mais vende e EUA, onde mais bebem", *El País*, 30 abr. 2018. http://bit.ly/2IwRbwz

"Ofensiva da Schin já prejudica ações da AmBev na Bovespa", *Folha de S.Paulo*, 18 dez. 2003. http://bit.ly/2Up8ssT

"Pagodinho sai do ar por decisão da Justiça", *O Estado de S. Paulo*, 20 mar. 2004. http://bit.ly/2v90eef
"Para a empresa, operação da PF em 2005 é 'página virada'", *Folha de S.Paulo*, 31 maio 2010. http://bit.ly/2GjyU20
"Para especialistas, Cade não deve se opor à negociação", *O Estado de S. Paulo*, 4 mar. 2004. http://bit.ly/2XnvZMO
"Parecer da SDE sugere aprovação da aliança entre AmBev e Interbrew", *Folha de S.Paulo*, 29 jun. 2004. http://bit.ly/2IGt7pV
"Pedido da Schincariol é aceito por Seae e SDE", *Folha de S.Paulo*, 8 abr. 2004. http://bit.ly/2Pf2UjH
"Perfil: Interbrew AmBev terá faturamento de US$ 11,9 bilhões", *Folha de S.Paulo*, 3 mar. 2004. http://bit.ly/2GtgbCw
"Previ ameaça contestar operação da AmBev", *Folha de S.Paulo*, 11 mar. 2004. http://bit.ly/2IKk7QZ
"Previ contesta aliança AmBev-Interbrew na CVM", *O Globo*, 13 abr. 2004.
"Previ pede que CVM apure ação da AmBev", *Folha de S.Paulo*, 13 abr. 2004. http://bit.ly/2v9BRwT
"Previ vai cobrar da CVM explicações sobre fusão AmBev/Interbrew", *Folha de S.Paulo*, 15 mar. 2004. http://bit.ly/2UHQbMd
"Produção de cerveja cai quase 2% em 2015", *Estadão*, 4 jan. 2016. http://bit.ly/2GmFzJS
"Profiles: AB InBev-SABMiller's key shareholders", *The Financial Times*, 16 set. 2015. https://on.ft.com/2DjLkGF
"Pubs in Danger: Six Charts on How the British Drink", BBC, 27 mar. 2018. https://bbc.in/2vakzQc
"Quilmes ya es totalmente brasileña", *El Clarín*, 9 ago. 2006. http://bit.ly/2UmoOlT
"Receita e PF negam que prisões visavam beneficiar AmBev", *Estadão*, 25 jun. 2005. http://bit.ly/2IDdMXq
"Schin contra AmBev", *Correio Braziliense*, 4 jun. 2004. http://bit.ly/2UHNJFP
"Schin cresce 104% na Grande São Paulo", *O Estado de S. Paulo*, 17 dez. 2003. http://bit.ly/2KNAw9L
"Schin é contra união", *Correio Braziliense*, 4 mar. 2004.
"Schin entrega parecer contra a AmBev-Interbrew", *O Estado de S. Paulo*, 18 maio 2004. http://bit.ly/2VZphvS
"Schin mudará direção e negocia dívida", *Folha de S.Paulo*, 1 nov. 2006. http://bit.ly/2XnyyOW
"Schin pede sanções contra a rival AmBev", *Correio Braziliense*, 18 maio 2004. http://bit.ly/2v94LNN
"Schin pede suspensão de união entre AmBev e Interbrew no Cade e na SDE", *Folha de S.Paulo*, 1 abr. 2004. http://bit.ly/2Untk3Q
"Schin pode contestar fusão", *Correio Braziliense*, 8 abr. 2004. http://bit.ly/2Dh9Gk6
"Schin quer acabar com união de cervejarias", *Correio Braziliense*, 2 abr. 2004. http://bit.ly/2Gs5pfQ
"Schin quer R$ 100 milhões da AmBev", *O Estado de S. Paulo*, 20 abr. 2004. http://bit.ly/2DiKrhx
"Schin responde a Brahma com sósia de Zeca", *O Estado de S. Paulo*, 17 mar. 2004. http://bit.ly/2Xpu6iB
"Schin tenta impedir ações da AmBev", *O Estado de S. Paulo*, 4 de junho de 2004. http://bit.ly/2XlbtMG
"Schin vai ao Conar contra campanha", *O Estado de S. Paulo*, 16 mar. 2004. http://bit.ly/2Gi0WLm
"Schin: ação contra fusão AmBev-Interbrew", *O Estado de S. Paulo*, 2 abr. 2004. http://bit.ly/2PjbL42
"Schincariol contesta versão de aliança e diz que Interbrew comprou a AmBev", *Folha de S.Paulo*, 3 mar. 2004. http://bit.ly/2It28iG
"Schincariol perde venda no sudeste e amplia portfólio", G1, 24 jan. 2007. https://glo.bo/2KNACy9
"Schincariol planeja investir R$ 1 bilhão no ano que vem", *O Estado de S. Paulo*, 30 nov. 2007. http://bit.ly/2PjcfqS
"Schincariol quer que o Cade barre as negociações", *Folha de S.Paulo*, 4 mar. 2004. http://bit.ly/2Xk5APJ
"Schincariol vai processar Pagodinho e AmBev", *O Estado de S. Paulo*, 18 mar. 2004. http://bit.ly/2XlcdBs
"SDE dá sinal verde para fusão AmBev-Interbrew", *O Estado de S. Paulo*, 30 jun. 2004. http://bit.ly/2Uls9St
"SDE inicia investigação contra AmBev", *O Globo*, 14 ago. 2004
"SDE prevê aprovação da união de cervejarias", *Correio Braziliense*, 9 mar. 2004. http://bit.ly/2VLYWBz

"SDE sugere aprovação", *Correio Braziliense*, 30 jun. 2004. http://bit.ly/2Xld3OC
"Seae aprova, sem restrições, aquisição de 54,4% da AmBev pela Interbrew", *Folha de S.Paulo*, 27 maio 2004. http://bit.ly/2Pj69a0
"Seae recomenda fusão AmBev-Interbrew", *O Estado de S. Paulo*, 28 maio 2004. http://bit.ly/2Dht3JW
"Sede da InterbrewAmBev será na Bélgica", *Folha de S.Paulo*, 4 mar. 2004. http://bit.ly/2VeibXD
"Sem Zeca Pagodinho, Schincariol afirma que Brahma é belga", *Folha de S.Paulo*, 15 mar. 2004. http://bit.ly/2UHIKVt
"Senado convoca AmBev para esclarecer fusão", *O Globo*, 8 abr. 2004.
"Senado vai ouvir executivos da AmBev sobre vazamento de informações", *Folha de S.Paulo*, 6 abr. 2004. http://bit.ly/2Pf3cqN
"Surge a maior do mundo em volume", *O Estado de S. Paulo*, 4 mar. 2004.
"The Great Beer Abandonment. America's Young Drinkers Are Drinking Wine and Hard Alcohol Instead", *The Washington Post*, 3 dez. 2014. https://wapo.st/2Pc1pCF
"The Language Divide at the Heart of a Split that Is Tearing Belgium Apart", The Guardian, 9 maio 2010. http://bit.ly/2vbasec
"The Megabrew Takeover — A Tale of Beers, Billions and Blue Bloods", *The Guardian*, 9 out. 2015. http://bit.ly/2XmgxQN
"The State of the Us Beer Market", Nielsen, 15 maio 2017. http://bit.ly/2P8IUzb
"Timeline: SABMiller Would Be Culmination of Years of Deals for AB InBev", Reuters, 7 out. 2015. https://reut.rs/2VN5obC
"Transação significativa entre AmBev e Interbrew ameaçaria Anheuser-Busch", *O Estado de S. Paulo*, 2 mar. 2004. http://bit.ly/2PonSwN
"Trump's Tweet Echoing White Nationalist Propaganda about South African Farmers, Explained", Vox, 23 ago. 2018. http://bit.ly/2GqDoDY
"Uma gigante belgo-brasileira", *O Globo*, 4 mar. 2004.
"União com cervejaria belga coloca AmBev na liderança mundial", *Folha de S.Paulo*, 3 mar. 2004. http://bit.ly/2IuDFcC
"Venda da AmBev para a Interbrew pode afetar lançamento das ações da ALL", *O Estado de S. Paulo*, 5 abr. 2004. http://bit.ly/2ZmvJQ3
"Venden la cervecera Quilmes a un grupo belga-brasileño", *La Nación*, 14 abr. 2006. http://bit.ly/2XrR6h3
"Why Land Seizure Is Back in the News in South Africa: QuickTake", *The Washington Post*, 15 nov. 2018. https://wapo.st/2VO1SgV
"Zeca Pagodinho vai à Justiça para tirar sósia do comercial da Schin", *Folha de S.Paulo*, 19 mar. 2000. http://bit.ly/2IqROY7

RELATÓRIOS FINANCEIROS/DOCUMENTOS OFICIAIS

Divulgação de resultados — 3º trimestre de 2004, RI AmBev. http://bit.ly/2Pjq8VN
Divulgação de resultados — 4º trimestre de 2004, RI AmBev. http://bit.ly/2PifWg9
Divulgação de resultados — 1º trimestre de 2005, ri AmBev. http://bit.ly/2WahOKO
Divulgação de resultados — 3º trimestre de 2005, RI AmBev. http://bit.ly/2DuXAUL
Divulgação de resultados — 4º trimestre de 2005, RI AmBev. http://bit.ly/2UZTqPw
"Fato relevante: AmBev e InBev completam a aliança", *O Estado de S. Paulo*, 31 ago. 2004. http://bit.ly/2XminBb
"Fato relevante: InBev", *O Estado de S. Paulo*, 31 ago. 2004. http://bit.ly/2IqIALG
"Fato relevante — Interbrew e AmBev criam InterbrewAmBev, a Cervejaria Número Um do Mundo", *Correio Braziliense*, 4 mar. 2004. http://bit.ly/2Pfsjd8
"Fato relevante", *Correio Braziliense*, 4 mar. 2004. http://bit.ly/2IBufeu
"Fato relevante", *Correio Braziliense*, 4 mar. 2004. http://bit.ly/2KN6mUe
Interbrew Annual Report — 1998, AB InBev. http://bit.ly/2IsPcZN

LIVROS

Barbara Smit, *A história da Heineken*. Rio de Janeiro: Zahar, 2016.
David W. Conklin, *Cases in the Environment of Business: International Perspectives*. Sage, 2005.
Jack S. Blocker, David M. Fahey, Ian R. Tyrell, *Alcohol and Temperance in Modern History: An International Encyclopedia*. ABC-CLIO, 2003.
Johan F. M. Swinnen (Org.), *The Economics of Beer*. Oxford: Oxford University Press, 2011.
Teresa da Silva Lopes, *Global Brands: The Evolution of Multinationals in Alcoholic Beverages*. Cambridge: Cambridge University Press, 2007.

PÁGINAS CONSULTADAS

Dados de consumo de vinho no mundo ao longo dos anos da International Organization of Vine and Wine. http://bit.ly/2v9aGlV
Fernando Luiz E. Viana "Indústria de bebidas alcoólicas", Banco do Nordeste, 2017. http://bit.ly/2Ik9JzR
"Interbrew S.A. — Company Profile, Information, Business Description, History, Background Information on Interbrew S.A.". http://bit.ly/2VStFwW
"Interbrew S.A. History", Funding Universe. http://bit.ly/2IsxqGi
Ipea, Taxa de câmbio comercial para venda: real (R$)/dólar americano (US$), média. http://bit.ly/2UzZNJa
"Number of Breweries", Brewers Association. http://bit.ly/2GgvU6m
Processo da Operação Cevada, número 00006508420054025107, Justiça Federal do Rio de Janeiro.
Recent Competition Cases, United Nations Conference on Trade and Development, 8-10 de novembro de 2004. http://bit.ly/2Gv5eQP
"Recorded Alcohol Per Capita Consumption, 1980-1999 by country", WHO. http://bit.ly/2GkfURa

12. OS GAROTOS DO BRASIL [pp. 218-32]

NOTÍCIAS

"'Aqui a gente não quer executivos', afirma Carlos Brito", *Exame*, 3 out. 2011. http://bit.ly/2XjzcwP
"A AmBev é a melhor empresa do país nestas quatro décadas", *Exame*, 2 ago. 2013. http://bit.ly/2GoMn8T
"AB Inbev's Hard-nosed Kings of Beer", *The Financial Times*, 15 jun. 2015. https://on.ft.com/2IkaTv0
"Acuerdo entre camioneros y Quilmes", *La Nación*, 10 abr. 2007. http://bit.ly/2DmHlZU
"Acuerdo entre los camioneros y Quilmes", *La Nación*, 11 abr. 2007. http://bit.ly/2GsJR2t
"Advogada reforça tese de que Valério armou esquema", *O Estado de S. Paulo*, 25 out. 2008. http://bit.ly/2PcTjK4
"AmBev completó el aumento de su participación em cervecería Quilmes", *El Cronista*, 7 ago. 2006. http://bit.ly/2Zimz71
"AmBev deve fechar ano com até 69% do mercado de cerveja do país", Reuters, 31 out. 2012. http://bit.ly/2UJh7vk
"AmBev inaugura ampliação de filial no município de Piraí", Imprensa RJ, 18 out. 2011.
"AmBev inaugura expansão da fábrica de Aquiraz na segunda-feira (19)", Sala de Imprensa do Governo do Estado do Ceará, 16 maio 2014. http://bit.ly/2GkESQ9
"AmBev, campeã da década, ainda quer dobrar de tamanho", Agência Estado, 2010. http://bit.ly/2Pf8fra
"Após ganhar favor milionário do governo, empresário doa R$ 17 milhões para campanha de Dilma", *Época*, 23 jan. 2015. https://glo.bo/2GrKUja

"As férias de verão são demasiado longas?", *Observador*, 25 jul. 2018. http://bit.ly/2GrL4ag
"Boissons — Le Brasseur lance dans le monde entier sa nouvelle et troisième marque globale Brahma, l'atout brésilien d'InBev", *Le Soir*, 23 mar. 2005. http://bit.ly/2vbBty2
"Brasil: no topo do mundo", *Exame Angola*, 23 dez. 2015.
"Brasileiro Carlos Brito é o novo diretor-geral da gigante InBev", Uol, 27 dez. 2005. http://bit.ly/2VSK9oz
"Brasileiros ganham espaço na InBev", *Folha de S.Paulo*, 21 set. 2005. http://bit.ly/2GhxsgH
"Brasileña AmBev ya tiene el 91% de Quilmes", *Ámbito*, 13 abr. 2006. http://bit.ly/2UMNSI9
"Brazil's AmBev to Invest $1.5bn in New Factories", *The Financial Times*, 3 mar. 2011. https://on.ft.com/2Gt54cG
"Cada vez son menos las empresas que quedan en manos argentinas", *La Nación*, 14 abr. 2006. http://bit.ly/2IrqcCn
"Carlos Brito teve carreira meteórica na AmBev", *Folha de S.Paulo*. http://bit.ly/2Df1LUj
"Carlos Brito Will Be the King of Beers, But at What Price?", *The Telegraph*, 7 out. 2015. http://bit.ly/2IuF3vQ
"Carlos Brito: (Brew)master of the Universe", *Fortune*, 15 ago. 2013. http://bit.ly/2GsyyaB
"Carlos Brito: o rei da cerveja é brasileiro, viaja de classe econômica e não tem medo de pressão", *Época Negócios*, 15 out. 2015. https://glo.bo/2V9oXxI
"Cervejeiro anda de classe econômica, usa jeans e ama pressão", *Exame*, 14 out. 2015. http://bit.ly/2PfmJr4
"Como crescer na AB InBev, uma das maiores empresas do mundo", Na Prática, 10 dez. 2017. http://bit.ly/2UEtqsC /
"Como Jorge Paulo Lemann, o homem mais rico do Brasil, pretende mudar a educação no país", *Época Negócios*, 10 jan. 2015. https://glo.bo/2GrI2Tn
"Confira tudo que rolou no encontro de 25 anos da Fundação Estudar!", Na Prática, 5 ago. 2016. http://bit.ly/2UGobIZ
"Conta de dono de cervejaria recebeu dinheiro de propina da Petrobras", *Folha de S.Paulo*, 13 nov. 2015. http://bit.ly/2Zl0QLx
"Cumplicidade é o 1 tradeoff", HSM, 13 fev. 2016.
"De fusão em fusão, eles enchem o caneco", *IstoÉ*, 16 out. 2015. http://bit.ly/2IKmnYt
"Diferencias por la venta de la cervecera Quilmes", *La Nación*, 15 abr. 2006. http://bit.ly/2Uka86N
"Dono da cervejaria Petrópolis é preso em São Paulo após operação", *Folha de S.Paulo*, 16 jun. 2005. http://bit.ly/2KT2f9g
"El gobierno autorizo la venta de Bieckert a um grupo chileno", *El Clarín*, 5 abr. 2008. http://bit.ly/2DiJAxd
"En manos extranjeras", *La Nación*, 13 fev. 2008. http://bit.ly/2Xc1ppg "Exportaciones nada tradicionales", *El Clarín*, 5 out. 2008. http://bit.ly/2Xg6vAT
"Grupo brasileño-belga controlará 91% de Quilmes", *Ámbito*, 13 abr. 2006. http://bit.ly/2V2MCjg
"Huelgas de camioneros y bancários", *La Nación*, 10 jul. 2007. http://bit.ly/2DeP0Jy
"Inbev nas mãos de um brasileiro", *IstoÉ*, 12 jan. 2006. http://bit.ly/2Gqtt2x
"Inbev wijdt hoofdzetel in", *Het Nieuwsblad*, 26 jan. 2005. http://bit.ly/2UDVwUQ
"Intentan destrabar hoy el conflicto en la cervecería Quilmes", *La Nación*, 10 abr. 2007. http://bit.ly/2v6ADmh
"Interbrew and AmBev Merge to Create Biggest Brewer", *The Telegraph*, 4 mar. 2004. http://bit.ly/2GrHAop
"Interbrew Moves to Merge with AmBev", *The Guardian*, 3 mar. 2004. http://bit.ly/2IuOTxP
"Interbrew Said to Be Near Deal for Brazil Brewer", *The New York Times*, 2 mar. 2004. https://nyti.ms/2IGvbP4
"Interbrew, AmBev to Form Brewing Giant", *The Washington Post*, 3 mar. 2004. https://wapo.st/2vajTdH
"João Castro Neves, o vendedor", *Época Negócios*, 21 out. 2015. https://glo.bo/2DhXTlu
"João Castro Neves: 'Tudo o que estimula a acomodação é ruim para o país'", *Época*, 29 maio 2012. https://glo.bo/2KWfW70

"Jupille rumine sa colère", *Le Soir*, 25 fev. 2006. http://bit.ly/2GuAqja
"La Belgo-brasileña InBev compró Budweiser", *El Clarín*, 15 jul. 2008. http://bit.ly/2UJxms2
"La primera venta con Cristina", *La Nación*, 27 fev. 2008. http://bit.ly/2Ge8VsE
"Les Managers Belges trinquent à la tête d'InBev", *Le Soir*, 21 set. 2005. http://bit.ly/2XnbC1Y
"Les Nouveaux Patrons d'InBev", *Le Soir*, 1 set. 2004. http://bit.ly/2v9zZnR
"Los camioneros llegaron a un acuerdo y levantaron el paro", *El Clarín*, 11 abr. 2007. http://bit.ly/2UqNLga
"Los números de la guerra de la cerveza", *El Clarín*, 14 jul. 2008. http://bit.ly/2XnsN3D
"Los números de la guerra de la cerveza", *El Clarín*, 14 jul. 2008. http://bit.ly/2XnsN3D
"Mais uma rodada", *Época Negócios*, 4 abr. 2013. https://glo.bo/2GkfUjZ
"Moradores de Itu vão às ruas hoje em defesa da Schincariol", *O Estado de S. Paulo*, 24 jun. 2005. http://bit.ly/2VTwyh4
"Moyano, más duro contra Quilmes", Cronista, 9 jul. 2007. http://bit.ly/2ZkFyO3
"Negocios & mercados: el pago de US$ 1200 millones no se concretará hasta que se expida defensa de la competencia", *El Clarín*, 15 abr. 2006. http://bit.ly/2Zkbdzx
"Negocios & mercados: la venta de una marca emblematica", *El Clarín*, 13 abr. 2006. http://bit.ly/2VMHL2K
"O brasileiro que comanda o mercado mundial de cerveja", *Exame*, 26 nov. 2015. http://bit.ly/2V7ofAS
"O CEO da Ab InBev cumpre a mesma missão há 20 anos: crescer sem parar", *El País*, 21 nov. 2015. http://bit.ly/2V4MUpY
"O gol de placa da AmBev", *Dinheiro Rural*, dez. 2013. http://bit.ly/2UosR0Y
"O número um", *Época*, 23 jan. 2006. https://glo.bo/2PhQozZ
"O segredo da AmBev", *IstoÉ Dinheiro*, 27 jul. 2012. http://bit.ly/2KU1egT
"Os discípulos", *IstoÉ Dinheiro*, 8 ago. 2016. http://bit.ly/2DijTNb
"Otro paro de camioneros complica a la cervecera", Ámbito, 6 jul. 2007. http://bit.ly/2Zs9Nmy
"Para empresário mais admirado, o melhor sempre está por vir", *Carta Capital*, 29 out. 2013.
"Pegaram ele", *Época*, 9 out. 2008. https://glo.bo/2XkULgs
"Petrópolis pagaria R$ 3 milhões por inquérito falso contra fiscais", *Folha de S.Paulo*, 18 out. 2008. http://bit.ly/2V5FKlc
"Por que a AmBev é a Empresa do Ano", *IstoÉ Dinheiro*, 30 ago. 2013.
"Receio de perder talentos é maior no Brasil", *Folha de S.Paulo*, 19 set. 2014. http://bit.ly/2Dn08Eh
"Rei da cerveja viaja na classe econômica e adora pressão", *O Globo*, 14 out. 2015. https://glo.bo/2VRFnI6
"Réu no mensalão, Marcos Valério é preso, agora por fraudes", *Estadão*, 10 out. 2008. http://bit.ly/2PfzPVn
"School Holidays Map Shows Difference in Dates and Duration around Europe", *The Independent*, 24 set. 2015. https://ind.pn/2Pg1rcY
"Se agrava el conflicto en Quilmes", *La Nación*, 9 jul. 2007. http://bit.ly/2GrHywA
"The Brazilian Recipe for Brewing Success", BBC News, 14 jul. 2008. http://bit.ly/2V6GTJ9
"Um bônus que desce redondo", *IstoÉ Dinheiro*, 16 mar. 2012. http://bit.ly/2IGwxcC
"Una industria en manos extranjeras", *La Nación*, 27 set. 2009. http://bit.ly/2UlCr52
"Venden la cervecera Quilmes a un grupo belga-brasileño", *La Nación*, 14 abr. 2006. http://bit.ly/2XrR6h3
"Vuelven a cambiar de manos Bieckert y Palermo", *La Nación*, 5 out. 2007. http://bit.ly/2v6zdIq
"Will the Next Steve Jobs Come from Brazil?", *Forbes*, 14 out. 2013. http://bit.ly/2V8eouL

ARTIGOS ACADÊMICOS

Daniel Pires Campos Ribeiro, "Fusões e aquisições — O caso AmBev", 2004. http://bit.ly/2KN2eDI
Mariane Fabiane, "Relatório de estágio supervisionado em indústria de alimentos", Universidade Federal de Santa Catarina, 2016.

RELATÓRIOS FINANCEIROS/DOCUMENTOS OFICIAIS

Nick Bevan, Joaquin Lopez-Doriga e Graeme Eadie, "The Boys from Brazil", Deutsche Bank, 12 maio 2005.

LIVROS

David Cohen, *Cultura de excelência*. Rio de Janeiro: Primeira Pessoa, 2017.

13. ESTA BUD É PARA VOCÊ [pp. 233-49]

NOTÍCIAS

"Acionistas da InBev apoiam compra da Anheuser-Busch", *O Estado de S. Paulo*, 29 set. 2008. http://bit.ly/2XnVQUz
"Americanos fazem campanha contra venda da Budweiser", *O Estado de S. Paulo*, 12 jun. 2008. http://bit.ly/2GsUSB1
"Anheuser recebe proposta de aquisição da InBev", *O Estado de S. Paulo*, 11 jun. 2008. http://bit.ly/2UkrQHv
"Anheuser-Busch entra com ação judicial contra a InBev", *O Estado de S. Paulo*, 8 jul. 2008. http://bit.ly/2PhRBav
"Bélgica investiga práticas da AB InBev", *O Estado de S. Paulo*, 20 abr. 2009. http://bit.ly/2DeZj03
"Brasileiro assume papel central na ofensiva da InBev sobre americana", 15 jun. 2008. http://bit.ly/2V1d4tH
"Cade aprova compra da Anheuser-Busch pela InBev", *O Estado de S. Paulo*, 17 set. 2008. http://bit.ly/2UMLnFL
"Compra da Anheuser é questionada nos EUA", *O Estado de S. Paulo*, 17 abr. 2009. http://bit.ly/2UJe2LM
"Compra da Bud pela InBev fere orgulho americano, diz imprensa", *Folha de S.Paulo*, 13 jun. 2008. http://bit.ly/2UsehFL
"Executivo renuncia a posto na Anheuser-Busch e diminui resistência à InBev", *Folha de S.Paulo*, 20 jun. 2008. http://bit.ly/2XmdHv7
"Governador dos EUA diz ser contra a venda da Budweiser", *Folha de S.Paulo*, 13 jun. 2008. http://bit.ly/2UoK5eL
"InBev abre processo para retirar conselheiros da Anheuser-Busch", *O Estado de S. Paulo*, 26 jun. 2008. http://bit.ly/2KOHyv5
"InBev aumenta oferta por fabricante da Budweiser para US$ 50 bilhões", *Folha de S.Paulo*, 11 jul. 2008. http://bit.ly/2GsG9pz
"InBev completa aquisição da norte-americana Anheuser-Busch", *O Estado de S. Paulo*, 18 nov. 2008. http://bit.ly/2GsG6dn
"InBev compra fabricante da Budweiser por US$ 52 bi e torna-se líder global", *Folha de S.Paulo*, 14 jul. 2008. http://bit.ly/2VUwP3a
"InBev estuda oferecer US$ 46 bi por Anheuser", *Folha de S.Paulo*, 24 maio 2008. http://bit.ly/2UsepoJ
"InBev faz oferta de US$ 46 bi por americana", *Folha de S.Paulo*, 12 jun. 2008. http://bit.ly/2IEQCzH
"InBev faz proposta de US$ 46 bi para comprar fabricante da Budweiser", *Folha de S.Paulo*, 11 jun. 2008. http://bit.ly/2Djs249
"InBev manda 3ª carta de interesse em compra da Anheuser-Busch", *O Estado de S. Paulo*, 25 jun. 2008. http://bit.ly/2ZhOjbU
"InBev mantém acordo com Bud, 3º tri fica pouco acima do esperado", *O Estado de S. Paulo*, 6 nov. 2008. http://bit.ly/2GwoMVb
"InBev negocia com empresa mexicana, diz rede de TV", *Folha de S.Paulo*, 14 jun. 2008. http://bit.ly/2UFA3ec

"InBev reitera oferta por fabricante da Budweiser", *Folha de S.Paulo*, 16 jun. 2008. http://bit.ly/2IqGoDW

"InBev revê oferta de ações de US$ 9,8 bi", *O Estado de S. Paulo*, 15 out. 2008. http://bit.ly/2PfBkTv

"InBev tenta substituir conselho da Anheuser-Busch", *O Estado de S. Paulo*, 7 jul. 2008. http://bit.ly/2GiAK3g

"InBev vai emitir US$ 8 bi em ações", *O Estado de S. Paulo*, 25 nov. 2008. http://bit.ly/2Pj9nu6

"Lemann comanda operação e mira o mercado chinês", *Folha de S.Paulo*, 15 jul. 2008. http://bit.ly/2DlsO0k

"Obama se diz decepcionado por venda da Anheuser-Busch à InBev", *O Estado de S. Paulo*, 14 jul. 2008. http://bit.ly/2Gt3KXg

"Rumor de fusão faz ação da InBev subir quase 5%", *Folha de S.Paulo*, 1 jun. 2007. http://bit.ly/2GxktaX

"Segunda maior cervejaria do mundo prepara oferta à rival", *O Estado de S. Paulo*, 23 maio 2008. http://bit.ly/2Pj4ykw

"Senadores dos EUA querem barrar venda da fabricante da Budweiser à InBev", *Folha de S.Paulo*, 17 jun. 2008. http://bit.ly/2DdxDcb

LIVROS

Cristiane Correa, *Sonho grande: Como Jorge Paulo Lemann, Marcel Telles e Beto Sicupira revolucionaram o capitalismo brasileiro e conquistaram o mundo*. Rio de Janeiro: Sextante, 2013.

Julie MacIntosh, *Destronando o rei*. Odisseia, 2015.

William Knoedelseder, *Bitter Brew — The Rise and Fall of Anheuser-Busch and America's King of Beer*. Nova York: HarperCollins, 2012.

14. TODO O DINHEIRO DO MUNDO [pp. 250-73]

NOTÍCIAS

"'Aqui a gente não quer executivos', afirma Carlos Brito", *Exame*, 3 out. 2011. http://bit.ly/2XjzcwP

"20 ans après, mission accomplie", *L'Echo*, 15 jul. 2008. http://bit.ly/2V7I3Ek

"A cerveja no Brasil", Ministério da Agricultura, da Pecuária e do Abastecimento, 4 jan. 2018. http://bit.ly/2UyVIVm

"AB cède aux avances d'InBev pour 70 dollars par action", *L'Echo*, 14 jul. 2008. http://bit.ly/2KWl76W

"AB Inbev et delhaize testent le train-bières", Gondola, 13 jun. 2017. http://bit.ly/2VZr3gw

"AB InBev Replaces North America Chief to Stem Sales Slide", Reuters, 13 nov. 2017. https://reut.rs/2Dn2GCl

"AB InBev Switches US Boss as it Struggles with Sales Slump", *The Wall Street Journal*, 13 nov. 2017. https://on.wsj.com/2PdBQRM

"AB InBev tem novo comando nos EUA", *Valor Econômico*, 14 nov. 2017. http://bit.ly/2XjBAUj

"AB InBev troca presidente para América do Norte", *O Globo*, 13 nov. 2017. https://glo.bo/2ZliwXI

"AB InBev: 89 emplois belges menacés par un nouveau bureau à New York", *L'echo*, 15 jan. 2009. http://bit.ly/2UqzQ9Q

"AB-Inbev é processada em US$ 5 mi por cerveja "batizada"", *Exame*, 27 fev. 2013. http://bit.ly/2V7IC0U

"Acionistas da InBev apoiam compra da Anheuser-Busch", *O Estado de S. Paulo*, 29 set. 2008. http://bit.ly/2XnVQUz

"Ações da AmBev podem não ter chegado ao fundo do poço", *Exame*, 10 out. 2010. http://bit.ly/2XpRjBl

"Adolphus Busch IV's Letter to Busch Board", Reuters, 20 jun. 2008. https://reut.rs/2DhbARM

"Americanos fazem campanha contra venda da Budweiser", *O Estado de S. Paulo*, 12 jun. 2008. http://bit.ly/2GsUSB1

"Americans Campaign to Save Budweiser from the Belgians", *The Guardian*, 12 jun. 2008. http://bit.ly/2PcUIAk

"Anheuser-Busch cède et accepte l'offre d'InBev", *L'echo*, 14 jul. 2008. http://bit.ly/2Pf92IE

"Anheuser-Busch CEO Downplays AB InBev's Urge for More M&A", Food Dive, 30 abr. 2018. http://bit.ly/2GjojEr

"Anheuser recebe proposta de aquisição da InBev", *Estadão*, 11 jun. 2008. http://bit.ly/2UkrQHv

"Anheuser Will Be Bought By Belgian InBev for $50 Billion", CNBC, 13 jul. 2008. https://cnb.cx/2GtTTAD

"Anheuser-Busch Agrees to Be Sold to InBev", *The New York Times*, 14 jul. 2008. https://nyti.ms/2KJkwFD

"Anheuser-Busch entra com ação judicial contra a InBev", *O Estado de S. Paulo*, 8 jul. 2008. http://bit.ly/2PhRBav

"Anheuser-Busch InBev Appoints Michel Doukeris Zone President North America, CEO of Anheuser-Busch", 13 nov. 2017. http://bit.ly/2KNDQBL

"Anheuser-Busch Names New Leadership in North America", *St. Louis Post-Dispatch*, 13 nov. 2017. http://bit.ly/2v9buHt

"August Busch IV Settles Wrongful-death Suit Over Girlfriend for $ 1.75 Million", *St. Louis Post-Dispatch*, 30 out. 2012. http://bit.ly/2KQy5mS

"Beer Sales Slide as Global Alcohol Consumption Falls", *The Financial Times*, 3 jun. 2017. https://on.ft.com/2UEVWub

"Beers Americans No Longer Drink", *USA Today*, 27 dez. 2017. http://bit.ly/2IvBXXH

"Bélgica investiga práticas da AB InBev", *O Estado de S. Paulo*, 20 abr. 2009. http://bit.ly/2DeZj03

"Belgische biertrein: schoolvoorbeeld van ketensamenwerking", Logistiek, 13 out. 2017. http://bit.ly/2UoJ867

"Bierbrouwer AB InBev opent dc in Helmond", Logistiek, 22 fev. 2013. http://bit.ly/2V8kuLF

"Big Brewers Take a Hit to the Gut as Americans Move Away from Beer", *Fortune*, 10 maio 2018. http://bit.ly/2GmoH65

"Brasileiro assume papel central na ofensiva da InBev sobre americana", 15 jun. 2008. http://bit.ly/2V1d4tH

"Bringing Home the Beer", *The Economist*, 14 jul. 2008. https://econ.st/2IFdfEi

"Cade aprova compra da Anheuser-Busch pela InBev", *O Estado de S. Paulo*, 17 set. 2008. http://bit.ly/2UMLnFL

"Compra da Anheuser é questionada nos EUA", 17 abr. 2009. http://bit.ly/2UJe2LM

"Compra da Bud pela InBev fere orgulho americano, diz imprensa", *Folha de S.Paulo*, 13 jun. 2008. http://bit.ly/2UsehFL

"Consumo de cerveja deve recuar pelo 3º ano seguido em 2017, mas faturamento do setor cresce", G1, 3 dez. 2017. https://glo.bo/2ZdAOty

"Cresce a produção de cerveja artesanal", *Estadão PME*, 20 dez. 2017. http://bit.ly/2IsHdeJ

"Direct Shipment of Alcohol State Statutes", National Conference of State Legislators, 12 jan. 2016. http://bit.ly/2UoPtyv

"Ex-Anheuser-Busch CEO Had Loaded Guns, 8 Dogs and Prescription Pills in Chopper, Police Say", *The Chicago Tribune*, 12 jul. 2017. http://bit.ly/2IqL5O4

"Executivo renuncia a posto na Anheuser-Busch e diminui resistência à InBev", *Folha de S.Paulo*, 20 jun. 2008. http://bit.ly/2XmdHv7

"Full Text-Anheuser-Busch Sends Rejection Letter to InBev", Reuters, 26 jun. 2008. https://reut.rs/2ZikPKX

"Governador dos EUA diz ser contra a venda da Budweiser", *Folha de S.Paulo*, 13 jun. 2008. http://bit.ly/2UoK5eL

"I Want My Beer Direct-to-consumer", ShipCompliant, 23 mar. 2016. http://bit.ly/2ZinUL5

"InBev abre processo para retirar conselheiros da Anheuser-Busch", *O Estado de S. Paulo*, 26 jun. 2008. http://bit.ly/2KOHyv5

"InBev aumenta oferta por fabricante da Budweiser para US$ 50 bilhões", *Folha de S.Paulo*, 11 jul. 2008. http://bit.ly/2GsG9pz

"InBev completa aquisição da norte-americana Anheuser-Busch", *O Estado de S. Paulo*, 18 nov. 2008. http://bit.ly/2GsG6dn

"InBev compra Anheuser-Busch por US$ 50 bilhões", *Exame*, 10 out. 2010. http://bit.ly/2KKcFaY

"InBev compra dona da Budweiser por US$ 52 bilhões", Globo.com, 14 jul. 2008. https://glo.bo/2v7Ntk5

"InBev compra fabricante da Budweiser por US$ 52 bi e torna-se líder global", *Folha de S.Paulo*, 14 jul. 2008. http://bit.ly/2VUwP3a

"InBev conclui compra da dona da Budweiser", *Folha de S.Paulo*, 19 nov. 2008. http://bit.ly/2ZfZOjX

"InBev estuda oferecer US$ 46 bi por Anheuser", *Folha de S.Paulo*, 24 maio 2008. http://bit.ly/2UsepoJ

"InBev faz oferta de US$ 46 bi por americana", *Folha de S.Paulo*, 12 jun. 2008. http://bit.ly/2IEQCzH

"InBev faz proposta de US$ 46 bi para comprar fabricante da Budweiser", *Folha de S.Paulo*, 11 jun. 2008. http://bit.ly/2Djs249

"InBev manda 3ª carta de interesse em compra da Anheuser-Busch", *O Estado de S. Paulo*, 25 jun. 2008. http://bit.ly/2ZhOjbU

"InBev mantém acordo com Bud, 3º tri fica pouco acima do esperado", *O Estado de S. Paulo*, 6 nov. 2008. http://bit.ly/2GwoMVb

"InBev negocia com empresa mexicana, diz rede de TV", *Folha de S.Paulo*, 14 jun. 2008. http://bit.ly/2UFA3ec

"InBev reitera oferta por fabricante da Budweiser", *Folha de S.Paulo*, 16 jun. 2008. http://bit.ly/2IqGoDW

"InBev revê oferta de ações de US$ 9,8 bi", 15 out. 2008. http://bit.ly/2PfBkTv

"InBev tenta substituir conselho da Anheuser-Busch", *O Estado de S. Paulo*, 7 jul. 2008. http://bit.ly/2GiAK3g

"InBev vai emitir US$ 8 bi em ações", *O Estado de S. Paulo*, 25 nov. 2008. http://bit.ly/2Pj9nu6

"InBev, une machine à générer du cash-flow et de la dette", *L'Echo*, 15 jul. 2008. http://bit.ly/2Zkdhrd

"InBev's Offer for Anheuser-Busch: The Letter", *The New York Times*, 11 jun. 2008. https://nyti.ms/2Zkdwm7

"InBev's Bid for Anheuser-Busch", Reuters, 14 jul. 2008. https://reut.rs/2UJJn0I

"Indústria de bebidas alcoólicas", Banco do Nordeste, 2017. http://bit.ly/2Ik9JzR

"Judge Throws Out Watered-down Budweiser Beer Fraud Claims Against Anheuser-Busch", Beverage Daily, 8 jun. 2014. http://bit.ly/2PfQ5Wk

"La Bière, un marché mondial qui sera dominé par un trio de géants", *L'Echo*, 14 jul. 2008. http://bit.ly/2GrWP0q

"Les Autres Bières belges aux USA moussent très bien sans InBev", *L'Echo*, 15 jul. 2008. http://bit.ly/2KLCyqX

"Merger Pays Off For AB Inbev", *Forbes*, 5 mar. 2009. http://bit.ly/2DlvwTy

"Mudanças na ABI: Tadeu vai para África, Edmond deixa companhia", *Brazil Journal*, 26 dez. 2016. http://bit.ly/2UFuEnz

"Na AB InBev, Castro Neves sai, os problemas ficam", *Exame*, 14 nov. 2017. http://bit.ly/2IsA5jh

"Nabuurs wordt logistiek partner van InBev", Logistiek, 9 jun. 2009. http://bit.ly/2UoPNgH

"Ne pas attendre que la pluie cesse", *L'Echo*, 19 jul. 2008. http://bit.ly/2DmIW1Q

"Número de cervejarias artesanais no Brasil cresce 37,7% em 2017", Abracerva, 16 fev. 2018. http://bit.ly/2V2HfQW

"Número de cervejarias no Brasil quase dobra em 3 anos e setor volta a criar empregos", G1, 30 mar. 2018. https://glo.bo/2GdKJGW

"Obama Says 'Shame' if Anheuser-Busch Sold to InBev", Reuters, 7 jul. 2008. https://reut.rs/2UnuYCy

"Obama se diz decepcionado por venda da Anheuser-Busch à InBev", *O Estado de S. Paulo*, 14 jul. 2008. http://bit.ly/2Gt3KXg

"Obama, Cuba and the Budweiser Battle", *The New York Times*, 7 jul. 2008. https://nyti.ms/2KWmbrs

"One-on-one with Anheuser-Busch's New CEO", Fox Business, 17 abr. 2018. http://bit.ly/2UqIXr0

"Police Accused Busch IV of Trying to Fly Copter while Intoxicated, But His Blood Tests Came Back Clean", *St. Louis Post-Dispatch*, 5 out. 2017. http://bit.ly/2DkKd9t

"Poll: Keep Anheuser-Busch in American Hands", Jacksonville Business Journal, 9 jun. 2008. http://bit.ly/2Gm36K0

"Produção de cerveja cai quase 2% em 2015", *Estadão*, 4 jan. 2016. http://bit.ly/2GmFzJS

"Pubs in Danger: Six Charts on How the British Drink", BBC, 27 mar. 2018. https://bbc.in/2vakzQc

"Quatre ans après les Etats-Unis, Ab InBev conquiert le Mexique", *L'Echo*, 30 jul. 2012. http://bit.ly/2Xk8nbF

"Rumor de fusão faz ação da InBev subir quase 5%", *Folha de S.Paulo*, 1 jun. 2007. http://bit.ly/2GxktaX

"Segunda maior cervejaria do mundo prepara oferta à rival", *O Estado de S. Paulo*, 23 maio 2008. http://bit.ly/2Pj4ykw

"Senadores dos EUA querem barrar venda da fabricante da Budweiser à InBev", *Folha de S.Paulo*, 17 jun. 2008. http://bit.ly/2DdxDcb

"The Belgians Want Bud? I'll Drink to That", *The Washington Post*, 6 jul. 2008. https://wapo.st/2UJplna

"The Beliefs that Built a Global Brewer", *Harvard Business Review*, 27 abr. 2012. http://bit.ly/2ZkK3rV

"The Brazilian Recipe for Brewing Success", BBC UK, 14 jul. 2008. http://bit.ly/2V6GTJ9

"The Great Beer Abandonment. America's Young Drinkers are Drinking Wine and Hard Alcohol Instead", *The Washington Post*, 3 dez. 2004. https://wapo.st/2Pc1pCF

"The Plot to Destroy America's Beer", Bloomberg, 26 out. 2012. https://bloom.bg/2vaw22v

"The State of the US Beer Market", Nielsen, 15 maio 2017. http://bit.ly/2P8IUzb

"Um brasileiro na Budweiser", *Exame*, 10 out. 2010. http://bit.ly/2GsEbFE

"What You Need to Know About Shipping Alcohol", SevenFifty Daily, 5 dez. 2017. http://bit.ly/2VbzdFq

LIVROS

Julie MacIntosh, *Destronando o rei*. Odisseia, 2015.

William Knoedelseder, *Bitter Brew: The Rise and Fall of Anheuser-Busch and America's Kings of Beer*. Nova York: HarperCollins, 2012.

PÁGINAS CONSULTADAS

Apresentação com números e projeções de Doukeris introduzindo a Zona Apac (Divisão da Ásia-Oceano Pacífico da ABI). http://bit.ly/2Zmm8Z8

"Central Europe Supply Chain", Chris Lemire, AB InBev. http://bit.ly/2UmqLPf

"Direct Shipping", Alcohol and Tobacco Tax and Trade Bureau — U.S. Department of the Treasury. http://bit.ly/2vaWcC0

Michel Dimitrios Doukeris, Bloomberg. https://bloom.bg/2IByw1w

Michel Doukeris, Crunchbase. http://bit.ly/2GvaJPG

"Michel Doukeris", Market Screener. http://bit.ly/2Xl4m6Y

"Number of Breweries", Brewers Association. http://bit.ly/2GgvU6m

Perfil de Michel Doukeris, AmBev. http://bit.ly/2DlvT0o

"Six Centuries of Brewing History", ABInBev. http://bit.ly/2PfqcG6

"The 21st Amendment Enforcement Act", Alcohol and Tobacco Tax and Trade Bureau, U.S. Department of the Treasury, 28 out. 2000. http://bit.ly/2vixpw9

"Twenty-first Amendment", *Encyclopaedia Britannica*. http://bit.ly/2VQx1jR

15. MULTINACIONAL E ARTESANAL [pp. 274-88]

NOTÍCIAS

"A cerveja no Brasil", Ministério da Agricultura, da Pecuária e do Abastecimento, 4 jan. 2018. http://bit.ly/2UyVIVm

"AmBev compra a cervejaria artesanal Wäls, de Minas", *Exame*, 10 fev. 2015. http://bit.ly/2IFeUtw

"Anheuser-Busch on Its Way to Becoming King of Craft Beer Too", *Chicago Tribune*, 9 ago. 2018. http://bit.ly/2IqPgcE

"As 15 melhores cervejas artesanais vendidas no Brasil", *Exame*, 13 set. 2016. http://bit.ly/2KWmUJc

"Beer Sales Slide as Global Alcohol Consumption Falls", *The Financial Times*, 3 jun. 2017. https://on.ft.com/2UEVWub

"Beers Americans No Longer Drink", *USA Today*, 27 dez. 2017. http://bit.ly/2IvBXXH

"Big Brewers Take a Hit to the Gut as Americans Move Away From Beer", *Fortune*, 10 maio 2018. http://bit.ly/2GmoH65

"Cerveja artesanal avança no Brasil com pequenos e 'ciganos'", *Nexo Jornal*, 16 dez. 2016. http://bit.ly/2Gm3R5O

"Consumo de cerveja deve recuar pelo 3º ano seguido em 2017, mas faturamento do setor cresce", G1, 3 dez. 2017. https://glo.bo/2ZdAOty

"Cresce a produção de cerveja artesanal", *Estadão PME*, 20 dez. 2017. http://bit.ly/2IsHdeJ

"Goose Island Founder Shuts Down the Argument that Craft Beer is Dying", *Business Insider*, 16 maio 2017. http://bit.ly/2UrSDl2

"Goose Island Sold to Anheuser-Busch for $38.8 Million", *Chicago Tribune*, 28 mar. 2011. http://bit.ly/2DmJvbY

"Indústria de bebidas alcóolicas", Banco do Nordeste, 2017. http://bit.ly/2KMtemw

"John Hall Celebrates Goose Island's 30th with the Beer that Started It All", October, 11 maio 2018. http://bit.ly/2Djdcud

"MPF assina acordo com cervejarias para especificação de ingredientes em rótulos", Reuters, 9 out. 2018. http://bit.ly/2DjzDzH

"MPF celebra acordo para que sejam informados nos rótulos das cervejas todos os ingredientes que compõem o produto", MPF, 9 out. 2018. http://bit.ly/2Xopqts

"MPF/GO: rótulos de cervejas devem informar todos os ingredientes que compõem o produto", MPF, 21 jul. 2016. http://bit.ly/2IKp5x7

"Novo rótulo deverá dizer se cerveja contém milho ou arroz", *Folha de S.Paulo*, 16 nov. 2018. http://bit.ly/2L0VC4P

"Número de cervejarias artesanais no Brasil cresce 37,7% em 2017", Abracerva, 16 fev. 2018. http://bit.ly/2V2HfQW /

"Número de cervejarias no Brasil quase dobra em 3 anos e setor volta a criar empregos", G1, 30 mar. 2018: https://glo.bo/2GdKJGW

"Produção de cerveja cai quase 2% em 2015", *Estadão*, 4 jan. 2016. http://bit.ly/2GmFzJS

"Pubs in Danger: Six Charts On How the British Drink", BBC, 27 mar. 2018. https://bbc.in/2vakzQc

"Signs of a Maturing Craft Beer Market", *San Diego Reader*, 30 mar. 2018. http://bit.ly/2vbW70Q

"The Great Beer Abandonment. America's Young Drinkers Are Drinking Wine and Hard Alcohol Instead", *The Washington Post*, 3 dez. 2014. https://wapo.st/2Pc1pCF

"The State of the US Beer Market", Nielsen, 15 maio 2017. http://bit.ly/2P8IUzb

ARTIGOS ACADÊMICOS

Amadeus Orleans e Robert E. Siegel, "AB Inbev: Brewing an Innovation Strategy", Universidade Stanford, MBA, 16 nov. 2017.

RELATÓRIOS FINANCEIROS/DOCUMENTOS OFICIAIS

"Form 10-K — Annual Report to Section 13 or 15(d) of the Securities Exchange Act of 1934 for the Fiscal Year Ended December 31/2010", Craft Brewers Alliance, SEC. HTTP://BIT.LY/2ZEWRAL

LIVROS

Josh Noel, *Barrel-Aged Stout and Selling Out: Goose Island, Anheuser-Busch, and How Craft Beer Became Big Business*. Chicago: Chicago Review Press, 2018.
Steve Hindy, *A revolução da cerveja artesanal: Como um grupo de microcervejeiros está transformando a bebida mais apreciada do mundo*. São Paulo: Tapioca, 2014.

PÁGINAS CONSULTADAS

"Craft Beer Sales Up in 2008 — The Graph", My Beer Buzz, 21 mar. 2009. http://bit.ly/2viy8xn
Instrução normativa n. 68, Diário Oficial da União, 16 nov. 2018. http://bit.ly/2KMBPpw
"Number of Breweries", Brewers Association. http://bit.ly/2GgvU6m
"Our History", Wicked Weed Brewing. http://bit.ly/2KOOkkv

16. A REVOLTA CONTRA O MILHO [pp. 289-303]

NOTÍCIAS

"A cerveja e o orgulho de quem faz o melhor", Silvio Luiz Reichert, *Folha de S.Paulo*, 30 dez. 2009. http://bit.ly/2UshQM9
"A cerveja no Brasil", Ministério da Agricultura, da Pecuária e do Abastecimento, 4 jan. 2018. http://bit.ly/2UyVIVm
"A cerveja: bebendo gato por lebre", *Folha de S.Paulo*, 18 dez. 2009. http://bit.ly/2KINkht
"Naar de rechter na bierfusie uit vrees voor slechter en duurder bier". *Het Nieuwsblad*, 4 dez. 2015. http://bit.ly/2PhgWBo
"Personeel Hoegaarden vreest nieuwe verhuizing", Nieuswblad, 10 nov. 2011. http://bit.ly/2GeioQI
"A sombra e a luz", *Veja*, 2 mar. 2018. http://bit.ly/2VQvKJD
"AB InBev mengt Stella met Leffe", *Het Nieuwsblad*, 8 set. 2010. http://bit.ly/2KMtFgE
"AB InBev ontkent Amerikaanse klachten over aangelengd bier", *Het Nieuwsblad*, 27 fev. 2013. http://bit.ly/2UG3jBE
"America's Brewery Boom Vizualized", *Forbes*, 14 jul. 2017. http://bit.ly/2Djdrp7
"Anheuser-Busch InBev Announces Completion of Combination With SABMiller", Press release AB InBev, 10 out. 2016. http://bit.ly/2UHUhE5
"Anheuser-Busch InBev Announces Structure and Leadership of Combined Group in Recommended Combination with SABMiller", Press release AB InBev, 4 ago. 2016. http://bit.ly/2Zg2aiN
"Bierdrinker dient klacht in door 'misleidende reclame' van Leffe", *Het Nieuwsblad*, 5 abr. 2016. http://bit.ly/2Zgg9Fm
"Beer Sales Slide as Global Alcohol Consumption Falls", *The Financial Times*, 3 jun. 2017. https://on.ft.com/2UEVWub
"Beers Americans No Longer Drink", *USA Today*, 27 dez. 2017. http://bit.ly/2IvBXXH
"Big Brewers Take a Hit to the Gut as Americans Move Away from Beer", *Fortune*, 10 maio 2018. http://bit.ly/2GmoH65

"Budweiser est accusé de mettre de l'eau dans sa bière", *Le Figaro*, 27 fev. 2013. http://bit.ly/2DdF8Qn

"Cerveja e o orgulho de quem fatura mais", Rogério Cezar de Cerqueira Leite, *Folha de S.Paulo*, 14 jan. 2010. http://bit.ly/2GtdWPG

"Cerveja desperta polêmica e revela prós e contras", Comidas e Bebidas Uol, 5 abr. 2013.

"Consumo de cerveja deve recuar pelo 3o ano seguido em 2017, mas faturamento do setor cresce", G1, 3 dez. 2017. https://glo.bo/2ZdAOty

"Craft Beer is the Strangest, Happiest Economic Story in America", *The Atlantic*, 19 jan. 2018. http://bit.ly/2ZslyJI

"Cresce a produção de cerveja artesanal", *Estadão PME*, 20 dez. 2017. http://bit.ly/2IsHdeJ

"C'est vous qui le dites sur le changement de nom de la Jupiler: 'L'alcool n'a pas à soutenir quelque sport que ce soit'", *Le Soir*, 20 fev. 2018. http://bit.ly/2PfqYTw

"Echte brouwers denken anders dan bankiers" , *Het Nieuwsblad*, 4 dez. 2005. http://bit.ly/2V6ONSP

"Food Babe' dwingt AB InBev op de knieën", *Het Nieuwsblad*, 16 jun. 2014. http://bit.ly/2DjzYCt

"For America'S Craft Beer Revolution, Brewing Battle Has Come to a Head", Al Jazeera, 21 fev. 2015. http://bit.ly/2Go6bce

"Heineken chega para valer no Brasil e a briga promete esquentar", *Época Negócios*, 30 nov. 2017. https://glo.bo/2DjRGWa

"Heineken é água, malte, lúpulo e nada mais. Wasabi? Nem pensar. There's more behind the star", Twitter Heineken Brasil, 22 jul. 2016. http://bit.ly/2PfHxih

"History of Craft Brewing", Brewers Association. http://bit.ly/2VPUnpW

"Indústria de bebidas alcoólicas", Banco do Nordeste, 2017. http://bit.ly/2Ik9JzR

"Lei da Pureza da Cerveja desperta polêmica e revela prós e contras", Comidas e Bebidas Uol, 5 abr. 2013. http://bit.ly/2UoRGKj

"Opnieuw vrees voor verhuis Witte van Hoegaarden", *Het Nieuwsblad*, 12 nov. 2011. http://bit.ly/2Xpv9z7

"Número de cervejarias artesanais no Brasil cresce 37,7% em 2017", Abracerva, 16 fev. 2018. http://bit.ly/2V2HfQW

"Número de cervejarias no Brasil quase dobra em 3 anos e setor volta a criar empregos", G1, 30 mar. 2018. https://glo.bo/2GdKJGW

"Originale Chopp Experience: nasce um novo point cervejeiro", Tribuna da Cerveja, 18 dez. 2016. http://bit.ly/2UoQvKZ

"Produção de cerveja cai quase 2% em 2015", *Estadão*, 4 jan. 2016. http://bit.ly/2GmFzJS

"Pubs in Danger: Six Charts on How the British Drink", BBC, 27 mar. 2018. https://bbc.in/2vakzQc

"Skol Hops, a versão com lúpulo aromático", *Revista BeerArt*, 10 set. 2018. http://bit.ly/2DjrbR4

"South Africa profile — Timeline", BBC, 4 abr. 2018. https://bbc.in/2UluQn3

"Stella Artois krijgt lager alcoholpercentage in Groot-Brittannië", *Het Nieuwsblad*, 27 jan. 2012. http://bit.ly/2V6EFcF

"Test voor brouwen van Hoegaarden bij Belle Vue", *Het Nieuwsblad*, 16 nov. 2011. http://bit.ly/2UFEWny

"The Great Beer Abandonment. America's Young Drinkers are Drinking Wine and Hard Alcohol Instead", *The Washington Post*, 3 dez. 2014. https://wapo.st/2Pc1pCF

"The State of the US Beer Market", Nielsen, 15 maio 2017. http://bit.ly/2P8IUzb

LIVROS

Ronaldo Morado, *Larousse da cerveja*. Lafonte, 2009.

ARTIGOS ACADÊMICOS

Muris Sleiman, Waldemar Gastoni Venturini Filho, Carlos Ducatti, Toshio Nojimoto, "Determinação do percentual de malte e adjuntos em cervejas comerciais brasileiras através de análise isotópica", *Ciência e Tecnologia*, 2010. http://bit.ly/2GjiPJH

RELATÓRIOS FINANCEIROS/DOCUMENTOS OFICIAIS

Consulta Processual no Cade 08012.003805/2004-10. http://bit.ly/2v9einZ
Decreto n. 6871, Presidência da República, Casa Civil, Subchefia para Assuntos Jurídicos, 4 jun. 2009. http://bit.ly/2UoRJpt
Decreto n. 8442, Presidência da República, Casa Civil, Subchefia para Assuntos Jurídicos, 29 abr. 2015. http://bit.ly/2UI3o7W
Decreto n. 8918, Presidência da República, Casa Civil, Subchefia para Assuntos Jurídicos, 14 jul. 1994. http://bit.ly/2Xl2Sti
Divulgação de resultados do quarto trimestre de 2016, AmBev. http://bit.ly/2v9aAL9
Instrução Normativa RFB n. 950, 25 jun. 2009. http://bit.ly/2VTeh3h
Ministério da Agricultura, da Pecuária e do Abastecimento, Secretaria de Defesa Agropecuária, Instrução Normativa n. 54, 5 nov. 2001. http://bit.ly/2vaESNC
Ofício 004/2018 da Abracerva, assinado pelo presidente da associação, Carlos Lapolli, e direcionado à Ouvidoria do Sebrae Nacional, 23 ago. 2018.
Pop List Goiânia, itens de consumo, share of mind de marcas junto a consumidores, relatório final volume II, tabelas, ago. 2018.
Proposta comercial, Stands Expo Abrasel, Abrasel Goiás, 7-8 nov. 2018.

PÁGINAS CONSULTADAS

32º Encontro Nacional Abrasel. http://bit.ly/2Zl4hlp
Estudo de mercado Pop List Goiânia 2018. http://bit.ly/2Gt978S
"History", South African Government. http://bit.ly/2IrD2AI
"I Am a Craft Brewer", Stone Brewing, YouTube, 27 abr. 2009. http://bit.ly/2GsFbKf
"Microcervejarias incluídas no Simples Nacional!", Maria Cevada.
"Number of Breweries", Brewers Association. http://bit.ly/2GgvU6m
"Pocket guide to South Africa 2015/2016", Government Communications Department. http://bit.ly/2Zmz9ST
"Quem Somos", Cervejaria Klaro. http://bit.ly/2IsExOM

17. O MUNDO É NOSSO [pp. 304-16]

NOTÍCIAS

"AB InBev — SABMiller Deal Completes", The Citizen, 11 out. 2016. http://bit.ly/2Zq1lEr
"AB InBev/SABMiller: Mariage dans une semaine", *Le Figaro*, 28 out. 2015. http://bit.ly/2GtdXSy
"AB InBev Accepts Asahi Offer for Peroni and Grolsch", *The Independent*, 19 abr. 2016. https://ind.pn/2Pm554X
"AB InBev adquire sua principal rival por 100 bilhões de euros", *L'Echo*, 12 nov. 2015. http://bit.ly/2GqD3kI
"AB InBev ainda menos belga", *L'Echo*, 29 set. 2015. http://bit.ly/2Gq1kr3
"AB InBev and SABMiller Agree £68 Billion Deal Creating Global Super Brewer", *The Independent*, 13 out. 2015. https://ind.pn/2Uq1eVn

"AB InBev and SABMiller to Exchange Regional Operations", Business Live, 13 maio 2016. http://bit.ly/2GrICzx

"AB InBev aumenta oferta por SABMiller após desvalorização da libra", *O Globo*, 26 jul. 2016. https://glo.bo/2Phozb7

"AB InBev avalia aquisições este ano, diz CEO", *Valor Econômico*, 27 fev. 2015. http://bit.ly/2XotPwn

"AB InBev Brews Jumbo Euro Bond", Business Live, 17 mar. 2016. http://bit.ly/2Glp2F4

"AB InBev busca financiamento para comprar a SABMiller, sua maior rival", *Valor Econômico*, 16 set. 2014. http://bit.ly/2GvkLjv

"AB InBev Chief Urges SABMiller Shareholders to Push for Fresh Bid Talks", *The Guardian*, 7 out. 2015. http://bit.ly/2UI2wjI

"AB InBev começa a perder a paciência", *L'Echo*, 9 out. 2015. http://bit.ly/2GuEkbI

"AB InBev Commits R1bn to Localization Fund for Farmers and Other Suppliers", Business Live, 21 abr. 2016. http://bit.ly/2GmlL8t

"AB InBev Completes SABMiller Acquisition", Business Report, 12 out. 2016. http://bit.ly/2ViMcWh

"AB Inbev compra a SABMiller por 112 bilhões de euros", *Le Soir*, 11 nov. 2015. http://bit.ly/2Uo0uAh

"AB InBev confirma interesse na concorrente SABMiller", *Valor Econômico*, 16 set. 2015. http://bit.ly/2ULU4A0

"AB InBev Deal with SABMiller at Competition Tribunal under Way", Business Live, 22 jun. 2016. http://bit.ly/2IKb5n4

"AB InBev está considerando uma oferta no SABMiller", *L'Echo*, 16 set. 2015. http://bit.ly/2ZjtJrv

"AB InBev EU Merger Agreement Shows Europe Matters Little to World's Largest Beer Brewer", *Forbes*, 25 maio 2016. http://bit.ly/2ZiTj01

"AB InBev fecha venda de operação chinesa da SABMiller", *Valor Econômico*, 1 mar. 2016. http://bit.ly/2ZmO677

"AB InBev Feels the Brexit Pressure", Business Live, 27 jul. 2016. http://bit.ly/2VRzH0x

"AB InBev Improves Terms of Employee-Share Scheme to Satisfy Union Ahead of Deal", Business Live, 7 jun. 2016. http://bit.ly/2VVSYOG

"AB InBev Lists on JSE", The Citizen, 18 jan. 2016. http://bit.ly/2ZlU1tl

"AB InBev maintain Focus on Mega-deal", Business Live, 25 fev. 2016. http://bit.ly/2ZoUH1c

"AB InBev Makes New Offer to Clear European Antitrust Hurdles in SABMiller Deal", Business Live, 29 abr. 2016. http://bit.ly/2Gl2EM0

"AB InBev May Soon Get SA Approval", Business Live, 22 mar. 2016. http://bit.ly/2Iu46iy

"AB InBev negocia crédito de até US$ 70 bi", *Valor Econômico*, 30 set. 2015. http://bit.ly/2GucnAW

"AB InBev Offers to Sell SABMiller's EU Breweries", Business Live, 3 maio 2016. http://bit.ly/2VU3pSR

"AB InBev pede aos acionistas da SABMiller para protestar", *Het Nieuwsblad*, 8 out. 2015. http://bit.ly/2GxaaVn

"AB InBev planeja vender marcas premium da SABMiller na Europa", *Valor Econômico*, 3 dez. 2015. http://bit.ly/2DoNt3J

"AB InBev Plans to Sell Peroni and Grolsch in Takeover of SABMiller", *The Guardian*, 29 nov. 2015. http://bit.ly/2PfKlf6

"AB InBev Raises Its Offer for SABMiller to £45", Business Live, 26 jul. 2016. http://bit.ly/2Gh9nq4

"AB InBev Raises Offer for SABMiller", BBC, 26 jul. 2016. https://bbc.in/2UH7z3M

"AB InBev krijgt groen licht van Europa om SABMiller over te nemen", *Het Nieuwsblad*, 24 maio 2016. http://bit.ly/2KPt6Tx

"AB InBev Resets Culture Clearing Out SabMiller Executives", Business Live, 5 ago. 2016. http://bit.ly/2Xo1031

"AB InBev Sells SABMiller European Beers to Japanese Brewer", Business Live, 19 abr. 2016. http://bit.ly/2KTIDSe

"AB InBev Sells SABMiller's Stake in Chinese Brewer", Business Live, 2 mar. 2016. http://bit.ly/2GuGJTM

"AB InBev to Cut up to 575 UK Jobs in SABMiller Takeover", BBC, 4 ago. 2016. https://bbc.in/2PhImXP

"AB InBev to Sell Its Distell Stake to PlC", Fin24, 15 dez. 2016. http://bit.ly/2UIBtES

"AB InBev vende marcas ao Asahi Group por US$ 2,9 bilhões", *Valor Econômico*, 19 abr. 2016. http://bit.ly/2Gofeu1

"AB InBev Will Retain Its Moniker", Business Report, 28 set. 2016. http://bit.ly/2UrQp5t

"AB InBev Wins SABMiller Over with a £68bn Offer", *The Independent*, 14 out. 2015. https://ind.pn/2ZimErn

"AB InBev, de Lemann, pretende adquirir concorrente SABMiller", *Forbes*, 16 set. 2015. http://bit.ly/2ZkdxX4

"AB InBev, SABMiller Deal Wins US Approval, Adds Craft Beer Protections", Business Live, 21 jul. 2016. http://bit.ly/2II60eH

"AB InBev: More to It Than Shares", Business Live, 14 jan. 2016. http://bit.ly/2VVosUU

"AB InBev: SABMiller Combination Could Make U.S. Business Weaker", *Forbes*, 27 jul. 2016. http://bit.ly/2Zm6u0c

"AB Inbev: Viva os laços!", *Le Monde*, 14 jan. 2016. https://lemde.fr/2VTGOWn

"AB InBev's Bid for SABMiller: A Brewing Merger Makes Sense when Lager Is in the Last Chance Saloon", *The Independent*, 19 set. 2015. https://ind.pn/2Zq09Ay

"AB InBev-SABMiller Merger OK'd in UK, to Close on Oct 10", Nasdaq, 5 out. 2016. http://bit.ly/2PjNiv6

"AB InBev-SABMiller Merger: You Win Some, You Lose Beer", *Forbes*, 30 nov. 2015. http://bit.ly/2Iw6wgS

"Acionistas aprovam fusão AB InBev-SABMiller que vai criar gigante do setor de cerveja", *IstoÉ*, 28 set. 2016. http://bit.ly/2PiOrDq

"Acionistas da SABMiller aprovam compra pela AB InBev", G1, 28 set. 2016. https://glo.bo/2UH9yoK

"Acionistas da SABMiller aprovam venda para a AB InBev por US$ 104 bilhões", *Forbes*, 28 set. 2016. http://bit.ly/2Iu1DVm

"Acusada de apologia ao estupro, Skol vai retirar campanha de circulação após protesto feminista", *Folha de S.Paulo*, 11 fev. 2015. http://bit.ly/2V5FBON

"Advantage of an AB InBev/SABMiller Merger Lies in Emerging Markets", Euromonitor International, Market Research Blog, 13 jan. 2015. http://bit.ly/2Ur1svI

"África do Sul aprova megafusão da SABMiller e AB InBev", *IstoÉ*, 30 jun. 2016. http://bit.ly/2L4rvth

"África, uma importante razão para a AB InBev", *L'Echo*, 16 set. 2015. http://bit.ly/2Prgktb

"Anheuser-Busch InBev Plans $250bn Tie-up with SABMiller", *The Guardian*, 16 set. 2015. http://bit.ly/2UvN8lj

"Anheuser-Busch InBev propõe combinação com a SABMiller para formar a primeira cervejaria realmente global", Economia Uol, 9 out. 2015. http://bit.ly/2GmpanL

"Anheuser-Busch InBev: O que a aquisição da SABMiller poderia significar", *Forbes*, 18 set. 2014. http://bit.ly/2GvYKkM

"Antitruste da África do Sul aprova fusão da AB InBev com SABMiller", *Valor Econômico*, 31 maio 2016. http://bit.ly/2V9RWRP

"Apartheid econômico persiste na África do Sul", *Folha de S.Paulo*, 30 out. 2017. http://bit.ly/2VbHI3u

"Após compra da SABMiller, desafio é AB InBev dar retorno aos acionistas", *Folha de S.Paulo*, 10 out. 2016. http://bit.ly/2PizBNf

"Após protesto feminista, Skol divulga nova campanha: 'Tire o time de campo'", *Folha de S.Paulo*, 13 fev. 2015. http://bit.ly/2IuKrz5

"Após semana marcada propaganda polêmica, AmBev comunica troca de diretor de marketing", *Estadão*, 15 fev. 2015. http://bit.ly/2PnJB80

"Are You 21 to 37? You Might Be a Millennial", *The New York Times*, 1 mar. 2018. https://nyti.ms/2VX6Nwm

"Asahi Buys AB InBev Brands Peroni and Grolsch", *The Guardian*, 19 abr. 2016. http://bit.ly/2VVt0us

"Asahi Mulls Bidding for Grolsch and Peroni", Business Live, 12 jan. 2016. http://bit.ly/2PhrLn7

"Beer Blockbuster? Anheuser-Busch InBev Sets Sights on SABMiller", *Forbes*, 16 set. 2015. http://bit.ly/2ZqfEc7

"Boardroom Tails: Pouring on the Charm", Business Live, 21 jan. 2016. http://bit.ly/2GojcTr

"Boatos de megafusão entre cervejeiros", *Le Monde*, 16 set. 2015. https://lemde.fr/2VfyGSU

"Brewers's £79bn Mega-Merger Could Cost UK 600 Jobs", *The Guardian*, 4 ago. 2016. http://bit.ly/2GqMLUc

"Brexit faz AB InBev elevar oferta por SABMiller a 79 bilhões de libras", *Valor Econômico*, 26 jul. 2016. http://bit.ly/2VcQgXO

"Brexit: AB InBev eleva oferta na SABMiller para compensar queda de moeda", *Le Soir*, 26 jul. 2016. http://bit.ly/2IE8JWJ

"Brito: AB InBev não está 'jogando' e tem proposta séria por SABMiller", *Valor Econômico*, 7 out. 2015. http://bit.ly/2Zm8CFe

"Campanha de cerveja é acusada de desrespeitar as mulheres", *Estadão*, 11 fev. 2015. http://bit.ly/2KQZjd5

"Carlos Brito vence sua aposta para 100 bilhões de euros, AB InBev vai engolir SABMiller", *L'Echo*, 12 nov. 2015. http://bit.ly/2Gz1gqp

"Carlsberg Not Keen on SABMiller Brands", The Citizen, 6 jan. 2016. http://bit.ly/2GqtB0V

"Cerveja repete nos EUA frase vista como incentivo a estupro", *Folha de S.Paulo*, 30 abr. 2015. http://bit.ly/2DnW2M0

"Cerveja: AB InBev conclama acionistas da SABMiller a apoiar ativamente sua oferta", *Le Soir*, 8 out. 2015. http://bit.ly/2DqxFgL

"Cerveja: as quatro multinacionais por trás de centenas de marcas", *Le Monde*, 7 out. 2015. https://lemde.fr/2XydpBD

"Cerveja: SABMiller concorda em ser comprada pela AB InBev por 96 bilhões de euros", *Le Soir*, 13 out. 2015. http://bit.ly/2UxV4CB

"Cerveja: SABMiller aceita oferta da AB InBev", *Le Figaro*, 13 out. 2015. http://bit.ly/2GwpCRu

"Cervejaria da AB InBev coloca 112 bilhões de euros na mesa para pegar o SABMiller", *Le Monde*, 11 nov. 2015. https://lemde.fr/2VYf42S

"Cervejaria substitui campanha acusada de apologia do estupro", *Estadão*, 13 fev. 2017. http://bit.ly/2Vimq4f

"Charles Glass and the Beginning of South African Breweries", Business Report, 14 nov. 2008. http://bit.ly/2UuUtBR

"Chinese Beer Firm Eyeing SABMiller Assets?", Business Report, 14 set. 2016. http://bit.ly/2DpFyD4

"Commission to Miss Investigation Deadline for AB InBev Takeover Bid", Business Live, 4 abr. 2016. http://bit.ly/2vbzfyE

"Com oferta de US$ 104 bi, AB InBev finalmente conquista a SABMiller", *Valor Econômico*, 14 out. 2015. http://bit.ly/2IHExtG

"Conselho da SABMiller aprova oferta melhorada para união com AB InBev", *Valor Econômico*, 29 jul. 2016. http://bit.ly/2IKaaTx

"Contra o relógio, AB InBev eleva oferta por SABMiller", *Valor Econômico*, 13 out. 2015. http://bit.ly/2Iw5sJB

"Corte britânica apoia plano da SABMiller", *Valor Econômico*, 24 ago. 2016. http://bit.ly/2vgCkgN

"Diretor da Skol diz que críticas a anúncio considerado machista são fruto de 'erro de interpretação'", *Folha de S.Paulo*, 13 fev. 2015. http://bit.ly/2IHEAWo

"En de nieuwe naam van AB Inbev is... AB Inbev", *Het Nieuwsblad*, 28 dset. 2016. http://bit.ly/2XotKc2

"'Esqueci o Não' da Skol sai de cena, mas cai na mira do Conar", *Folha de S.Paulo*, 13 fev. 2015. http://bit.ly/2Xwbr4u

"EUA dão aval para fusão da AB InBev e SABMiller", G1, 20 jul. 2016. https://glo.bo/2VWuMf5

"EUA: condição de luz verde na fusão da AB Inbev-SABMiller", *Le Figaro*, 20 jul. 2016. http://bit.ly/2VkPB6Y

"Exasperada, AB InBev apela aos acionistas da SABMiller", *L'Echo*, 8 out. 2015. http://bit.ly/2KSMeQC

"Extension Granted for Consideration of Brewer Merger", Business Live, 13 maio 2016. http://bit.ly/2KSPsnb

"Factbox: SABMiller, from South African Gold Rush to Brewing Giant", Reuters, 7 out. 2015. https://reut.rs/2Gw5yii

"Fusão da Kraft reduz chances de AB InBev comprar SABMiller", *Valor Econômico*, 26 mar. 2015. http://bit.ly/2VkjrYW

"Fusão entre AB InBev e SABMiller é autorizada pela China", *Exame*, 29 jul. 2016. http://bit.ly/2PmuKKN

"Fusão entre as cervejarias AB InBev e SABMiller concluída", *Het Nieuwsblad*, 11 out. 2016. http://bit.ly/2UMkAJj

"Fusão SABMiller/AB InBev: luz verde da autoridade da concorrência", *Le Figaro*, 30 jun. 2016. http://bit.ly/2UwcHTA

"Gen Zs Never Watch TV, Are Stressed About Snapchat, and Are Concerned that Technology Has Ruined Their Mental Health — Here's What It's REALLY Like to Be a Teen in 2018", *Business Insider*, 29 jun. 2018. http://bit.ly/2XsUqrZ

"Graham Mackay, SABMiller Pioneer, 1949-2013", *The Financial Times*. https://on.ft.com/2Dnowpg

"Grave fusão na cerveja", *Le Monde*, 29 jul. 2016. https://lemde.fr/2UuEBz2

"Guidelines Clarify Public Interest Impact of Mergers", Business Live, 10 jun. 2016. http://bit.ly/2ILwpIx

"Heineken Says SAB Wants to Down It", The Citizen, 23 jun. 2016. http://bit.ly/2vfnLdq

"How The Potential AB InBev-SABMiller Deal Focuses on Africa", *Forbes*, 15 dez. 2015. http://bit.ly/2IJYrUY

"Impact of The Anheuser-Busch InBev and SABMiller Deal", *Forbes*, 1 dez. 2015. http://bit.ly/2ZmLNB8

"Impact on Philip Morris from SAB Merger 'Minimal'", Mail & Guardian, 1 jan. 2002. http://bit.ly/2vedsGv

"InBev, SABMiller Shareholders OK Mega-merger", *The Wall Street Journal*, 30 set. 2016. http://bit.ly/2GqVN3K

"International Business: Labatt Accepts $2.9 Billion Bid from Large Brewer in Belgium", *The New York Times*, 7 jun. 1995. https://nyti.ms/2Xonq4a

"Investors See Potential in Beer Merger", *The New York Times*, 18 set. 2015. https://nyti.ms/2VkQ1dy

"It's Miller Time for S. African Brewer", CBS News, 30 maio 2002. https://cbsn.ws/2KPimVb

"It's Miller time for South African Breweries", *The Guardian*, 30 maio 2002. http://bit.ly/2Vg3W4r

"It's Not Too Late for SABMiller to Back Out of Its Mega-merger", *The Guardian*, 26 jul. 2016. http://bit.ly/2ZywDZM

"It's Final: AB InBev Closes On Deal to Buy SABMiller", *Forbes*, 10 out. 2016. http://bit.ly/2vfZZOy

"Juntas, AB InBev e SABMiller teriam mais de 30% do mercado global", *Valor Econômico*, 16 set. 2015. http://bit.ly/2DpKOH7

"Justice Dept. Blesses Marriage of Two Beer Giants", *The Washington Post*, 20 jul. 2016. https://wapo.st/2UNWEFs

"Keep Calm, AB InBev's Firm Offer For Acquiring SABMiller Is Coming", *Forbes*, 12 out. 2015. http://bit.ly/2Gx0cn0

"Labatt's Blues", The Globe and Mail, 30 set. 2005. https://tgam.ca/2VUgprn

"Leuven não quer que o presidente da AB InBev seja um cidadão honorário", *Het Nieuwsblad* 26 out. 2015. http://bit.ly/2GxYyBs

"Megabeer Is Almost Here", *The New York Times*, 7 out. 2015. https://nyti.ms/2GwvgTD

"Megabrew Takeover: The World's Two Largest Brewers", *The Guardian*, 13 out. 2015. http://bit.ly/2VWi0gr

"Megabrew Too Big for JSE?", The Citizen, 19 set. 2015. http://bit.ly/2IS25ML

"Minister Hails AB InBev's Approach", Business Live, 18 abr. 2016. http://bit.ly/2GompSV

"Moment idéal pour la fusion d'AB et SABMiller", *L'Echo*, 3 mar. 2014. http://bit.ly/2ILSxTo

"Não há mais espaço para sexismo na publicidade", *Folha de S.Paulo*, 10 abr. 2015. http://bit.ly/2veTlbm

"Negociação de fusão entre AB InBev e SABMiller toma forma de disputa", *Valor Econômico*, 9 out. 2015. http://bit.ly/2vdC42b

"Negociação entre AB InBev e SABMiller não tem participação da AmBev", *Valor Econômico*, 16 set. 2015. http://bit.ly/2GwKxE2

"Oferta da AB InBev na SABMiller: a sede da nova entidade deve permanecer na Bélgica", *Le Soir*, 13 out. 2015. http://bit.ly/2GtIKyv

"Outdoor da Skol para o Carnaval causa indignação em SP", *Exame*, 12 fev. 2015. http://bit.ly/2vgoPh6

"Para publicitários, anúncio de cerveja está menos sexista", *Folha de S.Paulo*, 17 fev. 2015. http://bit.ly/2UMjSvN

"Philip Morris vende controle da Miller por US$ 5,6 bilhões", *Folha de S.Paulo*, 30 maio 2002. http://bit.ly/2PjFHwV

"Piada sexista em propaganda não tem mais graça, diz publicitária", *Folha de S.Paulo*, 9 abr. 2015. http://bit.ly/2XyghhT

"Planned AB InBev Job Cuts Shock Trade Union", Business Report, 24 jan. 2017. http://bit.ly/2XvMNRO

"Possível fusão entre InBev e SAB faz ações subirem", *Valor Econômico*, 14 jul. 2014. http://bit.ly/2PiUTub

"Prefeitura de Curitiba relança campanha 'não é não' depois de propaganda polêmica da Skol", *Folha de S.Paulo*, 12 fev. 2015. http://bit.ly/2DmMIbm

"Probe into Takeover of SABMiller Delayed", Business Live, 4 abr. 2016. http://bit.ly/2Vgg59s

"Propaganda de remédio é criticada por chamar cólicas femininas de 'Mimimi'", *Folha de S.Paulo*, 11 jun. 2015. http://bit.ly/2Pnen0u

"Publicitárias criam cerveja feminista para questionar propagandas do setor", *Folha de S.Paulo*, 26 fev. 2015. http://bit.ly/2GAretL

"Red Tape May Tie Up AB InBev's Mega Deal", Business Live, 27 fev. 2016. http://bit.ly/2IQgZ69

"Regulator Gives Backing to AB InBev Takeover of SABMiller", *The Guardian*, 31 maio 2016. http://bit.ly/2vd07ye

"SA's Bad News May Be Good News for AB InBev", Business Live, 16 mar. 2016. http://bit.ly/2XsdNSb

"SAB Buys Miller Brewing", Money CNN, 30 maio 2002. https://cnnmon.ie/2Xun6Rw

"SABMiller and AB Inbev in Merger Talks", Euromonitor International Blog, 16 set. 2015. http://bit.ly/2IxgcYp

"SABMiller aceita oferta de compra da AB InBev", *Época Negócios*, 13 out. 2015. https://glo.bo/2VYxyjJ

"SABMiller Agrees AB InBev Takeover Deal of £68bn", *The Guardian*, 13 out. 2015. http://bit.ly/2DljVUr

"SABMiller amplia corte de custos para se defender da AB InBev", *Valor Econômico*, 12 out. 2015. http://bit.ly/2XwhMNE

"SABMiller Approached by AB InBev for Takeover That Would Create a $250 Billion Brewing Colossus", *The Independent*, 16 set. 2015. https://ind.pn/2UMPe5x

"SABMiller Board Plays Hard to Get", The Citizen, 8 out. 2015. http://bit.ly/2GCAtsf

"SABMiller Bubbles on Takeover Talk", The Citizen, 12 jun. 2014. http://bit.ly/2VWj8AH

"SABMiller Buyout Deal Gets Conditional European Consent", Business Live, 24 maio 2016. http://bit.ly/2Zr3ob1

"SABMiller Completes $7,8bn Bavaria Takeover", Mail & Guardian, 12 out. 2005. http://bit.ly/2DtbKWu

"SABMiller Decepciona com a aquisição da AB InBev", *Het Nieuwsblad*, 18 maio 2016. http://bit.ly/2VWwkpf

"SABMiller e AB InBev acertam juntar forças", *Valor Econômico*, 13 out. 2015. http://bit.ly/2XsryA9

"SABMiller e AB InBev chegam a acordo para criar a maior cervejaria do mundo", *Estadão*, 13 out. 2015. http://bit.ly/2UxLwrD

"SABMiller Investors Back Beer Deal", Business Report, 28 set. 2016. http://bit.ly/2UMywTO

"SABMiller Managers In Line for Large Payouts after Any AB InBev Takeover", *The Guardian*, 17 set. 2015. http://bit.ly/2GtcM5z

"SABMiller Pauses AB InBev Integration Amid New Offer", Reuters, 27 jul. 2016. https://reut.rs/2DpMPDb"

SABMiller Profit Hit by Strong Dollar", Business Live", 14 maio 2015. http://bit.ly/2DqFWS1

"SABMiller Puts AB InBev Integration on Hold to Consider Improved Offer", *The Guardian*, 27 jul. 2016. http://bit.ly/2IMJj9w

"SABMiller Shares Leap 12% on AB InBev Takeover Rumors", *The Guardian*, 15 set. 2014. http://bit.ly/2IwigzO

"SABMiller suspende integração com AB InBev", *Valor Econômico*, 28 jul. 2016. http://bit.ly/2Pn45oz

"SABMiller suspende trabalho de integração com a AB InBev", *Le Soir*, 27 jul. 2016. http://bit.ly/2Zh5cDs

"SABMiller Takeover Bid Adds to Bumper Year for Mergers and Acquisitions", *The Guardian*, 16 set. 2015. http://bit.ly/2DALMjZ

"SABMiller Takeover Could Be Brewing As Shares Rise 10%", *The Guardian*, 15 set. 2014. http://bit.ly/2VYy5SL

"SABMiller Takeover Turns Frosty", The Citizen, 9 out. 2015. http://bit.ly/2IQhzRn

"SABMiller to Sell Off European Beer Brands To Japanese Brewer", Business Live, 11 fev. 2016. http://bit.ly/2IHpYGq

"SABMiller Warms to AB InBev's Approaches as Takeover Offer Rises", *The Guardian*, 12 out. 2015. http://bit.ly/2KW3xjE

"SABMiller's China Brewer Sale Clears Way for Megadeal", Business Live, 3 mar. 2016. http://bit.ly/2KQ09Xu

"SABMiller-AB InBev Merger: Slashing", Business Live, 12 ago. 2016. http://bit.ly/2VSLM5W

"'Sensual demais', propaganda da Itaipava é suspensa por conselho", *Folha de S.Paulo*, 19 jun. 2015. http://bit.ly/2VXmYcX

"Sete anos depois da Anheuser-Busch, a cervejaria belga volta ao assalto", *L'Echo*, 16 set. 2015. http://bit.ly/2ZpbvEZ

"Shareholders approve AB Inbev-SabMiller merger", Deutsche Welle, 29 set. 2016. http://bit.ly/2vd0YyW

"Shareholders Back AB InBev and SABMiller £79bn 'Megabrew' Deal", *The Financial Times*, 28 set. 2016. https://on.ft.com/2Pme1XW

"Shareholders to Score from Brewers's Merger", Business Live, 19 maio 2016. http://bit.ly/2ItWZqB

"Shop Talk: AB InBev Might Start Sweating Over Deal Timetable", Business Live, 7 abr. 2016. http://bit.ly/2Ut1hQy

"Sinergia com SABMiller faz AB InBev ter melhor resultado em três anos", *Valor Econômico*, 1 mar. 2018. http://bit.ly/2veUjEw

"Skol divulga novos cartazes após mudar campanha por reclamações", G1, 13 fev. 2015. https://glo.bo/2Iyaqpc

"Skol irá trocar campanha após acusação de 'apologia ao estupro'", G1, 11 de fevereiro de 2015. https://glo.bo/2PmwmnP

"South Africa Clears AB InBev's Takeover of SABMiller", Reuters, 30 jun. 2016. https://reut.rs/2XtvIYD

"South African Breweries (SAB)", *The Economic Times*, 9 nov. 2007. http://bit.ly/2KNKzvs

"'State Action Transformed SABMiller Deal for South Africans'", Business Report, 6 out. 2016. http://bit.ly/2IL1UCw

"Sweetened SABMiller Offer Is Final, Says AB InBev", Business Live, 29 jul. 2016. http://bit.ly/2Pn4vnF

"The Brazilians Behind the Consolidation in Beer", *The New York Times*, 16 set. 2015. https://nyti.ms/2Ut1qU6

"The Megabrew Takeover — A Tale Of Beers, Billions and Blue Bloods", *The Guardian*, 9 out. 2015. http://bit.ly/2VYmF1o

"This Megamerger Could Give a Single Company Control Over a Third of the World's Beer", *The Washington Post*, 16 set. 2015. https://wapo.st/2Ut1Euq

"Trump's Tweet Echoing White Nationalist Propaganda about South African Farmers, Explained", Vox, 23 ago. 2018. http://bit.ly/2ILrDuE

"Uma cerveja com 96 bilhões de euros", *Le Monde*, 13 out. 2015. https://lemde.fr/2UxMvrP

"União Europeia aprova compra da SABMiller pela AB InBev com restrições", *Valor Econômico*, 24 maio 2016. http://bit.ly/2ULpiY7

"Union to Appeal Green Light Given to AB InBev's Merger with SABMiller", Business Live, 3 jun. 2016. http://bit.ly/2Gte3cR

"Who's Ready to Pay for Another Round in the AB InBev-SABMiller Lock-in?", *The Independent*, 8 out. 2015. https://ind.pn/2XvaJ7D
"Why Budweiser Is the Last Beer That Should Call Itself 'America'", *The Washington Post*, 11 maio 2016. https://wapo.st/2L1q3I6

ARTIGOS ACADÊMICOS

Ashok Som e Leonardo Banegas, "SABMiller: Battle for Latin America". http://bit.ly/2KSTOux
"The Challenges Facing South African Breweries (SAB) When the New Liquor Act is Implemented", Anandrai Dabechuran, 2004. http://bit.ly/2Pl2yrS

RELATÓRIOS FINANCEIROS/DOCUMENTOS OFICIAIS

"Annual Report 2007 — SABMiller", AB Inbev. http://bit.ly/2Gw84oK
"Annual Report 2016 — SABMiller", AB Inbev. http://bit.ly/2IGoVGZ

LIVROS

Ina Verstl e Ernst Faltermeier, *The Beer Monopoly: How Brewers Bought and Built for World Domination*. Nuremberg: Brauwelt, 2016.

PÁGINAS CONSULTADAS

Caso no Conar, abr. 2015. http://bit.ly/2VkUf4U
Cia de Talentos, Pesquisa Carreira dos Sonhos — Brasil (2013-8), Argentina (2013-8), México (2013-8), Paraguai (2015-8), Peru (2013-7), Colômbia (2013-8), Chile (2013-7), El Salvador (2016), Panamá (2015-7).
"Defining Generations: Where Millennials End and Post-Millennials Begin", Pew Research Center, 1 mar. 2018. https://pewrsr.ch/2DqSl8r
"Fortune 100 Best Companies to Work for in 2017". http://bit.ly/2vnavnn
Great Place to Work, Best Multinational Workplaces in Europe, de 2011 a 2018. http://bit.ly/2Xz9nch
Great Place to Work, Melhores empresas para se trabalhar no Brasil, de 2015 a 2018. http://bit.ly/2vbxSjB
Great Place to Work, World's Best Workplaces, de 2012 a 2018. http://bit.ly/2UL47Fy
"Labatt: The Legacy of a Legend", Labatt Heritage. http://bit.ly/2VdkWbC
"LinkedIn Top Companies: onde os brasileiros sonham trabalhar — 2018", LinkedIn. http://bit.ly/2Pkx8BY
"Early Benchmarks Show 'Post-Millennials' on Track to Be Most Diverse, Best-Educated Generation Yet", Pew Research Center, 15 nov. 2018. https://pewrsr.ch/2veOZ47
Pesquisa The Most Attractive Employers in Belgium, 2015-8, Universum.
Pesquisa The Most Attractive Employers in South Africa, 2013-7, Universum.
Pesquisa The Most Attractive Employers in the US, 2017, Universum.
"Ricardo Tadeu, Africa Zone President at AB InBev", SA Breweries, YouTube, 11 out. 2016. http://bit.ly/2Ur8sIZ

18. A MAIOR CERVEJARIA DO PLANETA [pp. 317-30]

NOTÍCIAS

"AB InBev — SABMiller Deal Completes", The Citizen, 11 out. 2016. http://bit.ly/2Zq1lEr
"AB InBev/SabMiller: Mariage dans une semaine", *Le Figaro*, 28 out. 2015. http://bit.ly/2GtdXSy
"AB InBev Accepts Asahi Offer for Peroni and Grolsch", *The Independent*, 19 abr. 2016. https://ind.pn/2Pm554X
"AB InBev adquire sua principal rival por 100 bilhões de euros", *L'Echo*, 12 nov. 2015. http://bit.ly/2GqD3kI
"AB InBev ainda menos belga", *L'Echo*, 29 set. 2015. http://bit.ly/2Gq1kr3
"AB InBev and SABMiller Agree £68 Billion Deal Creating Global Super Brewer", *The Independent*, 13 out. 2015. https://ind.pn/2Uq1eVn
"AB InBev and SABMiller to Exchange Regional Operations", Business Live, 13 maio 2016. http://bit.ly/2GrICzx
"AB InBev Brews Jumbo Euro Bond", Business Live, 17 mar. 2016. http://bit.ly/2Glp2F4
"AB InBev Chief Urges SABMiller Shareholders To Push for Fresh Bid Talks", *The Guardian*, 7 out. 2015. http://bit.ly/2UI2wjI
"AB InBev começa a perder a paciência", *L'Echo*, 9 out. 2015. http://bit.ly/2GuEkbI
"AB InBev Commits R1bn to Localization Fund for Farmers and Other Suppliers", Business Live, 21 abr. 2016. http://bit.ly/2GmlL8t
"AB InBev Completes SABMiller Acquisition", Business Report, 12 out. 2016. http://bit.ly/2ViMcWh
"AB Inbev compra a SABMiller por 112 bilhões de euros", *Le Soir*, 11 nov. 2015. http://bit.ly/2Uo0uAh
"AB InBev Deal With SABmiller at Competition Tribunal under Way", Business Live, 22 jun. 2016. http://bit.ly/2IKb5n4
"AB InBev está considerando uma oferta na SABMiller", *L'Echo*, 16 set. 2015. http://bit.ly/2ZjtJrv
"AB InBev EU Merger Agreement Shows Europe Matters Little To World's Largest Beer Brewer", *Forbes*, 25 maio 2016. http://bit.ly/2ZiTj01
"AB InBev Feels the Brexit Pressure", Business Live, 27 jul. 2016. http://bit.ly/2VRzH0x
"AB InBev Improves Terms of Employee-share Scheme to Satisfy Union Ahead of Deal", Business Live, 7 jun. 2016. http://bit.ly/2VVSYOG
"AB InBev Lists on JSE", The Citizen, 18 jan. 2016. http://bit.ly/2ZlU1tl
"AB InBev Maintain Focus on Mega-deal", Business Live, 25 fev. 2016. http://bit.ly/2ZoUH1c
"AB InBev Makes New Offer to Clear European Antitrust Hurdles in SABMiller Deal", Business Live, 29 abr. 2016. http://bit.ly/2Gl2EM0
"AB InBev May Soon Get SA Approval", Business Live, 22 mar. 2016. http://bit.ly/2Iu46iy
"AB InBev Offers to Sell SABMiller's EU Breweries", Business Live, 3 maio 2016. http://bit.ly/2VU3pSR
"AB InBev pede aos acionistas da SABMiller para protestar", *Het Nieuwsblad*, 8 out. 2015. http://bit.ly/2GxaaVn
"AB InBev Plans to Sell Peroni and Grolsch in Takeover of SABMiller", *The Guardian*, 29 nov. 2015. http://bit.ly/2PfKlf6
"AB InBev Raises Its Offer for SABMiller to £45", Business Live, 26 jul. 2016. http://bit.ly/2Gh9nq4
"AB InBev Raises Offer for SABMiller", BBC, 26 jul. 2016. https://bbc.in/2UH7z3M
"AB InBev krijgt groen licht van Europa om SABMiller over te nemen", *Het Nieuwsblad*, 24 maio 2016. http://bit.ly/2KPt6Tx
"AB InBev Resets Culture Clearing Out SABMiller Executives", Business Live, 5 ago. 2016. http://bit.ly/2Xo1031
"AB InBev Sells SABMiller European Beers to Japanese Brewer", Business Live, 19 abr. 2016. http://bit.ly/2KTIDSe
"AB InBev Sells SABMiller's Stake in Chinese Brewer", Business Live, 2 mar. 2016. http://bit.ly/2GuGJTM
"AB InBev To Cut Up to 575 UK Jobs in SABMiller Takeover", BBC, 4 ago. 2016. https://bbc.in/2PhImXP

"AB InBev Will Retain Its Moniker", Business Report, 28 set. 2016. http://bit.ly/2UrQp5t

"AB InBev wins SABMiller Over With a £68Bn Offer", *The Independent*, 14 out. 2015. https://ind.pn/2ZimErn

"AB InBev, de Lemann, pretende adquirir concorrente SABMiller", *Forbes* Brasil, 16 set. 2015. http://bit.ly/2ZkdxX4

"AB InBev, SABMiller Deal Wins US Approval, Adds Craft Beer Protections", Business Live, 21 jul. 2016. http://bit.ly/2II60eH

"AB InBev: More To It than Shares", Business Live, 14 jan. 2016. http://bit.ly/2VVosUU

"AB InBev: SABMiller Combination Could Make U.S. Business Weaker", *Forbes*, 27 jul. 2016. http://bit.ly/2Zm6u0c

"AB Inbev: Viva os laços!", *Le Monde*, 14 jan. 2016. https://lemde.fr/2VTGOWn

"AB InBev's Bid for SABMiller: A Brewing Merger Makes Sense When Lager Is in The Last Chance Saloon", *The Independent*, 19 set. 2015. https://ind.pn/2Zq09Ay

"AB InBev-SABMiller Merger OK'd in UK, to Close on Oct 10", Nasdaq 5 out. 2016. http://bit.ly/2PjNiv6

"AB InBev-SABMiller Merger: You Win Some, You Lose Beer", *Forbes*, 30 nov. 2015. http://bit.ly/2Iw6wgS

"About Kickstart", SAB Entrepreneurship Programme. http://bit.ly/2XrkdRj

"Acionistas aprovam fusão AB InBev-SABMiller que vai criar gigante do setor de cerveja", *IstoÉ*, 28 set. 2016. http://bit.ly/2PiOrDq

"Acionistas da SABMiller aprovam compra pela AB InBev", G1, 28 set. 2016. https://glo.bo/2UH9yoK

"Acusada de apologia ao estupro, Skol vai retirar campanha de circulação após protesto feminista", *Folha de S.Paulo*, 11 fev. 2015. http://bit.ly/2V5FBON

"Advantage of na AB Inbev and SABMiller Merger Lies in Emerging Markets", Euromonitor International Blog, 13 jan. 2015. http://bit.ly/2Zq1iIm

"África do Sul aprova megafusão da SABMiller e AB InBev", *IstoÉ*, 30 jun. 2016. http://bit.ly/2L4rvth

"África, uma importante razão para a AB InBev", *L'Echo*, 16 set. 2015. http://bit.ly/2Prgktb

"Anheuser-Busch InBev Plans $250bn Tie-up with SABMiller", *The Guardian*, 16 set. 2015. http://bit.ly/2UvN8lj

"Anheuser-Busch InBev propõe combinação com a SABMiller para formar a primeira cervejaria realmente global", Economia Uol, 9 out. 2015. http://bit.ly/2GmpanL

"Anheuser-Busch InBev: O que a aquisição da SABMiller poderia significar", *Forbes*, 18 set. 2014. http://bit.ly/2GvYKkM

"Antitruste da África do Sul aprova fusão da AB InBev com SABMiller", *Valor Econômico*, 31 maio 2016. http://bit.ly/2V9RWRP

"Após compra da SABMiller, desafio é AB InBev dar retorno aos acionistas", *Folha de S.Paulo*, 10 out. 2016. http://bit.ly/2PizBNf

"Asahi Buys AB InBev Brands Peroni and Grolsch", *The Guardian*, 19 abr. 2016. http://bit.ly/2VVt0us

"Asahi Mulls Bidding for Grolsch and Peroni", Business Live, 12 jan. 2016. http://bit.ly/2PhrLn7

"Beer Blockbuster? Anheuser-Busch InBev Sets Sights On SABMiller", *Forbes*, 16 set. 2015. http://bit.ly/2ZqfEc7

"Boardroom Tails: Pouring on the Charm", Business Live, 21 jan. 2016. http://bit.ly/2GojcTr

"Boatos de megafusão entre cervejeiros", *Le Monde*, 16 set. 2015. https://lemde.fr/2VfyGSU

"Brewers's £79bn Mega-merger Could Cost UK 600 Jobs", *The Guardian*, 4 ago. 2016. http://bit.ly/2GqMLUc

"Brexit: AB Inbev relève son offre sur SABMiller pour compenser la baisse de la devise", *Le Soir*, 26 jul. 2016. http://bit.ly/2IE8JWJ

"Carlos Brito reussit son pari a 100 milliards d'euros", *L'Echo*, 12 nov. 2015. http://bit.ly/2VWgGtX

"Carlsberg not Keen on SabMiller Brands", The Citizen, 06 jan. 2016. http://bit.ly/2GqtB0V

"Castle Free is SA's First Locally Brewed Alcohol-free Beer", The Citizen, 30 out. 2017. http://bit.ly/2KTdZIz

"Bière: AB InBev appelle les actionnaires de SABMiller à soutenir activement son offre", *Le Soir*, 8 out. 2015. http://bit.ly/2DqxFgL

"Bière: Les quatre multinationales qui se cachent derrière des centaines de marques", *Le Monde*, 7 out. 2015. https://lemde.fr/2XydpBD

"Bière: SABMiller accepte de se faire acheter par AB InBev pour 96 milliards d'euros", *Le Soir*, 13 out. 2015. http://bit.ly/2UxV4CB

"Bière: SABMiller accepte l'offre de AB InBev", *Le Figaro*, 13 out. 2015. http://bit.ly/2GwpCRu

"Le Brasseur AB InBev met 112 milliards d'euros sur la table pour s'emparer de SABMiller", *Le Monde*, 11 nov. 2015. https://lemde.fr/2VYf42S

"Chinese Beer Firm Eyeing SABMiller Assets?", Business Report, 14 set. 2016. http://bit.ly/2DpFyD4

"Commission to Miss Investigation Deadline for AB InBev Takeover Bid", Business Live, 4 abr. 2016. http://bit.ly/2vbzfyE

"En de nieuwe naam van AB Inbev is... AB Inbev", *Het Nieuwsblad*, 28 set. 2016. http://bit.ly/2XotKc2

"'Esqueci o Não' da Skol sai de cena, mas cai na mira do Conar", *Folha de S.Paulo*, 13 fev. 2015. http://bit.ly/2Xwbr4u

"EUA dão aval para fusão da AB InBev e SABMiller", G1, 20 jul. 2016. https://glo.bo/2VWuMf5

"Exasperada, AB InBev apela aos acionistas da SABMiller", *L'Echo*, 8 out. 2015. http://bit.ly/2KSMeQC

"Extension Granted for Consideration of Brewer Merger", Business Live, 13 maio 2016. http://bit.ly/2KSPsnb

"Fusão entre AB InBev e SABMiller é autorizada pela China", *Exame*, 29 jul. 2016. http://bit.ly/2PmuKKN

"Fusie tussen bierbrouwers AB InBev en SABMiller afgerond", *Het Nieuwsblad*, 11 out. 2016. http://bit.ly/2UMkAJj

"Fusion SABMiller/AB InBev: Feu vert de l'autorité de la concurrence", *Le Figaro*, 30 jun. 2016. http://bit.ly/2UwcHTA

"Grandes empresas impulsionam pequenas", *Estadão*, 31 dez. 2017. http://bit.ly/2DpmVzw

"Fusion record dans la bière", *Le Monde*, 29 jul. 2016. https://lemde.fr/2UuEBz2

"Guidelines Clarify Public Interest Impact of Mergers", Business Live, 10 jun. 2016. http://bit.ly/2VVSYOG

"Heineken Says SAB Wants to Down It", The Citizen, 23 jun. 2016. http://bit.ly/2vfnLdq

"How The Potential AB InBev-SABMiller Deal Focuses on Africa", *Forbes*, 15 dez. 2015. http://bit.ly/2IJYrUY

"Impact of the Anheuser-Busch InBev and SABMiller Deal", *Forbes*, 1 dez. 2015. http://bit.ly/2ZmLNB8

"InBev, SABMiller Shareholders OK Mega-merger", *The Wall Street Journal*, 30 set. 2016. http://bit.ly/2GqVN3K

"Investors See Potential in Beer Merger", *The New York Times*, 18 set. 2015. https://nyti.ms/2VkQ1dy

"It's Not Too Late for SABMiller to Back Out of Its Mega-merger", *The Guardian*, 26 jul. 2016. http://bit.ly/2ZywDZM

"It's Final: AB InBev Closes on Deal To Buy SABMiller", *Forbes*, 10 out. 2016. http://bit.ly/2vfZZOy

"Justice Dept. Blesses Marriage of Two Beer Giants", *The Washington Post*, 20 jul. 2016. https://wapo.st/2UNWEFs

"Keep Calm, AB InBev's Firm Offer For Acquiring SABMiller Is Coming", *Forbes*, 12 out. 2015. http://bit.ly/2Gx0cn0

"Leuven wil AB InBev-topman geen ereburger maken", *Het Nieuwsblad*, 26 out. 2015. http://bit.ly/2GxYyBs

"Megabeer Is Almost Here", *The New York Times*, 7 out. 2015. https://nyti.ms/2GwvgTD

"Megabrew Takeover: The World's Two Largest Brewers", *The Guardian*, 13 out. 2015. http://bit.ly/2VWi0gr

"Megabrew Too Big for JSE?", The Citizen, 19 set. 2015. http://bit.ly/2IS25ML

"Minister Hails AB InBev's Approach", Business Live, 18 abr. 2016. http://bit.ly/2GompSV

"Offre d'AB InBev sur SABMiller: Le siège social de la nouvelle entité devrait rester en Belgique", *Le Soir*, 13 out. 2015. http://bit.ly/2GtIKyv

"Planned AB InBev Job Cuts Shock Trade Union", Business Report, 24 jan. 2017. http://bit.ly/2XvMNRO

"Probe Into Takeover of SabMiller Delayed", Business Live, 4 abr. 2016. http://bit.ly/2Vgg59s

"Red Tape May Tie Up AB InBev's Mega Deal", Business Live, 27 fev. 2016. http://bit.ly/2IQgZ69

"Regulator Gives Backing to AB InBev Takeover of SABMiller", *The Guardian*, 31 maio 2016. http://bit.ly/2vd07ye

"SA's Bad News May Be Good News for AB InBev", Business Live, 16 mar. 2016. http://bit.ly/2XsdNSb

"SAB launches #NoExcuse Campaign to Raise Awareness Against Gender Based Violence", 702, 24 nov. 2017. http://bit.ly/2GxHKKX

"SABMiller and AB Inbev in Merger Talks", Euromonitor International Blog, 16 set. 2015. http://bit.ly/2IxgcYp

"SABMiller aceita oferta de compra da AB InBev", *Época Negócios*, 13 out. 2015. https://glo.bo/2VYxyjJ

"SABMiller Agrees AB InBev Takeover Deal of £68bn", *The Guardian*, 13 out. 2015. http://bit.ly/2DljVUr

"SABMiller Approached by AB InBev for Takeover That Would Create a $250 billion Brewing Colossos", *The Independent*, 16 set. 2015. https://ind.pn/2UMPe5x

"SABMiller Board Plays Hard to Get", The Citizen, 8 out. 2015. http://bit.ly/2GCAtsf

"SABMiller Bubbles on Takeover Talk", The Citizen, 12 jun. 2014. http://bit.ly/2VWj8AH

"SABMiller Buyout Deal Gets Conditional European Consent", Business Live, 24 maio 2016. http://bit.ly/2Zr3ob1

"SABMiller Decepciona com a aquisição da AB InBev", *Het Nieuwsblad*, 18 maio 2016. http://bit.ly/2VWwkpf

"SABMiller e AB InBev chegam a acordo para criar a maior cervejaria do mundo", *Estadão*, 13 out. 2015. http://bit.ly/2UxLwrD

"SABMiller Investors Back Beer Deal", Business Report, 28 set. 2016. http://bit.ly/2UMywTO

"SABMiller Managers in Line for Large Payouts After Any AB InBev Takeover", *The Guardian*, 17 set. 2015. http://bit.ly/2GtcM5z

"SABMiller Profit Hit by Strong Dollar", Business Live", 14 maio 2015. http://bit.ly/2DqFWS1

"SABMiller Puts AB InBev Integration on Hold to Consider Improved Offer", *The Guardian*, 27 jul. 2016. http://bit.ly/2IMJj9w

"SABMiller Shares Leap 12% on AB InBev Takeover Rumors", *The Guardian*, 15 set. 2014. http://bit.ly/2IwigzO

"SABMiller suspende trabalho de integração com a AB InBev", *Le Soir*, 27 jul. 2016. http://bit.ly/2Zh5cDs

"SABMiller Takeover Bid Adds to Bumper Year for Mergers and Acquisitions", *The Guardian*, 16 set. 2015. http://bit.ly/2DALMjZ

"SABMiller Takeover Could Be Brewing as Shares Rise 10%", *The Guardian*, 15 set. 2014. http://bit.ly/2VYy5SL

"SABMiller Takeover Turns Frosty", The Citizen, 9 out. 2015. http://bit.ly/2IQhzRn

"SABmiller to Sell Off European Beer Brands to Japanese Brewer", Business Live, 11 fev. 2016. http://bit.ly/2IHpYGq

"SABMiller Warms to AB InBev's Approaches as Takeover Offer Rises", *The Guardian*, 12 out. 2015. http://bit.ly/2KW3xjE

"SABMiller's China Brewer Sale Clears Way for Megadeal", Business Live, 3 mar. 2016. http://bit.ly/2KQ09Xu

"SABMiller-AB InBev Merger: Slashing", Business Live, 12 ago. 2016. http://bit.ly/2VSLM5W

"SAB InBev, les marchés y croient", *L'Echo*, 16 set. 2015. http://bit.ly/2ZpbvEZ

"Shareholders Approve AB Inbev-SABMiller Merger", Deutsche Welle, 29 set. 2016. http://bit.ly/2vd0YyW

"Shareholders Back AB InBev and SABMiller £79bn 'Megabrew' Deal", *The Financial Times*, 28 set. 2016. https://on.ft.com/2Pme1XW

"Shareholders to Score From Brewers's Merger", Business Live, 19 maio 2016. http://bit.ly/2ItWZqB

"Shop Talk: AB InBev Might Start Sweating Over Deal Timetable", Business Live, 7 abr. 2016. http://bit.ly/2Ut1hQy

"Sinergia com SABMiller faz AB InBev ter melhor resultado em três anos", *Valor Econômico*, 1 mar. 2018. http://bit.ly/2veUjEw

"Skol assume passado machista e ressalta a importância de evoluir", *Meio & Mensagem*, 9 mar. 2017. http://bit.ly/2PmynAp

"South Africa Clears AB InBev's Takeover of SABMiller", Reuters, 30 jun. 2016. https://reut.rs/2XtvIYD

"South African Breweries Launches a Taste of Africa", Corporate Image, 20 abr. 2017. http://bit.ly/2Pk8Fg1

"'State Action Transformed SABMiller Deal for South Africans'", Business Report, 6 out. 2016. http://bit.ly/2IL1UCw

"Sweetened SABMiller Offer is Final, Says AB InBev", Business Live, 29 jul. 2016. http://bit.ly/2Pn4vnF

"The Brazilians Behind the Consolidation in Beer", *The New York Times*, 16 set. 2015. https://nyti.ms/2Ut1qU6

"This Megamerger Could Give a Single Company Control Over a Third of the World's Beer", *The Washington Post*, 16 set. 2015. https://wapo.st/2Ut1Euq

"Une Bière à 96 milliards d'euros", *Le Monde*, 13 out. 2015. https://lemde.fr/2VVEPB7

"União Europeia aprova compra da SABMiller pela AB InBev com restrições", *Valor Econômico*, 24 maio 2016. http://bit.ly/2ULpiY7

"Union to Appeal Green Light Given to AB InBev's Merger with SABMiller", Business Live, 3 jun. 2016. http://bit.ly/2Gte3cR

"USA: Feu vert sous condition à la fusion AB Inbev-SABMiller", *Le Figaro*, 20 jul. 2016. http://bit.ly/2VkPB6Y

"Who's Ready to Pay for Another Round in the AB InBev-SABMiller Lock-in?", *The Independent*, 8 out. 2015. https://ind.pn/2XvaJ7D

"Why Budweiser is the Last Beer That Should Call Itself 'America'", *The Washington Post*, 11 maio 2016. https://wapo.st/2L1q3I6

PÁGINA CONSULTADA

"2019 Best Places to Work, Employees' Choice", Glassdoor. http://bit.ly/2XvbwW9

PARTE 3: O FUTURO

19. O QUE VEM DEPOIS DE TUDO? [pp. 333-48]

NOTÍCIAS

"A cerveja no Brasil", Ministério da Agricultura, da Pecuária e do Abastecimento, 4 jan. 2018. http://bit.ly/2UyVIVm

"AB InBev reduz dividendos e ação cai 10%", Brazil Journal, 25 out. 2018. http://bit.ly/2Pl21Go

"Ação da Kraft Heinz cai 27% após perda de US$ 15 bilhões", *O Estado de S. Paulo*, 23 fev. 2019. http://bit.ly/2GtfrMB

"Beer Giant's Strategy: Sell More Beer", Goerie.com, 3 mar. 2019. http://bit.ly/2IGqp41

"Beer Sales Slide as Global Alcohol Consumption Falls", *The Financial Times*, 3 jun. 2017. https://on.ft.com/2UEVWub

"Beers Americans No Longer Drink", *USA Today*, 27 dez. 2017. http://bit.ly/2IvBXXH

"Big brewers Take a Hit to the Gut as Americans Move Away from Beer", *Fortune*, 10 maio 2018. http://bit.ly/2GzZHsq

"Consumo de cerveja deve recuar pelo 3o ano seguido em 2017, mas faturamento do setor cresce", G1, 3 dez. 2017. https://glo.bo/2ZdAOty

"Cresce a produção de cerveja artesanal", *Estadão PME*, 20 dez. 2017. http://bit.ly/2IsHdeJ

"Empresa de Buffett perde US$ 4,3 bilhões com queda de ações da Kraft Heinz", *Folha de S.Paulo*, 22 fev. 2019. http://bit.ly/2GpXJcC
"Indústria de bebidas alcóolicas", Banco do Nordeste, 2017. http://bit.ly/2Ik9JzR
"Kraft Heinz divulga investigação da SEC e prejuízo trimestral", *Época Negócios*, 22 fev. 2019. https://glo.bo/2DnZFBC
"Kraft Heinz é alvo de novo processo por transferência de ações feita pela 3G", Infomoney, 28 fev. 2019. http://bit.ly/2IHuq86
"Kraft Heinz fecha em baixa de 27,5%, com 'modelo 3G' questionado", *Valor Econômico*, 22 fev. 2019. http://bit.ly/2DsPSdV
"Lemann diz que é um 'dinossauro apavorado', mas que luta para se reinventar", *Época Negócios*, 2 maio 2018. https://glo.bo/2ICdFLE
"Número de cervejarias artesanais no Brasil cresce 37,7% em 2017", Abracerva, 16 fev. 2018. http://bit.ly/2V2HfQW
"Número de cervejarias no Brasil quase dobra em 3 anos e setor volta a criar empregos", G1, 30 mar. 2018. https://glo.bo/2GdKJGW
"Petrobras tem o maior ganho em valor de mercado em 2018 e AmBev, a maior perda", G1, 28 dez. 2018. https://glo.bo/2Php0lM
"Produção de cerveja cai quase 2% em 2015", *Estadão*, 4 jan. 2016. http://bit.ly/2GmFzJS
"Pubs in Danger: Six Charts on How The British Drink", BBC, 27 mar. 2018. https://bbc.in/2vakzQc
"The Great Beer Abandonment. America's Young Drinkers Are Drinking Wine and Hard Alcohol Instead", *The Washington Post*, 3 dez. 2014. https://wapo.st/2Pc1pCF
"The State of the US Beer Market", Nielsen, 15 maio 2017. http://bit.ly/2P8IUzb
"Warren Buffett diz que pagou caro demais pela Kraft Heinz", Terra, 25 fev. 2019. http://bit.ly/2UGFJVt
"Why Big Food Is Having a Mass CEO Exodus", *Fortune*, 14 set. 2017. http://bit.ly/2PkCixI

ARTIGOS ACADÊMICOS

Amadeus Orleans e Robert E. Siegel, "AB Inbev: Brewing an Innovation Strategy", MBA, Universidade Stanford, 16 nov. 2017.

RELATÓRIOS FINANCEIROS/DOCUMENTOS OFICIAIS

Fernando Ferreira e Saranja Sivachelvam, Relatório "A Wall of Worries", Bank of America Merrill Lynch, 26 abr. 2018.
Fernando Ferreira e Saranja Sivachelvam, Relatório "Brace for the Storm", Bank of America Merrill Lynch, 31 ago. 2018.
Fernando Ferreira e Saranja Sivachelvam, Relatório "Half the Dividends, Half the Pain?", Bank of America Merrill Lynch, 8 out. 2018.
Robert Ottenstein e Eric Serotta, "Management Breakfast Takeaways", Evercore ISI Research, 1 mar. 2019

PÁGINAS CONSULTADAS

"Bud on Mars", Invision. http://bit.ly/2Pl6msX
"Number of Breweries", Brewers Association. http://bit.ly/2GgvU6m

CRÉDITOS DAS IMAGENS

p. 1 (acima): Luís Penã/Agência O Globo

p. 1 (abaixo): Scott Olson/Getty Images News

p. 2 (acima): Paulo Frideman

p. 2 (abaixo): Reprodução Exame/Abril Comunicação S.A.

pp. 3, 5 (acima), 6 (abaixo), 8 (abaixo), 9, 10 e 13 (acima): Acervo Ariane Abdallah

p. 4 (acima): Evelson De Freitas/Folhapress

p. 4 (centro): Claudio Rossi/Abril Comunicação S.A.

p. 4 (abaixo): Raul Junior/Abril Comunicação S.A.

pp. 5 (abaixo) e 6 (acima): Fabio Levalessi

p. 7 (acima): Herwig Vergult/AFP/Getty Images

p. 7 (abaixo): Lauren Victoria Burke/AP Photo/Glow Image

p. 8 (acima): Susan Walsh/AP/Associated Press/Glowimages

p. 11 (acima): Hong jianpeng/Apphto/Glowimages

p. 11 (abaixo): Mastrangelo Reino/Folhapress

p. 12 (acima): AB Inbev

pp. 12 (abaixo) e 13 (abaixo): Victor Cesar Bota

p. 14 (acima): Don Adams Jr

pp. 14 (abaixo) e 15: Alex Korolkovas

p. 16 (acima): Associated Press/AP/Glowimages

p. 16 (abaixo): AP Photo/Jeff Roberson/Glowimages

ÍNDICE REMISSIVO

11 de setembro de 2001, atentados terroristas de (Nova York), 347
312 Urban Wheat Ale (cerveja artesanal norte-americana), 280
3G Capital (fundo de private equity), 40, 246, 275, 308, 337-9, 345, 347

AB InBev, 14-9, 41-2, 49, 53-4, 56, 61, 78-9, 84-5, 87-8, 142, 168, 204, 220, 259, 261-2, 264, 266-81, 283-92, 296, 298, 300, 302-4, 306-16, 318-30, 333-7, 339-48; *ver também* Anheuser-Busch (cervejaria norte-americana); InBev (empresa brasileiro-belga)
AB Inbev: Brewing an Innovation Strategy (Orleans e Siegel), 284n
Abadessa (cervejaria artesanal brasileira), 291
Abenante, Frank, 170, 220
Abracerva (Associação Brasileira de Cerveja Artesanal), 300, 302
Abradisa (Associação Brasileira das Distribuidoras Antarctica), 132
Abrasel (Encontro Nacional da Associação Brasileira de Bares e Restaurantes), 300
AC Nielsen (empresa de pesquisa), 100, 214, 268, 296
Accenture (consultoria), 149
ácido carbônico, 24
acordos de exclusividade, 105, 140, 213, 298-300, 341
AdAge (site global), 17
advogados trabalhistas, 164
Aeroporto Internacional de Johannesburgo, 14
Africa (agência de publicidade brasileira), 214
África, 14, 91n, 200, 203, 271, 280, 304-5, 307, 312-5, 318-22, 336, 346
África do Sul, 17, 73, 304, 307, 310-2, 316, 318-23

agricultura, 264, 312, 326-7, 329
Agromalte, 96
Água Branca (São Paulo), 89
água, consumo de (AmBev), 327
água gaseificada, origens da, 91
água mineral, 202, 327
Agudos (SP), 50, 78
Aguiar, Amador, 27-8
Aigle-Belgica (cervejaria), 196
Alagoas, 180
Albuquerque, Maria Fernanda, 325
Alemanha, 24, 46, 90, 92-3, 103, 205, 236-7, 289-91
"algemas de ouro" (modelo de remuneração), 84; *ver também* remuneração, sistemas/modelos de
algoritmos, 343
ALL (América Latina Logística), 39, 338
Almeida, David, 233, 251, 260, 310, 312, 314, 322, 343
Almeida, Ricardo, 72
Altria (empresa de tabaco), 14, 306-7, 309, 334
Alves, Mila, 323-4
AMA (água mineral da AmBev), 327
amargor de cervejas, 100, 195, 235, 277, 296-7
Amazon, Inc., 285, 342-4
Amazonas, 95
América Central, 187, 190-1, 305, 336
América do Norte, 44, 56, 156, 199, 202, 208, 218-9, 222, 235, 252, 254, 264, 267, 296, 307-8, 336
América do Sul, 77, 103, 105, 228, 231, 306, 336
América Latina, 10, 13, 39, 64, 151, 177-81, 185, 194, 202-3, 205, 208, 211, 216, 218, 221, 226, 234, 259, 266, 280, 307-8, 314, 328, 336
American Bar Association, 142
American Home Products (grupo farmacêutico), 115

American Motors Corporation, 199
Americanas, Lojas, 10, 35-9, 45, 55, 79, 285
Amorim, Paulo Henrique, 118
Ana, d. (funcionária da AmBev), 161
analistas financeiros, 115, 148, 160, 200, 218, 221, 230, 263, 272-3, 291, 294, 333, 336
Andes (cerveja argentina), 181
Andrade, Pedro Batista de, 92
Anep (Antarctica Empreendimentos e Participações), 105-6
Angry Birds (jogo eletrônico), 42
Anheuser-Busch (cervejaria norte-americana), 11, 13-5, 17, 69-70, 72, 75, 79, 85, 98, 102, 104-6, 110, 113, 115, 118, 130, 140, 177-8, 201-3, 208, 233-52, 254-63, 265-70, 272-3, 278, 280, 305-6, 308, 310, 313, 317, 333-4, 347; *ver também* AB InBev; Busch, Adolphus; Busch, família
Anheuser, Eberhard, 235
Anitta (cantora), 65
Antarctica, 11-2, 23, 25, 54, 64, 66, 71, 73, 75*n*, 89-106, 109-18, 120-3, 125-38, 142-5, 147-50, 152, 154-5, 157-8, 161, 163, 171, 174, 178-80, 188, 190, 198, 208, 211, 213-4, 222, 233-4, 260, 276, 283, 290, 292, 298-9, 306, 308
Antitrust in the Americas (conferência do Ibrac, 2011), 142
antitruste, órgãos/atividades, 122, 127, 129, 153, 200, 257, 260, 269, 309-11
Apac (região Ásia Pacífico), 336
Apartheid (África do Sul), 305, 311, 321
"apartheid linguístico" belga, 198
apologia ao estupro, 323
Apsis Consultoria Empresarial, 117
Aquila, Francis (Frank), 250-1, 273
aquisição hostil, casos de, 15, 27, 35-6
árabes, 96
Aragão, Paulo, 212
Araruama (RJ), 109
Araújo, Luiz Claudio, 213
ArcelorMittal (siderúrgica indiana), 178
Argentina, 10, 73-4, 115-6, 138, 162, 177, 179-85, 187-91, 194, 211, 232, 267, 271, 328
Arkansas (EUA), 36
arroz usado em cervejas, 289, 292, 294; *ver também* milho usado em cervejas
Artero, Renato, 153
Arthur Andersen (empresa de consultoria), 37
Artois (cervejaria belga), 195-8, 204; *ver também* Stella Artois
Artois, Jeanne-Marie, 196
Artois, Leonard, 195-6
Artois, Sébastien, 195
Aruba (Caribe), 72-3
Asahi (cervejaria japonesa), 310
Ásia, 64, 200, 202-3, 208, 272, 280, 296, 307, 313, 329, 336

Assis Figueiredo, Afonso Celso de (visconde de Ouro Preto), 90
Associação dos Distribuidores e Ex-distribuidores dos Produtos AmBev, 153
Assunção (Paraguai), 188
Athayde, Antônio, 9
Aurora, La (aeroporto internacional da Guatemala), 191
Austrália, 307, 314
Autolatina, 115
aveia usada em cervejas, 292
aviação, indústria de, 347

B2W (empresa de comércio eletrônico), 285
Bad Schwalbach (Alemanha), 236
Baden Baden (cervejaria artesanal brasileira), 295
Baesa (Buenos Aires Embotelladora), 103, 179*n*, 181
Bahia, 72, 86
Bain & Company (empresa de consultoria), 260, 329
baixa fermentação, método de, 25, 195
Bamberg (cerveja artesanal brasileira), 290
Banco de Eventos (agência de publicidade), 65
Banco do Brasil, 156, 212
Banco do Estado de Santa Catarina (Besc), 130
Banco Garantia, 9-10, 12, 27, 31-41, 44, 46-7, 49, 51, 54, 60, 63, 79, 82-3, 88, 109, 165, 177, 183, 197, 205, 219, 247, 276
Banco Libra, 30
Banco Mundial, 182
Banco Nacional, 55
Banco Operador, 31
Banco Pactual, 41
bancos asiáticos, 252
Bang Burger (rede de fast-food brasileira), 281
Bank of America Merrill Lynch, 334
Bank of Tokyo-Mitsubishi UFJ, The, 253*n*
banqueiros, 35-9, 45-8, 55, 83, 114, 167, 171, 185, 207, 209, 212, 246, 252-3, 257, 263, 309, 337, 348
Barbacena (MG), 108
Barbosa, Adoniran, 66
Barbosa, Rui, 90
Barclays (banco), 253*n*
bares, 51, 69, 99, 140, 163, 184, 187-8, 191, 236, 266, 275, 278-9, 287, 295, 298-300, 321, 342
Barquisimeto (Venezuela), 186-7
Barreto, Luís Pereira, 91-2
Barrington, Martin, 309
Barros, Ademar de, 94
Bartolomeo, Eduardo, 151-2
Barton Beers (importadora norte-americana), 242
Bass (cervejaria inglesa), 200-2, 246

Bassili, Sandro, 56
Bauernebl, Nikolaus, 61
Bauru (SP), 52, 137
Bavaria (cerveja brasileira), 100, 111, 123, 135, 295
Bavaria (cervejaria colombiana), 10, 107, 138-41, 306-7
Bavarian Brewery (cervejaria norte-americana), 235
Baviera (Alemanha), 290
Bayer, 264n
Bazzo, Alexandre, 290
BBA (banco de investimento), 58
BBC (British Broadcasting Corporation), 140
Beberibe (distribuidora), 96
Bebeto (jogador), 67
bebidas não alcoólicas, 202, 344
Beck's (cervejaria alemã), 201-2, 246, 295
Beckett, Samuel, 325
Beer Monopoly: How brewers bought and built for world domination, The (Verstl e Faltermeier), 304n, 305n
Bélgica, 195-8, 200, 204-5, 208, 211, 216, 222-3, 226, 229-30, 265, 271, 297, 328
Belian, Erna, 94-6
Belian, Walter, 93-7
Belo Horizonte (MG), 281-2
Bemberg, família, 10, 181, 189, 230-1
Bemberg, Otto Peter, 180
Bentonville (Arkansas), 36
Berkshire Hathaway (gestora), 234, 337, 339
Bevan, Nick, 226
Bevco (holding), 307
Biesbroeck, Johan van (Jo), 207-8, 223, 229, 260
Big Five (empresas de consultoria), 37n
Bismarck, Otto von, 237
Bittar, Eduardo, 104-5, 178, 180, 183
Bitter Brew (Knoedelseder), 238n, 272
Black Coffee (artista), 65
Bloomberg, 14
Blumenau (SC), 101, 281, 292
Blunt, Matt, 254-5
BNDES (Banco Nacional de Desenvolvimento Econômico e Social), 34, 126n
BNP Paribas, 253n
Boabaid, Frederico (Fred), 26, 71
Bob's (rede de fast-food brasileira), 281
Boddingtons (cerveja inglesa), 228
Boêmia (República Tcheca), 195, 235-6
Boesel, Raul, 41
Bohemia (cervejaria brasileira), 94, 139, 190, 283, 290, 292, 297
Bohemia Puro Malte, 297
Bolívia, 179-80, 185, 188-9, 230
Bolsa de Livros (Banco Garantia), 35
Bolsa de Valores de Bruxelas, 263, 334
Bolsa de Valores de Johannesburgo, 304
Bolsa de Valores de Londres, 305
Bolsa de Valores de Nova York, 254, 335, 338
Bolsa de Valores de São Paulo, 36, 97, 116-8, 278
Bonchristiano, Antônio, 104
Bond, Kit, 255
bonds (títulos de dívidas), 251
"Book de Excelência" (Brahma), 71, 72n, 80, 86
Boston (EUA), 41, 200
Botsuana, 304
Boxer, Josh, 270
"Boys from Brazil, The" (relatório do Deutsche Bank), 226
BR Malls (administradora de shoppings), 157
Braba (Brahma argentina), 183
Braco (holding), 39, 208, 306
Bradesco, 27-8, 37, 170
Brahma (cerveja brasileira), 9-13, 23-8, 35, 37-9, 41, 44-9, 51-8, 60-79, 81-9, 97-118, 120-3, 125-38, 142-9, 151-2, 154-7, 160-1, 163, 166, 171, 174, 177-90, 192-3, 197-8, 202-3, 211, 213-5, 217, 219-22, 228, 231, 233-4, 247, 260, 266, 276, 283, 290, 292, 298-9, 305-6, 308, 315-6, 326, 328-9, 336, 338
Brahma (divindade hindu), 25n
"Brahma versus Antarctica: Reversal of Fortune in Brazil's Beer Market" (Sull e Escobari), 50n, 62n, 69n, 76n, 82n
Brahva (Brahma guatemalteca), 191
Brás (São Paulo), 94
Brasil, 9-10, 14, 17, 19, 24, 29-32, 34-6, 38, 42, 48-51, 57, 60-1, 64, 66-7, 69-70, 72, 74-8, 81, 90-3, 95, 99, 101-7, 109, 114-5, 117, 119-20, 122-3, 125-7, 131, 134, 138-42, 144, 146, 148-9, 154, 159, 161-2, 165, 168, 174, 177-85, 187-95, 198, 208-11, 214, 217-9, 221, 226, 229-30, 232, 238, 244, 262, 266-8, 270-1, 280-1, 285, 288-95, 297-8, 302, 304, 306, 316, 321-4, 326-8, 333, 335-6, 339, 341, 343, 348
Brasil Foods, 170
Brasil Kirin (cervejaria), 141, 295
Brasília, 75, 95, 130, 137, 172, 298
Brasserie Léopold (Bruxelas), 196
Bressane Júnior, Josué, 23-4, 48, 54-6, 61-2
brew pubs (bares), 274
Brewers Association (EUA), 277, 300
Brexit, referendo do (2016), 313
BRF (indústria de alimentos), 158
Brigadeiro Faria Lima, avenida (São Paulo), 116
Brito, Carlos, 15-6, 18, 47, 49-51, 54-5, 61, 70, 83, 88, 137, 143n, 145-6, 155, 168, 207-8, 218-22, 226-7, 230, 233, 246, 250-1, 253, 255-62, 264-70, 272-3, 275-6, 310, 314, 319, 322-3, 325, 340, 345-6
Brock, John, 201, 208, 210, 216, 222, 226
Brunswick Group, 253

Bruxelas, 196, 198-9, 206, 210, 263, 309, 334
Bücher, Louis, 90
Bud Dry (cerveja norte-americana), 244
Bud Light (cerveja norte-americana), 268, 272, 280
Budweis (Boêmia), 236
Budweiser (cerveja norte-americana), 11, 15, 17-8, 46, 103, 105-6, 113, 118, 178, 180, 188, 202, 218, 233-9, 241-4, 246-7, 249, 254-5, 257, 259, 267-70, 276, 280, 286, 292, 294, 308-9, 344
Buenos Aires, 181-3, 185, 231
Buffett, Warren, 234, 256, 273, 337, 339
Bulgária, 200
Bulmers (cerveja australiana), 308
Burger King, 40, 275, 338
Burlingham, Bo, 281
burocracias, 53, 234, 319, 336
Busch Gardens (parque temático), 236, 239, 264
Busch, Adolphus, 235-8
Busch, Adolphus III, 238-9
Busch, Adolphus IV, 234, 248, 255-6, 259, 262, 267
Busch Sr., August Anheuser (August A.), 237-8
Busch, August III, 104-5, 233-4, 239-46, 248, 259
Busch, August IV, 233-4, 243-9, 253-5, 257-62, 264, 306
Busch, August Jr. (Gussie), 238-40
Busch, Christina, 240
Busch, família, 233-4, 237, 241, 243, 248, 256, 258, 271, 278
Busch, Lilly, 235-6
Busch, William (Billy), 267
Business Day (jornal sul-africano), 310
Búzios (RJ), 51

Cabarete, praia de (República Dominicana), 192
Cabo Frio (RJ), 109
Cadbury (corporação inglesa), 201
Cade (Conselho Administrativo de Defesa Econômica), 12, 105-6, 115, 117, 120, 122-5, 127-41, 143, 145, 153, 171, 213, 215, 298-9
Cafeeira de São Paulo, 89
cafeína, 91n
Cahillane, Steven, 210
Cajamar (SP), 72
Califórnia, 219, 236, 242, 248, 269, 282, 289
Calliari, Marcelo, 124, 130, 139
Câmara Federal de Comércio dos Estados Unidos (FTC), 255
Câmara Internacional de Comércio (Paris), 189
Camarote da Brahma (Rio de Janeiro), 64-5, 204
Campbell Taggart (indústria de salgadinhos), 242
Campinas (SP), 60, 96, 127, 149

Campo Grande (RJ), 151, 161
Campos (RJ), 109
Campos Sales, Antonio, 90n
canabidiol (CBD), 344
Canadá, 140, 199-200, 218, 221, 226, 241, 246, 255, 267, 307, 344
Cancún (México), 246
Canopy Growth Corp (empresa de maconha canadense), 345
Capel, Patrícia, 314
capitalismo, 19, 42, 265, 293, 348
Caracas (Venezuela), 187
Caracol Televisión (Colômbia), 307
Caracu (antiga cerveja brasileira), 25n
Cardinals' (time de beisebol), 239
Cardoso, Fernando Henrique, 12, 58, 112, 117, 126-7, 132, 134, 171, 249
Cardoso, Ruth, 249
Caribe, 72-3, 187, 191, 336
Carillo, Cláudio, 64
Carlão (distribuidor), 72
Carling Black Label (cerveja sul-africana), 322
Carlsberg (cerveja dinamarquesa), 24, 190, 202, 208, 307, 335
Carlton & United Breweries (CUB, cervejaria australiana), 307
Carlton Draft (cerveja australiana), 308
Carlton Dry (cerveja australiana), 308
Carnaval, 64-5, 102, 204, 246, 262, 323-4
Carneiro, José Felipe, 281-7
Carneiro, Miguel, 281-2
Carneiro, Tiago, 281-7
Carneiro, Ustane, 281-2
Carolina do Norte, 243
Carta aos Associados (Banco Garantia), 33
Carter, Jimmy, 81
Casa Grande Hotel (Guarujá), 222
Cascata (cerveja australiana), 308
Casselman, Patrick, 216
Castillo Córdova, irmãos (Rafael e Mariano), 190
Castle Brewery (antiga cervejaria sul-africana), 304; *ver também* South African Breweries (SAB)
Castle Lager, 14
Castro, Renault de Freitas, 106
Cavinatto, Thais, 163
CDDs (Centros de Distribuição Direta), 144, 148, 154, 162, 164
Cemex (Cementos Mexicanos), 155-6, 178
Centro de Desenvolvimento Tecnológico da AmBev (Guarulhos), 282
Centro de Energia Nuclear na Agricultura (USP), 290
Centro Empresarial de São Paulo, 145
cereais usados em cervejas, 289-92, 294

Cerman (cervejaria brasileira), 95
certainty of funds, conceito de, 251
Cervecería Centroamericana (Guatemala), 190
Cervecería Hondureña, 305
Cervecería Internacional (Paraguai), 188
Cervecería Nacional Dominicana (CND), 191, 193
Cervecería Rio (Guatemala), 190
cerveja, primórdios da fabricação no Brasil (1836), 24
Cervejaria Artois (Bélgica, 1717), 195; *ver também* Artois; Stella Artois
Cervejaria Astra (Fortaleza), 78
Cervejaria Continental (antiga cervejaria brasileira), 25
Cervejaria Hanseática (RJ), 23
Cervejaria Petrópolis, 215
Cervejaria ZX (ex-Bohemia), 283-4
Cervejarias Reunidas Skol-Caracu S/A, 25
cervejas artesanais, 245, 267, 270, 274, 276, 281, 283-7, 292-3, 298, 300, 303, 329, 343; *ver também* microcervejarias
"cervejas barbante", 24
cervejas premium, 268, 283, 288
cervejeiros, 10, 23, 25, 61, 69, 78-9, 90, 107, 135, 147, 156, 195, 199, 229, 235-6, 238, 241, 254, 270-1, 277-9, 282-4, 286, 289-92, 294, 296-8, 300-4, 344
Cervejoteca (São Paulo), 288, 302
Cervercería Regional (Venezuelana), 187-8
cevada, 181, 289-92, 312, 344
Chalita, Gabriel, 65
Chalmers, Sabine, 251, 323
Champagne (França), 91
Chandler's Union Breweries (cervejaria sul-africana), 304
Chávez, Hugo, 186-7
Chicago, 242, 276-8
Children's Investment Fund (fundo britânico), 313
Chile, 103, 180, 185
China, 95, 200, 202, 223, 249, 264, 271-3, 305, 307, 309-10, 320, 322, 329, 346
China Resources Entreprise, 305
Chitãozinho e Xororó (dupla sertaneja), 111
Cia de Talentos (empresa de consultoria), 17, 327-8
Cidade da Guatemala, 191
Cidade do Cabo, 14, 319-20, 323
Cidade do México, 242, 336
CIP (Conselho Interministerial de Preços), 77
Cisneros, família, 187
Citibank, 207
Citicorp, 115
Citigroup, 115, 207, 212, 251, 334
Clarín (jornal argentino), 231
Clark, James, 270

Claro (operadora), 170
Claudão *ver* Garcia, Claudio
Clifford Chance (escritório de advocacia), 251
coaching, 319
Coca-Cola, 9, 15, 26, 46, 66, 99-100, 102-4, 126-8, 131, 134, 172, 221, 275, 295, 329, 335
coca-cola, origens da, 91
Coelho, Túlio Egito, 131, 133, 138
Colgate, 58, 115, 123n, 130
Collins, Jim, 177
Collor de Mello, Fernando, 38, 124
Colômbia, 10, 179, 306, 308, 328, 336
Colombina (microcervejaria brasileira), 300-1
Colorado (cervejaria artesanal brasileira), 281, 284-5, 288, 300-1
Coltro, Marcelo, 61
Columbia (cervejaria), 96, 219
combate ao consumo de bebida alcoólica em excesso, 174
Comissão Interamericana de Direitos Humanos, 153
Comissão Nacional de Defesa da Concorrência (CNDC, Argentina), 190
Comitê de Convergência (AmBev-Interbrew), 216, 222
Commercio (antiga cerveja brasileira), 24
commodities, 125, 294
Como fazer uma empresa dar certo num país incerto: Conselhos e lições de 51 dos empreendedores mais bem-sucedidos do Brasil (Instituto Empreendedor Endeavor), 34n, 37n
Companhia Antarctica Paulista (1885), 89; *ver também* Antarctica
Companhia Cervejaria Brahma (1904), 25; *ver também* Brahma
Companhia Siderúrgica Nacional (Volta Redonda), 103
Compañía Anónima Cervecera Nacional (Venezuela), 186
Compañía de Cervecerías Unidas (CCU, Chile), 103, 180
Comunidade Andina de Nações, 179n
comunismo, colapso do (Leste Europeu), 196
Conar (Conselho Nacional de Autorregulamentação Publicitária), 324
Cone Sul, 180
Confederação Germânica, 235
Confenar (Confederação Nacional das Revendas AmBev e das Empresas de Logística da Distribuição), 153-4
congelamento de preços (anos 1980), 77
Conrad, Carl, 235
Conselho de Administração (AB InBev), 336
Conselho de Administração (AmBev), 116, 141, 208-9, 275
Conselho de Administração (Antarctica), 97

Constellation Brands (cervejaria norte-americana), 269, 344
Cooperstown (NY), 236
Coors (cervejaria norte-americana), 46, 201, 218, 247, 307, 309, 344
Copa Davis (torneio de tênis), 30
Copa do Mundo (África do Sul, 2010), 73
Copa do Mundo (Coreia do Sul/Japão, 2002), 191
Copa do Mundo (EUA, 1994), 66-7
Copec (Colômbia, Peru e Equador), 336
Coreia, 200
Corinthians (time de futebol), 111
Corn Flakes, 95-6
Corona (cerveja mexicana), 241, 243, 245, 269, 340
corpo feminino, imagem do (em campanhas de marketing), 324
Correa, Cristiane, 28n, 68n, 167
Corrêa, Flávio (Faveco), 9-10, 64
Corrêa, Maurício, 132
Correio Braziliense (jornal), 135n, 136n, 209n, 211
Corte Distrital de St. Louis, 256
Costa Rica, 336
Costco (supermercados norte-americanos), 337
Country Club (Ipanema), 29
Coutinho, Luciano, 126
CR Beer (joint venture chinesa e sul-africana), 305
Craft Brewers Alliance (cervejarias artesanais), 277-8
Craps, Jan, 336
Cravath, Swaine & Moore (escritório de advocacia), 207
Credit Suisse, 10, 30, 41, 263
crédito para as micro e pequenas empresas, 302
crise asiática (1997), 40n
crise brasileira (1893), 90
crise financeira global (2008), 312
crise russa (1998), 40
Croeser, Vaughan, 14, 16
Crotty, Ann, 310
Crown Lager (cerveja australiana), 308
Cruzeiro (antiga cerveja brasileira), 25
CSC (Centro de Serviços Compartilhados), 149-50, 226
Cuauhtémoc Moctezuma (cervejaria mexicana), 199
Cuiabá (MT), 140
Culp, Larry, 347
Curitiba (PR), 75
Curto, Francesco, 14
CVM (Comissão de Valores Mobiliários), 117, 212-3

D'Antino, Sérgio, 67
D'Arcy MacManus & Masius (agência de publicidade), 239
D'Oench, William, 235

Daimler-Benz, 219
Dallas (Texas), 277
Danaher Corporation (grupo norte-americano de saúde e diagnóstico), 347
Danone, 188
De duas, uma: A fusão na mesa (de Marchi), 66n, 94n, 95n
de Keersmaeker, Paul, 200
de Marchi, Edson, 114
de Marchi, Victorio, 66n, 94-5, 97, 100-3, 111, 113-4, 116-8, 120-3, 128, 133, 136n, 137, 140-1, 143, 172, 209, 306
De Mévius, família, 196, 204, 206, 306
de Mévius, Grégoire, 204
de Pret de Calesberg, Arnoud, 206-7
De Spoelberch, família, 196, 204, 306
de Spoelberch, Philippe, 200n, 206-7
Dedeurwaerder, Joseph, 199
Degroot, Anabelle, 319
Delaware (EUA), 256
Deloitte (empresa de consultoria), 37n, 116, 329
Den Hoorn (antiga cervejaria belga), 195
Departamento de Justiça dos Estados Unidos, 264, 269
"Desafios do sucesso no longo prazo em estratégias de reestruturação: o caso da AmBev" (Costa Roma), 160n
Descheemaeker, Stéfan, 206, 229
design thinking, técnica de, 271
Destronando o rei (MacIntosh), 14-5, 317
Deus é brasileiro (filme), 211
Deutsche Bank, 14, 226, 253
Dia da Mulher, 324
Dia Internacional para Eliminação da Violência contra as Mulheres, 321
Diageo, 15, 335
Diário do Grande ABC (jornal), 134n, 137n
Diário Oficial, 291
Diários da presidência: 1999-2000 (Fernando Henrique Cardoso), 127n, 134n
Dickinsons, irmãos (Walt e Luke), 287
Díez Fernández, Pablo, 242
Dilemas dos Industriais, Os (curso de Stanford), 339
Dimensions of Excellence (livro da Anheuser-Busch), 69, 71
Dinamarca, 24
Dirceu, José, 209
diretorias regionais da AmBev, 149
Disney World (EUA), 73, 75
Distell Group (cervejaria sul-africana), 310
distribuição de renda, 38
distribuidores, 69-71, 73-5, 98, 101, 109, 129, 131-2, 142, 148, 152-7, 164, 183-4, 215, 232, 241-2, 247-8, 266-7, 279, 295; *ver também* revendas/revendedores

Ditransa (empresa colombiana de transportes), 307
dívidas da AB InBev, 334
Divinópolis (MG), 99
Doemens Fachakadmie (Alemanha), 289
Dois Machados (cerveja alemã), 24
Dommelsch (cervejaria holandesa), 196
Donaldson, Lufkin & Jenrette Securities (DLJ, banco de investimento), 140
Doria, João, 65
Dornelles, Francisco, 130
Dos Equis (cerveja mexicana), 199
Doukeris, Michel, 272, 342-4, 346
"Dream People Culture" (cultura organizacional da AmBev), 16, 53, 88, 150
Dreher Breweries (cervejaria húngara), 305, 311
du Plessis, Jan, 313
Dubar (distribuidora), 96
Durban (África do Sul), 321
Dutra, Luis Felipe, 49, 143n, 207, 222, 225, 251, 253, 273, 319, 340

Eadie, Graeme, 226
Eagle Brands (distribuidora norte-americana), 75
Eagle Snacks, 242
Earp, Pedro, 275, 281, 284-5, 324, 344, 346
Ebitda, margem, 142, 194, 218, 222, 225, 267, 269, 315, 334
Eby, Larry, 262
Ecap (holding), 38
Echo, L' (jornal belga), 227
Economist, The (revista inglesa), 125, 212, 254
Edison, Thomas, 347
Edmond, Luiz Fernando, 56, 73-4, 80, 145-6, 182-4, 208, 264-5, 267, 272, 345
Eisenbahn (cervejaria artesanal brasileira), 281, 295
El Salvador Beverages Business (cervejaria salvadorenha), 305
El Salvador, 191, 336
Elliott Capital Advisors (fundo norte-americano), 313
Embodom (engarrafadora dominicana), 191
Embotelladora Rivera (Peru), 191
Embraer, 12
Emea (Europa, Oriente Médio e África), 336
emissões de gás carbônico, 327
Empório da Cerveja (site de venda), 285
empreendedorismo, 321, 327
Empresa do Ano (Brahma, 1991), 60
empresariado, 38, 157
Empresas Simples de Crédito, 302
Enron (companhia de energia elétrica), 37n
Época Negócios (revista), 32n, 45n, 167n, 336n, 338n, 348n

Equador, 179, 191, 307, 308, 336
Ernst & Young (empresa de consultoria), 37n
Escobari, Martin, 50n
Escola Americana (Rio de Janeiro), 29
Escola Superior de Cerveja e Malte (Blumenau), 292, 296
Escola Técnica Antarctica, 94
Eslováquia, 305
Espanha, 67, 198, 329
Espectador, El (jornal colombiano), 307
Espírito Santo, 86
"estabilizantes" em cervejas da AmBev, 296
Estação Espacial Internacional, 344
Estado de S. Paulo (jornal), 13, 90, 117, 119, 135n, 179n, 211, 254n, 327n, 338n
Estado Novo, 94
Estados Unidos, 13, 17, 25, 36-7, 40, 46, 64, 66, 69, 72-3, 75, 89, 91, 93, 99, 102-4, 155-6, 191, 199-203, 207-8, 231, 233-9, 241-5, 248, 250-5, 259-60, 262, 264-9, 271-2, 274-5, 277, 281-2, 284-7, 292, 300, 306, 308-10, 313, 320, 322, 328, 333-4, 337-9, 342, 345-6
Estrada Rio-Santos, 63
Estrella (cervejaria mexicana), 242
estupros, índice de, 323
Etiópia, 305
Euromoney (revista britânica), 10
Euromonitor (empresa de pesquisa), 268
Europa, 64, 90, 156, 195, 197, 199-200, 202-3, 208, 224, 228, 244, 252, 280, 291, 296, 305, 308, 310-1, 313, 334-6
Evercore (consultoria de bancos de investimentos), 340
Evrard, Pierre-Jean, 216
Exame (revista), 12, 60, 167, 185n, 270, 283n
extra special bitter (ESB), 277; *ver também* amargor de cervejas

F/Nazca (agência de publicidade), 214, 325
Fábrica Cyrilla (Rio Grande do Sul), 91n
Fábrica Nova Rio (Brahma), 151-2
Facebook, 294, 323-4, 328
Faculdade de Economia, Administração e Finanças de São Paulo, 94
Fagundes, Antonio, 211
Falconi, Vicente, 77-80, 86-8, 116n, 149, 151, 157
Faltermeier, Ernst, 304n
Farhi, Paul, 254
Farina, Elizabeth, 142
Faveco *ver* Corrêa, Flávio
Federal Alcohol Control Adminstration (Faca), 266
Federal Trade Comission, 126
Feigenbaum, Armand, 80n
Feitas para durar (Collins), 177
Felsky, Mércio, 124, 130

Femsa (engarrafadora mexicana), 100, 141, 199, 208, 295
Fenadisc (rede de distribuidores de produtos Skol), 132
Fernandes, Luiz Cezar, 31, 34, 41
Fernández González, Carlos, 243, 248
Fernández Rodríguez, Antonio, 242
Ferrari, Pri, 323-4
Ferreira Filho, Manoel Gonçalves, 126n
Ferreira, Fernando, 334
Ferro, Claudio Braz, 143n, 151
ferrovias, 39, 338
Festival da Cerveja Brasileira, 281
Fibria (empresa), 126n
Filadélfia (Pensilvânia), 243
Financial Times (jornal britânico), 14-5, 247-8
Fischer América (agência de publicidade), 214
Fischer, Eduardo, 64-5, 67, 214
flamengo (idioma belga), 198
Flamengo (time de futebol brasileiro), 111
Flandres (Bélgica), 198, 216, 228
Flores, Núbio, 108
Flórida, 249
Fluminense (time de futebol), 111
Fogagnoli, Roberto, 52
Folha de Londrina (jornal), 132n
Folha de S.Paulo (jornal), 128n, 133n, 164, 211, 213n, 255n, 289, 291, 293n, 296, 324n
Fonseca, João Bosco Leopoldino da, 123-4, 130, 137
Ford, 115
fórmula do Guaraná Antarctica, 92
Fórmula Indy, 41
Fortaleza (CE), 78
Fortis (banco), 253n, 263
Fortune (revista), 50, 69, 102, 328, 345
Foster's Lager (cerveja australiana), 308
França, 46, 67, 91, 196, 329
Franceschini e Miranda Advogados (escritório), 130
Franceschini, José Inácio, 131-2
Franco, Guilherme Arinos Barroso, 31
Franco, Itamar, 132
Franse Kroon (antiga cervejaria belga), 195
Fratelli Vita, 25
freezers especiais, 140
Fróes, Marcio, 165
frugalidade, cultura corporativa da, 63, 148
Fundação Christiano Ottoni, 77
Fundação Estudar, 35, 60, 219, 231
Fundação Getulio Vargas, 141, 173, 282
Fundação Zerrenner, 93, 96-7, 114, 116, 127, 134, 208, 306
futebol, 66, 94, 108, 128, 214

Gabel (antiga cerveja brasileira), 24

Gabriel, Robert, 227
Gafisa (construtora), 39, 338
Gallery, The (casa noturna carioca), 65
Gallo (cerveja guatemalteca), 190
Gambrinus (importadora norte-americana), 242
Gana (África), 305, 322
Garantia (corretora), 10, 31, 34; *ver também* Banco Garantia
García Mansilla, Agustín, 181, 189, 230
Garcia, Claudio (Claudão), 56, 149, 194, 226, 314
García, Juan Carlos, 309
Gardner Russo & Gardner (empresa de consultoria), 273, 324
Gasosa Limão (refrigerante), 25
Gazeta Mercantil (jornal), 131
GE Capital (serviços financeiros da General Electric), 347
geladeira, invenção da, 89-90
gelo, comércio de (anos 1890), 89-90
Geneal (empresa de carrocinhas alimentícias), 26
Genebra, 30
General Electric (GE), 61, 80n, 85, 346-7
Gente e Gestão, área de (Brahma), 83
"Gente" (cartilha da Brahma), 54
Gentil, Adolfo, 31
Georg Maschke & Cia (antiga cervejaria brasileira), 25
Georgia (EUA), 81
geração Z (nascidos de 1997 a 2012), 328
Gerdau (empresa), 34, 157
Gerdau Johannpeter, Jorge, 34
Gerenciamento pelas Diretrizes (GPD, Brahma), 87
gestão de qualidade da Brahma, 76-81
Getúlio Vargas (RS), 140
Gifford, William, 309
Gil, Gilberto, 65
Gilberto, João, 65
Gladstone Place Partners, 207
Glass, Charles, 304
Global Innovation and Technology Centre (GITec, Bélgica), 271
globalização, 119, 131, 139, 178, 230
Globo, O (jornal), 110n, 127, 220n, 294n
Globo, Rede, 9, 64, 66-7
Gobi, deserto de, 249
Goiânia (GO), 300
Goiás, 291
Goldman Sachs (banco), 11, 32, 79, 206
Gonçalves, Luiz Otávio Possas, 99
Google, 194, 285, 327, 342-4
Goose Island (microcervejaria norte-americana), 277-80, 283, 285-7
Goudet, Olivier, 313
"gourmetização" do universo da cerveja, 292-3

GP Investments, 39, 40, 104, 112, 114, 116, 338
Gracioso, José Heitor Attilio, 97, 114, 116n
Gradiente, 35
Gradus (consultoria de gestão), 120, 154-5
Grande Depressão (EUA, 1929), 93
Great American Beer Festival (GABF), 274
Gregg, Bruno, 39
Gregg, família, 10, 25, 48
Gregg, Hubert, 26-8, 38-9, 76, 99
Gregg, Hugo Paulo, 39
Gregg, Karl Hubert, 25
Gregg, William, 39
greve geral (Venezuela, 2002), 187
Grolsch (cerveja holandesa), 310
Gros, Francisco, 34
Grupo ABC (agência de publicidade), 66
Grupo Antarctica, 96; *ver também* Antarctica
Grupo Especial de Comércio (GECO), 39
Grupo Gonçalves-Guarany, 99
Guanabara (antiga cerveja brasileira), 25
Guanaes, Nizan, 66, 214
guaraná (fruto amazônico), 91-2
Guaraná Antarctica, 91-2, 134
Guaraná Cyrilla, 91n
Guaraná Fratelli, 25
Guarapari (ES), 86
Guarda Velha (antiga cerveja brasileira), 24
Guardian, The (jornal britânico), 198, 308, 313
Guarujá (SP), 222
Guarulhos (SP), 282
Guatemala, 190-1, 336
Guayaquil (Equador), 191
Guerras Napoleônicas, 196
Guerreiro, Ataíde, 131
Guia Quatro Rodas (revista), 129
Guimarães, Geraldo, 99
Guinness (cerja inglesa), 24, 202, 335
Gusmão, Roberto, 97, 116n, 127, 134
Gussie *ver* Busch, August Jr.
Guthys, Ryan, 287

Haddad, Claudio, 35, 41
Haegler, Alex, 29
Hall, Greg, 278
Hall, John, 277-80, 286
Hall, Michael, 274
Hamati, Cecília, 137
Hanseática (antiga cerveja brasileira), 25
Harf, Peter, 216, 273
Hato Nuevo (República Dominicana), 192
Healey, James, 256
Hecker, Alexander, 206, 208, 251
hectolitros, produção em, 73, 76-7, 87, 151-2, 185, 199, 201
hedge, estratégia de, 112n
Heineken (cervejaria holandesa), 100, 141, 154, 189, 196, 199, 201-3, 208, 221, 243, 273, 294-7, 306-7, 335, 340-1
Heineken, Henry Pierre, 196
Het Nieuwsblad (jornal belga), 216
Het Sas (cervejaria belga), 196
Hewitt, Alastair, 17
High Park Company (empresa de maconha canadense), 344
Hila (Hispanic Latin America), 194
Hill, Rick, 239, 243
hiperinflação, 27, 38, 96, 102
Hirschmann, Ambrósio, 90
Hoegaarden (cerveja belga), 228, 285
Holanda, 196, 205, 310
Honduras, 305, 336
Hong Kong, 223
Honker's Ale (cerveja artesanal norte-americana), 277, 280
Hopland Brewery (microcervejaria norte-americana), 277
hops, 297; *ver também* lúpulo
Horn, Luciano, 291-2
Hospital Santa Helena, 94
Hotel Hyatt (Washington), 247
Hotel Intercontinental (Rio de Janeiro), 99
Hotel Le Bristol (Paris), 206
HSBC (Hong Kong and Shanghai Banking Corporation), 34, 37n
Huck, Luciano, 213
Hungria, 311
Hypolito, Daniele, 65

"I Am a Craft Brewer" (vídeo do YouTube), 289
Ibope, 299
Ibovespa, 117
ICMS (Imposto sobre Circulação de Mercadorias e Serviços), 215
Idade Média, 96
Illinois (EUA), 235
Immelt, Jeff, 347
Império Austro-Húngaro, 237
Império do Brasil, 90
Imposto de Renda, 215
InBev (empresa brasileiro-belga), 13-5, 17, 58, 83n, 208-9, 213-5, 218-9, 221-3, 225-34, 244, 246-53, 255-65, 270-1, 274, 299, 306, 308, 317, 328, 347; *ver também* AB InBev
inclusão de minorias nas equipes da AmBev, 326
Incra (Instituto Nacional de Colonização e Reforma Agrária), 171
Independent, The (jornal britânico), 309
Índia, 178, 307
India Pale Ale (cerveja artesanal norte-americana), 280
indústria mundial de cerveja, 78, 178, 199, 229, 307

industrialização do Brasil (séc. XIX), 90
inflação, 27, 38, 77, 90, 95-6, 102, 124, 180, 219, 293
ING (banco), 253n
Inglaterra, 24, 91, 200, 228, 309-10, 313
Institutional Investor, 10
Instituto Brahma, 75
Instituto Brasileiro de Estudos de Concorrência, Consumo e Comércio Internacional (Ibrac), 142
Instituto Nacional de Ciência e Tecnologia (INCT), 126n
Interbrew (cervejaria belga), 13, 84, 178, 195, 197, 199-208, 210-4, 216, 218, 222-5, 227, 229, 244, 260, 265, 272, 299, 305, 308, 341, 348
"Internacionalização de empresas brasileiras no Mercosul: O caso Brahma" (Jiménz Candia), 179n
Invesco (corretora), 30
Ipanema (Rio de Janeiro), 29
Iriarte, Braulio, 242
Irlanda, 237
Isenbeck (cervejaria argentina), 190, 231-2
Issler, João Victor, 126n
IstoÉ Dinheiro (revista), 129
Itaguaí (RJ), 39
Itaim Bibi (São Paulo), 55, 113, 145
Itaipava, 141, 154, 215, 290, 295
Itália, 310, 329
Itaperuna (RJ), 109
Itaú BBA, 58
Itaú Unibanco, 58, 170

J.P. Morgan (banco), 160, 212, 253n
Jacareí (SP), 27, 76, 79, 104, 139
Jacquin, Erick, 65
Jaguariúna (SP), 149-50, 221
Japão, 46, 77, 243
Jardim, Lauro, 294n
JBS (empresa), 126n
Jell-O (sobremesa em pó), 337
Jiménz Candia, Rubén, 179n
Jobim, Tom, 65
Johannesburgo, 17, 304, 310, 317, 319, 322
joint venture, casos de, 104-5, 113, 115, 177, 188-9, 233, 305, 307, 344
"Jorge Paulo Lemann tira oito dúvidas de empreendedores brasileiros" (Instituto Empreendedor Endeavor), 41n
Jornal do Brasil, 30, 126
Jornal do Comércio, 24
Jornal Nacional (telejornal), 119, 122, 128
judeus, 96
Judiciário, Poder, 124, 131
Juiz de Fora (MG), 108
Jupiler (cerveja belga), 13, 195-6, 203

Jupille, castelo de (Bélgica), 196
Jupille-sur-Meuse (Bélgica), 196, 228
Justiça Federal, 153, 215
Justiça Federal de São Paulo, 153

Kaiser (cerveja brasileira), 9, 66, 71, 99-100, 103, 120, 122, 128, 130-41, 154, 221, 290, 295
Karnal, Leandro, 65
KBC Bank of Belgium, 216
Kellogg's, 329
Kesmodel, David, 248
Key West (Flórida), 262
Kgalagadi Breweries (cervejaria de Botsuana), 304n
Kirin (cervejaria japonesa), 46, 102, 141
Klaro (microcervejaria brasileira), 301
Knoedelseder, William, 238n, 272
Knopf, David, 338, 341
Kolynos, 115, 123n, 130
Kona Brewing Company (microcervejaria norte-americana), 278n
Kool-Aid (suco instantâneo), 337
Korn Ferry (consultoria de gestão internacional), 182
KPMG (empresa de consultoria), 37n
Kraemer, Peter, 241, 262, 270
Kraft Heinz (grupo alimentício norte-americano), 40, 275, 337-41
Kräftig (cervejaria artesanal norte-americana), 267
Kremer, Henrique, 283
Kronenbourg (cervejaria francesa), 46
Krüger (cervejaria belga), 196
Kruschke, Helena Mathilde Ida Emma, 92-3
Künning, família, 25, 38
Künning, Hans, 39
Künning, Johann Friedrich, 25
Künning, Paulo, 39

La Romana, praia de (República Dominicana), 192
Laager, Guilherme Rodolfo, 143n
Laan, Remmert, 205-6
Labatt (cervejaria canadense), 178, 199-200, 208, 212, 218-9, 221-2, 246, 255, 344
Lacerda, Thiago, 213
Lacta, 45-6
lager (padrão de cerveja), 195-6, 236, 238, 280, 296-7
Lamazière, Georges, 132
Lamont (cervejaria belga), 196
Lancashire (Inglaterra), 228
Langsdorff, Regina, 78
Larousse da cerveja (Morado), 281
Las Vegas (EUA), 72
lata de alumínio, primeira, 297

Latrobe Brewing Company (cervejaria norte-americana), 199
Lavery, Michael, 339
Lazard (gestora de recursos), 206-8, 251, 309
Leadership Performance and Change (LPC, Brahma), 82
Leal (antiga cerveja brasileira), 24
Leandro e Leonardo (dupla sertaneja), 111
Lech Brewery (cervejaria polonesa), 305, 311
Leco (Lemann & Company, fabricante de laticínios), 29
Leffe (antiga cervejaria belga), 196, 285
Lehman Brothers (banco), 14, 262
Lei da Pureza (Reinheitsgebot), 290-1
Lei Seca (EUA, 1920), 237-8, 266
Leitão, Miriam, 127
Leite, Rogério Cezar de Cerqueira, 289, 291-2, 296-7
Lemann, Jorge Paulo, 10-1, 19, 27-36, 38-46, 49, 54-5, 60, 63, 74, 83, 88, 104-5, 110, 114, 116n, 125, 141, 150, 166-7, 171, 174, 177-8, 189, 203-4, 207-8, 219, 231, 233, 246-7, 249, 252-4, 262-3, 275, 282, 315, 322, 328, 336-7, 339, 345, 348
Lemann, Paulo Alberto, 336
Lemann, Susanna, 249
León, família, 191, 193
Lesotho Brewing Company, 304n
Lesoto, 304
Leste Europeu, 196, 202
Leuven (Bélgica), 195, 201, 208, 210, 216, 223-4, 227-8, 271
levedura, 25n, 290
LGBT, população, 326
Líderes que Representam a Liderança do Futuro (Cia de Talentos, 2018), 328
Liège (Bélgica), 196
Lima (Peru), 191
Lima, Fernanda, 213
Lima Netto, Roberto, 99
Lindenberg, Paula, 324
língua da Bélgica, 198
Lipin, Steven, 207, 253, 257
Lisboa, Carlos, 336
Livingstone Partners (empresa de consultoria), 278
livre mercado, 125
Lobão, Luiz, 103
lobby da indústria cervejeira no Brasil, 289, 301-2
Lobby desvendado (Seligman), 301
logística, 80, 95, 122, 143, 148, 155, 164, 185, 207, 223, 242, 285, 295, 348
logomarca da Antarctica, 96
logomarca da Brahma, 52, 190-1
Logus (antiga cerveja brasileira), 24
Londres, 14, 34, 210, 273, 277, 305, 309, 314, 340
Londrina (distribuidora de Buenos Aires), 183
long neck, 297
Long, Denny, 241
López-Doriga, Joaquín, 226
Los Angeles, 336
Loures, Alexandre, 323
Luchetti, Maurício, 143n, 151, 172
Luján (Argentina), 182
Lula da Silva, Luiz Inácio, 38, 65, 209
lúpulo, 100, 229, 277, 287, 290-2, 294, 296-7, 312
Luxemburgo (Grão-Ducado), 181, 189

Macaé (RJ), 109
MacFarlane, Stuart, 210, 229
Machado, Antônio, 211
Maciel, Pedro, 114, 118, 153-6
MacIntosh, Julie, 14-5
Mackay, Graham, 304-5
maconha, mercado da, 344-5
Malard Advogados Associados (escritório), 130
Malard, Neide Teresinha, 129-30
malte de cevada, 181, 290
Maluti Mountain Brewery (cervejaria de Lesoto), 304n
Manaus (AM), 48, 92, 140, 161
Manchester (Inglaterra), 228
Manufactura de Cerveja Brahma, Villiger & Cia (1888), 25
Maradona, Diego, 65
Marathon (Flórida), 262, 267
Marcourt, Jean-Claude, 229
Margarita, ilha de (Venezuela), 187
Mariani, Pedro, 58
Marine Midland Bank (Londres), 34
Marinha do Brasil, 34
Marinha dos Estados Unidos, 284
market share, 66, 98-9, 102, 111, 141-2, 186, 267, 296
marketing, 9, 12, 14, 16-7, 46, 49, 52-3, 57-9, 63-6, 92, 109-10, 113, 126-7, 143n, 145, 170, 178, 181-2, 184, 187, 194, 199, 204, 213-4, 220, 226, 230, 239, 245, 248, 278-9, 281, 283, 285, 294, 298, 321-2, 324, 340-2, 346; *ver também* publicidade/publicitários
Marquês de Sapucaí, rua (Rio de Janeiro), 23, 25-7
Marte, projetos de cerveja em, 344
Martin, Adrienne, 261
Martin, Blake, 262
Martin, Kevin, 262
Maschke, Georg, 25
Mateus, Vicente, 111
Mato Grosso do Sul, 182
Matthews, John, 91
McCall (Idaho), 267
McCaskill, Claire, 255

McDonald's, 275
McGillivray, Roderick, 251
McKinnell, Henry, 256
McKinsey (empresa de consultoria), 126n, 329
Meantime (cerveja inglesa), 310
Meerloo, Hans, 199-200, 200n
Mehra, Naveen, 329
meio ambiente, 145, 151, 173, 223, 315, 337
Meio-Oeste americano, 104, 235
Melbourne (Austrália), 307
Melbourne Bitter (cerveja australiana), 308
Mendoza (Argentina), 181
Mendoza, família, 10, 185, 187
Mendoza Giménez, Lorenzo, 185
Mendoza Pacheco, Juan Lorenzo, 186
Menem, Carlos, 180
mercado brasileiro, 12, 25, 61, 100, 115, 130-1, 141, 160, 184, 194, 213, 215
mercado de trabalho, 29, 138, 325
mercado externo, 122, 140, 196
mercado financeiro, 30, 34, 36, 40, 55, 59-60, 88, 165, 167, 182, 204, 245, 251-3, 273, 333
Mercosul, 179
Mercury (cerveja australiana), 308
meritocracia, 11, 13, 16, 32-3, 42, 61, 84-5, 177, 194, 223, 225, 326
Mesbla, 55
Metropolitana (construtora), 31
México, 100, 183, 199, 241-3, 246, 269, 295, 315, 317, 322, 328, 336
Miami, 73
Michelin, restaurantes com estrela, 293
Michelob Ultra Pure Gold (cerveja orgânica da AB InBev), 272
microcervejarias, 78, 106, 200, 245, 274-5, 277, 279-81, 285, 287-8, 300-2
microcervejeiros, 270, 283, 289, 291, 302
Miguel, Adilson, 69, 108-10, 120, 143n, 152, 155-6
"milagre econômico" (Brasil, anos 1970), 95
milennials (nascidos entre 1981 e 1996), 328
milho usado em cervejas, 289-92, 294, 296, 312
Miller Brewing Company (cervejaria norte-americana), 14, 17, 102, 104-6, 117, 130, 177-8, 200, 240, 244, 305-7, 309; *ver também* SABMiller
Miller Genuine Draft (cerveja premium), 105
Minas Gerais, 56, 86, 99, 108
mineração, 312
Ministério da Agricultura, 171, 291
Ministério da Casa Civil, 209
Ministério da Ciência e Tecnologia, 126, 171
Ministério da Fazenda, 90, 130, 133, 209
Ministério da Justiça, 58, 124, 129-30, 132, 171
Ministério do Desenvolvimento, da Indústria e do Comércio Exterior, 171
Ministério do Trabalho, 130

Ministério Público, 215, 291
Minnesota (EUA), 243, 286
Miranda, Augusto Rocha, 90n
Mississippi Hansel-Zeitung (jornal), 235
Missouri (EUA), 235, 248, 254-5, 259
Mizuho (banco), 253n
Moçambique, 305
Modelo (cervejaria mexicana), 199, 241-3, 248-9, 251, 269, 315
Molson (cervejaria canadense), 100, 140-1, 199, 218, 221, 247, 307, 344
Mondelez (multinacional alimentícia), 329
monges produtores de cerveja, 196, 235
Mongólia, 249
Monsanto, 264n
Montana (EUA), 238
Montenegro, república de, 200
Mooca (São Paulo), 94, 97, 104, 144, 163, 343
Moody's (agência de classificação de crédito), 333, 335
Morado, Ronaldo, 281, 292
Moraes, Alinne, 213
Moraes, Vinicius de, 65
Moretti (cervejaria italiana), 199
Morgan Stanley (banco), 113-4
Motte Cordonier (cervejaria francesa), 196
Moyano, Hugo, 232
Moyano, Pablo, 232
Muhleman, Douglas, 246
mulher, violência contra a, 321
mulheres consumidoras de cerveja, 324-5
mulheres, carreira e remuneração de, 325
Munich (cerveja), 189
Musk, Elon, 328

Nabisco Group Holding, 256
Nany People (artista), 65
Nascimento, Alberto, 300-1
Nascimento, Asdrúbal do, 90n
Nascimento, Luiz Cláudio (Pantera), 47, 51
"naturais", alimentos, 294-5
Nelson, Alex, 344
nepotismo, 241
Nestlé, 275, 327
Neves, João Castro, 44, 114, 120, 137, 153, 219, 231-2, 267, 272, 282, 345
New Orleans, 278
New York Times, The (jornal), 128, 140, 253n
Nicarágua, 191
Nigéria, 319, 322
Nike, 191
Nobre, Dudu, 65
Nogueira, Marcos, 293
Nomura (banco japonês), 305
Nordeste brasileiro, 70, 73, 103, 134, 149, 295
Norte (cerveja argentina), 181

Northern Brewer Homebrew Supply (empresa norte-americana), 286, 344
"Nos bastidores da bolsa" (coluna de Lemann no *Jornal do Brasil*), 30
nota de crédito da AB InBev, 335
nota de crédito da InBev, 251
Nova Estrutura: Reinventando sua empresa (Guimarães, Rechtman e Lima Netto), 99n
Nova Friburgo (RJ), 109
Nova Schin (cerveja), 213-5, 290; *ver também* Schincariol
Nova York, 200, 207-8, 233, 236, 243, 246-7, 254, 257, 261, 263, 268, 273, 318, 324, 335, 338
Novo Brazil (cerveja da família Carneiro em San Diego), 284
noz-de-cola, 91
"Número 1, A" (slogan da Brahma), 52, 60-1, 64-7, 111, 184, 185

OAB (Ordem dos Advogados do Brasil), 133, 135
Obama, Barack, 259, 328
Oceano Azul (redução de custos da AB), 246, 248
Odebrecht, 12
Ohlsson's Brewery (cervejaria sul-africana), 304
Oi (operadora), 39, 126n, 338
Oktoberfest, festas de, 101, 301
Olinda (antiga cerveja brasileira), 24
Oliva, José Victor, 65-7
Oliveira, Darcio, 45n
Oliveira, Gesner, 124, 130-1, 133, 136-9
Oliveira, Paulo Afonso Martins de, 129
Oliveira, Thomás, 296
Omission Beer (microcervejaria norte-americana), 278n
omnichannel (canais on-line e off-line), 342
Onaga, Marcelo, 211
"open office", modelo, 227
Operação Cevada (2005), 215
Operação Tango (1996), 103
Orçamento Base Zero (Brahma/AmBev), 81, 221, 223, 225, 264-5, 329, 339-40
Oregon (EUA), 191
Oriente Médio, 96
Originale (microcervejaria brasileira), 301
Orlando (Flórida), 72, 242
Orleans, Amadeus, 284n, 340
Oscar Mayer (empresa alimentícia norte-americana), 338
Ouro Fino (cerveja), 188
Owl's Brew (empresa de misturadores), 286
Oxxo (cafeterias mexicanas), 341

Pacífico (cervejaria mexicana), 242
Pacto Andino, 179
Pacto de Punto Fijo (Venezuela), 187
Paiva, Bernardo, 56, 73, 182-4, 297, 326, 336
Palácio do Planalto, 209
pale ale (padrão de cerveja), 277
Palermo (cervejaria argentina), 181
Palmeiras (time de futebol), 111
Palmer, Danilo, 47, 104, 116n
Palocci, Antonio, 209
Panamá, 307-8, 336
Pandolpho, Humberto, 120, 128-9, 131-2, 134, 137, 139
Pantera *ver* Nascimento, Luiz Cláudio
Paraguai, 138, 179-80, 185, 188-9, 191, 230, 271, 328
Parc des Princes (Paris), 67
Paris, 67, 73, 189, 206
Pasadena (Califórnia), 236
Patagonia Weisse (cerveja argentina), 285
Patel, Ebrahim, 312
Patricia (cerveja uruguaia), 188
Patrício, Miguel, 143, 185, 226
PCP (Planejamento e Controle de Produção), 57
Peacock, David (Dave), 233-4, 240, 246, 248-9, 254, 257-62, 264, 268-9, 272-3, 279
Pemberton, John, 91
Pensilvânia (EUA), 243, 269
PepsiCo, 15, 102, 130, 191
Pepsi-Cola, 102-3, 181
pepsina (enzima), 91
Pequenos gigantes: As armadilhas do crescimento empresarial (Burlingham), 281
Perdigão, 158
Pereira, Águeda Maria L., 164
Pereira, Edgard, 130
Pereira, Paulo, 114, 118, 120
Pérez, Carlos Andrés, 186
Perón, Juan Domingo, 181
Peroni (cerveja italiana), 310
Persadh, Shobna, 15, 317, 320
PERT (Program Evaluation and Review Technique), 56
Peru, 191, 307-8, 328, 336
Pesquisa Thomás (AmBev), 296
Petrobras, 12, 170
petróleo, 40n, 347
Petrópolis (RJ), 94, 141, 283, 295
Pfizer, 256
Philip Morris (empresa de tabaco), 14, 58, 240, 306
PIB belga, 198
PIB brasileiro, 95
PicoBrew (empresa de máquinas), 286
Picolotti, Hamilton, 153
Piedboeuf (cervejaria belga), 195-8, 204
Piedboeuf, família, 196
Piedboeuf, Jean-Théodore, 196
Pilsen (cerveja argentina), 188
Pilsen (cidade na Boêmia), 195

Pilsner Urquell (cervejaria tcheca), 305, 311
pilsner/pilsen (padrão de cerveja), 195-6, 280, 293, 298, 302
Pimenta, Gustavo, 44, 56, 104, 178, 180, 182, 184, 188, 191
Piper Jaffray (multinacional de serviços financeiros), 339
Piracicaba (SP), 290
Plan, Do, Check and Act (PDCA, Brahma), 87-8, 146
Plano Cavallo (Argentina, 1992), 180
Plano Cruzado (1986), 96
Plano Real (1994), 96, 125
planos econômicos (Brasil, anos 1980), 27
Polar (cervejaria brasileira), 95, 138-9
Polar (cervejaria venezuelana), 10, 179, 185-7
Polícia Federal, 77, 131-2, 215
Polônia, 305, 308, 311
POP List 2018, pesquisa, 301
Porter (cerveja inglesa), 24
Portland (Oregon), 191
Porto Alegre (RS), 48, 75, 185
Porto Rico, 307
Powell, Hugo, 200-1
Preiss Häussler & Cia Cervejaria Teutônia (antiga cervejaria brasileira), 25
Presidência da República, 124
Presidente (cerveja dominicana), 191-2
Previ (Caixa de Previdência dos Funcionários do Banco do Brasil), 212-3, 216
previdência privada, 27, 47
PricewaterhouseCoopers (empresa de consultoria), 37*n*
Priestley, Joseph, 91
Primeira Guerra Mundial, 237
primeiras marcas de cervejas brasileiras (década de 1860), 24
Prins Karel (antiga cervejaria belga), 195
private equity, fundos de, 39-40, 278
PRN (Partido da Reconstrução Nacional), 38
processos trabalhistas, 169-70
Programa Be The Mentor (SAB/AB InBev), 320
Programa de Excelência em Revendas (Brahma), 71, 74-5, 80, 183; *ver também* revendas/revendedores
Programa de Excelência em Vendas (Brahma), 76
Programa de Excelência Fabril (PEF, Brahma), 80, 86, 151-2
Programa de Produtividade das Revendas (PPR), 155
Programa Tô Contigo (AmBev), 299
Progres (empresa de propaganda), 96
Projeto 75-20 (AmBev), 151-2
Projeto Biomassa (AmBev), 173
Projeto Forró (Brahma), 73-6, 154
Projeto Imperador (Coca-Cola), 103

propósitos e missões (vocabulário corporativo), 337
protecionismo, 179
Provincia de São Paulo, A (jornal), 90
PT (Partido dos Trabalhadores), 38
Public Investment Corporation (empresa sul-africana), 310
publicidade/publicitários, 9, 58, 64, 66, 119, 128, 239, 242, 323, 337
PUC-Campinas (Pontifícia Universidade Católica), 23
PUC-Rio de Janeiro (Pontifícia Universidade Católica), 231
PUC-São Paulo (Pontifícia Universidade Católica), 152
Punta Cana, praia de (República Dominicana), 191
Pure Blonde (cerveja australiana), 308
"puros", alimentos, 294-5

QIB (Quilmes Internacional Bermuda), 189
qualidade da Brahma, gestão de, 76-81
Qualidade Total, 80, 86
Quaye, Andrea, 14, 322
Quênia, 305
Quilmes (cervejaria argentina), 10, 179-81, 184, 188-90, 211, 230-4
Quilmes Rock (festival), 232
Quiñenco (empresa de investimento), 180*n*
Quinsa (holding), 181, 189
Quito (Equador), 191

racismo, 164
Radiobrás, 138
Raí (jogador), 67
Ramones, Adal, 191
RateBeer (plataforma), 285
RCTV (rede televisiva venezuelana), 187
Receita Federal, 215
recessão econômica global (anos 1930), 93
Rechtman, Marcos, 99*n*
Recife (PE), 73-5, 96, 154
Redhook Ale Brewery (microcervejaria norte-americana), 278*n*
Reed, John, 115
refrigerantes, 9, 23, 25, 91-2, 99-100, 102-3, 111, 116, 118, 143*n*, 144, 148, 219, 231, 238, 287, 335
Reichert, Silvio Luiz, 289-90, 296
Reinheitsgebot (lei alemã) *ver* Lei da Pureza
Reino Unido, 251, 304, 308, 313, 329; *ver também* Inglaterra
remuneração, sistemas/modelos de, 11, 26, 32, 37, 47, 82-4, 151, 157, 161, 185, 216, 223, 225, 264, 268, 308, 318, 325, 328
Renault, 106, 199

rentabilidade, 10, 74, 81, 208, 264, 299, 335
Repôster (campanha da AmBev no Facebook), 324-5
República Dominicana, 191-2, 336
República Tcheca, 195, 236, 305, 308, 311
Resende (RJ), 70
Restaurante Dom Francisco (São Paulo), 131
Reunião de Desempenho Comercial (RDC, Brahma), 85
Reunião Gerencial de Desempenho (RGD, Brahma), 85
revendas/revendedores, 51, 64, 69-76, 98, 101, 109, 114, 119, 132, 143n, 152-7, 163, 183, 266
Revolução de Março (Alemanha, 1848), 235
Revolução Francesa, 196
RH (Recursos Humanos), 23, 47, 49-50, 54, 56-7, 59, 83, 144, 146, 165, 169, 197
Ribeirão Preto (SP), 140, 284
Rinaldini, Luis, 207
Rio Claro (SP), 25n
Rio de Janeiro, 9, 23-5, 29, 34, 39, 45, 48, 55-6, 59, 65, 70, 75, 77-8, 86, 94, 97, 99, 104-5, 108, 111, 147, 151, 153, 161, 180, 186, 204, 219, 246, 283, 301, 318
Rio Grande do Sul, 91n, 95, 172, 180, 185
RIS (relações com investidores), 160
Ritter, família, 25, 38
Ritter, Jerry, 242
Rittes, Ricardo, 251
Ritz-Carlton Hotel (Cancún), 246
Roberto Carlos (cantor), 65, 73
Rocco, Ricardo, 171
Rocha, Jorge, 182
Rocha, Theo, 325
Rodriguez, Magim, 9, 11, 45-7, 50-2, 54, 59-61, 64-8, 74, 76, 79-80, 84-6, 88, 109, 111, 118, 120, 134, 143, 145, 149, 165-6, 172, 182, 184, 186-7, 193-4, 207, 214, 328
Roland Garros (torneio de tênis), 29
Rolling Rock (cerveja norte-americana), 199
Rolling Stones, The, 65
Roma, Sandro Luiz Costa, 160n
Romano, Hebe, 124, 129-30, 132, 137-40, 298
Romário (jogador), 65, 67
Romênia, 305, 311
Ronaldo (jogador), 191
Roosevelt, Franklin D., 266
Roosevelt, Theodore, 236
Rosa (antiga cerveja brasileira), 24
Rossi, Ronaldo, 287-8, 302
Royal Bank of Scotland, The, 253n
Rugai, Ricardo, 238
Russell Reynolds Associates, 58, 171
Rússia, 40, 200
Russo, Thomas, 272-3, 324

SABMiller (cervejaria afro-inglesa), 14-5, 17, 85, 202-3, 208, 244-5, 247, 258, 304, 306-10, 312-5, 317, 319, 322, 333-4, 341; *ver também* South African Breweries (SAB)
Saccaromyces uvarum (levedura), 25n
Sadia, 158
salas de venda da AmBev, 162-5, 169, 220-1, 343
Salgado, Lucia Helena, 106, 124, 130-1, 213, 299
Salles, Mauro, 117-8, 125
Salmon River (cervejaria artesanal norte-americana), 267
Salomão Filho, Calixto, 126n
Salus (empresa uruguaia), 188
Salvador (BA), 46, 72, 140
Sambódromo da Marquês de Sapucaí (RJ), 23, 64-5
Samlesbury (Inglaterra), 228
Sampaio, Teodoro, 90n
San Diego (Califórnia), 282, 284
Santa Catarina, 130, 165, 180, 281
Santa Maria (antiga cerveja brasileira), 24
Santa Maria (RS), 172
Santacruz, Ruy, 122-4, 126, 128, 130, 138, 141-2, 299
Santander, 170, 253, 253n
Santo Domingo (República Dominicana), 192
Santo Domingo, família, 306-7, 309, 334
Santo Domingo, grupo (Colômbia), 10, 14
Santos (SP), 63, 89
Santos, Silvio, 65
São Paulo, 42, 50, 52, 59, 65, 76, 79, 89, 92-4, 97, 99, 105, 113-4, 116, 137, 145, 149, 153, 163, 194, 208, 210, 221-3, 282, 284-5, 288, 301, 306, 323, 336
Sapporo (cervejaria japonesa), 46
Sarmento, Armando, 99
Sarney, José, 77, 96, 126, 171
SaveAB.com (site), 254
SaveBudweiser.com (site), 254
Sávio (dono de bar), 282
Sayeg, Ricardo, 152
SBT (Sistema Brasileiro de Televisão), 318
Scarpa, Chiquinho (filho), 25n
Scarpa, Francisco (pai), 25n
Schin (cerveja brasileira), 141, 154, 213
Schincariol (cerveja brasileira), 71, 99-100, 119, 122, 135, 213-5, 295, 299
Schirmer, Cezar Augusto, 172
Schlafly (cervejaria norte-americana), 267
Schlitz (cerveja norte-americana), 239
Schneider, George, 235
School of Business (Stanford), 220
Schultz, Howard, 346
Schumacher, Herbert, 291
Schwarzenegger, Arnold, 65
Schweppes (empresa suíça), 201

SDE (Secretaria de Direito Econômico), 127, 133-5, 215, 299
Seae (Secretaria de Acompanhamento Econômico), 133-5, 215
SeaWorld (parque temático), 242, 264
Sebrae (Serviço Brasileiro de Apoio às Micro e Pequenas Empresas), 300
SEC (Securities and Exchange Commission), 338-9
Secretaria Nacional de Direito Econômico (SNDE), 124
Segunda Guerra Mundial, 94, 103
Segundo Reinado, 25
segurança social, 174
Seligman, Graça, 172
Seligman, Milton, 58, 171-4, 301
semiárido brasileiro, 327
Senado do Brasil, 124, 135, 153
Senado dos Estados Unidos, 255
Sergipe, 75
Serralvo, Amauri, 135-6, 139
Shamu (baleia), 242
Shangai, 336
Shell, 219
Shoptime (comércio eletrônico), 285
Short, Tony, 278
Sicupira, Carlos Alberto (Beto), 10, 19, 34-7, 39-42, 45-6, 49, 54, 114, 116n, 167, 171, 174, 178, 207-8, 233, 246, 275, 322, 336-7, 345
Siegel, Robert E., 284n, 339, 348
Silva, Anderson, 98
Silva, José Carlos Ramos da, 31
Silva, José de Maio Pereira da, 116n
Sindicado Nacional da Indústria da Cerveja (Sindicerv), 101
Sistema de Autoavaliação de Eficiência Hídrica (SAVEH, AmBev), 327
Sistema de Desempenho Gerencial (SDG, Brahma), 85
Sivachelvam, Saranja, 334
Skol (cerveja brasileira), 23, 25, 27, 66, 70-1, 73, 75-6, 98-100, 111, 114, 123, 131-4, 152, 154-6, 163, 190, 290, 292, 294, 323, 324n, 325-6
Skol Beats, 297
Skol Gela Fácil, 297
Skol Hops, 297
Slerca, Mário, 27, 35
SMP&B (agência de publicidade), 9, 64
Snow (cerveja chinesa), 305, 309
Soares, Aírton, 132
Soares, Claudia Elisa, 167
Sociedade Americana para o Controle de Qualidade, 80n
soda fountain (aparelho norte-americano), 91
Soda Limonada (Antarctica), 91
Soir, Le (jornal belga), 211, 222, 227-8, 229n

sommeliers de cerveja, 287, 291, 293
sonegação de impostos, 215
sonho americano, 236
Sonho grande: Como Jorge Paulo Lemann, Marcel Telles e Beto Sicupira revolucionaram o capitalismo brasileiro e conquistaram o mundo (Correa), 28n
South African Breweries (SAB), 14-8, 140, 244, 304-11, 313-6, 318, 320-2, 330, 333-5; *ver também* SABMiller (cervejaria afro-inglesa)
Southdown (cimenteira norte-americana), 156
Souza Cruz (empresa de tabaco), 131, 172
Spencer Stuart (empresa de consultoria), 58
Square Mile Cider (microcervejaria norte-americana), 278n
St. Louis (Missouri), 69, 104, 235-41, 243-4, 249, 254, 256, 259-61, 264n, 265, 267-8, 270-1
St. Peters (Missouri), 248
Staehle, Julius, 90
Stampa (antiga cerveja brasileira), 24
Starbucks (cafeterias norte-americanas), 346-7
Starship Technologies (veículos de entrega robotizada), 286
startups, 39, 42, 172, 285, 337, 342
Staub, Eugênio, 35
Stella Artois (cerveja belga), 13, 195-6, 198, 211, 221, 224, 246, 267, 291, 328, 340
Stella Maris (Salvador), 46
Stichting AK Netherlands (holding holandesa), 208, 306
Stirling, Trevor, 221, 263, 273, 291
Stoffer (antiga cerveja brasileira), 24
Stokes, Patrick, 234, 244-5, 259
Stone Brewing (microcervejaria norte-americana), 289
Stop Hunger Now Southern Africa (SHNSA), 320
Strongbow (cerveja australiana), 308
Suazilândia, 304
Submarino (comércio eletrônico), 39, 285
Suíça, 30
Sukita, 25
SulAmérica, 27-8, 35, 37
Sull, Donald N., 50n
Sullivan & Cromwell (escritório de advocacia), 250, 257
Sul-Riograndense (antiga cerveja brasileira), 25
Superior Tribunal de Justiça (STJ), 215
Suprema Corte (EUA), 37n
sustentabilidade, 173, 279, 326-7, 329, 341, 344
Suzano (empresa), 34
Szpigel, Felipe, 287

Tadeu, Ricardo, 60-1, 153, 219, 269, 315, 317-20, 322, 346
Taft, William Howard, 236
Talentos (programa da AmBev), 57

Tampa (Flórida), 239, 249, 253
Tanure, Betania, 168
Tanzânia, 305, 322
Tata (mineradora indiana), 178
tecnologias limpas, 173
Teculután (Guatemala), 190
Tele Norte Leste, 39, 338
Telemar, 39, 338
Telles, Marcel Hermann, 9-11, 19, 34-5, 39-42, 44-7, 49-52, 54-5, 58-9, 61-2, 64-6, 68-9, 71-4, 76-81, 85, 88-9, 98, 101-3, 105-7, 109-10, 112-8, 120, 122-3, 125, 128, 137, 141-2, 146, 151, 160, 165-7, 171-2, 174, 177-81, 186, 188-9, 193, 198-9, 203, 207-8, 210, 216, 219-20, 233, 246-7, 253, 261-2, 265, 275, 279, 322, 328, 336-7, 345
Temer, Michel, 302
"Tênis na vida de Jorge Paulo Lemann, O" (Instituto Tênis), 30n
teor alcoólico de cervejas da AB InBev, 269-70
Termo de Compromisso de Desempenho (AmBev-Cade), 140
tetra-hidrocanabinol (THC), 344
Texas (EUA), 242
Texas Instruments (empresa norte-americana), 81
Thijs, Johnny, 200
Thompson, Roberto, 114, 116n, 205-6, 209, 276, 308-9, 347
Thorpe, Simon, 233-4
Tiffany (joalheria), 201
Tijuca (Rio de Janeiro), 23, 27, 37
Tilray (empresa farmacêutica canadense), 344
Toledo Lara, Antonio de, 90n
Total Quality Management, 80n
Touche Tohmatsu Auditores, 117
townships (áreas pobres sul-africanas), 311, 321
Toyota, 80
trainees, 54-7, 59, 62, 83-4, 104, 111, 165-6, 322, 325-6, 328-9
Trampler, Christine, 262
trapista (ordem monástica), 196
Travelers Group, 115
Tribunal de Contas da União, 129
Tribunal Regional do Trabalho de Santa Catarina, 164-5
trigo usado em cervejas, 228, 290-2
Trikamjee, Nirishi, 16-7
tripé da gestão (AB InBev), 87
Tucumán (Argentina), 181
Tupinambás (time de Juiz de Fora), 108
Twitter, 279
Tyskie Brewery (cervejaria polonesa), 305, 311
Tyson, Mike, 54

Uberaba (MG), 129

Ucrânia, 200
Uganda, 305
União Europeia, 313
União Nacional de Estudantes (UNE), 127
Unilever, 275, 329, 338
Universidade AmBev, 75n
Universidade Brahma, 75
Universidade de Chicago, 17
Universidade de Illinois, 231
Universidade de São Paulo (USP), 35, 126n, 290
Universidade Disney, 75
Universidade do Arizona, 243
Universidade Estadual de Campinas (Unicamp), 60, 126, 289-90
Universidade Federal do Rio de Janeiro (UFRJ), 34, 219
Universidade Harvard, 29-31, 42, 60, 156, 318
Universidade Stanford, 16, 47, 219-20, 265, 339
Universum (empresa de consultoria), 328
Ursus (cervejaria romena), 311
Uruguai, 116, 138, 162, 179-81, 185, 188-9, 230, 271
USA Today (jornal), 268
Uviedo, Eva, 325

Vale (mineradora), 178
Vale do Silício (Califórnia), 329
Valença (RJ), 153
Valônia (Bélgica), 196, 198, 229
"Vamos à luta!" (livreto da Brahma), 52-4
van Damme, Albert, 196, 203-4
van Damme, Alexandre, 200n, 203-4, 206-7
Van Damme, família, 196-7, 306
van Damme, Jean, 204
van Roy, Karin, 197-8, 201, 210, 225, 229-30
Van Waesberghe, Willem, 294
varejistas, 10, 36, 55, 120, 266, 277, 339, 342, 345
Vargas, Getúlio, 31, 94, 103
Vaz, Isabel, 126n
Vegini, Bruno, 292, 296
Veja (revista), 123n
Velásquez, Ramón José, 186
Veloso, Caetano, 65
Venezuela, 10, 74, 116, 177, 179, 185-8, 194, 269
Vergara, Juan, 58, 143n, 155, 194, 226
Versoso (antiga cerveja brasileira), 24
Verstl, Ina, 304n
Vespasiano (MG), 103
Vésper, 31
Vicente Falconi — O que importa é o resultado: O professor de engenharia que revolucionou o modelo de gestão no Brasil (Correa), 68n, 80n
Victoria (cervejaria mexicana), 242
Victoria Bitter (cerveja australiana), 308
Vidal, Antônio Bento, 93
Vieira, Mauro, 232

Villiger, Joseph, 25
vinho, 67, 91, 202-3, 242, 287
violência contra a mulher, 321
"Viva Redondo" (campanha da Skol), 323, 326
Volkswagen, 115
Volta Redonda (RJ), 103
von Bülow, Adam, 89-90
Voyager Plant Optimization (VPO), 151, 222

Wakswaser, Daniel, 283
Wales, Garrett, 300
Wall Street (Nova York), 246, 251, 278
Wall Street Journal, The, 248
Walmart, 36, 79, 337
Wäls (cervejaria artesanal brasileira), 281-3, 285, 288
Walton, Sam, 36
Warsteiner (cervejaria alemã), 46
Washington Post, The (jornal), 254
Washington, D.C., 247
Wauters, Diane, 329
Weill, Sanford, 115
Welch, Jack, 85, 347
Werneck, Dorothea, 77
Wicked Weed Brewing (cervejaria artesanal norte-americana), 287
Widmer Brothers Brewery (microcervejaria norte-americana), 278n
Willis, Brent, 233

Wimbledon (torneio de tênis), 29
Wood, Ron, 65
World Beer Cup, 274
WTAS (subsidiária do HSBC), 37n
Wuerkert, Ricardo, 179, 182

xaropes gasosos (séc. XIX), 91
Xingu (cerveja brasileira), 141, 295
Xuxa (Maria da Graça Meneghel), 60, 65

Young & Rubicam (agência de publicidade), 64
YouTube, 289, 315
Yunus Negócios Sociais (ONG), 327
Yunus, Muhammad, 327

Zâmbia, 305
Zanetti, Arthur, 65
Zeca Pagodinho, 65, 213-4
Zerrenner, Antônio, 89-90, 92-3, 103-4, 114
Zerrenner, Bülow & Cia (escritório de representação comercial), 89
Zezé di Camargo e Luciano (dupla sertaneja), 111
Zimbábue, 305
Zorzato, Fátima, 32, 48, 58, 61, 171
Zuckerberg, Mark, 328
Zuma, Jacob, 311
zx Ventures (braço da AB InBev), 284-6, 324, 329, 343-4, 346
zxelerator (programa de incubação), 286

TIPOGRAFIA Arnhem Blond
DIAGRAMAÇÃO Osmane Garcia Filho
PAPEL Pólen, Suzano S.A.
IMPRESSÃO Lis Gráfica, outubro de 2025

A marca FSC® é a garantia de que a madeira utilizada na fabricação do papel deste livro provém de florestas que foram gerenciadas de maneira ambientalmente correta, socialmente justa e economicamente viável, além de outras fontes de origem controlada.